遼金歷史與考古

第十二辑

辽宁省博物馆　辽宁省辽金契丹女真史研究会　编

科学出版社
北京

内 容 简 介

本书涉及考古发现与研究、历史研究、文物研究、碑志研究、综述等5个栏目，刊登辽金史研究原创性学术论文36篇。其中，考古发现与研究论文6篇，包括辽代墓葬考古发掘简报、辽金墓制与城址研究等；历史研究10篇，多结合传世文献史料和考古资料对辽金史重点难点问题进行研究探讨；文物研究8篇，对近年出土的辽金文物进行深入分析和研究；碑志研究6篇，为本书的常设特色栏目；综述6篇。

本书适合文物考古研究工作者及大专院校师生参阅。

图书在版编目（CIP）数据

辽金历史与考古. 第十二辑 / 辽宁省博物馆，辽宁省辽金契丹女真史研究会编. —北京：科学出版社，2021.12

ISBN 978-7-03-071088-8

Ⅰ. ①辽… Ⅱ. ①辽… ②辽… Ⅲ. ①中国历史—研究—辽金时代 ②考古—研究—中国—辽金时代 Ⅳ. ① K246.07 ② K871.44

中国版本图书馆 CIP 数据核字（2021）第263424号

责任编辑：王琳玮 / 责任校对：邹慧卿

责任印制：肖 兴 / 封面设计：北京美光设计制版有限公司

科 学 出 版 社 出版

北京东黄城根北街16号

邮政编码：100717

http://www.sciencep.com

中国科学院印刷厂 印刷

科学出版社发行 各地新华书店经销

*

2021年12月第 一 版 开本：787×1092 1/16

2021年12月第一次印刷 印张：22 1/2

字数：534 000

定价：238.00 元

（如有印装质量问题，我社负责调换）

《辽金历史与考古》编委会

目　　录

考古发现与研究

历 史 研 究

文 物 研 究

碑志研究

综　述

辽金历史与考古·第十二辑

考古发现与研究

辽代显陵、乾陵考古发现述略

张桂霞　李宇峰

内容提要：辽代帝陵考古与研究工作始于清末，是辽代历史与考古的重要课题之一，长期以来一直备受学术界的关注与重视。地处辽宁北镇市医巫闾山的显陵与乾陵的考古发现与研究起步虽晚，但进入21世纪以来，所取得的丰硕成果引人注目。辽代显陵、乾陵的考古工作大致可以分为20世纪30年代、1949年至20世纪末、21世纪至今三个阶段，本文通过对辽代显陵、乾陵考古发现述略，略陈己见，愿与关心辽代帝陵考古工作的学术界同仁共勉。

关键词：辽代　显陵　乾陵　考古发现

辽代共有五处帝陵，其中显陵与乾陵均在辽宁省北镇市医巫闾山麓。显陵是被追封为义宗的辽太祖长子耶律倍之陵，其子世宗祔葬于此。乾陵为景宗之陵，天祚帝祔葬于此。从此辽宁北镇市医巫闾地区成为辽代帝陵之一而受到重点保护，并设显州与乾州作为奉陵邑守护帝陵。长期以来，笔者一直关心辽代显陵、乾陵的考古发现与研究进展，现以调查发掘的时间先后为线索，对辽代显陵、乾陵的考古发现试作述略，以求与学术界同仁共勉。

一、显陵、乾陵的考古工作

（一）20世纪30年代

据《金毓黻辽金研究学术年谱》[1]记载，金毓黻分别于1933年11月13日及1934年10月12日两次赴辽宁北镇市医巫闾山考察东丹王耶律倍王陵及琉璃寺与望海堂，并发现了刻有“让国皇帝”等字的残碑、石翁仲、石羊等，据此金毓黻认为琉璃寺遗址即东丹王耶律倍的显陵玄宫所在[2]。让国皇帝是耶律倍之子辽世宗追封其父的谥号。让国皇帝谥号在景宗乾亨三年（981）的《张正嵩墓志》见及“……时让国皇帝在储君”[3]。志文中

1　杨雨舒：《金毓黻辽金史研究学术年谱》，《辽金西夏研究（2012）》，同心出版社，2012年，第135页。

2　金毓黻：《东丹王陵考察记》，《满洲学报》1934年第3卷。

3　罗福颐辑：《满洲金石志》，满日文化协会印行，1937年。

的“让国皇帝”，“储君”皆指耶律倍。

（二）1949年至20世纪末

1970年6月，在辽宁省北镇市富屯街道龙岗村村民张少英家房后挖地道时发现两座辽墓，其中一号墓为耶律宗政与秦晋国妃的合葬墓，二号墓为耶律宗允墓，两墓共出土三方墓志，据墓志记载，两墓均为辽乾陵的陪葬墓。1972年，辽宁省博物馆派孙守道、姚义田前往调查，并手抄了耶律宗政、秦晋国妃、耶律宗允三方墓志志文，后又应陈述之请求，将志文提供给他，在《全辽文》[4]里发表。1975年，又在此地发现了三号壁画墓，辽宁省博物馆派李庆发、姜念思、张克举、方殿春前往调查，对三座墓进行测图拍照。1987年6月，由辽宁省文物考古研究所张克举主持发掘了耶律宗政、耶律宗允墓，并将墓志拓回。1997年将墓志取出后回填，《北宁龙岗辽墓》发掘简报及三方墓志拓片于2003年首次发表[5]。

1980～1983年，在第二次全国文物普查期间，锦州市文物普查队在北镇市富屯乡新立村和龙岗子村及其附近发现一批与显陵、乾陵有关的辽代建筑遗址，其中最重要的是新立建筑遗址和琉璃寺西山遗址[6]，现均为辽宁省文物保护单位。

1982年，第二次全国文物普查期间在北镇市鲍家乡高起村发现了屡遭盗掘破坏的耶律宗教墓，1991年5月17日至6月4日抢救清理发掘，出土一方墓志，并在志盖内阴刻契丹小字志文千余字。耶律宗教卒于兴宗重熙二十二年（1053），这是目前所知出土契丹小字石刻中年代最早的例子，弥足珍贵。在简报发表[7]的同时发表了闫万章关于契丹小字志文的考释文章[8]。

（三）21世纪至今

从2012年起，受辽宁省文物局委托，辽宁省文物考古研究所主持开展了北镇市医巫闾山辽代帝陵专项考研调查，并取得重要进展和阶段性丰硕成果。2015年在北镇市富屯街道洪家街发掘了道宗寿昌二年（1096）的耶律弘礼墓[9]。2016年，在同一地点附近又发掘了道宗咸雍九年（1073）的耶律弘仁墓[10]、圣宗统和二十九年（1011）的韩德让墓[11]。另外，辽宁省文物考古研究所分别于2015～2017年对北镇市新立辽代建筑遗址、2016～2017年对北镇市辽代琉璃寺遗址、2017年对北镇市小河北墓地进行了考古发掘，

4 陈述辑校：《全辽文》，中华书局，1982年，第156、183、193页。

5 张克举：《北宁龙岗辽墓》，《辽宁考古文集》，辽宁民族出版社，2003年，第112页。

6 国家文物局主编：《中国文物地图集·辽宁分册（下）》，西安地图出版社，2009年，第201页。

7 鲁宝林、辛发、吴鹏：《北镇辽耶律宗教墓》，《辽海文物学刊》1993年第2期，第36页。

8 闫万章：《契丹小字（耶律宗教墓志铭）考释》，《辽海文物学刊》1993年第2期，第112页。

9 辽宁省文物考古研究所、锦州市文物考古研究所、北镇市文物处：《辽宁北镇市辽代耶律弘礼墓发掘简报》，《考古》2018年第4期，第40～57页。

10 司伟伟：《辽代耶律弘仁墓志考释》，《北方文物》2021年第5期，第179页。

11 辽宁省文物考古研究院、锦州市博物馆、北镇市文物处：《辽宁北镇市辽代韩德让墓的发掘》，《考古》2020年第4期，第58～76页。

取得了重要成果。2018年6月，又在北镇市小河北发掘了兴宗重熙十七年（1048）的耶律弘义墓[12]。《辽宁北镇市辽代帝陵2012～2013年考古调查与试掘》一文，认为北镇市二道沟应为乾陵兆域所在，北镇市三道沟应为显陵兆域所在[13]，为两个相互独立的陵区。

二、关于奉陵邑显州与乾州考述

中国古代皇陵奉陵邑制度始于西汉，皇陵旁皆有陵邑，为县级行政单位，并以所奉之陵为县名，单独筑成以居民众，其中茂陵县的居民曾达16000余户[14]。与辽南北对峙的北宋皇陵也建有陵邑制度，太宗雍熙二年（985），以巩县县令兼陵台令事。真宗景德元年（1004），六月以前曾"置永安军士专奉陵寝"；景德四年（1007）又分取巩、偃师、缑氏、登封四县之地，建为永安县"充奉陵邑"[15]。

辽代皇陵附近均设陵邑，以奉皇陵。行政级别为州，名与所奉皇陵相同。有学者论及，辽之奉陵邑是因旧城而建[16]。以显陵奉陵邑显州及乾陵奉陵邑乾州为例，都不是因旧城而建。据《辽史·地理志二》记载："显州，奉先军，上，节度。本渤海显德府地。世宗置，以奉显陵。显陵者，东丹人皇王墓也。人皇王性好读书，不喜射猎，购书数万卷，置医巫闾山绝顶，筑堂曰望海。山南去海一百三十里。……州在山东南，迁东京三百余户以实之。……兵事属东京都部署司。统州三、县三。"[17]上述《辽史·地理志二》所记显州沿革有误。此前，李慎儒在《辽史地理志考》中已指出其误："渤海之显德府在渤海上京之南，于今为吉林南境。辽之显州，则今之广宁县东南，绝非渤海显德府地也，志误。"[18]经过1980～1983年全国第二次文物普查的新发现，可以确认显州即在今北镇市县城广宁城鼓楼以北，城为夯土筑成，呈长方形，南北长1000、东西宽1500米。城墙南墙中部辟有一门，今鼓楼所在地即为原辽显州之南门。现西墙北段还保存一段夯土城墙，可证为辽代遗存，城内西北隅至今耸立的辽代崇兴寺双塔，是奉陵邑显州的醒目标志[19]。

据《辽史》记载："乾州，广德军，上，节度。本汉无虑县地，圣宗统和三年置，以奉景宗乾陵。有凝神殿。隶崇德宫，兵事属东京都部署司。统州一、县四。"[20]，直至在1980～1983年全国第二次文物普查期间，在北镇市北镇庙前新发现的小常屯城

12 耶律弘义墓资料未刊，此据辽宁省文物考古研究院司伟伟先生见告，谨致谢意。

13 辽宁省文物考古研究所：《辽宁北镇市辽代帝陵2012～2013年考古调查与试掘》，《考古》2016年第10期。

14 《汉书》卷28下《地理志下》，中华书局，1962年，第1642页。

15 （清）徐松：《宋会要辑稿》卷818《九礼三七》，中华书局，1957年，第1333、1335页。

16 刘毅：《关于辽代皇陵的几点认识》，《中国国家博物馆馆刊》2013年第3期，第37页。

17 《辽史》卷38《地理志二》，中华书局，1975年，第463页。

18 李慎儒：《辽史地理志考》，《二十五史补编》第六册，中华书局，1955年。

19 冯永谦：《辽宁地区辽代建置考述（上）》，《东北地方史研究》1986年第2期。

20 《辽史》卷38《地理志二》，中华书局，1975年，第465页。

址，经考订应是奉陵邑乾州及其倚郭奉陵县，在学术界已渐成共识[21]。城址全部为夯土版筑，南北长1500、东西宽625米，现城墙虽颓坍但仍清晰可辨。城东北部仍遗留一段东西长60、存高1.5米的墙基址。1986年北镇市文物保管所勘探，得知该城土墙底宽3.5米，夯层明显，厚11厘米左右，城内地势平坦，地表散布大量沟纹砖、琉璃瓦和陶瓷残片等，在城外南部200米处发现两座窑址，附近堆积有琉璃瓦、筒瓦、吻兽等半成品。大量的琉璃瓦表明乾州城内应有官署和寺庙建筑。

辽代皇陵的奉陵邑规模都不大，居民一般都不住在城内，而居住在所辖州县从事农耕。奉陵邑城内多为官署、寺庙或奉祀建筑等。奉陵邑的最高行政长官亦与辽代其他行政州一样为节度使。有的并兼奉祀皇陵影堂或影殿的都部署。仅举乾州为例。据《张让墓志》记载[22]，张让一生主要在乾州为官，历任广德军节度，乾、海北等州管内观察处置等使持节乾州诸军事，乾州刺史兼凝神、崇圣殿都部署等职。其中的凝神、崇圣殿都部署应是守护景宗乾陵陵寝的职官名称。凝神、崇圣两殿应是奉祀乾陵的祭殿名称。凝神殿之名在《辽史》[23]《契丹国志》[24]里均有记载。崇圣殿之名，不见文献记载，可补史缺。辽宁省文物考古研究所于2015～2018年，对北镇市医巫闾山辽代新立建筑遗址进行发掘，发掘者认为北镇新立辽代四合院建筑遗址是乾陵玄宫前的祭殿，位于四合院建筑，北部的新立二号墓是乾陵玄宫[25]。笔者认为，这处新发现的四合院祭殿遗址或许就是上述凝神、崇圣两殿之一。除《张让墓志》之外，出土的辽代石刻文字还有乾州的记载，据《常遵化墓志铭》记载，常遵化于景宗乾亨五年（983），任乾州观察判官，后又于圣宗统和九年（991）、统和十四年（996）两任广德军节度副使[26]，可谓三度在乾州为官。另据《杨卓等建经幢记》记载，其幢文即为乾州觉兴寺讲论沙门绍宗梵书[27]。可知当时乾州城内有官署和佛教寺院，此正与上述考古调查所述、在乾州城址内地表散布大量琉璃瓦和吻兽等建筑构件相符。孙伟祥认为辽代帝陵的奉陵邑虽然是州县形式，但是这些州县为隶宫州，级别较高，非一般行政州县可比。其任职的内部官吏与陵寝官吏职责相重合。有一人身兼数职的现象出现[28]。此说甚是，笔者赞同，上述所举的张让即是一人身兼数职的例证之一。

---

21 冯永谦：《辽宁地区辽代建置考述（上）》，《东北地方史研究》1986年第2期。

22 李宇峰：《辽宁朝阳县发现辽代张让墓志》，《考古》1984年第5期。

23 《辽史》卷10《圣宗十》，“（统和）元年，夏四月，壬寅，致享于凝神殿”，中华书局，1975年，第110页，又及“（统和）元年十二月壬午朔，谒凝神殿”，中华书局，1975年，第112页，又《辽史》卷38《地理志二》“乾州……以奉景宗乾陵，有凝神殿”，中华书局，1975年，第465页。

24 （宋）叶隆礼撰，贾敬颜、林荣贵点校：《契丹国志》卷之11《天祚皇帝中》，“己亥天庆九年，夏，……并先破乾显等州如凝神殿，安元圣母殿”，上海古籍出版社，1985年，第117页。

25 辽宁省文物考古研究院等：《医巫闾山辽代帝陵考古取得重大收获》，《中国文物报》2019年3月22日。

26 陈述辑校：《全辽文》卷13《常遵化墓志铭》，中华书局，1982年，第369页。

27 向南：《辽代石刻文编》，河北教育出版社，1995年，第530页。

28 孙伟祥：《辽代帝王陵寝制度研究》，吉林大学硕士学位论文，2012年。

三、辽代帝王寝陵制度与布局

关于目前学术界对辽代帝王陵寝制度，于春、白嘎力曾有详论[29]，认为主要观点有两种：第一种观点认为其来源于“唐宋礼制”，多数学者持此观点。第二种观点认为辽代陵寝制度是在契丹人丧葬习俗基础上创造性地吸收唐宋制度的结果。

关于辽代帝陵的分布与布局，最近葛华廷撰文指出，辽代帝陵相对来说处于分散的状态，与中原王朝的唐宋两朝明显不同，却与渤海王陵的分布有明显的相似之处[30]。渤海王陵的分布有“两墓一组，彼此相邻或同封异穴”的现象，辽陵的分布规律亦与此相近，如怀陵有太宗、穆宗两陵。显陵、乾州均在辽宁北镇市医巫闾山麓相邻而建。另外，辽代帝陵陵园分为内外两部分的格局，亦受渤海王陵布局的影响，在中原帝陵中不见。如根据辽太祖耶律阿保机祖陵的最新考古发现，祖陵大体可以分为内、外陵区，即北部为太祖阿保机的内陵区，南部为陪葬墓的外陵区[31]。怀陵亦存在类似情况，沿着陵门“往里进行，遇一石墙，这道石墙将整个陵区分成外陵区和内陵区两个部分”[32]。北镇市医巫闾山辽代显陵和乾陵的最新考古发掘报告指出：“二道沟和三道沟应为两个相互独立的陵区，两个陵区基本布局类似，即均由内外陵区构成，内陵区地势高峻，是帝陵玄宫所在，外陵区地势平坦，是高级陪葬墓区。二道沟的内外陵区之间有一道人工修筑的分界墙。两陵内陵区中部都发现有高等级地上建筑群，推测可能与帝陵玄宫直接相关，为祭殿或享堂类建筑。”[33]

刘阳认为：“二道沟琉璃寺遗址等级高，是与帝陵（乾陵）玄宫直接相关的祭祀建筑，这种形成阶梯式三进院落的整体布局，也是渤海文化因素的体现。”[34]并认为，辽代帝陵受渤海文化的影响，其陵园布局分布大体上分三个阶段，即早期的祖陵、怀陵，中期的显陵、乾陵，晚期的庆陵，这一分析与《辽宁北镇市辽代帝陵2012～2013年考古调查与试掘》一文的认识即显陵、乾陵既不同于祖陵及怀陵陵园选址的封闭性，也不同于庆陵选址的开放性，似乎正处于由封闭性向开放性转变的过渡阶段的认识相符合。

四、关于陪葬墓的研究

辽代帝陵的陪葬墓是帝陵研究中的重要组成部分。据记载，有辽一代，先后有帝

29 于春、白嘎力：《辽代帝陵考古发现与研究述略》，《文博》2020年第2期，第27页。

30 葛华廷：《辽代帝陵布局新探》，《辽金历史与考古（第七辑）》，辽宁教育出版社，2017年，第62页。

31 董新林、塔拉：《辽上京城和祖陵陵园考古发现与研究》，《首届辽上京契丹·辽文化学术研讨会论文集》，内蒙古文化出版社，2009年。

32 张松柏：《辽怀州怀陵调查记》，《内蒙古文物考古》1984年第3期。

33 辽宁省文物考古研究所：《辽宁北镇市辽代帝陵2012～2013年考古调查与试掘》，《考古》2016年第10期。

34 刘阳：《辽陵中的渤海文化因素及其发展演变》，《文物春秋》2019年第5期。

王、皇妃等14人陪葬显、乾二陵。有耶律倍四子平王耶律隆先，隆先生母东丹王妃大氏，世宗怀节皇后、妃甄氏在察割作乱时遇害，陪葬显陵。景宗次子皇太弟耶律隆庆及其子孙死后均陪葬乾陵。

在辽代5座帝陵中，目前以乾陵发现的陪葬数量最多。在7座墓葬里出土8方墓志，均记载墓主死后陪葬乾陵，为确定乾陵玄宫的地理方位提供了考古依据。

1. 有关耶律宗政、秦晋国妃、耶律宗允墓志考述

耶律宗政等三方墓志出土后，志文先在《全辽文》里发表。姜念思、韩宝兴的《龙岗辽代墓志考释》[35]对耶律宗政兄弟及秦晋国妃的生平事略进行了考释研究。耶律宗政，《契丹国志》[36]有传。《辽史》虽无传，但其名字在圣宗、兴宗二纪中多次见及，均为契丹名字查哥、查割折、查葛。据向南考证，均为耶律宗政的契丹名字的不同译音书写致岐[37]。耶律宗政的汉名仅见于出土的辽代墓志[38]。最近发表的刘洋的《辽（耶律宗政墓志）校勘考释》一文对耶律宗政墓志志文及生平事略作了比较全面的校勘与考释[39]。又据《萧绍宗墓志》所记耶律宗政为南宰相之职[40]。《辽史》及墓志未见提及，可补史缺。蜀春[41]、武玉环[42]对秦晋国妃生平进行了考述。

2. 关于耶律宗教墓志

耶律宗教墓志因在志盖内阴刻契丹小字志文千余字而备受学术界关注与重视。这是迄今为止已发现的契丹小字石刻中年代最早的例子。其中新出现的原字，为契丹小字的释读提供了新资料。在闫万章最初考释的基础上[43]，刘凤翥[44]、爱新觉罗・乌拉熙春又先后进行了全面识释与研究[45]。其中以爱新觉罗・乌拉熙春的考释较为精当全面，其中新解读有三，兹引述如下。一是耶律宗教的生母迟女娘子，是渤海国亡国之君大諲譔的外孙女。二是耶律宗教妻子惕隐夫人是乙室已国舅少父房涅里衮迪里都相公谐领夫人之第五

35 姜念思、韩宝兴：《龙岗辽代墓志考释》，《东北地方史研究》1985年第2期。

36 （宋）叶隆礼撰，贾敬颜、林荣贵点校：《契丹国志》卷34《晋王宗懿传》，上海古籍出版社，1985年，第153页。

37 向南：《辽圣宗子侄契丹、汉名考》，《辽金史论集（第十二辑）》，吉林大学出版社，2012年，第109页。

38 除耶律宗政墓志外，耶律宗政的汉名还见于《秦晋国大长公主墓志》《萧绍宗墓志》《秦国长公主墓志》《耶律宗政墓志》《秦晋国妃墓志》。

39 刘洋：《辽（耶律宗政墓志）校勘考释》，《辽宁省博物馆馆刊（2017）》，辽海出版社，2018年，第67页。

40 郭宝存、祁彦春：《辽代（萧绍宗墓志铭）和（耶律燕哥墓志铭）考释》，《文史》2015年第三辑。

41 蜀春：《扫眉才子知多少……——辽秦晋国妃之生平点滴》，《史学集刊》1985年第4期，第14页。

42 武玉环：《多才多艺的秦晋国妃萧氏》，《中国北方各族人物传（辽代卷）》，辽海出版社，1989年，第232页。

43 闫万章：《契丹小字（耶律宗教墓志铭）考释》，《辽海文物学刊》1993年第2期，第112页。

44 刘凤翥、朱志民、周洪山、赵杰：《契丹小字解读五探》，《汉学研究》1995年第2期。

45 爱新觉罗・乌拉熙春：《契丹小字墓志综考》，《契丹语言文字研究》，东亚历史文化研究会，2004年，第226页。

女，封韩国夫人。而涅里衮都相公其人，即是义县清河门一号墓的墓主人[46]，该墓出土佐移离毕萧相公墓志一方，志文虽然残缺不全，但其事略与涅里衮迪里都相公其人记载相符合，二者为同一人。其三在契丹小字墓志里出现墓主人耶律宗教两个妹妹同哥公主与讨古别胥的名字，二人亦可能是迟女娘子所生之女，可补《辽史·公主表》之缺。

3. 有关耶律隆运（韩德让）诸事

笔者认为：首先，《辽宁北镇市辽代韩德让墓的发掘》《辽代韩德让墓志考释》两文将墓主人的名字称作韩德让均不妥[47]，应称耶律隆运为对。因为志文首题中的耶律公即指耶律隆运。志文中亦有"王讳隆运，字致堯，本姓韩氏，初名德让"。可知耶律隆运与韩德让是同一个人两个名字。在《辽史》[48]及《契丹国志》[49]两书皆有传，均称耶律隆运。耶律隆运是辽代中期一位特殊的政治人物，他历仕景、圣两朝近40年，是一人之下万人之上的著名汉族大臣，生前位极人臣之首，死后，陪葬景宗乾陵享受"亲王之礼"，这在辽代二百余年的历史上是绝无仅有的。据宋人叶隆礼所撰的《契丹国志》记载：耶律隆运死后，"帝与后、诸王、公主已下并内外臣僚制服行丧，葬礼一依承天太后故事。灵柩将发，帝自挽辆车哭送，群臣泣谏，百余步乃止"[50]。这与志文所记"辍朝临丧，命执事制家人之服"相符。这些都是因为韩德让于圣宗统和二十八年（1010）被赐国姓耶律隆运，并与圣宗皇帝以兄弟相称的原因。如果他未被赐名耶律隆运，还是韩德让，那么他死后应当归葬祖陵，即葬在其父韩匡嗣的家族墓地里，韩氏祖陵即韩匡嗣家族墓地在内蒙古赤峰市巴林左旗境内的白音罕山[51]，至今已出土韩氏后裔子孙的墓志十余方，为研究河北玉田韩知古家族世系提供了翔实的考古资料[52]，迄今为止，在辽宁北镇市医巫闾山的显、乾二陵考古发现的均为辽代皇室的陪葬墓，尚无汉族大臣陪葬的例子。辽代其他三陵祖陵、怀陵、庆陵迄今亦无汉族大臣陪葬的例子。

其次，《辽宁北镇辽代耶律弘礼墓发掘简报》[53]《辽宁北镇市辽代韩德让墓的发掘》[54]，两篇简报都认为北镇市洪家街墓地是辽代著名汉族大臣韩德让的家族墓地的观

---

46 李文信：《义县清河门辽墓发掘报告》，《考古学报（第八册）》，中国科学院，1954年。

47 辽宁省文物考古研究院、锦州市博物馆、北镇市文物处：《辽宁北镇市辽代韩德让墓的发掘》，《考古》2020年第4期；万雄飞、司伟伟：《辽代韩德让墓志考释》，《考古》2020年第5期。

48 《辽史》卷82《耶律隆运传》，中华书局，1975年，第1289页。

49 （宋）叶隆礼撰，贾敬颜、林荣贵点校：《契丹国志》卷18《耶律隆运传》，上海古籍出版社，1985年，第174页。

50 （宋）叶隆礼撰，贾敬颜、林荣贵点校：《契丹国志》卷18《耶律隆运传》，上海古籍出版社，1985年，第174页。

51 刘凤翥、金永田：《辽代韩匡嗣与其家人三墓志铭考释》，《中国文化研究所学报》2000年第9期。

52 蒋金玲：《辽代韩知古家族世系证补》，《辽金史论集（第十一辑）》，内蒙古大学出版社，2009年，第62页。

53 辽宁省文物考古研究所、锦州市文物考古研究所、北镇市文物处：《辽宁北镇辽代耶律弘礼墓发掘简报》，《考古》2018年第4期。

54 辽宁省文物考古研究院、锦州市博物馆、北镇市文物处：《辽宁北镇市辽代韩德让墓的发掘》，《考古》2020年第4期。

点也值得商榷。理由是韩德让被赐名耶律隆运，死后陪葬乾陵，因为他无嗣为继，因此，才先后由齐王耶律隆裕的长子周王宗业，三韩王宗范，耶律弘仁、捷不也，耶律弘礼、敖卢斡为继。现在耶律弘仁[55]、耶律弘礼墓均在洪家街发现，出土墓志记载确为耶律隆运为继。因此，笔者认为，洪家街墓地应是景宗乾陵的陪葬墓地，不应称为韩德让的家族墓地。

最后，是辽代汉人家族的契丹化问题，有学者以河北玉田韩知古家族为例，依据在韩匡嗣家族墓地陆续出土的11方有关韩氏家族后裔子孙的墓志，详细论述了韩氏家族的契丹化问题[56]，如很多韩氏子孙都因韩德让赐名耶律隆运而多起契丹名字，有的墓志盖亦多冠之“耶律公”称谓，并且多人与契丹皇室耶律氏及后族萧氏通婚，其例子不胜枚举，恕不赘述。总之，韩氏家族契丹化已被契丹上层社会认可。这种“同化”的趋势至辽代晚期愈加明显，如新近发表的汉人翟文化家族的契丹化即是明显的例子之一[57]。

五、有关乾陵玄宫的重要发现

据辽宁省文物考古研究院于2015～2018年对北镇医巫闾山辽代帝陵的重要组成部分新立遗址的主动考古发掘成果得知，新立遗址一号墓址应是辽代乾陵的陵前殿址，新立遗址一号基址北部的大型墓葬（新立M2）应为辽代乾陵的玄宫[58]。辽代乾陵陵前殿址和玄宫的确定，可以明确北镇医巫闾山三道沟是景宗乾陵兆域所在，而二道沟应为东丹王耶律倍及其子世宗显陵的兆域。这些新成果修正了此前认为二道沟为乾陵兆域、三道沟为显陵兆域的认识[59]，为医巫闾山两处辽代帝陵的陵园位置、范围及布局提供了新的考古依据。

六、结　　语

与同时代的北宋皇陵、金代皇陵及西夏王陵的考古发现与研究成果相比，辽代帝陵考古和研究工作相对滞后。1949年前，日本人对庆陵进行过盗掘，中国学者仅做过零星的调查工作。1949年后，文物考古工作者对辽代帝陵进行多次调查，取得了阶段性的成果，但长期落后于上述诸陵的局面未有大的改观。进入21世纪以后，随着祖陵、显陵、

55　司伟伟：《辽代耶律弘仁墓志考释》，《北方文物》2021年第5期，第79页。

56　蒋金玲：《辽代韩知古家族世系证补》，《辽金史论集（第十一辑）》，内蒙古大学出版社，2009年，第62页。

57　周峰：《一个契丹化的辽代汉人家族——翟文化幢考释》，《契丹学研究（第一辑）》，商务印书馆，2019年，第197页。

58　辽宁省文物考古研究院、锦州市文物考古研究所、北镇市文物处：《辽宁北镇市新立遗址一号基址2015—2018年发掘简报》，《考古》2020年第11期。

59　辽宁省文物考古研究所：《辽宁北镇市辽代帝陵2012—2013年考古调查与试掘》，《考古》2016年第10期。

乾陵大规模的持续多年的考古调查与发掘，已经陆续取得了丰硕的阶段性成果，我们相信，随着辽宁省文物考古研究院主持的“2018年度国家社会科学基金项目——医巫闾山辽代帝陵考古资料（2012—2017）整理研究”的进一步推进与实施，将会有越来越多的考古新发现，推动有关辽代帝陵考古与研究工作。

（张桂霞 李宇峰 辽宁省文物考古研究院）

辽上京遗址[1]

〔日〕竹岛卓一　著　刘　辉　译　李俊义　校注

引　　言

唐朝末年至五代十国初期，辽朝兴起于辽河上游西拉木伦河流域。其领土囊括中国东北部、内蒙古、河北省北部及山西省北部。极盛时期，辽国拥有五座都城、一百五十六座州军城，管辖二百零九个县。

上京临潢府：伪满洲国兴安西省巴林左旗（林东）。

东京辽阳府：伪满洲国奉天省辽阳县。

中京大定府：伪满洲国热河省宁城县。

西京大同府：中华民国山西省大同县。

南京析津府：中华民国河北省北平。

以上为辽朝五座都城。其中，东京、中京、西京、南京全部被后来兴起的金朝继承。金灭亡后，四京依然存在。除了中京在明初被废弃之外，其他三京，辽阳、大同、北平仍繁华依旧。唯独上京临潢府与辽朝一样，接受被抛弃的命运，沦落到今天这步田地。正因为如此，可以断言：此废城在研究辽代文化方面拥有极为重要的地位。可是到目前为止，除了著名考古学者鸟居[2]博士曾亲赴此地做过两三次调查之外，我并未听闻有其他学者到过此地。时至今日，就连此城的平面结构都不清楚。昭和九年[3]十月，我有幸得到机会，陪同恩师关野[4]博士来到此城做实地调查。然而，受日程所限，调查时间仅有一天。我们仅仅搞清楚了内城的大体轮廓，粗略地观察了几处散布在城内的遗迹和当时遗留下来的物品，而城外基本没去调查。虽然此行没有什么重大发现，也并没有获得有价值的研究资料（图1）。可是我们在调查位于林东这个辽代遗址时，依然有很多不解之处，还请各位不吝赐教。

1　此文原载于《东洋建筑》1937年4月第1卷第2号，第10～20页。

2　此指鸟居龙藏。

3　1934年。

4　此指关野贞。

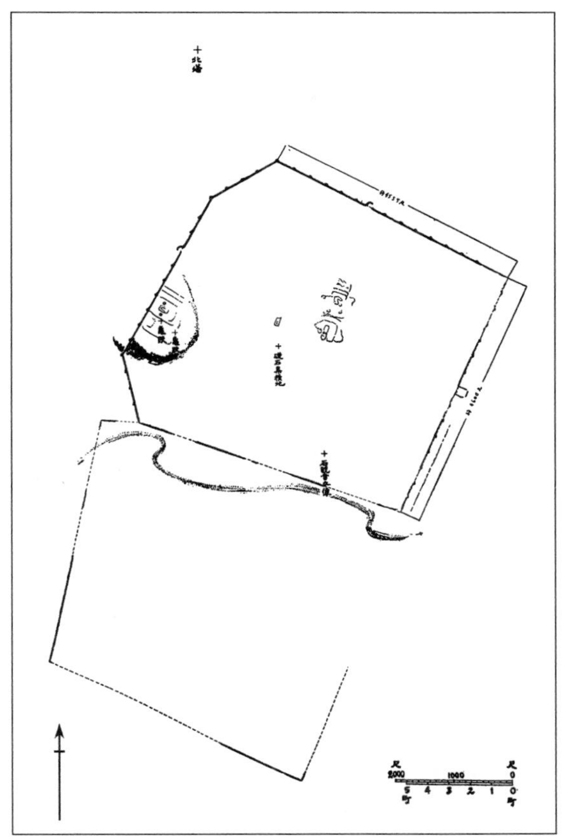

图1　辽上京城址图
（1934年10月18日测）

一、沿　　革

有辽一代，上京临潢府都是辽都城所在。辽太祖神册三年（918），任命汉人康默记为版筑使兴建此城。传说，康默记监督民夫在百日之内就修筑完成。建成初期被称为“皇都”，之后太祖下旨，命令建造孔子庙、佛寺以及道观等。第二年八月，太祖亲自到孔子庙祭拜，并令皇后、太子等人分别去寺、观参拜。很有可能从那时候开始，各种配套设施很快竣工，形成了一个具有汉风的都城轮廓。

《辽史·地理志》[5]记载：天显元年（926），在平定渤海国凯旋之后，（耶律阿保机）就着手皇城的扩建。建起天赞宫以及开皇、安德、五銮三大宫殿。殿内安放历代帝

5　《辽史》卷37《地理志一》原文有云：“天显元年，平渤海归，乃展郛郭，建宫室，名以‘天赞’。起三大殿：曰‘开皇’‘安德’‘五鸾’。中有历代帝王御容，每月朔望、节辰、忌日，在京文武百官并赴致祭。又于内城东南隅建天雄寺，奉安烈考宣简皇帝遗像。是岁太祖崩，应天皇后于义节寺断腕，置太祖陵，即寺建断腕楼，树碑焉。”

王的画像，每月逢农历初一、十五、重大节日以及（历代帝王的）忌辰，驻京文武百官悉数到场参加祭拜仪式。又在皇城东南角建起天雄寺供奉烈考宣简皇帝的遗像。相传，太祖崩殂之后，应天皇后决定以身殉葬，在群臣苦苦劝说下才打消了念头，但仍砍断右臂放入太祖灵柩里。因此，在义节寺（一作"节义寺"）内增建断腕楼，并立碑纪念此事。

作为出兵支援后唐叛将石敬瑭的回报，辽获得了燕云十六州。会同元年（938），辽改燕京即今天的北平（北京）为"南京析津府"，改辽阳为"东京辽阳府"。同时，皇都改称为"上京临潢府"。圣宗[6]统和二十五年（1007），新建"中京大定府"。至此，五京全部建成。其后，上京无任何变化，依然继续存在。天祚帝天庆十年（1120），上京受到新崛起的金朝的攻击，旋即被金朝占领。《金史·太祖纪》之"天辅四年（1120）"条下[7]载曰：

> 五月甲辰，次浑河西，使宗雄先趋上京，遣降者马乙[8]持诏谕城中。壬子，至上京，诏官民曰："辽主失道，上下同怨。朕兴兵以来，所过城邑负固不服者即攻拔之，降者抚恤之，汝等必闻之矣。今尔国和好之事，反覆见欺，朕不欲天下生灵久罹涂炭，遂决策进讨。比遣宗雄等相继招谕，尚不听从。今若攻之，则城破矣！重以吊伐之义，不欲残民，故开示明诏，谕以祸福，其审图之。"上京人恃御备储蓄为固守计。甲寅，亟命进攻。上谓习泥烈[9]、赵良嗣等曰："汝可观吾用兵，以卜去就。"上亲临城，督将士诸军鼓噪而进。自旦及巳，阇母[10]以麾下先登，克其外城，留守挞不野[11]以城降。赵良嗣等奉觞为寿，皆称万岁。是日，赦上京官民。诏谕辽副统余睹。

记载显示，金人不费吹灰之力就攻陷了上京城，但上京城的损失情况却不得而知。虽然并未直接记载上京的损失情况，但可以设想，上京城不可避免地遭受了厄运。关于此事件，《契丹国志》之"天庆九年"条下[12]载曰：

> 夏，金人攻陷[13]上京路，祖州则太祖之天膳堂，怀州则太宗德光之崇元殿，庆州则望仙、望圣、神仪三殿，并先破乾、显等州如凝神殿、安元圣母殿，木叶山之世祖殿、诸陵并皇妃子弟影堂，焚烧掠[14]尽，发掘金银珠玉。

6　日文原稿"圣宗"误作"圣祖"，此据中华书局点校本《辽史》原文改。

7　详见《金史》卷2《太祖本纪》。

8　日文原稿引文"马乙"作"马义"，此据中华书局点校本《金史》原文改。

9　日文原稿引文"习泥烈"作"实讷埒"，此据中华书局点校本《金史》原文改。

10　日文原稿引文"阇母"作"栋摩"，此据中华书局点校本《金史》原文改。

11　日文原稿引文"挞不野"作"托卜嘉"，此据中华书局点校本《金史》原文改。

12　详见《契丹国志》卷11《天祚皇帝中》。

13　日文原稿引文"陷"作"破"，此据中国国家图书馆藏黄丕烈题跋元刻本、上海古籍出版社点校本、齐鲁书社点校本《契丹国志》原文改。

14　日文原稿引文"掠"作"略"，此据中国国家图书馆藏黄丕烈题跋元刻本、齐鲁书社点校本《契丹国志》原文改。

金朝初期，上京城多少还受些重视。随着金朝经营中心逐渐南移，上京城逐渐被废弃。据《金史·地理志》[15]载曰：

> 临潢府，下，总管府。地名西楼，辽为上京。国初因称之，天眷元年改为北京。天德二年改北京为临潢府路，以北京路都转运司为临潢府路转运司，天德三年罢。贞元元年以大定府为北京后，但[16]置北京临潢路提刑司。大定后罢路，并入大定府路。贞祐二年四月尝侨置于平州。

从记载中，我们可以推测出临潢府以后的形势变化。其后，上京完全衰败直至变成一座废墟。正因为如此，上京遗迹中几乎很难发现金以及金以后的痕迹。可以说，上京就是一个较为纯粹的辽代文化遗址。

二、规模建制

有关上京城的规模建制，《辽史·地理志》[17]载曰：

> 城高二丈，不设敌楼，幅员二十七里。门，东曰“迎春”，曰“雁儿”；南曰“顺阳”，曰“南福”；西曰“金凤”，曰“西雁儿”。其北谓之皇城，高三丈，有楼橹。门，东曰“安东”，南曰“大顺”，西曰“乾德”，北曰“拱辰”。中有大内。内南门曰“承天”，有楼阁；东门曰“东华”，西曰“西华”。此通内出入之所。正南街东，留守司衙，次盐铁司，次南门，龙寺街。南曰临潢府，其侧临潢县。县西南崇孝寺，承天皇后建。寺西长泰县，又西天长观。西南国子监，监北孔子庙，庙东节义寺。又西北安国寺，太宗所建。寺东齐天皇后故宅，宅东有元妃宅，即法天皇后所建也。其南具[18]圣尼寺，绫[19]锦院、内省司、曲院，赡国、省司二仓，皆在大内西南，八作司与天雄寺对。南城谓之[20]汉城，南当横街，各有楼对峙，下列井肆。东门之北潞县，又东南兴仁县。南门之东回鹘营，回鹘商贩留居上京，置营居之。西南同文驿，诸国信使居之。驿西南临潢驿，以待夏国使。驿西福先寺。寺西宣化县，西南定霸县，县西保和县。西门之北易俗县，县东迁辽县。

上京城由南、北二城构成，二城都被城墙所包围。南城即汉城，也被称为“外城”或“子城”，城墙低矮且城墙上没有敌楼。南城有东门二座、南门一座、西门三座。城

15 详见《金史》卷24《地理志上》。
16 日文原稿引文“但”作“旦”，此据中华书局点校本《金史》原文改。
17 详见《辽史》卷37《地理志一》。
18 日文原稿引文“具”作“有”，此据中华书局点校本《辽史》原文改。
19 日文原稿引文“绫”作“绕”，此据中华书局点校本《辽史》原文改。
20 日文原稿引文此处脱“之”，此据中华书局点校本《辽史》原文补。

内，旗楼相对而立，民房店铺遍布，汉人多聚居于此。北城被称作“皇城”或者“内城”，城墙高大且建有楼橹，固若金汤。东、南、西、北四个方向各开城门一座。城内建有官衙、寺庙等。大内即皇宫也在皇城里，皇宫正门朝南，极为宏伟，正门上方建有楼阁，东面、西面各开宫门一座。

根据以上记载，面积暂且不谈，我们头脑中会浮现出如今天北平城（北京）一样的都城轮廓。《辽史·地理志》引《薛映记》[21]有云：

> 至临潢府[22]……入西门，门曰金德，内有临潢馆，子城东门曰顺阳。北行至景福门，又至承天门，内有昭德、宣政二殿，与毡庐皆东向。

《薛映记》是成书于宋大中祥符九年即辽圣宗开泰五年（1016）的见闻录，里面提到当时宫内还在使用毡庐。所谓“毡庐”，普遍认为类似于今天的蒙古包一类的东西。我们在研究这个首都的地位时，必须注意到辽在鼎盛时期依然在宫内使用毡庐这件事。此见闻录中出现的“金德”“景福”二门的名字，《辽史·地理志》中并没有任何记载。“顺阳”“承天”二门在以上两部著作中都有记载，但《辽史·地理志》中记载都是南门。与此相反，《薛映记》里记载顺阳门是子城的东门，宫城也是朝东的。如果《薛映记》是站在“北行”的角度的话，“金德”“景福”二门朝东而开也是可以理解的。《契丹国志·太祖大圣皇帝》之“天赞六年”（辽史中并无此年号，平定渤海国当年，将“天赞五年”改元为“天显元年”）条下载曰[23]：

> 渤海既平，乃制契丹文[24]字三千余言。因于所居大部落置寺，名曰天雄寺（今寺内有契丹太祖遗像）。又于木叶山置楼，谓之“南楼”；大部落东一千里，谓之“东楼”；大部落北[25]三百里置楼，谓之“北楼”，后立唐州，今废为村；大部落之内置楼，谓之“西楼”，今上京是。其城与宫殿之正门，皆向东辟之。四季游猎，往来四楼之闲。

以上记载，也证实了二门为东开。不过，辽太祖首次建设西楼之地并不是临潢府，

---

21 详见《辽史》卷37《地理志一》。

22 日文原稿此处引文有省略。据《辽史》卷37《地理志一》引《薛映记》云：“上京者，中京正北八十里至松山馆，七十里至崇信馆，九十里至广宁馆，五十里至姚家寨馆，五十里至咸宁馆，三十里度潢水石挢，旁有饶州，唐于契丹尝置饶乐州，今渤海人居之。五十里保和馆，度黑水河，七十里宣化馆，五十里长泰馆。馆西二十里有佛舍、民居，即祖州。又四十里至临潢府。自过崇信馆乃契丹旧境，其南奚地也。入西门，门曰‘金德’，内有临潢馆。子城东门曰‘顺阳’。北行至景福门，又至承天门，内有昭德、宣政二殿，与毡庐皆东向。”

23 详见《契丹国志》卷1《太祖大圣皇帝》。

24 中国国家图书馆藏黄丕烈题跋元刻本《契丹国志》此字作“大”。

25 日文原稿引文此字作“西”，中国国家图书馆藏黄丕烈题跋元刻本《契丹国志》此处脱“北”，此据上海古籍出版社点校本与齐鲁书社点校本《契丹国志》原文改。

而是祖州（据《契丹国志》记载：建西楼之地是临潢府）。因此，《契丹国志》的记载也不可全信。并且，《薛映记》并非向西而行，而是向北而行，抵达景福门与承天门。《薛映记》中把《辽史》里的南门记载为东门，我们必须搞清二者记载矛盾的原因。首先，我们怀疑：都城的朝向是否完全符合“上北下南，左西右东”的方位。之前脑海中浮现的如今天北平城一样的都城轮廓，如果把都城逆时针旋转几度的话，也有可能把南门误认为东门。事实上，位于兴安西省的林东城正南方的土城（被看作辽上京城址）并不完全符合“上北下南，左西右东”的方位，也并非我们想象的逆时针旋转几度那样。仅凭考察遗址是无法解决文献记载这个矛盾的。这是对此城最大的质疑。

三、现　　状

众多文献记载，被当作辽上京的这座古城址位于今伪满洲国兴安西省巴林左翼旗公署所在地林东城南。此地除了东部的一部分之外，其余各处都被群山环绕，是一片开阔地。西部起伏着低矮的丘陵，东部一带地势极为平缓。河流或从北方入境，或从西南方流入，经城南后汇成一流向东而去。此地襟山带川、土地肥沃辽阔，适宜农耕，加之水草丰美，适宜畜牧，是辽朝创业的不二之选。

这里的城墙大概就是《辽史·地理志》中提及的被称为内城或北城的那部分吧。城墙轮廓极为清晰，城墙西部略高，有很多建筑遗址。后侧的城墙从东北绵延到西南。如果把这部分称为西墙的话，西墙长约五百四十二间[26]，西墙两端呈45°角折向东方（图2）。城墙长约二百七十间向内弯折，与西墙成垂直夹角。北墙长约七百五十九间，向南弯折后成为东墙，南墙贯穿南侧向东绵延而去。而南墙断断续续，长约八百间，连接东墙的南端。东墙长约七百六十七间。由城墙圈成的区域面积大概有七十三万六千四百坪[27]。

图2　辽上京城址西墙的一段及远处的林东城

26　间，日语用量词，战国初期一间等于1.6米，后为1.8米。

27　坪，日本土地面积单位，一坪合6平方（日）尺，约3.3平方米。

现在，常年饱受风雪侵蚀的城墙已经难以辨别出当初的形状。城墙高大概三十多尺[28]，呈大波浪状。每隔长约五十间会有高耸的圆锥状城墙向前凸出，有可能是《辽史・地理志》里提到的楼橹，向前凸出的城墙遗迹有可能是为防备城墙侧翼而修建的。除了城墙各角落有楼橹之外，西城墙有8座，西北城墙和西南城墙各有3座，北城墙和东城墙各有13座。南城墙由于受到风雨侵蚀数量不详。

城墙西、北、东三个方向都有城门遗址。城门外边建有瓮城，出入城门的道路蜿蜒曲折。南城墙中部垮塌，没有找到城门的遗址，只能看到几处城墙的断面（图3）。通过观察城墙断面可以得知，此城墙是以五寸土为一层呈层状修建而成。我联想到，神册三年，奉太祖之命，修建此城的康默记的官职为版筑使，这个官职名耐人寻味。但很遗憾，我没有精力去调查当时到底是采用了哪种建筑方式。

图3　辽上京城的南城墙

前面曾经提到过除了城西有丘陵之外，剩下的都是平原。现在已经全部变成草原。和辽中京遗址以及金上京城遗址不同，这里看不到丝毫耕作痕迹。按常理，遗址应该保存得比较完整。但令人不可思议的是，我们很难找到明显的遗址。如果非得说哪些是明显的遗址的话，城中央稍偏北的很高的地方或许是宫殿的遗址。城东南角附近有一座孤零零的石像，周围裸露着两三块柱础，有可能是寺庙的遗迹。在城西丘陵处，发现了高耸的建筑物的遗址。但这处遗迹已经被反复挖掘，现场有很多大的盗洞和深沟，到处散落着瓦块的碎片和沙砾石灰等，呈现出一副凄惨的景象。周围经常能看到柱础和龟趺，但柱础的大部分好像被挖掘后运走一样。丘陵西麓的一处民房外聚集着一百多块柱础，北门外也堆积着同等数量的柱础，现在已经成为林东城内建筑材料的来源地。

城南还绵延着低矮的城墙，城墙的一端与内城的西南角相连，微微向西后又折向南方，断断续续地向南延伸后又折向东方，折向北方之后最后又返回内城的东南角，最终抵达与之平行的东门附近。这里有可能是《辽史・地理志》中提到的南城或汉城（也被称为“子城”或“外城”）的一部分。可是，城的位置和之前的记载还存在矛

28　尺，日本长度单位，一尺约10/33米。

盾。不过受时间所限，仅仅在南城墙上使用磁铁和望远镜进行了简单的观测，详情还不是很了解。

四、遗迹古物

以该遗址为中心，城内外存在着很多遗迹遗物。但是，我们调查范围极为有限，仅仅调查了内城、城南城北的砖塔，以及位于城南十哩[29]的两处辽代石窟。接下来，简要介绍一下城内的情况。

1. 城中央的建筑遗迹

城中央偏北有个夯土台基，朝向西南，宽约百尺，长约一百二十五尺。夯土台基比坛前的地基要高出六七尺。前方有一个斜面，有可能是台阶的遗址。坛的后侧略高，此处可能有建筑物，其前方也可能有月台。这个夯土台基的后方另外连接着一段低矮的夯土台基，此夯土台基也是后半部分稍高一些。在以上这些夯土台基的东侧，还发现了与它们平行的低矮的夯土台基，这段夯土台基的前段相对而言比较明显，后段却不好辨别。我们仅仅能看出这段夯土台基貌似呈现出包围上述那些夯土台基的形态。这些夯土台基的后方都是先低后高，形成宽阔的台地，台地上面存在着极为复杂的凸凹结构，昭示着这里曾经常动工修建建筑物。台地后方逐渐低矮下去，若从台地后方观察的话，这个遗址是显而易见的。这个遗址的表面已经完全看不到柱础一类的东西了，从现场散乱的砖瓦的碎片，我们能推测出当时曾经营造过规模宏大的建筑物。砖瓦均呈黑灰色，也没有经过釉药处理。现场也未能发现刻有卷草纹或旋涡纹的瓦类构件。总之，我们不能确定这个遗址的类别。从位置来看，把它当成宫殿遗址也并非不妥，但是现在还没有佐证材料。遗址周围的边界也不甚清晰，并且受调查时间所限，无法推测出建筑物的布局。如果能发现刻有卷草纹或旋涡纹的瓦类构件，多少还有些头绪，但还是无果而终。可是，这里最有希望成为宫殿的候选地。如果将来有机会来做详细的调查，毫无疑问，必将最先从此处遗迹着手。

2. 城西丘陵上的建筑遗址

西城墙稍微往南的部分是丘陵，这里有较大规模建筑物的遗址。遗址面向东南，离西城墙约五十间的地方，有一个高约十尺、直径约一百二十五尺的夯土台基，夯土台基左右两侧排列着高约六尺的小夯土台基。以上夯土台基都被发掘过，所以形状已经发生改变，无法看出原貌。夯土台基略呈圆形，中央的夯土台基是把石灰和砖片掺入土中建成的。右侧夯土台基，每层四五寸厚，往碎石里掺杂泥土建成。夯土台基上砖片很多，但几乎找不到瓦片。夯土台基外侧的回廊遗迹里，发现了很多砖和瓦的碎片，其中也夹杂着经过绿釉处理的瓦片，到处都能看见柱基被挖走的痕迹（图4）。

夯土台基的南侧，同样也发现了通过回廊与其连接的一部分城墙。城墙里也存在夯土台基，坛上有面积相当大的建筑物。城墙前方的夯土台基曾经挖掘出三个大的柱础。

29　哩，英语mile的译名，英美制长度单位，一哩等于5280英尺，合1609米，中国已停用此字，写作“英里”。

图4　西侧丘陵上的建筑遗址

三个柱础属于统一样式，在花岗岩的条石上刻出莲花瓣的图案，造型极为优美。这些柱础位于今天地表下约二尺的位置。通过这些柱础的位置，我们大致可以了解建筑物遗址被埋没的程度。周围的回廊遗址上有临时挖掘的小洞，用来寻找柱础。这些小洞往往会出现带莲花瓣的柱础。此外，后侧夯土台基的左前方和前面回廊靠左的地方各倒着一个龟趺。尽管破损严重，但足可以判断是辽代龟趺的一端。

虽然无法确定这些遗址到底是哪类建筑物的遗址，但是此处占据极为有利的地形，可俯瞰全城。从这点来看，无法否认此处是宫殿或者佛寺或者是诸如祠堂一类重要建筑物所在的核心区域。《大清一统志》和《蒙古游牧记》都曾提到此地有塔三座。假如除去城南和城北的两座塔以外还有一座塔的话，眼前位于城中央的这个夯土台基，就有可能是其中剩下的一座塔倒塌后的遗迹。再者，如果三座塔都位于城内的话，这个夯土台基和夯土台基左右的物体也可能是三座塔的遗迹。如果最终的结果是那样的话，这里就应该是佛寺的遗迹。可是，该建筑物的配置又和普通的佛寺稍显不同，现在还很难得出结论。

3. 柱础和石狮

前文曾提到，丘陵东麓有一所民房。门前堆放着96个柱础和一堆石狮。北门外也有柱础，数量也和这里大致一样。石狮由白石雕刻而成，体形偏小。石狮饱经风雨，细节已经很难辨认。柱础多由花岗岩做成，呈方形。极少数做成了莲花瓣的形状，有些柱础上面打着圆孔，有些柱础上面雕刻着深沟。和由白石做成的柱础混在一起。

4. 石质观音菩萨立像

该石像位于距南城墙九十间、距东城墙二百七十间的地方，面南而立，通高约十六尺。由于风化作用，受损严重，现仅仅能辨认出垂着璎珞的宝冠、颈部饰物以及衣服的一部分。石像腰部缺损严重，状态堪忧。该石像由一整块石头制成，呈红褐色，只有踏在莲花上的双脚是另外填上去的。

在该石像西南大约五十尺的地方发掘出一个柱础，柱础的表面埋在地下五寸的地方。由此可知，该石像是位于堂宇之内的。东西两侧八十尺许的地方，均存有回廊的遗迹，好像回廊在其周围缠绕着一样（图5）。

如果把城内外搜个天翻地覆的话，也有可能会发现重要的遗址。但很遗憾，我们没有那么多时间。丘陵上的柱础深埋到地下两尺，由此推测，平地上的遗迹会埋得更深吧。因此，考察时间短，不能取得满意的结果也是情有可原的。

图5　辽上京城内石质观音立像

五、结　　语

我对辽上京城的了解，不外乎上文提到的那些。查阅文献后，我不知道该如何解决《辽史》和《薛映记》之间记载的矛盾。我不知道到哪里才能找到令人信服的证据，来证明这个土城就是辽代的上京城。我认为，西楼是一种独特的建筑物，但无法得知具体的建筑形式。简单处理的话，就把西楼当成上京临潢府的别名也无可厚非。或者，除了这个土城之外，还有可能找到上京城的遗址吧。但从城的地理位置和规模（仅北城址的面积便是庆州城址的4倍）来看，也不能说这个古城随处可见。然而，《薛映记》的记载与《辽史》有些抵触，我们也不能完全相信《薛映记》。从在鼎盛期将毡庐当作宫殿使用来看，当时的城市规划还是有些不妥。为了彻底解决这些谜团，极有必要进行彻底的调查。但甚为可惜的是，城内的西半部分归林西县商务会长某人所有，此人常常挖掘柱础，然后卖给林东城内居民作建筑材料。这个重要的遗迹，正在急速地遭受破坏。

（昭和十二年[30]三月十日稿）

（刘　辉　吉林财经大学外国语学院日语系
李俊义　大连民族大学中华民族共同体历史研究所）

30　1937年。

辽宁昌图城楞地城址调查简记

赵里萌　王　琦

内容提要：昌图县城楞地城址原被认为是一处辽金时期遗址，第三次全国文物普查中发现其存在城墙遗迹，但未能探明城墙的轮廓和周长。根据历史卫星照片并结合实地踏查，我们对该城址的城墙进行了复原，并根据地表采集遗物，确认城址的时代以金代为主，可能早到辽代，并对城址的性质进行了初步推测。

关键词：辽代　金代　城址　塔东遗址　交通路线

昌图县沙河子城楞地城址原被认为是一处小型辽金遗址，与之相关的考古资料很少，仅《中国文物地图集·辽宁分册（下）》中略有提及，原文如下："面积约3万平方米。散布有灰陶罐、残沟纹砖、白釉碗残片。"[1]2009年第三次全国文物普查时对该遗址进行了复查，明确了城墙遗迹的存在，但由于缺少技术手段，未能探明城墙的轮廓。2019年春，我们利用20世纪60年代拍摄的Corona卫星照片对该遗址进行鸟瞰观察[2]，发现遗址外围的城墙轮廓十分明显，在谷歌地球2014年的卫星影像中仍然十分清晰（图1）。我们随即对该城址进行了地表踏查，对城墙的走向、四至进行了确定，并采集了一批陶、瓷标本。

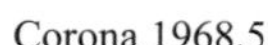

Corona 1968.5　　　GoogleEarth 2014.6

图1　城楞地城址卫星照片

1　国家文物局主编：《中国文物地图集·辽宁分册（下）》，西安地图出版社，2009年，第335页。

2　该卫星图片由中国社会科学院考古研究所刘建国先生提供。

一、地 理 位 置

城址位于昌图镇沙河子村北侧，东北距泉头镇约2.2千米，西南距昌图县火车站约8.3千米。该地处于松嫩平原的交通要道上，京哈铁路、京哈高速、京抚公路均经过此地。城址北临丘陵地带，东临大黑山脉，亮子河在遗址南侧800米处自东向西流过，红山河在遗址东北侧2千米处自东南向西北流过，遗址周边地形平坦开阔（图2）。

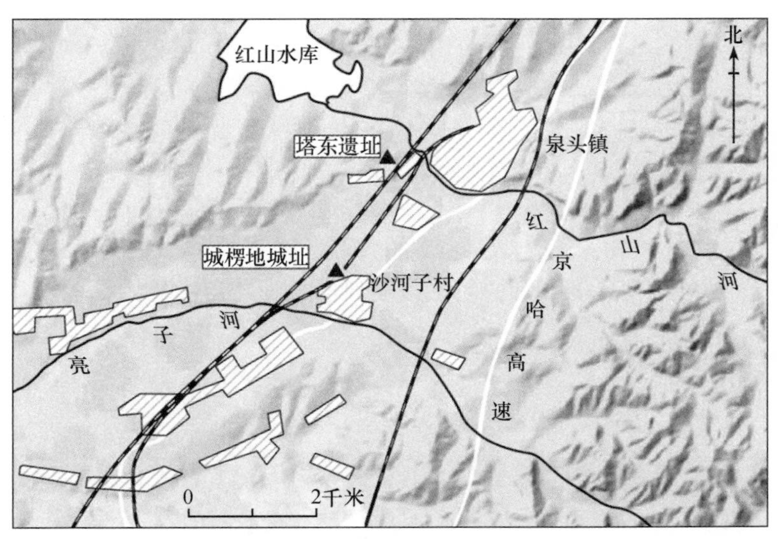

图2　城楞地城址位置示意图

二、遗迹与遗物

城址平面呈正方形，朝向正南，城内地势较为平坦，中部高、四周略低，中心处海拔约159米，西北角海拔约153米。城址西北150米处为哈大高铁线路，泉头水泥厂铁路专用线沿东北—西南方向穿城而过，打破了西南、东北隅城墙，并占据了城内约五分之一的面积。北墙、西墙保存较好，在地表可以看到隆起的土棱，高0.5～1、底宽8～10米，均被开辟为耕地。西北角台在地表可以辨认，高约1.2米，呈漫丘状，站在角台上可以清晰地观测到西墙、北墙的走势。从2014年卫星照片来看，残存的北墙可见两处圆形夯土遗迹，较墙体略宽，较为明显。西侧夯土遗迹与西北角台间距61米，与东侧夯土遗迹间距65米，这两处夯土遗迹似为马面遗迹，但由于保存较差，在地表难以辨认。东墙保存较差，在2014年卫星照片中仅隐隐可见，但无法完全确认，在地表更难以辨认，根据1968年卫星照片可以大体找到墙体的位置，从地表遗存的分布情况来看，估测的墙体位置的西侧遗物较多，东侧遗物较少，可间接证明东墙确实在此。南墙保存也较差，南墙西半段在2014年卫星照片中尚可辨认，南墙东段被六户民居的北墙叠压，这六户民居的住宅朝向相较城址朝向略偏西，但院落北墙与南墙走向一致，应当就是依靠城址

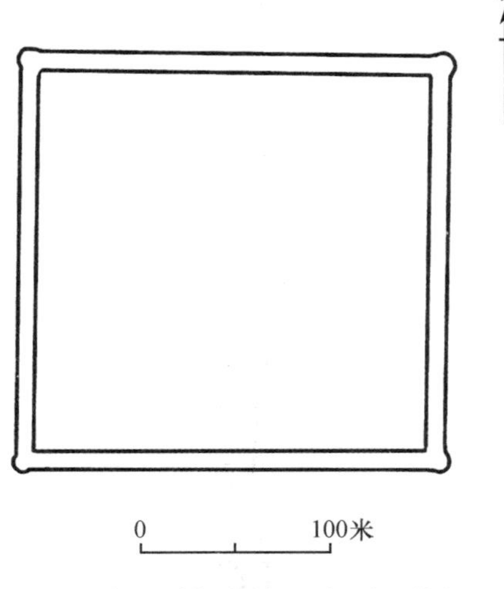

图3　城楞地城址平面复原图

的南墙而建的。由于城址保存太差，城门的数量和位置均不可考。结合1968年、2014年卫星照片，并根据踏查结果，可初步复原出城墙的四至，利用卫星照片测算可知，北墙长225、东墙长230、南墙长232、西墙长220米，周长907米，总面积约51931平方米（图3、图4）。

城内地表遗存较为丰富，主要集中分布在城东北部、东南部。在城东北部有一处现代院落，于院墙附近可见较多的布纹瓦片、青砖残段，可能是挖掘墙基时扰动出来的遗物。在院落东北方向的耕地地表能够见到大量的化妆白瓷片、泥质灰陶片，以及少量黑釉瓷片、绿釉陶片，皆较残碎。院落的西侧、南侧也可见到较多的陶、瓷残片。城内西北部、南部的地表遗存相对较少。采集典型标本10件，包括陶器口沿、瓷器口沿、器底等。

图4　城楞地城址西墙现状（东向西拍摄）

陶器口沿　1件。19TCS：1，泥质灰陶。平折沿，似为盆类口沿。素面。残长5、厚0.7厘米。

化妆白瓷口沿　4件。皆灰黄色粗胎，釉色泛黄或泛青，釉面有细碎开片，皆为圆唇。19TCS：2，复原口径12、残长3.6、厚0.5厘米（图5，1）。19TCS：3，复原口径19、残长5.6、厚0.5厘米（图5，2）。19TCS：4，复原口径20、残长3.2、厚0.45厘米。19TCS：5，复原口径22、残长2.2、厚0.45厘米（图5，3）。

化妆白瓷器底　4件。皆灰黄色粗胎，釉色泛黄或泛青。19TCS：6，外施半釉，内底有椭圆形垫渣痕。底径7.5、残长4、厚0.7厘米（图5，4）。19TCS：7，外施半釉，内底有椭圆形垫渣痕。底径8.5、残长7.3、厚0.8厘米（图5，5）。19TCS：8，施釉及底，内底有椭圆形垫渣痕。底径8.5、残长7.1、厚1厘米（图5，6）。19TCS：9，施釉及底，内底有涩圈。底径8、残长6、厚0.9厘米（图5，7）。

黑釉瓷片　1件。19TCS：10，外施黑釉，内露灰黄色粗胎。残长2.5、厚0.5厘米。

从胎釉特征和装烧方法来看，城址地表瓷片主要为金代中、晚期江官屯窑的白釉、黑釉产品，所见陶片皆为素面，未见辽代典型的篦纹陶器，但采集的平折沿陶片具有辽代特征。从地表遗存的时代面貌来看，城楞地城址的时代应以金代为主，但不排除早到辽代的可能。其性质可能是军事性的城堡，或是猛安谋克的城寨。

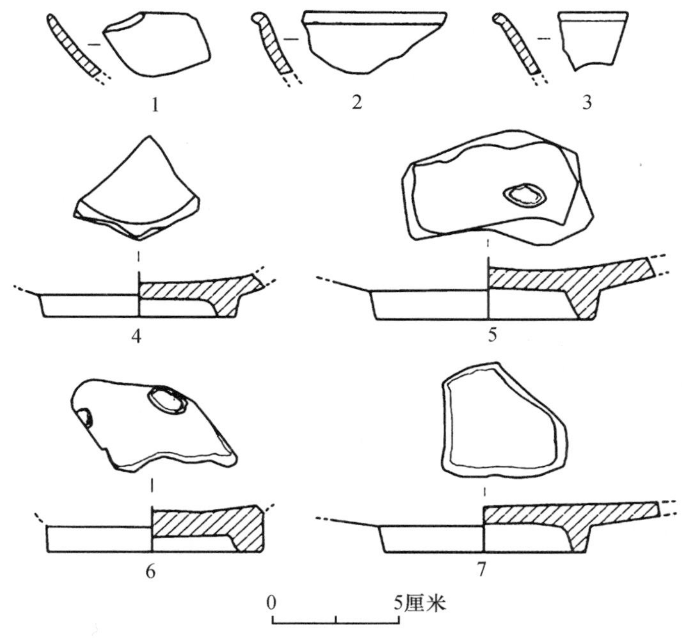

图5　城楞地城址采集标本

1～3. 化妆白瓷口沿（19TCS：2、19TCS：3、19TCS：5）

4～7. 化妆白瓷器底（19TCS：6、19TCS：7、19TCS：8、19TCS：9）

三、余　　论

城楞地城址西南13千米为昌图老城，西北15千米为四面城，前者目前多被认为是辽代肃州、金代清安县所在[3]，后者曾出土“安州”铭文残碑，可确定为辽代安州、金代归仁县[4]。清安县、归仁县皆为金代咸平府（开原老城）所辖，城楞地城址与两县均较近，或为两者之一的辖境。从交通路线来看，根据宋朝使臣张棣的《南归行程记》[5]、洪皓的《松漠纪闻》[6]所记的东北地区的行程路线，可知在金代初期，由中都通往上京的路线要经过肃州、安州，而城楞地城址并不在这条路线上。该路线主要沿用辽末的交

3　余蔚：《中国行政区划通史·辽金卷》，复旦大学出版社，2012年，第632页。

4　王雷、赵少军：《辽宁昌图五面城辽、金时期建置考辨》，《边疆考古研究（第20辑）》，科学出版社，2016年。

5　（宋）张棣：《南归行程记》，《晋唐两宋行记辑校》，辽海出版社，2009年，第464页。

6　（宋）洪皓：《松漠纪闻》，《长白丛书初集》，吉林文史出版社，1986年，第32～42页。

通路线，在皇统四年（1144）至正隆五年（1160）之间[7]，金廷以韩州“州非冲途，即徙于旧九百奚营”[8]。这里的“冲途”显然就是中都至上京的官道。从地图上看，开原老城与梨树偏脸城（金代韩州）的最短连线应当就是这条官道的大体路径，城楞地城址正落在此连线上，同样落在连线上的还有昌图县于家堡城址、昌图县新城子城址、四平市牛城子城址。而四面城、昌图老城、八面城则偏离这条连线10～20千米不等。综上可知，金代咸平至韩州有西、东两条路线，其中西线为辽代旧道，连接清安县、归仁县、韩州，东线为金代新辟路线，是中都至上京的官道。

还需注意的是城楞地城址东北1.7千米处的昌图县塔东遗址。2008年，辽宁省文物考古研究所曾对该遗址进行大规模发掘，发现房址一座、墙基两段、塔基及地宫一座，可知该遗址是由寺、塔、围墙构成的一处佛教寺院[9]。该遗址原被定为辽代遗址，但实际上，塔东遗址的塔基、房址附近出土的大量建筑构件均与安图宝马城[10]、乾安春捺钵[11]等遗址出土建筑构件相似，如兽面瓦当、檐头板瓦、凤首、兽头、迦陵频伽等[12]。出土陶器均具有金代典型的卷沿、大卷沿特征，与前郭塔虎城出土金代陶器一致[13]（图6）。现在

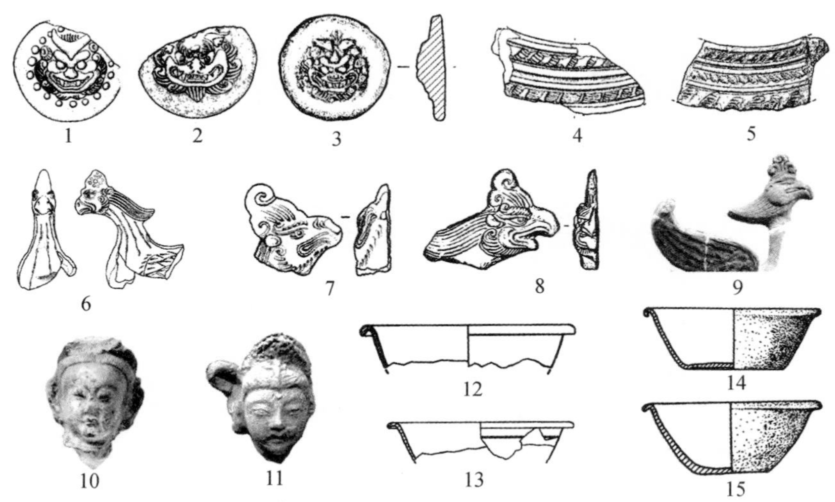

图6 塔东遗址出土遗物对比图

1、2、4、6、7、10、12、13. 昌图塔东遗址出土 3、5、8. 安图宝马城出土

9、11. 乾安春捺钵遗址出土 14、15. 前郭塔虎城出土

7 （金）王寂著，张博泉注释：《辽东行部志》，黑龙江人民出版社，1984年，第61页。

8 （金）王寂著，张博泉注释：《辽东行部志》，黑龙江人民出版社，1984年，第60页。

9 辽宁省文物考古研究所、铁岭市博物馆、昌图县文管所：《辽宁昌图县塔东辽代遗址的发掘》，《考古》2013年第2期。

10 吉林大学边疆考古研究中心：《吉林安图县宝马城遗址2014年发掘简报》，《考古》2017年第6期。

11 吉林大学边疆考古研究中心：《吉林乾安县辽金春捺钵遗址群后鸣字区遗址的调查与发掘》，《考古》2017年第6期。

12 宝马城为金代中期新建的兴国灵应王庙，春捺钵遗址主体遗存为金代中晚期。

13 吉林省文物考古研究所、吉林大学边疆考古研究中心：《前郭塔虎城——2000年考古发掘报告》，科学出版社，2017年，第76页。

看来，塔东遗址为金代寺院的可能性更大一些。城楞地城址与塔东遗址具有共时关系，应当是塔东遗址所属寺院的主要供养来源。城楞地城址、塔东遗址的佛塔、佛寺应当都是随着金代中都至上京官道的开辟而逐渐建立起来的，城、塔相映，共同构成这条路线上的重要景观。

附记：本文系吉林省高句丽研究中心课题项目“中国东北地区渤海与辽金城址的对比研究”（JG2020Y007）的阶段性成果。

（赵里萌　吉林大学考古学院　　王　琦　昌图县文物管理所）

抚顺地区辽金时期不可移动文物调查报告

童　海　温科学

内容提要：2008年抚顺地区第三次全国文物普查全面展开，经过三年多的实地调查，在抚顺一县、二自治县、四区范围内共调查登记辽金时期不可移动文物87处。通过对三普调查数据的分析，可以全面掌握抚顺地区辽金时期不可移动文物的分布、年代、类别、现状等相关情况，为文物保护和研究奠定基础。

关键词：抚顺　辽金　不可移动文物　文物调查

抚顺位于辽宁省东部，东与吉林省接壤，西距省会沈阳市45千米，北与铁岭毗邻，南与本溪相望，因明成祖朱棣谕赐“抚绥边疆，顺导夷民”而得名。辽金时期，抚顺建置贵德州。贵德州城地处浑河北岸的高尔山下，是当时的交通要冲，地理条件优越[1]。经过辽金两代，浑河两岸的沃野得到深入开发，抚顺地区呈现出城郭相望、田野益辟、人户殷繁、文物昌明的兴旺景象。

不可移动文物调查是国情、国力调查的重要组成部分，也是确保国家历史文化遗产安全的重要基础工作。开展文物调查是为了全面掌握不可移动文物的数量、分布、特征、保存现状、环境状况等基本情况，为准确判断文物保护形势、科学制定文物保护政策和规划提供依据。2008年4月1日，抚顺市第三次全国文物普查（简称“三普”）正式启动。经过三年多的调查，抚顺所辖四区、一县、二自治县范围内共调查辽金时期不可移动文物87处。这些文物，在一定程度上反映了抚顺辽金时期的政治、经济、文化面貌，为抚顺地方史和地域文化的研究提供了宝贵的实物资料。

一、抚顺地区辽金时期不可移动文物的整体分布

三普调查期间，抚顺地区共调查不可移动文物1315处，复查494处，新发现773处，注销48处，现有登记不可移动文物1267处。其中，调查辽金时期不可移动文物87处，复查36处，新发现51处，注销0处，现有登记辽金时期不可移动文物87处（含前期沿用6处）。辖区内7个县（自治县、区）中不可移动文物登记量由高到低的排序为：抚顺县、望花区、顺城区、清原满族自治县、东洲区、新宾满族自治县、新抚区。上述各县

1　赵广庆、曹德全：《抚顺通史》，辽宁民族出版社，1995年，第98～126页。

（自治县、区）调查登记的辽金时期不可移动文物数量依次为：抚顺县33处，约占总登记量的37.93%；望花区15处，约占总登记量的17.24%；顺城区14处，约占总登记量的16.09%；清原满族自治县11处，约占总登记量的12.64%；东洲区10处，约占总登记量的11.50%；新宾满族自治县3处，约占总登记量的3.45%；新抚区1处，约占总登记量的1.15%（图1）。由于历年生产生活的破坏，三普调查中已登记的辽金时期不可移动文物总体上保存状况不是很好，特别是绝大部分已登记文物尚未定级，使保护工作受到限制。

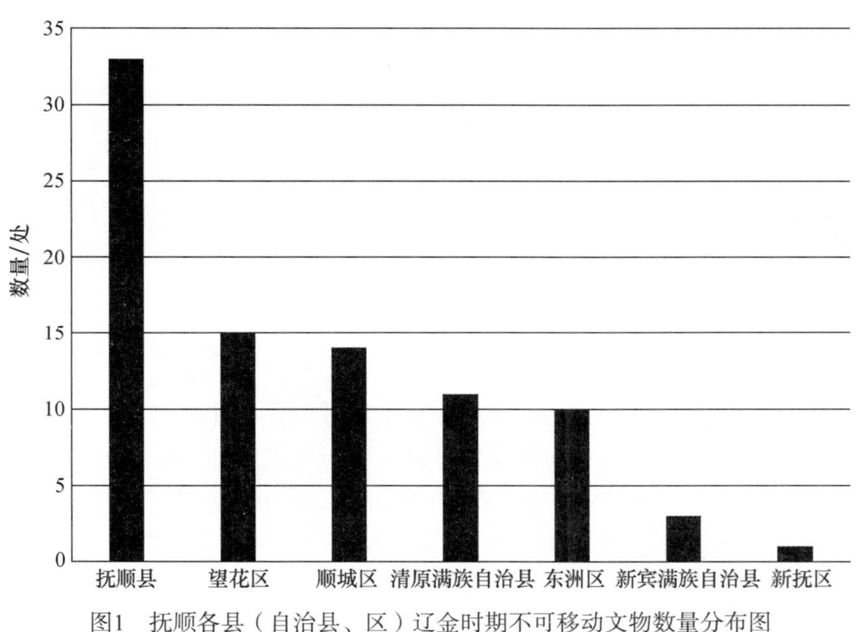

图1　抚顺各县（自治县、区）辽金时期不可移动文物数量分布图

二、抚顺地区辽金时期不可移动文物调查情况

据调查，抚顺地区辽代不可移动文物比较丰富，金代多为辽代的沿用或为窖藏。现阶段对于辽金时期不可移动文物的认识仍比较模糊，特别是进行科学发掘的古遗址、古墓葬相对较少，有待进一步调查与研究。不可移动文物的年代一般都比较模糊，多数笼统地定为辽金时期，这可能是由于地层关系不明确所致。目前，三普调查过的不可移动文物主要分布在抚顺县，其他县（自治县、区）发现较少。现择相对重要或保存相对完整的列举如下。

（一）城址

1. 贵德州城址

贵德州城址位于抚顺市顺城区抚顺城街道北站社区师范附中南面，海拔90米（图2）。近年因城市建设，城址处修建铁路、公路、房屋等，已看不出城址的遗迹。

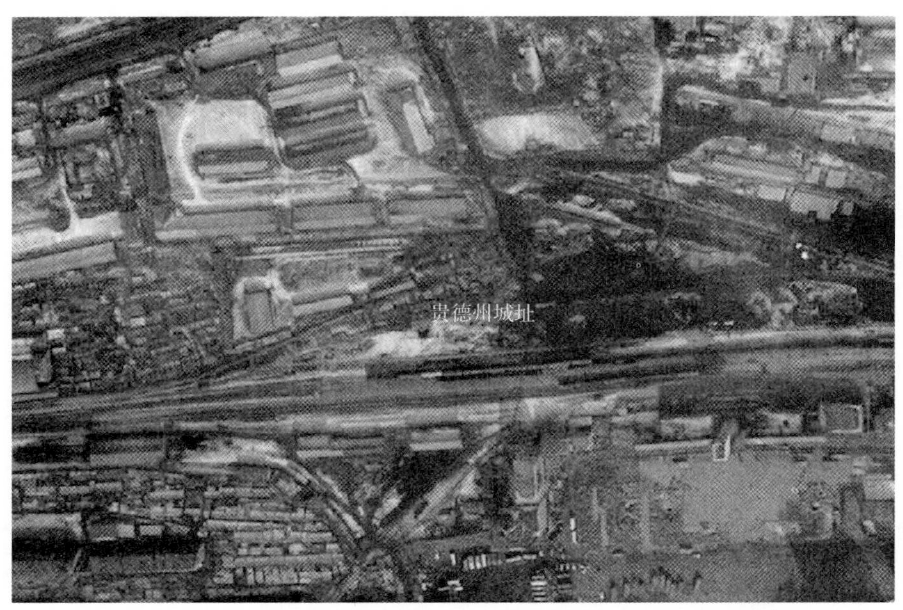

图2　贵德州城址位置示意图

据史料记载，辽代在抚顺设贵德州，并在高尔山南麓和浑河北岸修建了贵德州城。该城址发现于20世纪30年代，当时在城址东面和北面有城墙遗迹，在城内采集到辽代白釉瓷等遗物。日本人渡边三三在其所著的《抚顺史话》中记载，贵德州城址东西长400、南北宽250米。

2. 三人城址

三人城址位于抚顺县拉古乡大甸子村三人自然村东高丽城子山顶，海拔150.9米。该城土筑，平面呈长方形，东西长33、南北宽25米，总面积825平方米。外城墙残高4～5米，西侧辟有一门，门宽2.9米。城中曾出土布纹瓦、白釉粗瓷碗及灰陶盆、罐、钵口沿等。此次调查采集遗物稀少，有布纹瓦、灰陶片及酱釉残片等。从该城布局及所出遗物推断为辽金城址。

3. 大山城子山城址

大山城子山城址位于抚顺县拉古乡陡山村山城沟组东南2000米处的大山城子山上，西距陡山村1000米，海拔337.7米。该城土石混筑，平面呈不规则长方形。南北长90、东西宽20～30米，城墙残高0.5～2米，西侧有一城门，现存宽2米。其北部近东墙1米处有石块建筑基址，南部有一土筑墩台，残高3、底径6米。城内植被茂密，地表落叶覆盖较厚，未见遗物。“二普”时采集的标本有布纹瓦、灰陶片、酱釉缸胎器口沿、粗白瓷碗底等。据“二普”时采集标本推断，该城建于辽代，金代沿用。

4. 佟家街山城址

佟家街山城址位于抚顺县海浪乡松树村佟家街组南1000米处的山城子山上，海拔425米。该山城坐落在东西走向陡峭的山脊上，平面呈船形，东窄西宽，周长230米，东西长110米，面积550平方米。城墙用规格不一的片石和块石垒砌，存高3～6米。山城由主城、东西卫城和护城壕组成，主城坐落在山峰的制高点上，平面呈椭圆形，直径50米。主城内有一口水井，直径3、深1米。西南角有一角楼，边长3、残高4米。有东西二门，门宽1米。东卫城位于主城东部，地势稍低，呈刀把形直通东门同主城相接。西卫城由两个环形小城组成，高低错落。在城墙的四周修有壕沟，南北各一层、西部三层。该山城此次调查未见遗物，“二普”时曾发现辽代陶片及板瓦，故推断该山城应为辽金时期。

5. 南彰党山城址

南彰党山城址位于抚顺县后安镇彰党村东约1.5千米处的山上，当地称为井沟，海拔347米。山城东、北、西三面皆为连绵起伏的群山，南面俯瞰一个狭长的沟谷，整个山城坐落在该山半山腰处的山坳中。山城平面呈不规则圆形，北大南小，东西宽175、南北长260米，总面积45500平方米，仅设南门一个。山城依自然起伏的山势修筑，城墙是利用自然陡峭的山脊略加修筑而成，只有山脊低洼处可见人工石墙和土墙。在北墙北侧距山脊2米处有宽3～5米的平台，当地称之为马道。西北角制高点处有散乱的石块堆积，面积3平方米，似为瞭望台。城内地势北高南低，坡度为20°。为了防止水土流失，自上而下修筑了三道护坡墙。城内地表散见一定数量的布纹瓦、缸胎酱釉、黑釉瓷片及灰陶片等，具有辽金时代特征，由此推断该山城的年代为辽金时期。

（二）聚落址

1. 老稻地遗址

老稻地遗址位于抚顺县拉古乡六家子村南400米处的老稻地中，海拔79.4米，为河旁二级台地。该遗址西自拉古河，东至沈通线公路，北、南各接乡间小路。老稻地遗址面积较大，南北长462、东西宽258米，大体呈长方形。遗址地势平坦，中南部有一略高于地表的台地，其上遍布砖瓦残块及少量滴水等建筑材料饰件。采集标本23件，有辽金时期的灰陶片、白瓷片、黑釉、酱釉残器底等。从采集遗物分析，为辽金时期聚落遗址。

2. 道南地遗址

道南地遗址位于抚顺县拉古乡刘山村拉古河西道南地，为平阔的河床台地，海拔94.8米。该遗址北距西台山、南距中华寺、东距刘山村各1000米，南北长180、东西宽130米，呈不规则半圆形。遗址北端东西横穿山洪冲刷形成的大壕沟。道南地遗址文化分布面积较广、遗物较丰富，灰、红陶片及绳纹瓦片相对集中于遗址北侧，黑釉、茶末绿釉缸胎、罐、碗、缸器物残片相对集中于遗址东南侧。标本采集丰富多样，据此分析为以魏晋（高句丽）文化遗存为主，遗址南侧同时存在辽金时期文化遗存。

3. 南山遗址

南山遗址位于抚顺县拉古乡赵家堡村东南550米处的南山上，海拔124米。该遗址的东、南、北三面低山起伏，西部为开阔的冲积平原，沈通线公路与拉古河在遗址和平原中部南北通过。南山遗址整体呈长方形，东西长70、南北宽50米，面积3500平方米，采集标本分属青铜和辽金时期，并以青铜时期遗物为主。其中，青铜时期遗物有夹砂红褐陶口沿、器耳、器底及方锥、扁方锥、圆锥状鼎足，辽金时期遗物有泥质灰陶片、白瓷片等。从采集遗物分析，该遗址为青铜时期文化遗存，辽金时期沿用。

4. 祁家沟遗址

祁家沟遗址位于抚顺县拉古乡拉古村祁家沟西南800米处的王家田内，西北距拉古村2000米，海拔128米。该遗址地处低山丘陵脚下的缓平地带，整体上呈长方形，东西长161、南北宽48米，面积约7728平方米。祁家沟遗址西、南、北三面临山，西、南山上松林茂密，东部开阔。地表遗物随处可见，除零星辽金遗物外，均为明清遗物。除1件乳钉纹条砖外，还采集有布纹瓦、青花瓷片、酱釉缸胎罐底、褐釉粗瓷残片等若干。从采集标本推断，该遗址为辽金时代延续至明清时期聚落址。

5. 尤家坟遗址

尤家坟遗址位于抚顺县海浪乡杨木村西沟组北约300米处的尤家坟地中，海拔115米。该遗址为不规则形，东西长100、南北宽80米，面积8000平方米。地表遗物俯拾皆是，有灰陶片、布纹瓦、白瓷片、青花瓷片、酱釉缸胎、大器残片等。据采集标本分析，尤家坟遗址为辽金至明清时期聚落址。

6. 房土甸遗址

房土甸遗址位于抚顺县海浪乡杨木村西沟组北约500米处的房土甸地中，海拔108米。该遗址南北长150、东西宽130米，面积1950平方米。地表遗物较丰富，散见大量陶瓷片等。采集的标本有辽白瓷片（含碗、盘器底），泥质灰陶片（含口沿），黑釉、酱釉器口沿，以及白釉铁花瓷片、青花瓷片、布纹瓦等。可确定为一处辽金至明清时期村落遗址，对研究抚顺地区辽金至明清时期经济文化具有一定的意义。

7. 窝棚沟遗址

窝棚沟遗址位于抚顺县海浪乡房申村窝棚沟组北200米处的坟茔后背沟内，海拔150米。该沟东西宽阔，南北为山冈，西南临房申沟、东南临花红沟，西北距海浪乡政府1.5千米。遗址分布在东西长73、南北宽30米的范围内，面积约2190平方米。采集标本有辽金陶瓷片、布纹瓦，明清青花瓷片、缸胎大器等。据采集的标本分析，该遗址为辽金时期遗址，明清时期沿用。

8. 八路坟遗址

八路坟遗址位于抚顺县石文镇景家峪村东110米处的玉米地中，海拔161米。该遗址略呈长方形，东西长100、南北宽50米，面积5000平方米。地表遗物较单一，均为泥质深灰陶片、灰色布纹瓦片及白釉略散黄色瓷片、碗底等，为辽代文化遗存。

9. 张家坟遗址

张家坟遗址位于抚顺市顺城区会元乡马金村南张家坟东坡地上，海拔115米。遗址地势东高西低，整体呈长方形，南北长150、东西宽75米。现开垦为耕地，地表散见少量夹砂红褐和泥质灰陶残片，另有少量瓷器和石器残片，主要有白瓷口沿、碗底及石刀、石铲等，据采集标本特征分析为东周（青铜）文化和辽金文化共存的遗址。

10. 乱泥遗址

乱泥遗址位于抚顺市顺城区会元乡金花村前乱泥屯西南250米处的红砬子南、北面坡地上，海拔144米。该遗址南北长200、东西宽500米，遗址处现为玉米耕地，地表采集到少量泥质灰陶残片和瓷片，主要有口沿、器底等。乱泥遗址为“二普”调查时发现的辽金时期文化遗存，系复查址。

11. 上黄金西遗址

上黄金西遗址位于抚顺市顺城区会元乡黄金村上黄金屯西200米的北山坡下，海拔127米。该遗址呈不规则长方形，东西长200、南北宽30米，现开垦为玉米耕地，地表采集到少量泥质灰陶残片和白釉瓷片，主要有布纹瓦、器底、口沿等。据采集标本特征分析，该遗址为辽金时期文化遗存。

12. 房场地遗址

房场地遗址位于抚顺市顺城区河北乡四家子村西的一块低缓坡地上，被当地人称老倪家房场地，海拔142米。该遗址呈不规则长条形，地势北高南低，东西长200、南北宽60米，现开垦为耕地，地表散布少量泥质灰陶残片和白釉、酱釉瓷片，主要有口沿、器底等。据采集标本特征分析，该遗址为辽金时期文化遗存。

13. 欧家遗址

欧家遗址位于抚顺市顺城区河东街道顺福社区辽宁海信电子有限公司和抚顺大学院内北部，海拔89米。该遗址面积较大，呈不规则方形，东西长150、南北宽120米，面积约18000平方米。1990年抚顺大学建校舍以及1993年海信电子有限公司扩建厂房，使遗址遭到破坏，抚顺市博物馆为抢救文物，曾先后两次对该遗址进行抢救性发掘。发掘面积1000多平方米，出土一批珍贵文物，复原文物50余件，其中有瓷器、陶器、货币、石制器皿等。依据出土的砖瓦、建筑饰件及修复的瓷器来看，应是辽代遗存。这批文物的出土为研究辽代贵德州址提供了重要的实物资料。

14. 小西沟遗址

小西沟遗址位于抚顺市望花区塔峪镇山城子村西小西沟北山南坡，海拔118.2米。该遗址呈不规则长方形，东西长75、南北宽40米，面积约3000平方米。地势北高南低，北侧开垦为耕地。采集标本分属生活器皿和建筑材料两大类。生活器皿有陶瓷用品，器形有盆、罐、瓮、缸、碗、盘、碟、鸡腿坛等；建筑材料仅见瓦。碗宽大厚重，多呈灰色，个别呈黄褐色。从采集标本推断，该遗址为辽金时期村落遗址。

15. 后二道遗址

后二道遗址位于抚顺市望花区塔峪镇后二道村东南面的一块缓坡地上，当地人称此处为东偏脸子，海拔106米。该遗址地势东高西低，现开垦为耕地，地表采集到少量泥质灰陶残片，主要有口沿、器底、绳纹瓦等器形。据采集标本特征分析，为辽金文化类型遗址。

16. 七乙地遗址

七乙地遗址位于抚顺市望花区田屯街道青台子社区西南面300米的一块平地上，当地人称此处为七乙地，海拔77米。该遗址呈不规则长方形，南北长300、东西宽100米，现开垦为耕地，地表散见少量泥质灰陶片和黑釉瓷片。据地表采集标本分析，该遗址属金元时期文化遗存。

17. 高丽沟遗址

高丽沟遗址位于抚顺市望花区高湾种畜农场小泗水村东200米，海拔99米。该遗址分布范围不大，平面呈长方形，东西长70、南北宽40米，面积2800平方米。该遗址在

“二普”时已登记著录，当时采集的标本有泥质灰陶残片、布纹瓦及酱釉、黑釉瓷残片等，本次复查所见遗物与上类同，属辽金时期的古遗址。高丽沟遗址对研究本地区辽金时期的历史有一定的考古价值。

18. 朱家沟遗址

朱家沟遗址位于抚顺市望花区高湾种畜农场毛台村南1千米，海拔168米。该遗址地处沟谷台地上，平面呈长方形，东西长80、南北宽40米，面积3200平方米，地表散见陶瓷残片。本次“三普”调查时采集的遗物标本有泥质灰陶砚（稍残）、陶口沿、平底陶器残片、黑釉缸胎残片、白瓷残片等。据采集标本特征分析，属辽金时期的古代遗址。该遗址以往未见登记著录，系本次“三普”调查时新发现，为研究本地区辽金历史提供了新的实物资料。

19. 高湾西山头遗址

高湾西山头遗址位于抚顺市望花区高湾种畜农场高湾村西200米的山冈上，海拔102.6米。该遗址地处山头，视野极为开阔，其范围南北长80、东西宽50米，面积4000平方米。高湾西山头遗址在“二普”时已登记著录，当时采集的标本有兽面瓦当、沟纹砖、滴水、布纹瓦、泥质灰陶盆、白釉粗瓷碗盘及黑釉圈足器底、缸胎莹釉鸡腿坛等。本次“三普”调查为复查，采集的标本有滴水、布纹瓦、灰陶片等。根据采集的标本特征分析，其时代是辽金时期，为本地区辽金史研究提供了实物资料。

20. 房身地遗址

房身地遗址位于抚顺市望花区李石寨镇青台子村西南600米的平地上，海拔69米。现为农田，该遗址地表所见遗物极少。“二普”调查时曾对此做过登记，采集过辽金时期的陶片和瓷片。本次“三普”调查时仅采集到泥质灰陶片10余件，属复查项目，按前说认定为辽金时期遗址。

21. 唐力东山遗址

唐力东山遗址位于抚顺市东洲区千金乡唐力村东200米处的一块北坡地上，海拔136.9米。该遗址呈长方形，南北长200、东西宽80米，现开垦为耕地，在地垄中散布零星陶瓷碎片。据采集标本特征分析，属辽金时期文化遗存。

22. 英德东沟遗址

英德东沟遗址位于抚顺市东洲区千金乡英德村东2000米东沟尽头的小山坳中，海拔136.3米。该遗址平面呈长方形，地势北高南低，东西长120、南北宽50米，面积为6000平方米，现开垦为耕地。地表散布许多零碎陶瓷残片，主要有沟纹砖。据采集标本特征分析，为辽金时期遗存。

（三）寺庙遗址

1. 畜牧场遗址

畜牧场遗址位于抚顺县拉古乡六家子村畜牧场东400米处的小山冈上，海拔102米。该遗址北距露天矿西舍场750米，东西长80、南北宽30米，沿南坡地大体呈不规则长方形。地表分布粗缸胎酱釉罐，瓮口沿、腹片，酱釉、黑釉器底，白釉碗、盘圈足残片，以及灰陶口沿、器底等。北侧临岗处集中堆积辽金时代青砖、灰瓦、沟纹砖、滴水等建筑材料。该遗址于1982年“二普”时调查建档，根据采集标本及“二普”调查资料分析为辽金时代的寺庙遗址。

2. 里仁庙址

里仁庙址位于抚顺市顺城区河北乡里仁村西150米西山南坡地上，海拔102米。该庙址中心在两道山体冲沟之间的一块舌状台地上，两道冲沟断崖处均有距地表0.5～1米的文化层，出土了大量的泥质灰陶砖瓦，地表亦散见泥质灰陶口沿、器底残片。庙址东西长50、南北宽30米，疑为辽金时期。

3. 落鹰山庙址

落鹰山庙址位于抚顺市顺城区河北乡四家子村南800米的落鹰山岗梁上，海拔174米。中心为椭圆形台地，南北长250、东西宽60米，现开垦为耕地，地表散布大量的泥质灰陶布纹瓦片，台下一周也有大量灰陶瓦分布，据当地村民介绍，山上曾出土石桌、石兽等，疑为辽金时期庙址，当地人称此山为高丽城子。“二普”调查时定名为落鹰山山城，“三普”调查更名为落鹰山庙址。

4. 汪良清（辽金寺）庙遗址

汪良清（辽金寺）庙遗址位于抚顺市望花区塔峪镇前汪良村北山上，海拔107米。该遗址呈椭圆形，南北长100、东西宽85米，面积8500平方米。其南部有一处人工挖掘的断面，可见文化层厚80～90厘米。地表遗物较丰富，采集标本有泥质灰陶盆、罐、瓮口沿，白釉、黑釉、酱釉的碗、盘、缸、瓮口沿、器底以及沟纹砖、布纹瓦、滴水等建筑饰件。此外，还采集到1件定窑白釉刻花瓷碟口沿及几块夹砂红褐绳纹陶片。另外，在“二普”时曾采集到兽面纹瓦当，当时将该遗址定为汪良清庙遗址，“三普”调查认为所采集标本均具有辽金特征，故将该遗址改为汪良（辽金寺）庙遗址。

5. 高阳东山庙址

高阳东山庙址位于抚顺市望花区高湾种畜农场高阳村东500米的山冈上，海拔94.2米。该遗址地处河畔山冈上，登其上视野非常开阔，遗址范围不大，占地面积300平方米，地表砖瓦密布。此次“三普”调查采集的遗物标本有沟纹砖及灰色布纹筒瓦、板瓦等。标本有典型的辽代特征，初步分析是辽代遗址，该遗址为研究本地区辽代历史提供了实物资料。

6. 小台沟金元遗（庙）址

小台沟金元遗（庙）址位于抚顺市东洲区碾盘乡小台沟村西500米的坡地上，海拔144米。遗址呈不规则长方形，东西长150、南北宽100米，现开垦为耕地，地表散布大量灰瓦残片。该遗址为“二普”调查时发现，系金元时期遗址。“三普”调查将小台沟金元遗址更名为小台沟庙址。

（四）窖藏址

1. 吕家屯窖藏址

吕家屯窖藏址位于清原满族自治县南口前镇王家堡村吕家自然屯包富德家房后，海拔194米。2006年8月，包富德在自家房后挖自来水管道时于地下1.5米处出土古代窖藏铜钱10余千克，几十个品种，从唐代开元通宝到北宋大部分皇帝年号都有，最晚的是金正隆通宝。该钱币窖藏为研究金代的政治、经济史提供了新的实物资料。

2. 杨树崴子窖藏址

杨树崴子窖藏址位于清原满族自治县南山城镇杨树崴子村西300米处，海拔454米。1974年6月5日，当地村民在北山根挖大坑时出土铜钱20多千克，并卖给供销社。自治县文物部门回收3.5千克，做了简单记录整理。本次“三普”调查时对该窖藏做了登记录入。据回收整理的这批铜钱显示，最早的有汉代的五铢钱，最晚的为北宋宣和元宝，属辽金时期的铜钱窖藏，为研究本地区辽金史提供了实物资料。

3. 二道沟窖藏址

二道沟窖藏址位于清原满族自治县北三家镇西大林村二道沟自然屯南500米处，海拔402米。1974年，当地村民在此发现一处瓷器窖藏，一口缸内盛装定窑瓷器百余件，多已破碎，完整者十余件为市、自治县文物部门收藏。这批瓷器多为杯、碟等小件器物，内底多有印花。本次“三普”调查时，在现场发现酱釉缸残片，据分析为辽代窖藏，定窑瓷器成批在辽宁发现较为少见，对研究宋辽史有重要的考古价值。

4. 尖山子遗（窖藏）址

尖山子遗（窖藏）址位于清原满族自治县湾甸子镇尖山子村东300米处，海拔454米。1960年5月，当地在山嘴子修公路取土时，在距地表1.5米处出土一批器物，有双耳三足铁锅1件、圜底铁锅1件、大碗10余件（碗已破碎）及铁锅2件，现收藏在自治县文物管理所。出土铁器具有辽金时代特征，本次“三普”调查时认为是一处窖藏遗址并做了登记录入，对研究当地辽金史有一定考古价值。

5. 三道岗窖藏址

三道岗窖藏址位于新宾满族自治县北四平乡三道岗村南200米的南山脚下缓坡地，海拔492米，地势北低南高，坡地平缓。在平整土地时发现货币窖藏一处，出土货币（铜钱）100多斤，大部分为宋代货币，有崇宁政和通宝等，货币腐蚀较为严重，为金代货币窖藏。

（五）军事设施遗址

1. 前楼烽火台遗址

前楼烽火台遗址位于抚顺县海浪乡前楼村西台山顶，东南临南沙河，东距海浪至本溪的公路约100米，海拔196米。烽火台平面呈圆形，底径约10、高约2米；台顶呈椭圆形，南北长6、东西宽2.5米，未采集到标本。据烽火台特征和“二普”调查资料分析为辽金文化遗存。

2. 会元城堡（军事设施）址

会元城堡（军事设施）址位于抚顺市顺城区会元乡会元村东300米的山冈上，当地人称此山为点将台，海拔248米。城堡址中心为不规则梯形平台，北略高，南偏低，南北长20、东西宽18米，城四角有大小不等的土坑，直径2～4、深0.3～0.5米，城堡址的东墙中段有一宽2、深0.2米的通道，城堡址上采集了大量的灰瓦片。据采集标本分析，该遗址应为辽金时期的军事设施遗址。另据当地村民介绍，该城堡址曾被村民深挖过，出土了大量砖瓦碎片。

（六）其他古遗址

1. 大四遗址

大四遗址位于抚顺县拉古乡柳条村大四偏西北350米处的陈家坟地，海拔108.6米。该遗址东西长160、南北宽110米，整体呈长方形，地表采集有酱釉罐、缸口沿、器底及灰陶饼等。根据采集标本以及“二普”调查资料分析，该遗址为辽金时代文化遗存。

2. 张家遗址

张家遗址位于抚顺县章党镇邱家村张家组西北1000米的大直沟西侧耕地处，南临臭马肉沟，北临大迫子，西靠山，东临小溪。该遗址南北长50、东西宽37米，地表散布大量的灰瓦片、灰陶片等。采集的标本有灰瓦片、灰陶罐片及酱釉、白釉碗残片等。据采集标本和“二普”资料分析，该遗址为辽金时代文化遗存。

（七）窑址及寺观塔幢

1. 大官屯窑址

大官屯窑址位于抚顺市新抚区新抚街道平安社区大官屯火车站东南紧靠发电厂处，海拔82米。20世纪40年代，日本人发现并发掘，窑场规模较大，有椭圆形和圆形两种窑炉。其中圆形的窑室直径一般为8米，窑门宽1米，有半圆形火膛，而椭圆形窑室直径一般为5.3米。主要烧制民间日用粗瓷，常见的有盘、碗、碟、罐、瓶、壶等，其中瓶、罐、壶上往往有双系、三系、四系耳，是金代瓷器造型的一个主要特点。此外有瓷羊、瓷狗等玩具，有瓷雷等火器，还发现许多窑具，有匣钵、支钉等。釉色以黑釉、酱釉和白釉为主，也有茶末釉、褐釉等。瓷器多为单色釉素面，装饰艺术也比较简单。大官屯窑的瓷器产量很大，瓷器行销东北亚各地，在许多金代遗址中都有发现。

2. 高尔山塔

高尔山塔位于抚顺市顺城区抚顺城街道高山社区高尔山西峰之巅，海拔150米（图3）。古塔用多种形制的青砖砌筑而成，全高14.1米，分成九级，呈正八角形，实心密檐。塔的底部直径约6.8米，向上逐级缩小，状如立锥。塔身坐落在高约0.2米的圆

图3　高尔山塔

形台基上，台基上有一层高约3米的砖座，为正八角形，两边宽为2.2米。塔身自下而上，用密檐、斗拱分出比例匀称的层次，再用磨砖立柱，构成了八个对称的圆弧形犄角。塔身底部的八个立面上有进深约15厘米的长方形佛龛，上有砖雕宝盖，龛下有飞天左右拱托，各自组成一副完整的浮雕图案。在塔附近出土有“大安四年”铭文的石经幢，根据塔的建筑形制与其他地方现存的辽塔基本类同，可以认为高尔山塔建于辽道宗大安四年（1088）或更早，为辽代古塔。

（八）古墓葬

1. 市体委农场墓地

市体委农场墓地位于抚顺县章党镇石门岭村土口子组南水库北岸原体委农场院内，1977年5月体委农场用推土机平整场地时发现，墓地东西长30、南北宽20米，墓室用灰砖筑长方形木框，墓底是一块圆石，圆石上放了一个骨灰罐，骨灰罐上置有瓷器、铜匕等，当时收回的遗物有黑釉兔毫大碗2件、白釉黑花小碟1件、青白瓷花式小碟1件、铜匕1件。据墓葬结构及出土文物分析，该墓葬为金元时期文化遗存，“二普”资料记载1972年此类墓葬在该墓地过山北侧章党镇土口子村南500米的山沟里也有发现。

2. 光明街墓

光明街墓位于抚顺市望花区和平街道曙光社区光明街二十七中学西南20米处，海拔102米。该墓地处现为一居民楼所覆盖，地表已无迹可查。墓地是1984年抚顺铝厂服务公司工人挖下水道时发现的。抚顺市博物馆在现场清理出两座辽墓，其中一座墓已遭严重破坏，墓葬形制不详，另一座为圆形砖石墓，墓壁用长条石块砌成，砖砌棺床。两座辽墓共出土瓷器3件、陶器7件。据出土文物特征分析，为辽代中期墓葬。

三、抚顺地区辽金时期不可移动文物的数据分析

在第三次全国文物普查中，抚顺地区辽金时期不可移动文物总量不多，但相较于“二普”的调查数据，仍然有较大幅度的增长。这在一定程度上反映了抚顺在当时也是一个人口兴旺、经济蓬勃发展的地区之一。下面根据“三普”调查资料，对抚顺地区辽金时期不可移动文物进行分析，为文物保护工作提供基础性数据。

（一）文物总量对比

抚顺地区在“三普”调查期间累计登记不可移动文物87处，其中复查项目占总量的41.4%，新发现项目占总量的58.6%。新发现的不可移动文物是复查项目的1.42倍，即“三普”调查后不可移动文物总量是“二普”登记的2.42倍。由此可知，在“三普”调查中抚顺地区辽金时期不可移动文物出现了较大幅度的增长。在抚顺地区7个县（自治县、区）中，东洲区增长幅度最大，新抚区增长幅度最小（图4）。东洲区新发现辽金时期不可移动文物9处，复查登记1处，“三普”调查登记的辽金时期不可移动文物总量是“二普”登记总量的10倍。此外，清原满族自治县“三普”调查登记总量是“二普”的5.5倍，望花区是2.14倍，抚顺县是2.06倍，顺城区是2倍，新宾满族自治县是1.5倍，新抚区为零增长。

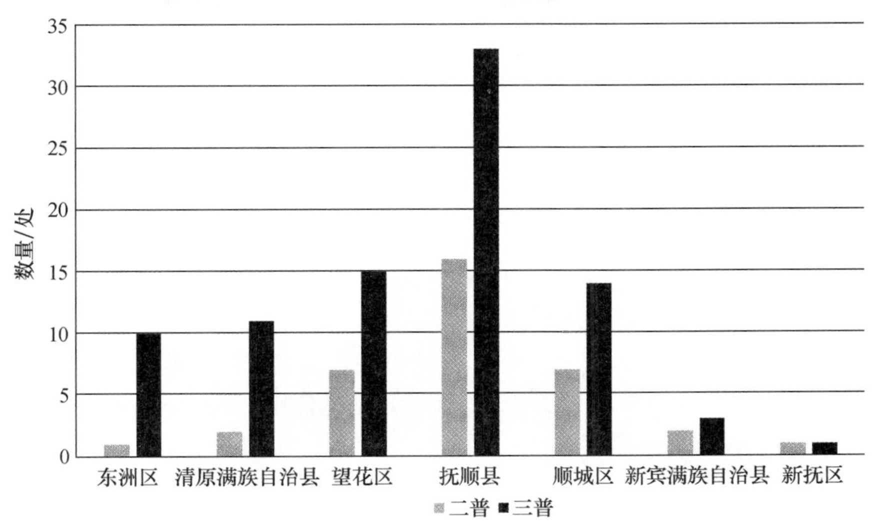

图4　抚顺地区各县（自治县、区）辽金时期可移动文物“二普”“三普”总量对比图

（二）文物年代分析

抚顺地区辽金时期不可移动文物中，多数年代都是前、后期沿用或者笼统地定为辽金，单纯辽或金的数量并不多。其中，辽金以前沿用至辽金的有6处，约占总登记量的6.9%；辽金以后沿用至明清的有15处，约占总登记量的17.24%；笼统定为辽金的有38处，约占总登记量的43.68%；单纯辽时期的有9处，约占总登记量的10.34%；单纯金时期的有19处，约占总登记量的21.84%。可见，单纯辽或者金的文物数量不足总登记量的三分之一，这是人类长期持续在抚顺居住的结果。当然，也可能是文物普查还不够严谨，需要更深入的调查和研究。

（三）文物类别分析

抚顺地区“三普”登记的辽金时期不可移动文物，只有六大类中的三个，分别是古遗址类、古墓葬类和古建筑类。其中，古遗址类最多，达84处，约占总量的96.55%。除此之外，古墓葬类2处，约占总量的2.3%；古建筑类1处，约占总量的1.15%。这三大类下又包含了10个子类。古遗址大类中，聚落址共有38处，约占总量的43.68%；窖藏址20处，约占总量的22.99%；寺庙遗址11处，约占总量的12.64%；其他古遗址7处，约占总量的8.05%；城址5处，约占总量的5.75%；军事设施遗址2处，约占总量的2.3%；窑址1处，约占总量的1.15%。古墓葬大类中，普通墓葬1处，约占总量的1.15%；其他古墓葬1处，约占总量的1.15%。古建筑大类中，只有寺观塔幢1处，约占总量的1.15%。而十个子类中，聚落址和窖藏址数量最多，合计58处，约占总量的66.67%，其他子类数量则相对较少。

在抚顺各县（自治县、区）范围内，新发现辽金时期不可移动文物51处。其中，古遗址类有50处，约占新发现总量的98.04%；古墓葬类有1处，约占新发现总量的1.96%，古建筑类无新发现文物。在古遗址类中，聚落址新发现28处，约占新发现总量的54.9%；窖藏址13处，约占新发现总量的25.49%。

在抚顺各县（自治县、区）范围内，复查辽金时期不可移动文物36处。其中，复查古遗址类34处，约占复查总量的94.44%；复查古墓葬类1处，约占复查总量的2.78%；复查古建筑类1处，约占复查总量的2.78%。在十个子类中，聚落址复查10处，约占复查总量的27.78%；窖藏址复查7处，约占复查总量的19.4%；复查寺庙遗址5处，约占复查总量的13.89%；复查城址5处，约占复查总量的13.89%。

根据上述三普调查数据分析，抚顺地区辽金时期不可移动文物中，古遗址类所占比例较二普升高近2.11%，而古墓葬和古建筑分别下降了0.48%、1.63%。从各子类数据看，聚落址和窖藏址增幅较大，这说明三普调查相较二普更加规范，更加仔细。当然也可能是文物破坏比较严重的一种反映，地表遗物数量不多，不足以断定是否为其他类别的文物，只能归入聚落址或者窖藏址。

（四）文物保护级别及所有权分析

抚顺地区登记录入的87处辽金时期不可移动文物，截至三普调查结束，公布为各级文物保护单位的只有1处，即高尔山塔为省级文物保护单位，其余86处均未定级，定级率仅为1.15%。

从不可移动文物隶属关系看，只有三处为集体所有，其余皆为国家所有。集体所有权占比仅为3.45%，国家所有权占比96.55%。

（五）文物保存状况分析

根据三普调查的数据显示，抚顺地区辽金时期不可移动文物的保存现状共分为4个层级，没有好这一等。保存状况较好的有3处，占登记总量的3.45%；保存状况一般的有13处，占登记总量的14.94%；保存状况较差的有26处，占登记总量的29.89%；保存状况差的有45个，占登记总量的51.72%。

四、相关问题讨论

综上所述，抚顺地区辽金不可移动文物主要集中在古遗址方面，古墓葬和古建筑数量较少。相较于其他契丹、女真生活区域来说，抚顺地区的辽金不可移动文物略显贫乏，地表采集到的遗物也不是很丰富，研究略显不足。这可能是考古调查不够充分所致，当然也与现代建设对不可移动文物的破坏有关。仅就三普调查结果来看，仍在一定程度上反映了辽金时期抚顺地区的政治、经济、文化方面的发展状况。

（一）一州二县

贵德州城址的发现，为研究辽金时期抚顺的政治制度及行政区划沿革提供了实物基础[2]。贵德州始设于东丹国时期，东丹国是辽灭渤海后迁部分渤海遗民至辽东建立的

2　邢启坤：《辽金时期贵德州、凡河与大宝山考实》，《东北史地》2010年第6期，第16～19页。

地方政权。据《辽史·地理志》记载："契丹置贵德州，寻降为县……贵德州，宁远军下，节度……太宗时察割以所俘汉民置。"又据《读史方舆纪要》记载："贵德城，卫（沈阳中卫）东八十里……契丹置贵德州宁远军于此。"此外，《武经总要》记载："贵（德）州，古城，方二十里，曹魏时公孙康所据城也，汉乐浪等地，东南北皆生女真界，西至沈州八十里。"这就说明，贵德州设置的时代是辽太宗时期，地点位于今沈阳东八十里，当为今抚顺高尔山下。

贵德州所辖范围内设有二县，即贵德县与奉德县。据《辽史·地理志》载："统县二：贵德县，本汉襄平县，渤海为崇山县。奉德县，本渤海缘城县地。"这就是说，贵德州所辖的贵德县和奉德县均来源于渤海故地的行政区划建置，并随着部分渤海遗民南迁至今抚顺地区。贵德县是贵德州的州府所在，应与贵德州同在一城。奉德县城址不详，据推测可能在抚顺市西露天煤矿古城子一带[3]。李文信先生曾考察过古城子，并确认了此处有辽城遗址。

辽金时期贵德州的隶属关系经历了几个阶段的发展演变：第一段是从辽初至天禄五年（951）前后，为察割的头下军州时期；第二段是约从天禄五年到保宁元年（969），属东京道下辖州；第三段是从保宁元年至辽末，改属为崇德宫，即辽圣宗母承天皇太后的宫卫；第四段是从金初到金末，为东京路下辖州。

（二）经贸复荣

辽金时期，在统治者扶植农桑、减免税收政策的鼓励下，抚顺地区的农牧渔猎及手工业得到快速发展。从出土的各种铁制生产工具来看，抚顺地区农业分工细化程度相当高。仅耕犁就有铁铧、铁犁碗、铁趟头、铁牵引钩等部件组成，这同当代耕犁已没有多大区别。而铁铧又有大小不同款式，可适应开垦、犁地、起垄、播种等不同阶段的操作需求。农业的细作化，也促进了手工业的进一步分工和发展。金代抚顺大官屯窑制作的陶瓷器物，成为当时制窑业的杰出代表，其出产的陶瓷用品行销东北亚各地。

大官屯窑址是由日日新闻社河村芳男最早发现的，并分别于1919年和1925年进行了两次联合调查。此后的1936年，由当时奉天方面的古迹研究专家渡边三、奉天医大的黑田源次博士、满日文化协会的杉村勇造以及国立博物馆的河濑松三、园田义范等人组成发掘组，对大官屯窑址进行了正式发掘。

大官屯窑址规模较大，窑室的外观分为椭圆形和圆形两类，二者仅有大小之别[4]。窑室前开一门，门长约2、宽约1米。窑门内为半月形火膛，有窑床及烟道孔。窑壁以耐火砖砌筑，壁外以土坯接筑，再涂抹一层黄泥。

大官屯窑生产的陶瓷种类繁多，以生活用品和玩具、窑具为主[5]。生活用品以壶、罐、瓶、碗、盘、碟等为最多。其中壶包括有把和无把两种，有把壶又包括环把和直把两种。罐的数量在生活用品中占比较高，有大口、广肩、双耳型，也有无耳、无盖的筒

3　赵广庆、曹德全：《抚顺通史》，辽宁民族出版社，1995年，第102页。

4　赵广庆、曹德全：《抚顺通史》，辽宁民族出版社，1995年，第111页。

5　刘立丽：《金代大官屯窑始末》，《北方文物》2016年第1期，第50～52页。

约型，还有带盖或带把型等。瓶以鸡腿瓶和玉壶春瓶为主，釉面粗糙，一般下腹部至底部无釉。壶、罐、瓶等多为双系、三系或四系耳，体现了女真族渔猎生活的文化传统。碗、盘、碟体型一般较大，器壁较厚。此外，生活用品还有缸、盂、盏、纺轮等。玩具造型灵巧自然，代表了当时女真人的工艺水平及审美情趣。种类有小马、小羊、小狗、童子等。窑具主要包括垫具和匣钵两大类，其中垫具主要有垫环、三足支钉、梯形垫具、圆形垫具、托饼垫具、筒形垫具、线轴状垫具及馒头状垫具等，匣钵有碗状匣钵、筒状匣钵、环状匣钵等，此外还发现火照和泥条等。建筑构件及弹药在大官屯窑中也很常见：砖瓦有方砖、板瓦等，有素面也有带纹饰者，多为黄褐色；瓷雷，馒头状，周身乳突，中装炸药，威力很大。总之，大官屯窑出产的陶瓷器都属于日用的粗瓷。就釉色而言，有黑釉、白釉、酱釉、茶末绿釉等，尤以黑釉者为最多，釉面颜色普遍不均匀；就釉质而论，大都比较粗厚，且含有杂质较多。从施釉技法来看，应该是蘸釉法，因为胎面有很多滴釉现象。上述这些特点反映了大官屯窑的质朴粗犷，是抚顺地区地域和民族文化的具体体现。

随着大官屯窑的日益兴旺，手工艺人汇聚于此，形成了远近闻名的陶器制作、销售中心，热闹非凡。它的产品不仅流通于金源内地，还远销两宋的黄河、长江流域。贵德州因大官屯窑而商贾云集，巨大的物质需求进一步促进了经济的繁荣和商业的发展。

（三）北国浮图

建立辽金的契丹、女真两大民族原来信奉的是萨满教，随着王朝的建立和社会结构的日趋复杂，佛教在东京有了更广泛的传布。在统治阶层和普通百姓的热忱支持、信仰之下，抚顺地区佛教日益兴盛。

抚顺高尔山塔始建于辽道宗大安四年（1088），高14.1米，为八角九级密檐砖塔。高尔山塔由塔基、塔座、塔身、塔顶、塔刹5个部分组成。塔基圆形，塔座为等腰八角柱形。塔身八面皆雕有长方形的佛龛，龛上雕垂幛悬珠式宝盖，龛下浮雕飞天烘托，在每龛正中各浮雕坐佛一尊。塔顶为砖雕九级密檐八角阁楼式，每层密檐的八角脊上各悬挂一个铁风铎。塔刹直插云天，由下向上依次套接莲台、相轮、覆钵、圆光和仰月。

在高尔山塔附近发现一座石经幢，在高尔山塔所在山的东峰还发现另一座佛塔，两塔与山南的贵德州城之间大抵形成一个等边三角形。这说明，辽在建筑规划贵德州时已经有了一个完整的布局观念，使高尔山、浑河、贵德州城、佛塔成为多点一体的建筑群落。

综上所述，辽金时期包括抚顺地区在内的辽金东京地区，虽然几经朝代更迭，但没有造成毁灭性的破坏。特别是在金熙宗和海陵王改革以后，社会各方面均得到了迅速的恢复和发展。第三次全国文物普查所登录的辽金时期不可移动文物，为进一步研究辽金贵德州乃至东京地区政治、经济、文化提供了极为重要的实物资料。

（童　海　抚顺市博物馆　　温科学　辽宁省博物馆）

从吉林省辽金时期考古遗存管窥对外交流情况

孟庆旭　吴　辉

内容提要：本文对近年来吉林省考古发掘和调查资料进行了分析，认为吉林省出土的迦陵频伽建筑构件的形象是沿着草原丝绸之路传入的，建筑构件为本地制作，并在艺术形象上有所融合创新。沿着欧亚草原丝绸之路传入的还有作为饰品的青金石。同时，沿着这条通道传入的还有反映娱乐文化的九子棋以及反映宗教信仰的十字架饰品。吉林省境内辽金时期还存在着波及整个东北亚的瓷器贸易之路，瓷器贸易之路与欧亚草原丝绸之路共同推动了吉林省辽金时期社会经济的发展。

关键词：辽金　迦陵频伽　瓷器贸易

吉林省地处东北亚腹心，西部与广阔的亚欧草原地带接壤，向北通过松花江、黑龙江等河流沟通俄罗斯滨海边疆地区乃至更远的西伯利亚，东部连接朝鲜半岛。因此，在地理上，吉林省是东北亚地区交流的枢纽站。

这种交流现象，不仅涵盖的地域广泛，在时间上也很长，冯恩学指出在史前时期俄罗斯外贝加尔地区与我国东北地区存在着“之”字纹、圜底罐和玉器上的交流现象[1]。在青铜时代和铁器时代，从亚欧草原传播来的金属冶炼技术与南来的中原地区冶炼技术在吉林省产生交融，形成了不同工艺风格的各类金属制品。到辽金时期，这种交流的内容不断扩大，下面仅就其中几项考古遗存进行简单探讨。

敦煌莫高窟的壁画中常见有妙音鸟的形象，妙音鸟又称迦陵频伽，“是一种人鸟混合的形象，佛教利用它来宣传教义”[2]。该形象在沿丝绸之路传播的过程中被西夏人用在建筑上，成为装饰性的脊兽，并影响到辽、金两朝。其中，西夏陵区3号陵出土迦陵频伽饰件最多，其中包括琉璃五角花冠迦陵频伽2件、红陶五角花冠迦陵频伽1件、灰陶迦陵频伽1件。这些迦陵频伽皆人首鸟身，雕琢精细，部分尚存垂耳长眉、额心白毫相等佛教色彩。

1　冯恩学：《我国东北与贝加尔湖周围地区新石器时代文化交流的三个问题》，《辽海文物学刊》1997年第2期。

2　陈雪静：《迦陵频伽起源考》，《敦煌研究》2002年第3期，第12页。

2013～2014年，吉林省文物考古研究所对吉林省白城市洮北区城四家子城址进行了考古发掘，在城址内中轴线北部清理出一处大型夯土台基式建筑，出土的遗物表明该建筑为一处辽代晚期大型寺庙址，在早期建筑遗存的倒塌堆积内，清理出土灰陶迦陵频伽1件[3]。

2014～2017年，吉林省文物考古研究所对吉林省安图县金代长白山神庙址进行了考古发掘，该遗址为金代皇家祭祀长白山的神庙，遗址内出土了大量高等级建筑构件，其中即包含灰陶迦陵频伽[4]。

西夏陵区三号陵出土的迦陵频伽是目前所见的最早将迦陵频伽用于房屋建筑装饰的实例。吉林省城四家子城址和长白山神庙址出土的迦陵频伽饰件，装饰类型应该源于西夏陵区三号陵。中原地区以迦陵频伽形象作为建筑饰件仅在宋东京城顺天门遗址有出土[5]。因此，其传播路径也应是沿着北方辽国境内的草原传播而来，非经中原传入。

西夏陵区3号陵出土的迦陵频伽形制较大，造型精美，双手合十于胸前，双腿跪姿分于底座两边，背接双翼，后接蕉叶形长尾。与敦煌壁画中所见迦陵频伽形象相差无几。吉林城四家子城址出土的迦陵频伽形制较小，做工粗糙，双腿呈向前的抱姿，后接分叉式鱼尾。长白山神庙址出土的迦陵频伽形制较大，造型规整，其双手执莲蕾做奉献状，其形态与城四家子城址差异较大。

城四家子城址周边经调查发现两座辽金时期砖瓦窑，一处位于城址外东南约2.5千米处，该窑址处于城四家子城址东城外居民区边缘，应该是服务于该处居民区的窑址，城四家子城址城外西北约500米处还有一处窑址，“地表可见多片火烧形成的红烧土，均位于一个略高于地平面的小型台地腰部，周边可采拾到烧结的瓦片，其形态特征与城内出土瓦片相同，可确认此处是为城内建筑烧造瓦件的窑址”[6]。也即说明，城四家子城址内出土的包括迦陵频伽在内的建筑构件都应该是就近烧制的，非外部转运而来。东墙外发现与神庙营建有关的陶窑址[7]，说明其建筑构件亦为本地烧制。

城四家子城址所出土的迦陵频伽饰件做工粗劣，且出土遗迹原为寺庙建筑，所以该处迦陵频伽应该是随着佛教传入，其工艺上应该是对西夏陵区3号陵迦陵频伽饰件的简单模仿。长白山神庙址出土的迦陵频伽饰件，形制规整，风格别致，手执莲蕾的风格与西夏陵区差别较大，反而与更远的莫高窟壁画中形象相类，融入了更多本地对于迦陵频伽形象的理解，同时长白山神庙址的性质为金代祭祀长白山的神庙，已与佛教无太多干系，属于脱离原文化系统的再创造。

2015年，赵里萌等对城四家子城址流散文物进行整理记录时发现青金石鱼饰件1

---

3 吉林省文物考古研究所、白城市文物保护管理所等：《吉林白城城四家子城址建筑台基发掘简报》，《文物》2016年第9期。

4 吉林省文物考古研究所、吉林大学边疆考古研究中心：《吉林安图县金代长白山神庙遗址》，《考古》2018年第7期。

5 河南省文物考古研究院、开封市文物考古研究所、城市考古与保护国家文物局重点科研基地：《河南开封北宋东京城顺天门遗址2012～2017年勘探发掘简报》，《华夏考古》2019年第1期，第13～41页。

6 梁会丽：《城四家子城址的考古工作与认识》，《北方文物》2019年第4期。

7 吉林省文物考古研究所、吉林大学边疆考古研究中心：《吉林安图县金代长白山神庙遗址》，《考古》2018年第7期。

件，“仅存下部三叉形鱼尾，残长1.2厘米”[8]。青金石是一种较为名贵的玉石，在中国早期，多被作为彩绘的蓝色颜料，也用于制作各种工艺饰品和首饰。敦煌莫高窟、天水麦积山石窟、永靖炳灵寺石窟、克孜尔千佛洞等石窟寺壁画上都曾使用青金石做颜料[9]。青金石的主要产地有美国、阿富汗、俄罗斯、智利、加拿大等，其中，阿富汗的青金石矿藏开采较早，应该是丝绸之路沿线主要的青金石产地。也有人认为西域地区也是古代青金石产地之一[10]。由此可见，吉林省城四家子城址所见的辽金时期青金石饰件当是由西域或更远的阿富汗而来，青金石作为丝绸之路上的重要商品，充分显示吉林省古代通过丝绸之路与西域乃至中亚的物质文化交流。

2000年，吉林省文物考古研究所对前郭塔虎城城址进行了考古发掘，发掘出土的一件青砖上刻划有九子棋盘图案[11]。2018年，吉林省文物考古研究所在白城市双塔村清理了一处清代建筑址，建筑址所用青砖为辽金墓葬的墓砖，其中部分墓砖上也刻划有九子棋的棋盘图案[12]。此类棋盘在东北地区渤海时期已有发现，此类棋盘在埃及、蒙古国均有发现。学者研究认为九子棋是草原文化输入的产物，“为探讨草原丝绸之路向东延伸至东北亚地区提供了重要的线索”[13]。吉林省出土的辽金时期的九子棋盘实物，充分说明了在辽金时期，通过草原丝绸之路传播而来的不仅有各类贸易物品，还有蕴含于娱乐休闲的精神文化。

基督教自诞生以来，不断向外传播，最晚至隋唐时期已经传入我国，又被称为景教，其传播路线有两条：一条是沿着海上丝绸之路经泉州等港口传入内地，另外一条是沿着丝绸之路经河西走廊传入。在这两条线路及其周边区域发现了大量相关的遗迹遗物，其中，最著名的当为西安碑林博物馆所藏的大秦景教流行中国碑。同时，也发现了与景教有关的各类十字架。包括但不限于1988年敦煌莫高窟北区B105窟发现的铜十字架、南京博物馆藏房山十字寺元代景教十字石雕等。

2015年，吉林白城城四家子城址发现3枚十字架，顶端有系环，背面平素，正面中心为凸起的圆纽纹饰，四端为花苞造型。其用途当是用于穿绳佩戴的反映宗教信仰的标志物。考虑到城四家子城址地处东北亚内陆欧亚草原东端，路上丝绸之路沿线除敦煌外，“在20世纪20年代，在内蒙古鄂尔多斯沙漠出土了大批元代景教遗物青铜十字架”[14]。内蒙古赤峰市松山区城子乡也出土有十字架纹饰的墓砖。这些文物充分说明了

8 赵里萌、孟庆旭等：《记城四家子古城流散文物》，《辽金历史与考古（第八辑）》，科学出版社，2017年，第234页。

9 王进玉：《敦煌、麦积山、炳灵寺石窟青金石颜料的研究》，《考古》1996年第10期。

10 阿不力克木·阿布都热西提：《西域青金石与东西方经济文化交流》，新疆大学硕士学位论文，2003年，第17～21页。

11 吉林省文物考古研究所、吉林大学边疆考古研究中心：《前郭塔虎城——2000年考古发掘报告》，科学出版社，2017年，第94页。

12 吉林省文物考古研究所：《吉林省白城市洮北区双塔村发现清代建筑址》，《草原文物》2019年第2期。

13 武松：《渤海文化来源研究——以考古资料为中心》，吉林大学硕士学位论文，2019年，第205页。

14 包兆会：《中国基督教图像历史进程之七：宋、西夏景教十字纹牌饰》，《天风》2018年第7期，第53页。

在历史上景教曾经沿着欧亚草原丝绸之路传播。城四家子城址发现的十字架整体形态与大秦景教流行中国碑上刻划的十字架纹相近，说明二者应该有着相近的来源。

上述种种现象都说明了在辽金时期，亚欧草原丝绸之路不仅承载了商贸往来，更是文化艺术的传播之路，吉林省作为欧亚草原丝绸之路的东端，吸纳、融合了大量异域文化艺术，极大地促进了吉林省辽金时期社会的发展。

2000年，吉林省文物考古研究所对前郭塔虎城进行了考古发掘，发掘清理出各类瓷器500余件，其中包括定窑瓷器、耀州窑瓷器、临汝窑瓷器、龙泉窑瓷器以及产于朝鲜半岛的高丽青瓷。这些瓷器，均非吉林省本地所产，皆为外部输入而来。这样大规模出土瓷器的城址非止塔虎城一处，2014～2016年，吉林省文物考古研究所对城四家子城址进行了大规模的调查发掘，发掘调查资料显示，该城址辽金瓷器亦可见多个窑口，主要有龙泉务窑瓷器、定窑瓷器、钧窑瓷器以及龙泉窑等窑口的瓷器[15]。2017年，吉林省文物考古研究所与吉林大学联合对伯都古城进行了考古调查，调查显示，该城址亦散布有大量的瓷器，其中包括景德镇湖田窑瓷器、龙泉务窑瓷器、定窑瓷器等[16]。

吉林省辽金时期不仅城址大规模出土瓷器，普通的聚落遗址也普遍使用瓷器，1998～1999年，吉林省文物考古研究所对德惠市揽头窝堡遗址进行了考古发掘，该遗址是以金代遗存为主的古代聚落，发掘出土了大量瓷器，其中有东北窑口的粗白瓷，也有定窑的细白瓷，还有部分瓷器来自钧窑、建窑等窑口[17]。另外在大安尹家窝堡遗址[18]、德惠李春江遗址[19]、敦化永胜遗址[20]等辽金时期遗存中均发现有使用瓷器现象。

辽金时期吉林省境内并不生产瓷器，考古发现的大量瓷器遗存均为外部输入而来，甚至我们可以通过大批出土瓷器的城址和遗址勾勒出吉林省境内存在的数条瓷器贸易路线。这些水陆贸易路线不仅仅连接南方各个瓷器产地，从塔虎城、丹城子等城址内出土的高丽青瓷来看，吉林省辽金时期的瓷器贸易还远播朝鲜半岛。

黑龙江省金上京城址在历年的考古调查及发掘工作中发现了大量的瓷器，其中有东北窑口的粗白瓷，金代磁州窑瓷器、金代钧窑瓷器、金代定窑细白瓷、金代耀州窑青瓷以及南宋景德镇窑口瓷器和少部分高丽青瓷[21]。在黑龙江省不仅金上京这样的大型城址出土

15 赵里萌：《中国东北地区辽金元城址的考古学研究》，吉林大学硕士学位论文，2019年，第207页。

16 吉林大学考古学院、吉林省文物考古研究所：《吉林省松原市伯都古城的调查——兼论宁江州位置》，《边疆考古研究（第25辑）》，科学出版社，2019年。

17 吉林省揽头窝堡遗址考古队：《吉林德惠市揽头窝堡遗址六号房址的发掘》，《考古》2003年第8期。

18 吉林大学边疆考古研究所中心、吉林省文物考古研究所：《吉林大安尹家窝堡遗址2015年发掘简报》，《边疆考古研究（第20辑）》，科学出版社，2016年。

19 吉林省文物考古研究所、德惠市文物管理所：《吉林省德惠市李春江遗址发掘报告》，《北方文物》2009年第3期。

20 吉林大学边疆考古研究中心、吉林省文物考古研究所：《吉林敦化敖东城及永胜遗址考古发掘的主要收获》，《边疆考古研究（第2辑）》，科学出版社，2014年。

21 赵里萌：《中国东北地区辽金元城址的考古学研究》，吉林大学硕士学位论文，2019年，第46页；吕竑树、崔剑锋等：《金上京出土硅酸盐文物分析》，《北方文物》2019年第1期。

瓷器，如双城区红星村的前对面右城这样的小型城址，地表亦可采集到定窑、龙泉窑等窑口的瓷器残片[22]。俄罗斯赛加城址经过持续多年的考古发掘，清理出了一批瓷器，其中既有东北窑口的粗白瓷，也有定窑的细白瓷，还有景德镇湖田窑瓷器以及钧窑瓷器[23]。

上述遗址出土的瓷器均系该区域之外生产，且产地皆位于其南方，其贸易运输必然经过吉林省境内，可见辽金时期东北地区的瓷器贸易，吉林省不仅是消费区域，也是必经之路和中转站，吉林省中部自辽代起就存在南北方向的交通线。尤其是吉林省中部的以德惠市揽头窝堡遗址为代表的一批遗址，出土的大量瓷器可能即与辽金时期东北亚瓷器贸易通道有关。

吉林省中部地区，南部为辽河，中部有松花江，其中又有伊通河、饮马河等支流相互连接，在这些河流两岸，分布着梨树偏脸城、公主岭秦家屯古城、农安古城、广元店城址等大型城址，形成了吉林省境内辽金时期南北向水陆交通通道。在吉林省西部地区，分布有洮儿河、嫩江等河流，向东与松花江连接，沿岸有城四家子城址、塔虎城、榆树大坡古城等，构成了东西向的水陆交通通道。通过这两条通道，向西连接欧亚草原丝绸之路，向南连接中原地区，构成东北亚瓷器贸易通道，并辐射朝鲜半岛等地区。这种经济文化的交流，极大地促进了辽金时期社会经济的发展，吉林省中部地区乃至黑龙江哈尔滨地区辽金时期高密度的城址分布与此应有着莫大的关系。

辽金时期吉林省与外界的经济文化交流现象非止考古遗存上所见的一斑，更多的经济文化交流由于其载体不同而难以发现，宋人所著《事物纪原》中说：“中国初无西瓜，洪忠宣使金，贬递阴山，得食之。”据洪皓之子洪适《盘洲文集》卷九《西瓜》记有：“万里随肤使，分留三十年。甘棠遗爱在，一见一潸然。”题下注云：“癸亥年，先公自北方带归。”洪皓出使金朝被完颜希尹囚禁于私城十余年，回归南宋时带回了西瓜种子，完颜希尹家族墓地在今吉林省舒兰市[24]。其私城当亦在附近。西瓜是丝绸之路传入中国的重要农作物之一，其传播途径也非一条，但上述文献资料足以说明辽金时期西瓜种植技术亦曾通过吉林省传播。

上述种种充分说明了辽金时期吉林省通过欧亚草原丝绸之路以及东北亚贸易通道与域外有着广泛的经济文化交流，这种交流，不仅是经济贸易上的互补，还包含着文化艺术上的交流与融合。

附记：本文系吉林省省级文物保护项目“汉唐至清代吉林省境内‘冰雪丝绸之路’遗存考古调查研究”研究成果。

（孟庆旭　吴　辉　吉林省文物考古研究所）

22 景爱：《金上京》，生活·读书·新知三联书店，1991年，第116页。

23 吉林省文物考古研究所、俄罗斯科学院远东分院远东民族历史·考古·民族研究所：《俄罗斯滨海边疆区女真文物集萃》，文物出版社，2013年，第157～168页。

24 庞志国：《1979～1980年间完颜希尹家族墓地的调查与发掘》，《东北史地》2010年第4期。

以考古类型学视角观察南宋、金境内出土瓷器的互动关系

张大鹏

内容提要：1127～1234年，南宋与金这两大南北政权处于对峙焦灼状态，但双方尚未中断彼此间商贸和文化的互通有无。南宋境内的金瓷、金境内的南宋瓷作为重要“物证”，反映着“你中有我，我中有你”的互动关系状态。通过对现有相关成果的梳理发现：多数论著关注角度单一，尚处于静态研究，运用考古类型学方法进行动态观察不失为一种视角。以考古类型学为视角观察这种互动关系，依托分型分式、排列组合等手段，对典型窑址出土瓷器做系统分析，探究其互动过程中的动态表现。除此之外，还对与互动关系相关问题进行探讨，从而在视角和方法上为南宋、金物质文化交流研究提供新的思路。
关键词：考古类型学　南宋　金　出土瓷器

一、南宋境内出土金代瓷器的类型

南宋境内出土金代瓷器大致可分为定窑、磁州窑、耀州窑和钧窑四种类型。

（一）定窑瓷器类型

南宋境内出土定窑瓷器的主要器形有碗、盘、洗、杯、炉等，其中以碗、盘最为常见。根据墓葬、窖藏等发掘情况来看，出自定窑的瓷碗占比较大，胎质细白，釉色微微泛黄。器形中芒口居多，大口、敞口次之，少有内敛口，口沿处采用包银、镶铜、露釉打磨等工艺，矮圈足，以印花和刻划花作为简单装饰。依据造型差异，可分为A型六边形葵口碗[1]、B型笠状碗[2]和C型圆口弧壁碗[3]这三种类型。与碗相比，出自定窑的盘在胎釉特征、装饰和装烧方法上与其较为相似，在出土数量上仅次于碗。依据明显的足部特征，分为A型饼足盘和B型圈足盘[4]，在饼足盘中根据口沿开合程度，又分为Aa敞口

1　浙江省文物考古研究所：《杭州北大桥宋墓》，《文物》1988年第11期。
2　陈定荣：《江西吉水纪年宋墓出土文物》，《文物》1987年第2期。
3　绍兴县文物管理委员会：《浙江绍兴缪家桥宋井发掘简报》，《考古》1964年第11期。
4　绍兴县文物管理委员会：《浙江绍兴缪家桥宋井发掘简报》，《考古》1964年第11期。

型[5]和Ab撇口型[6]。胎质细腻略泛黄，有开片现象，铜皮包卷口沿。内壁有印花、刻花装饰，以花卉纹题材居多。除此之外，浙江杭州北大桥宋墓出土的1件瓷洗[7]、四川三台宋代窖藏出土的1件瓷杯[8]以及湖南长沙东郊杨家山南宋墓出土的1件瓷炉[9]均属定窑瓷器类型（图1，1～5、10、16）。

（二）磁州窑系瓷器类型

磁州窑作为北方生产民用瓷器的翘楚，在宋、金、元时期广泛流行化妆土装饰、白地黑褐花、红绿彩等代表性产品。除中心窑场磁州窑以外，当阳峪窑、鹤壁集窑、登封曲河窑、介休窑等都有磁州系产品烧造，且质量不亚于中心窑场。从南宋境内出土情况来看，产品也不只属中心窑场独有。所见产品器形有小口平底梅瓶和直口弧腹罐。小口平底梅瓶依据纹饰繁复程度分为Ⅰ、Ⅱ两式，Ⅰ式从暴露的胎质、褐色彩绘以及胎体上敷有一薄层白旳化妆土等情况看，近似山西介休窑产品，来自河南或山西一带可能性较大[10]。而Ⅱ式很可能来自禹县扒村窑，也属磁州窑系产品[11]。直口弧腹罐以粗细均匀的双线条纹区分为肩、腹、下腹三段，颈部绘珠点纹，肩部绘六瓣草花纹，腹部饰两朵大花，平底无釉，中间填以草花纹，纹饰疏密有致，线条明快有力[12]（图1，6～8）。

（三）耀州窑系瓷器类型

南宋境内出土耀州窑系瓷器除中心窑场所产之外，还有临汝窑的产品。总的来看，器形主要有盘、盖、钵、洗、器盖、炉、枕等。其中耀州窑系的盘与定窑的盘在分型上近似，同样可分为A型饼足盘[13]和B型圈足盘[14]。敞口，斜壁，浅弧腹。分别施白胎青釉和黄胎绿釉。A型饼足盘纹饰较为简单，以植物为题材，而B型圈足盘则采用植物与儿童相结合作为装饰主题，生动活泼。除此之外，见于四川什郎南宋窖藏出土虾青釉瓷盏[15]，敞口外折沿、小圈足，施满釉，器内有五瓣暗花，胎骨厚重，青釉中泛黄色。四川遂宁金鱼村南宋窖藏出土的钵和器盖[16]、陕西略阳出土的炉和洗[17]皆属耀州窑系典型

---

5 翁善良：《成都市发现的一处南宋窖藏》，《文物》1984年第1期。

6 宁波市文物考古研究所：《浙江宁波唐国宁寺东塔遗址发掘报告》，《考古学报》1997年第1期。

7 浙江省文物考古研究所：《杭州北大桥宋墓》，《文物》1988年第11期。

8 景竹友：《三台出土宋代窖藏》，《四川文物》1990年第4期。

9 高至喜：《长沙东郊杨家山发现南宋墓》，《考古》1961年第3期。

10 林士民：《浙江宁波天封塔地宫发掘报告》，《文物》1991年第6期。

11 刘礼纯：《江西瑞昌宋墓出土磁州窑系瓷瓶》，《文物》1987年第8期；麻城市博物馆：《麻城上马石村宋墓清理简报》，《江汉考古》2007年第2期。

12 金柏东、林鞍钢：《浙江永嘉发现宋代窖藏银器》，《文物》1984年第5期。

13 遂宁市博物馆、遂宁市文物管理所：《四川遂宁金鱼村南宋窖藏》，《文物》1994年第4期。

14 陈定荣：《江西吉水纪年宋墓出土文物》，《文物》1987年第2期。

15 丁祖春：《四川省什邡县出土的宋代瓷器》，《文物》1978年第3期。

16 遂宁市博物馆、遂宁市文物管理所：《四川遂宁金鱼村南宋窖藏》，《文物》1994年第4期。

17 陕西省考古研究所：《陕西铜川耀州窑》，科学出版社，1965年，图版二十一，4；汉中地区文化馆、略阳县文化馆：《陕西省略阳县出土的宋瓷》，《文物》1976年第11期。

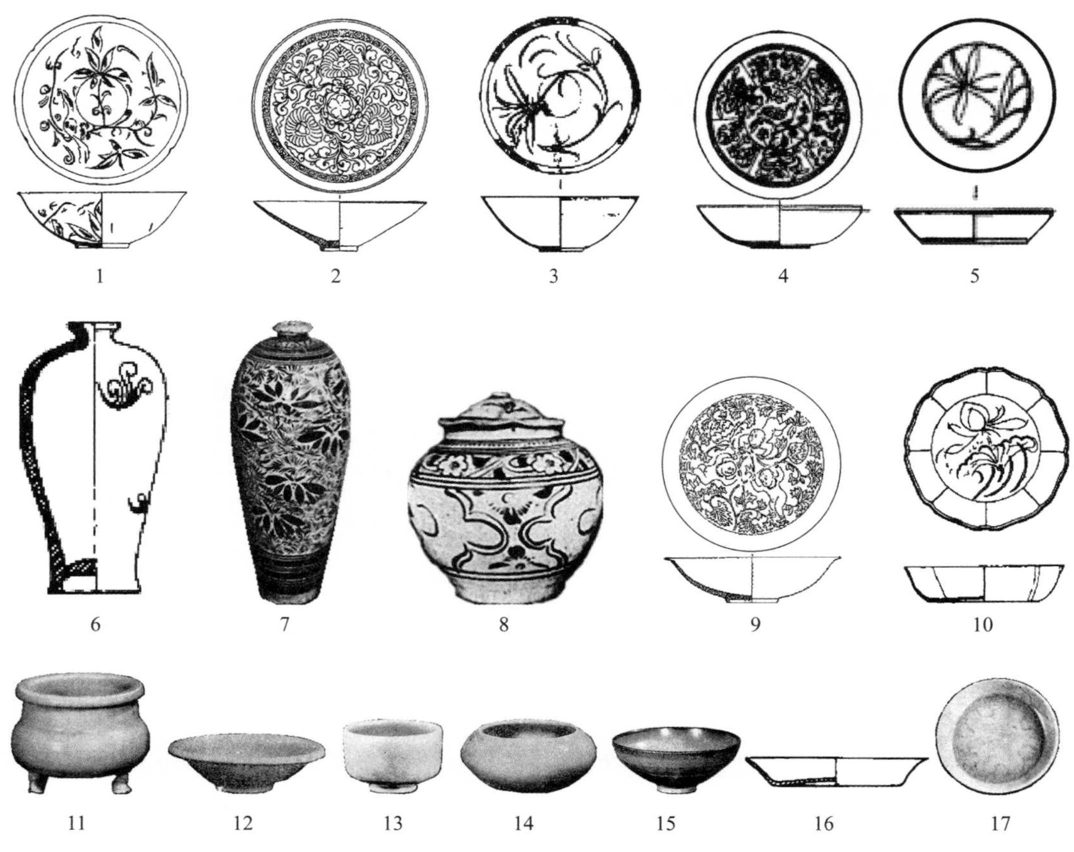

图1　南宋境内出土金代瓷器的类型

1、10. 定窑A 型碗、洗（杭州北大桥宋墓出土）　2、9. 定窑B 型碗、耀州窑B 型盘（江西吉水张宣义墓出土）　3、5. 定窑C 型碗、B 型碗（浙江绍兴缪家桥宋井出土）　4. 定窑Aa型盘（成都市窖藏出土）　6. 磁州窑Ⅰ式梅瓶（宁波天封塔地宫出土）　7. 磁州窑Ⅱ式梅瓶（江西瑞昌冯士履墓出土）　8.磁州窑罐（浙江永嘉宋代窖藏出土）　11、14、15. 耀州窑炉、洗，钧窑碗（陕西略阳封家坝窖藏出土）　12. 耀州窑盏（四川什郎南宋窖藏出土）　13、17. 耀州窑钵、A 型盘（四川遂宁金鱼村南宋窖藏出土）　16. 定窑Ab型盘（浙江唐国宁寺东塔遗址出土）

瓷器类型（图1，9、11～14、17）。

（四）钧窑瓷器类型

南宋境内出土钧窑瓷器不多，时代普遍偏晚，为南宋中后期至元初。器形只有碗。釉层较厚，釉色为天蓝色至青蓝色不等。陕西封家坝南宋窖藏出土一件青蓝釉大瓷碗[18]，敛口圈足，足及外底露胎，胎骨淡红色，釉均厚，无花纹，因火候不够，釉浑油无光泽（图1，15）。

18　陕西省考古研究所：《陕西铜川耀州窑》，科学出版社，1965年，图版二十一，4；汉中地区文化馆、略阳县文化馆：《陕西省略阳县出土的宋瓷》，《文物》1976年第11期。

二、金境内出土宋代瓷器的类型

金境内出土宋代瓷器大致可分为景德镇窑系、龙泉窑和建窑三种类型。

（一）景德镇窑系瓷器类型

金境内出土景德镇窑系瓷器以青白釉碗、盘最为多见。根据口沿形状，碗可分为A型平口碗和B型花口碗[19]，在A型平口碗中，依据足和腹的不同，又可分为Aa型Ⅰ式[20]、Aa型Ⅱ式[21]，即圈足弧壁形和圈足斜壁形以及Ab型饼足形[22]，内外皆施青白釉，绘花草纹样。盘的类型相对简单，分A型方形盘[23]和B型圆形盘，B型圆形盘中又以Ba型平口[24]和Bb型花口[25]相别，内外施釉，以花卉、鱼鸟题材居多。罐的器形较为丰富，分A型小瓷盖罐[26]、B型双耳罐[27]、C型高领罐[28]和D型大口罐[29]四种类型。枕分为A型菱花形枕、B型椭圆形枕和C型长方形枕，均与D型大口罐出自河北井陉县柿庄宋墓。除此之外还有盏托、壶、瓶、熏炉等[30]（图2，1～3、4～6、9～22、25）。

（二）龙泉窑瓷器类型

金境内出土龙泉窑瓷器以碗、盘最为多见。依据腹壁特征，碗可分A型弧腹碗[31]和B型鼓腹碗[32]，侈口，圈足。胎局部泛红褐色，釉呈淡绿色，细腻坚硬。另有洗、梅瓶

19 杨学林：《北京平谷东高村巨家坟金代墓葬发掘简报》，《北京文物与考古（第四辑）》，北京市文物研究所，1994年。

20 陈相伟：《吉林怀德秦家屯古城调查记》，《考古》1964年第2期。

21 辽宁省博物馆：《辽宁朝阳金代壁画墓》，《考古》1962年第4期。

22 杨学林：《北京平谷东高村巨家坟金代墓葬发掘简报》，《北京文物与考古（第四辑）》，北京市文物研究所，1994年。

23 考古所安阳工作队：《河南安阳西郊唐、宋墓的发掘》，《考古》1959年第5期。

24 杨学林：《北京平谷东高村巨家坟金代墓葬发掘简报》，《北京文物与考古（第四辑）》，北京市文物研究所，1994年。

25 辽宁省博物馆：《辽宁朝阳金代壁画墓》，《考古》1962年第4期。

26 杨学林：《北京平谷东高村巨家坟金代墓葬发掘简报》，《北京文物与考古（第四辑）》，北京市文物研究所，1994年。

27 杨学林：《北京平谷东高村巨家坟金代墓葬发掘简报》，《北京文物与考古（第四辑）》，北京市文物研究所，1994年。

28 杨学林：《北京平谷东高村巨家坟金代墓葬发掘简报》，《北京文物与考古（第四辑）》，北京市文物研究所，1994年。

29 河北省文化局文物工作队：《河北井陉县柿庄宋墓发掘报告》，《考古学报》1962年第2期。

30 陕西省考古研究院：《西安南郊夏殿村金代墓葬发掘简报》，《考古与文物》2010年第5期；吉林省博物馆、农安县文管会：《吉林农安金代窖藏文物》，《文物》1988年第7期；南京博物院：《安徽凤台连城遗址内发现一批唐—元时代的文物》，《文物》1965年第10期。

31 许昌市文物工作队：《许昌文峰路金墓发掘简报》，《中原文物》2010年第1期。

32 宽城县文保所：《河北宽城县发现瓷器窖藏》，《考古》1994年第3期。

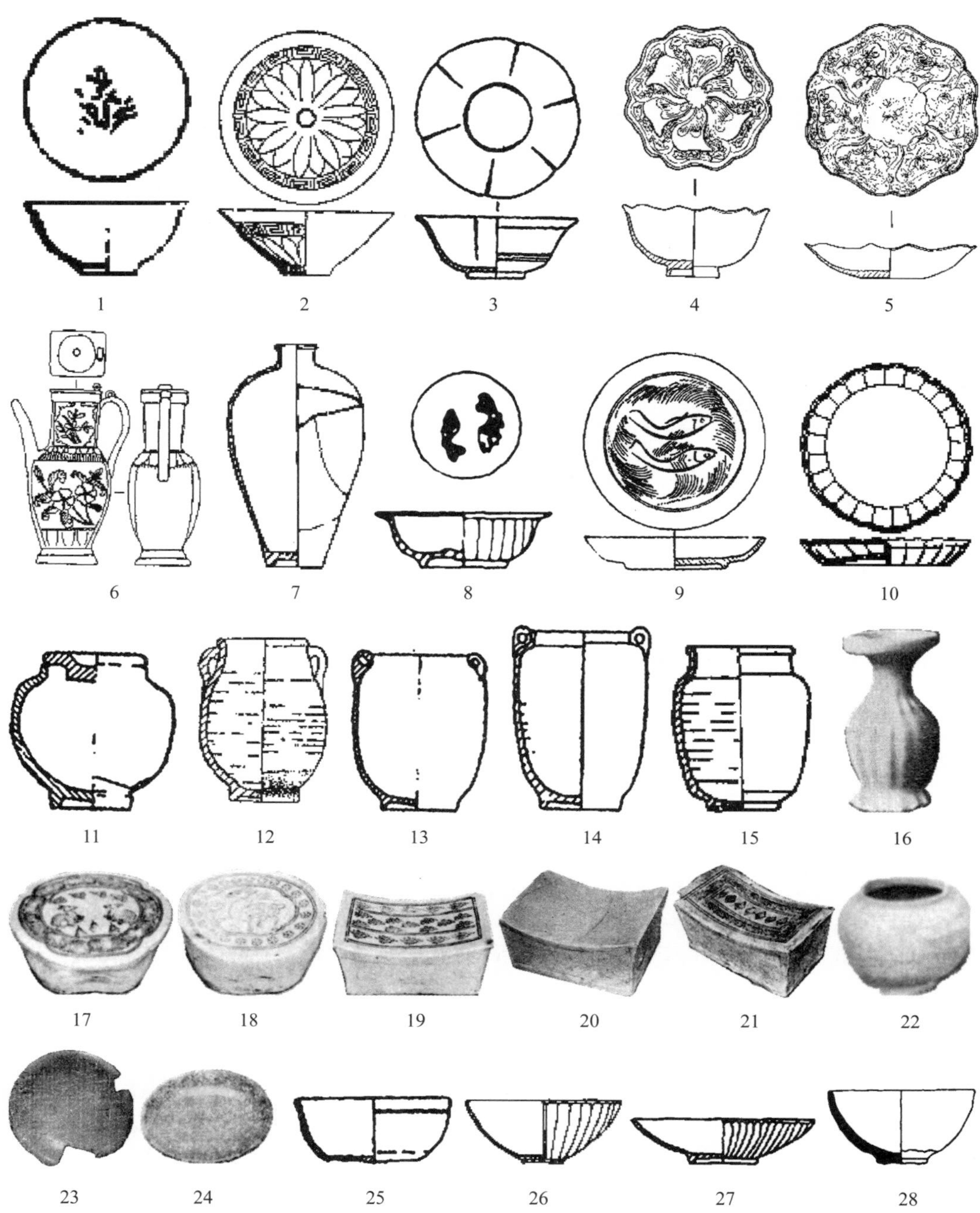

图2 金境内出土宋代瓷器的类型

1. 景德镇窑系青白釉Aa 型Ⅰ式碗（吉林秦家屯古城出土） 2、10. 景德镇窑系青白釉Aa 型Ⅱ式碗、Bb 型盘（辽宁朝阳马令夫妇墓出土） 3、9、11、12～14、15、25. 景德镇窑系青白釉B型碗、Ba 型盘、A 型罐、B 型罐、C 型罐、Ab 型碗（北京巨家坟金墓出土） 4、5. 景德镇窑系青白釉盏托（西安南郊夏殿村金墓出土） 6. 景德镇窑系青白釉壶（吉林农安窖藏出土） 7、8、26、27. 龙泉窑梅瓶、洗、A 型碗、A 型盘（许昌文峰路金墓出土） 16. 景德镇窑系青白釉瓶（安徽凤台连城遗址出土） 17、18、19～21、22. 景德镇窑系青白釉A 型枕、B 型枕、C型枕、D 型罐（河北柿庄宋墓出土） 23. 龙泉窑B 型盘（黑龙江兰棱金代窖藏出土） 24. 龙泉窑C 型盘（河北宽城窖藏出土） 28. 建窑黑釉碗（内蒙古乌兰窑子金墓出土）

等器形与A型弧腹碗同出一个墓葬。盘依据装饰风格差异分为A型刻菊瓣纹盘[33]、B型刻划牡丹花盘[34]和C型素面盘三型[35]，青釉，釉面莹亮均匀，满釉裹足，有缩釉现象。除此之外，许昌文峰路金墓M3出土的洗、梅瓶[36]作陈设之用也属龙泉窑瓷器（图2，7、8、23、24、26、27）。

（三）建窑瓷器类型

金境内出土建窑瓷器较为稀少，主要有兔毫和鹧鸪斑两种装饰风格的盏、碗，见于内蒙古武川县乌兰窑子金墓M2[37]、双城县兰棱镇金代窖藏[38]等。内蒙古武川县乌兰窑子金墓M2出土黑釉碗，圆唇，敞口，腹壁急收，假圈足，内底作圜底。内、外壁均施鹧鸪斑釉，近底露胎（图2，28）。

三、宋、金境内出土瓷器的组合与分期

通过上述对南宋、金两境出土瓷器类型的整理发现，两境之间在瓷器类型上存在一定的类似，但时间跨度有所不同，笔者将具有代表性的组合方式做以对比，进而探讨两境出土瓷器的分期问题（表1）。

表1　南宋、金两境内出土瓷器组合表

组合 / 类型 / 组别	南宋境内出土金代瓷器的组合							金境内出土宋代瓷器的组合					
	类型							类型					
	碗	洗	盘	钵	盏	炉	器盖	碗	洗	盘	罐	梅瓶	枕
第一组	定窑A型	定窑	耀州窑A型	耀州窑			耀州窑	景德镇窑Aa型Ⅰ式			景德镇窑D型		景德镇窑A、B、C型
第二组	定窑B、C型，钧窑		定窑Ab、B型，耀州窑B型		耀州窑	耀州窑		景德镇窑Aa型Ⅱ式		景德镇窑Bb型			
第三组			定窑Aa型，耀州窑B型					景德镇窑Ab、B型		景德镇窑Ba型	景德镇窑A、B、C型		
第四组								龙泉窑Aa型	龙泉窑			龙泉窑	

33　许昌市文物工作队：《许昌文峰路金墓发掘简报》，《中原文物》2010年第1期。

34　陈家本：《双城县兰棱镇出土一批金代窖藏文物》，《北方文物》1990年第1期。

35　宽城县文保所：《河北宽城县发现瓷器窖藏》，《考古》1994年第3期。

36　许昌市文物工作队：《许昌文峰路金墓发掘简报》，《中原文物》2010年第1期。

37　乌兰察布盟文物工作站：《内蒙古武川县乌兰窑子金墓清理简报》，《考古》1989年第8期。

38　陈家本：《双城县兰棱镇出土一批金代窖藏文物》，《北方文物》1990年第1期。

依据表1中器物组合可见，南宋境内第二、三组共出耀州窑B型盘，因此判断出二、三组应为同期。根据器物组合的对比关系，南宋境内所见金代瓷器可大致分为南宋前期、南宋中后期。前期以第一组组合方式为代表。定窑A型碗和洗花口造型，装饰以花卉植物为题材的印花、刻划花，胎质细腻，使用覆烧技术。同时还伴有耀州窑A型盘、钵和器盖。到了南宋中后期。以第二、三组组合方式为代表。本期中最为流行的是定窑B型碗，和前期的A型碗差异很大，逐渐开始使用摞烧法。此外，南宋中后期出土的定窑瓷器数量上升，B型碗、C型碗、Aa型盘、Ab型盘、B型盘都在这段时期较为常见，定窑碗、盘类器物造型趋于多样化发展。而第一组组合方式中流行的定窑A型碗、洗逐渐消失，说明花口逐渐衰落。

而在金境内出土瓷器组合中，尚未发现南宋境内不同组别却有共出且相同器形的现象。但根据以青白釉为主导的景德镇窑系器形与部分辽代时期典型器形近似，且自二、三组组合的年代跨度在金大定初年（1161）至金泰和元年（1201），即为金代中期和中期偏后。因此，可以将金境内的宋瓷分为金代初期和金代中后期两期。金代初期以第一组组合方式为代表，景德镇窑青白釉碗最为常见，Aa型Ⅰ式碗接近宋、辽时期的典型器形，纹饰也较为简单，制作粗糙。金代中后期则以第二、三、四组组合方式为代表。金境内流行青白釉碗，造型类似倒置的斗笠，而第一期流行的碗逐渐消失。青白釉型碗、盘变成花口，可见花口是这时较为流行的造型风格。此外，部分墓葬还出土了壶、盖托等高档生活用瓷，釉色透亮润泽，制作工艺较第一期精细，印花、刻花装饰也更为常见，这类装饰多出现在碗、盘内部，并出现模式化打造的趋势。相较于南宋境内的覆烧法，摞烧法在这一时期也开始流行于青白釉瓷器生产中。仅外部施釉，内有刮圈，中心也有刮圈，这是摞烧法运用于青白釉瓷器生产的表现之一。除青白釉瓷器之外，以第四组组合方式为代表的龙泉窑瓷器在中后期开始流行。

四、南宋、金境内出土瓷器互动过程中的动态表现

不同品种的瓷器彼此间在使用时间和存世数量上既有差异也存在联系，它们的消长情况亦不同。南宋境内出土金代瓷器基本属定窑、磁州窑系、耀州窑系和钧窑烧造。定窑瓷器出土数量占总体数量的72%，耀州窑系瓷器占19%，磁州窑系瓷器占5.4%，钧窑瓷器仅占总体数量的3.6%。同时，在出土金代瓷器的遗址、遗迹中往往也伴出景德镇窑、龙泉窑、建窑等瓷器。而金境内所见宋瓷的品种涵盖了景德镇窑、龙泉窑、建窑等。景德镇窑烧造的瓷器占到所出宋瓷数量的73%，龙泉窑瓷器约占25%，而建瓷仅占2%。同时，它们在遗址、遗迹中也和金境内的定窑、耀州窑、磁州窑及钧窑等窑系瓷器存在一定的共存关系（表2、表3）。

表2　南宋境内出土各窑系金代瓷器统计表

出土瓷器地点	所属年代	墓主人	定窑	耀州窑系	磁州窑系	钧窑	景德镇窑	龙泉窑	建窑
江苏武进村前南宋墓M1～M6	北宋末至南宋	南宋官员薛极	△						

续表

出土瓷器地点	所属年代	墓主人	定窑	耀州窑系	磁州窑系	钧窑	景德镇窑	龙泉窑	建窑
长沙东郊杨家山南宋墓葬群	南宋	南宋趯氏官员	△						
杭州北大桥宋墓	南宋	淳熙元年官员	△					△	
江苏吴江叶氏夫妇墓葬	南宋	叶子思、邹氏	△				△		
江浦黄悦岭张同及章氏墓葬	南宋	张同、章氏	△						
麻城上马石村宋墓	南宋中晚期	不详		△	△				
清江薛溪公社槎市大队南宋墓葬	南宋	王宣义、周氏	△						
江西吉水张宣义墓葬	南宋	张宣义	△	△					△
江西瑞昌冯士履墓葬	南宋	冯士履			△				
浙江宁波天封塔地宫	南宋早期	不详			△				
峨眉山罗目镇宋代窖藏K2	南宋中期	不详	△				△		
三台宋代窖藏	南宋中后期	不详	△				△	△	
遂宁金鱼村窖藏	南宋	不详	△	△			△	△	
八渡河窖藏	南宋后期	不详	△				△	△	
封家坝南宋窖藏	南宋后期	不详		△		△			
大沙坝南宋窖藏	南宋后期	不详		△					
什邡窖藏	南宋后期	不详	△	△			△	△	
南坝南宋瓷器窖藏	南宋后期	不详	△				△		
成都窖藏	南宋	不详	△	△			△	△	
浙江永嘉宋代窖藏	南宋				△				
浙江宁波唐宋子城遗址	南宋	不详			△	△	△	△	
扬州宋大城西门遗址	南宋	不详		△	△		△	△	
杭州严官巷南宋御街遗址	南宋	不详	△				△	△	
杭州白马庙巷南宋制药作坊遗址	南宋	不详	△				△	△	△

续表

出土瓷器地点	所属年代	墓主人	定窑	耀州窑系	磁州窑系	钧窑	景德镇窑	龙泉窑	建窑
绍兴缪家桥宋井J1	南宋	不详	△				△	△	
宁波唐国宁寺东塔遗址	南宋至元初	不详	△			△	△	△	
镇江市解放路南宋灰坑H2	南宋	不详		△			△	△	△

表3　金代境内出土各窑系南宋瓷器统计表

出土瓷器地点	所属年代	墓主人	定窑	耀州窑系	磁州窑系	钧窑	景德镇窑	龙泉窑	建窑
安阳58AHM4	北宋末至金初	不详					○		
柿M3-9	金初	不详					○		
陇西李泽夫妇墓葬	金代	李泽夫妇					○		
老虎沟博州防御使墓葬	金代	金契丹人					○		
朝阳马令夫妇墓葬	金代	马令夫妇	○				○		
北京窝论墓葬	金代	女真贵族		○			○		
大官庄金代砖雕壁画墓M1	金代	官吏					○		
平谷东高村巨家坟金墓	金代	官吏					○		
许昌文峰路金墓M2	金代中期	金代贵族				○		○	
许昌文峰路金墓M3	金代中期	金代女性贵族				○		○	
西安南郊夏殿村金墓	金代中晚期	不详		○			○		
双城村金墓	金代晚期	不详	○			○		○	
内蒙古武川县乌兰窑子金墓M2	金代	不详							○
农安窖藏	金代末期	不详	○			○	○		
双城县兰棱镇金代窖藏	金代	不详			○	○		○	○
河北宽城县窖藏	金、元时期	不详			○	○		○	
长兴辽金遗址	辽、金时期	不详	○				○		
怀德秦家屯古城	辽、金时期	不详	○				○		

续表

出土瓷器地点	所属年代	墓主人	定窑	耀州窑系	磁州窑系	钧窑	景德镇窑	龙泉窑	建窑
塔虎城遗址	辽、金时期	不详	○	○		○		○	
安徽凤台连城遗址	宋、金时期	不详	○	○	○	○	○	○	
吉林德惠揽头堡遗址F6	金代晚期	不详	○						○
松花江下游奥里米古城	金代	不详	○			○		○	
大葆台金代遗址	金代	不详				○	○		
蒲峪路故城	金代	不详	○		○		○		
辽宁绥中县后村金元遗址	金、元时期	不详	○		○	○		○	

注：表格中“△”代表南宋境内出土金代瓷器的窑系归属，“○”代表金境内出土南宋瓷器的窑系归属。

通过以上梳理发现，南宋前期其境内出土的金代瓷器数量偏少，并且仅出自定窑和磁州窑系，究其原因应与战争有关，金仍处于战争纷扰状态，生产中断是造成南宋初期其境内几乎不见金代瓷器的根本原因。

到了南宋中期，其境内定窑、磁州窑系、耀州窑系、钧窑瓷器均有发现，且数量呈上升趋势，但与本地窑口烧造产品同时出现的情况比较少见，这从侧面反映出当时包括南宋在内的整个制瓷行业和瓷器交流仍处于“低谷”状态。南宋末期至元代初期定窑瓷器已成为南宋接受金代瓷器的主流，不仅将定窑瓷器用于陪葬品，还出现以窖藏形式存放的现象，格外受到重视。磁州窑系瓷器在出土数量和地域广度上比前一期有所提高，而且这时的产品在纹饰上追求繁缛美观，简约粗放的勾勒逐渐消失。耀州窑系和钧窑瓷器都是在末期才开始出现在南宋境内，以生活用瓷为主，极少作随葬品之用。除此之外，出土金代瓷器的地点还经常出土景德镇窑、龙泉窑、建窑以及少量吉州窑、广元窑、磁峰窑等本地产品，青白釉占比较大，器形规整。这说明在南宋后期，无论是南宋和金之间，还是南宋境内部的瓷器都在交流的过程中体现出动态发展。

反观金代初期，金境出土宋瓷的地点相对有限。景德镇窑的青白釉瓷器出土较为常见，龙泉窑和建窑瓷器数量几乎为零，与其共出的基本都是本地不知名窑场的产品，但整体仍保留着宋、辽时期的典型器形，制作上稍显简朴、粗疏，无纹饰或纹饰较为简单。尚未发现定窑、耀州窑、磁州窑和钧窑这些北方著名瓷窑的产品。金代中后期，金境内出土宋瓷的地点增多。从品种上来看，青白釉瓷器数量仍然可观，占总体数量的一半以上，多以随葬品出现。龙泉窑和建窑瓷器在这一时期开始在金境内出现，从出土地点上来看，多为日常生活用器，和金初期相比，此时金境内定窑、耀州窑、磁州窑和钧窑的产品却以不同的组合方式与宋瓷相伴而出，序列结构相对复杂。金大定年间以后，北方各著名窑场生产都有所恢复并逐步发展繁荣起来，同时这种现象也充分展现出即使在南宋、金对立状态下，南北方物质文化交流依然处在动态交织的过程之中。

五、与互动关系相关问题的探讨

通过以上器形组合、分期研究和互动关系反映出，南宋境内出土金代瓷器相对集中，出土地点沿长江流域分布，四川和长江下游地区较多。而金境内宋瓷体现出分散不均匀、断续不连贯的特点，差异化甚为明显。既然两境瓷器存在互动关系，那么瓷器的流入方式和入境传播路线对于这种关系的构成尤为重要，但目前学术界说法不一，笔者希望通过不同窑系时代区位特征，结合出土瓷器发现地点，对这两个问题进行探讨。

（一）两境瓷器流入方式问题

黄义军在《宋代青白瓷的历史地理研究》中提出一种认识："宋北方诸窑是依靠陆路榷场贸易和长途贩运，南方瓷器则依靠海运进入辽、金两境。"[39]笔者对这种看法存有异议，"绍兴议和"之后在两地边界的确大范围设立榷场，对于双方你来我往发挥着重要的作用，但宋瓷传入金境单纯依靠榷场和长途贩运这种方式，违背了当时的一些常理。

首先，从出土地点来看，金境出土宋瓷的地点集中在环渤海地区和今辽宁、吉林、黑龙江、内蒙古四省，大小共20余处，而在中原地区却仅存6处，且以太行山为界，其西侧不见任何宋瓷出土。如果宋瓷的北播是通过榷场贸易和长途贩运进行的，那么按照常理，中原地区应该是宋瓷的集中地区，会出现经中原地区向华北、东北连续分布的现象。遗憾的是，从目前的资料来看，这种宋瓷由陆路大量且连续传播的迹象几乎不见。

其次，受"绍兴议和"界限确立的影响，淮河以北的运河航道逐渐废弃，南北沟通能力大大下降。因此在南宋、金政权对立时期，通过榷场贸易的南宋物资若要到广大的北方地区进行销售，一般依托长途河道贩运。"运盐之法，凡行百里，陆运斤四钱，船运斤一钱。"也就是说，内河船运费用仅及陆运的四分之一，若再加上宋、金间榷场和沿途关卡重重课税，宋瓷靠陆路长途北运的成本极高，有悖常理。

再次，若瓷器在金境内属稀缺之物，那么即使运输成本再高，宋瓷在供需关系不平衡的情况下也将大大有利可图。宋、辽政权并立时，定窑、耀州窑等都处于宋人的控制范围之下，辽虽有自己的窑场生产瓷器，但产品质量无法和中原地区的名窑产品相提并论，远不能满足社会中上阶层对高档优质瓷器的需求，因此定窑、耀州窑、景德镇窑系青白釉等宋瓷大量运往辽地。而到了金代，原属宋的定窑、耀州窑、磁州窑、钧窑等著名窑场都归属到了金的统辖地域之内。金大定年间以后，这些窑场的生产已逐渐恢复，因此瓷器并非金的稀缺物品，加之考虑到北宋中期以后南北方制瓷水平已差别不大，烧造的成本应该基本平衡，那么宋瓷较之北方瓷窑产品并无明显优势可言，反而会因长途贩运增高成本而在市场竞争中处于不利地位。

综上分析，宋瓷经过榷场和长途贩运大量进入金境的可能性不大。笔者更倾向入港海运、盐业配货和私人携带的方式。2014年以来，山东胶州板桥镇、河北黄骅海丰镇、山东垦利海北等沿海遗址的考古资料陆续出现，这些遗址中均出土了大量金代瓷器。

39 黄义军：《宋代青白瓷的历史地理研究》，文物出版社，2010年，第199～201页。

“通过对这些港口遗址出土瓷器及其与一些相关遗存关系的分析，可以推断海丰镇遗址、海北遗址和板桥镇遗址在金代组成了山东半岛至渤海湾的国内货物转运港体系，肩负着当时包括瓷器在内的国内货物的南北转运功能。海丰镇遗址和海北遗址转运板桥镇来的南宋货物到达胶西榷场，需要运往内陆或更北的地区，但当时胶东地区至中原的交通以陆路为主，作为易碎品的瓷器可选择继续向东航行并绕过山东半岛，在海北遗址或海丰镇遗址等港口登岸，并最终通过与盐业转运行销路线到达华北及中原腹地。”[40]

相反，进入宋境的金代瓷器通过榷场贸易的可能性很大。长江下游地区集中出土了大量金代瓷器，且出土地点自长江沿线至浙东均有分布，在空间上具有连续性。所出瓷器品种涵盖定窑、耀州窑、磁州窑系、钧窑等北方产品，其中尤以定窑瓷器数量居多。如果没有一定规模的贸易输入途径，仅凭私人携带的力量便过于薄弱，恐难以解释在局部地区出现北方瓷器如此集中的现象。同时，江南地区是南渡宋人最为密集的地区，他们对北方物产怀有的特殊情结，为金代瓷器的南销提供了市场需求。大定年间以后，金境内的各察场逐渐恢复并发展起来，并达到又一高峰，对外输出瓷器有着坚实的基础，金一方处于贸易上的逆差地位。

（二）两境瓷器传播路线的问题

根据出土瓷器的地理分布特点，笔者推测此时有陆运和海运两条线路。陆运第一段：自盱眙渡淮水至泗州，沿途经今泗洪、灵璧、宿州、永城、商丘等地抵于开封，大体是沿着原北宋汴河故道而行。陆运第二段：自开封折向北行，于李固渡过黄河，沿途经今滑县、安阳、磁州、邢台、赵县、正定、定州、保定、白沟河、涿县抵于今北京附近，这是两宋时期连接南北方交通的主要路线。同时，配合一些史料不难发现，瓷器的输入路线当和出使路线比较一致。宋瓷经海路北运的起点一般在江浙地区的沿海，这里既接近南方窑场所在，同时又拥有南宋水路交通最为发达的港口，其中以镇海、海盐、南通、江阴、镇江等地尤为重要。

金代瓷器的输入路线可能是自今河南西南的南阳盆地一带入境，经襄阳这一宋金对立时期交通枢纽顺汉水南下入长江，再经由水路运抵湖南和江西地区。而两宋时期的四川地区虽然也存在着一定数量的本地窑场，但制造工艺和名窑产品仍存在一定差距，未必能满足社会中上层的使用和审美需求。以开封为中心的中原地区是全国商品流通的枢纽，四川地区则多通过川陕之间的交通孔道和陕西、河东等地发生经济交流。经陕西略阳沿嘉陵江河谷南下抵达广元，自广元中转后，一路向西南过剑阁进入成都平原，一路继续循嘉陵江水路南下巴东地区。另一支线则是沿涪水顺流至潼川府路的遂宁等地，或继续西南行抵达成都府路。

六、结　　语

本文运用考古类型学研究方法，对金境内出土的景德镇窑系、龙泉窑、建窑瓷器，

40　吴敬、石玉兵、潘晓暾：《金代瓷器海运港口的考古学观察》，《考古》2018年第10期。

南宋境内出土的定窑、磁州窑、耀州窑系、钧窑瓷器进行了系统的分析与分期，并以考古类型学角度观察宋、金两境所出的瓷器在时间上的动态变化情况。尽管宋、金政权对立，但南北方物质文化交流并未中断，依然保持着“你中有我，我中有你”的良性循环互动状态。同时，这也得益于适合双方互通有无的入境方式和传播路线。今后，随着考古材料不断出现，南宋、金两境之间互动关系将更加清晰，与互动关系有关的更多问题值得思考和探讨。

（张大鹏　葫芦岛市博物馆）

历史研究

奇首可汗生息事略考

郑福贵

内容提要：通过对西汉时单于稽首和契丹人先祖奇首可汗的名实考辨，同期同地同居王位，确定二者为同一人，界定稽首生年。考定大黑山遗址是都庵山，确定奇首生地。考察唐军百年内三讨契丹的战争，明确大黑山遗址是契丹王牙帐。再对奇首可汗故壤进行考察，得出其生息和事略的时空变动。

关键词：奇首　稽首　大黑山　都庵山

契丹人公认而可知的先祖是奇首可汗。考证奇首可汗的文章可以说是前河后海，李鹏先生在《松漠访古——辽上京道历史地理新考》一书中对主要学术观点做了梳理。列举任爱军、舒焚、田广林、李艳阳等先生的观点。“杨军先生提出了不同的见解，认为奇首可汗的传说起源较早，奇首可汗在历史上的原型就是领导宇文鲜卑迁入辽西的莫那。”[1]至今，没有人注意到真实的奇首可汗，就是汉武帝到汉宣帝时期的单于稽首。本文对奇首和稽首事略和生息的时空进行对比考证。

一、契丹人先祖奇首是西汉时的稽首

（一）契丹人的先祖奇首可汗

《辽史·太祖本纪》曰：“辽之先，出自炎帝，世为审吉国，其可知者盖自奇首云。奇首生都庵山，徙潢河之滨。”[2]奇首是什么时期的人呢？《辽史·世表》曰：“盖炎帝之裔曰葛乌菟者，世雄朔陲，后为冒顿可汗所袭，保鲜卑山以居，号鲜卑氏。既而慕容燕破之，析其部曰宇文，曰库莫奚，曰契丹。契丹之名，昉见于此。”[3]冒顿可汗是西部匈奴的首领，为冒顿可汗所袭者是东部匈奴，这是在西汉时期。东部匈奴退保鲜卑山者，号鲜卑氏。东汉时，以檀石槐为首领的鲜卑氏渐强，后分为东、中、西三部鲜卑，东部匈奴合为东部鲜卑。西汉时，东部匈奴为冒顿所袭，东、西部匈奴之间矛盾加深。东、西两部匈奴以大兴安岭相隔，各建有“龙庭”。《辽史·地理志》载：

1　李鹏：《松漠访古——辽上京道历史地理新考》，吉林大学出版社，2018年，第114页。

2　《辽史》卷1《太祖本纪》，中华书局，1974年，第24页。

3　《辽史》卷63《世表》，中华书局，1974年，第949页。

“龙化州，……本汉北安平县地。契丹始祖奇首可汗居此，称‘龙庭’。太祖于此建东楼。”[4]东楼地在辽上京西楼东千里。《辽史·部族志》载：“契丹之先，曰奇首可汗，生八子。其后族属渐盛，分为八部，居松漠之间。今永州木叶山有契丹始祖庙，奇首可汗、可敦并八子像在焉。潢河之西，土河之北，奇首可汗故壤也。”[5]又《读史方舆纪要》木叶山条载：“木叶山……契丹之先奇首可汗葬焉。”[6]由于东部匈奴首先向化于汉朝，契丹政权慕刘、慕萧，只以刘、萧两姓为贵。这就是诸史籍关于契丹前史和奇首可汗的相关记载。契丹先祖起于汉朝，汉朝史籍不会没有记载。

（二）西汉时单于稽首的事略

西汉时，东部匈奴有位单于稽首。汉武帝使用卫青、霍去病操兵，卫青首次出征是奇袭龙城，七战七捷，回师收复河朔及河套地区。匈奴又被分为东、西两部分，东部匈奴退至东北的松漠之间。卫青、霍去病舅甥协同，前后经十来年，把西部匈奴逐出阴山，追奔北逐两千里之外。自是之后，西部匈奴震怖，只求和亲，未肯称臣。汉朝对东部匈奴采用羁縻政策，故《汉书·匈奴传》曰：“今圣德广被，天覆匈奴，匈奴得蒙全活之恩，稽首来臣。”[7]此处的“稽首”，多被读者理解为匈奴跪拜而来臣，其实是人名。后来西部呼韩邪单于来朝，诏公卿议其仪。太子太傅萧望之（萧何七世孙）曰：“单于非正朔所加，故称敌国，宜待以不臣之礼，位在诸侯王上。外夷稽首称藩，中国让而不臣，此则羁縻之谊也。”[8]外夷者，辽东塞外之族也。稽首称藩，中国让以不臣之礼，自然不必跪拜。《后汉书·班固传》载，固议曰：“窃自惟思，汉兴已来，旷世历年，兵缠夷狄，尤事匈奴。绥御之方，其涂不一，……今乌桓就阙，稽首译官，康居、月氏，自远而至，匈奴离析，名王来降，三方归服，不以兵威，此诚国家通于神明自然之征也。”[9]其中“稽首译官”之稽首是人名定当无疑了。三方归服，是指东乌桓、东北稽首、西康居和月氏。《汉书·匈奴传》又曰：“至孝宣之世，承武帝奋击之威，直匈奴百年之运，因其坏乱几亡之厄，权时施宜，覆以威德，然后单于稽首臣服，遣子入侍，三世称藩，宾于汉庭。……后六十余载之间，遭王莽篡位，始开边隙，单于由是归怨自绝，莽遂斩其侍子，边境之祸构矣。”[10]据此，逆推稽首生年。王莽篡位是在元始五年（5），从三世遣子入侍逆推六十余载，当是公元前60年之前，恰汉宣帝（前74～前48）在位。再从稽首有子到入侍，至少需前置35年，稽首生年当在公元前95年前后。他是活动在汉武帝时期到汉朝末年的人物。

4 《辽史》卷37《地理志一》，中华书局，1974年，第447页。

5 《辽史》卷32《营卫志中》，中华书局，1974年，第378页。

6 （清）顾祖禹：《读史方舆纪要》卷18《北直九》，中华书局，2019年，第826页。

7 《汉书》卷94下《匈奴传》，中华书局，2007年，第940页。

8 《汉书》卷78《萧望之传》，中华书局，2007年，第785页。

9 《后汉书》卷40下《班固传》，中华书局，2007年，第403页。

10 《汉书》卷94下《匈奴传》，中华书局，2007年，第950页。

（三）奇首可汗和单于稽首的同一性

《耶律羽之墓志铭》载："公讳羽之，姓耶律氏，其先宗分佶首，派出石槐，历汉魏隋唐已来，世为君长。"[11]这个墓志铭撰于会同五年（942），宗源为西汉时佶首，东汉时为檀石槐的一支派。此佶首，应该是《辽史》中契丹人先祖奇首。如上文所引，"契丹之先，曰奇首可汗，生八子。其后族属渐盛，分为八部，居松漠之间。"宗分于奇首可汗八子中的一支。奇首应是檀石槐之前的历汉者。派出石槐，则是檀石槐的东部鲜卑。据《金史·奚回离保传》载："库莫奚、契丹起于汉末，盛于隋、唐之间，俱强为邻国，合并为群臣，历八百余年，相为终始。"[12]《汉书》中单于稽首臣服，遣子入侍，三世称藩六十余载之后遭王莽篡位。奇首和稽首的事略都是在汉末，所以是同时期的人。"佶首"和"稽首"本来是表音字之差，但意思有别。王莽篡位更名匈奴单于曰"降奴服于"，后汉班固撰《汉书》时仿效之，用"稽首"则表为蔑称。范晔写《南匈奴传》时曾这样直言："以南单于向化尤深，故举其顺者以冠之。《东观记》称《匈奴南单于列传》，范晔因去其'单于'二字。"[13]班固、范晔史笔如是耳！《辽史·部族表》说："部落之名，姓氏之号，得其音而未得其字。历代踵讹，艰于考索。"[14]故《辽史》用了"奇首"。佶［jí］、奇［jī］与稽［jī］三字，是音同而声差。《汉书》中的稽首，与契丹人的奇首、佶首是同名人。应取墓志"佶首"为确，意为：强壮而正派的首领。仅凭名字之音相同，且同在汉朝末年尚不足以认定为同一个人，应以同地为王的史实来三重印证。

《后汉书·鲜卑传》载："鲜卑者，亦东胡之支也，别依鲜卑山，故因号焉。……汉初，亦为冒顿所破，远窜辽东塞外，与乌桓相接，未常通中国焉。"[15]《辽史·世表》中："为冒顿可汗所袭，保鲜卑山以居，号鲜卑氏。"上两史所述，为冒顿所袭远窜辽东塞外的鲜卑氏是同一个部族。辽东塞外在什么位置呢？《后汉书·乌桓传》载："及武帝遣骠骑将军霍去病击破匈奴左地，因徙乌桓于上谷、渔阳、右北平、辽西、辽东五郡塞外，为汉侦察匈奴动静。"[16]汉武帝时，卫青、霍去病破匈奴之后，匈奴右地远离阴山，匈奴左地窜于五郡塞外。置乌桓校尉，使不得与匈奴交通。用乌桓人将五郡塞外的匈奴、鲜卑人阻隔，成为五郡塞外的外夷，其南与乌桓相接，故曰"外夷稽首称藩"。以稽首为首领的这些部族分布于大兴安岭北段东麓。

在内蒙古鄂伦春自治旗阿里河镇发现的嘎仙洞是鲜卑先人居住的旧墟石室。洞中有北魏拓跋焘遣中书侍郎李敞告祭并刻祝文（图1）。文中有："稽首来王，始闻旧墟，爰在彼方。"意即稽首来这一带为王时，才听说先祖旧墟在他们那边某个地方。史籍也记载所刻祝文的真实性。《北史·乌洛侯传》载："太武真君四年来朝，称其国西北有

11 刘凤翥等：《辽上京地区出土的辽代碑刻汇辑》，社会科学文献出版社，2009年，第279页。

12 《金史》卷67《奚回离保传》，中华书局，1975年，第1588页。

13 《后汉书》卷89《南匈奴传》，中华书局，2007年，第872页。

14 《辽史》卷69《部族表》，中华书局，1974年，第1077页。

15 《后汉书》卷90《鲜卑传》，中华书局，2007年，第887页。

16 《后汉书》卷90《乌桓传》，中华书局，2007年，第885页。

图1　嘎仙洞刻石拓片

魏先帝旧墟石室，南北九十步，东西四十步，高七十尺，室有神灵，人多祈请。太武遣中书侍郎李敞告祭焉，刊祝文于石室之壁而还。”[17]李敞所刻的祝文，直到1980年7月30日，才被考古工作者在洞内发现。这些北魏时的文字刻于太平真君四年（443），而南朝宋范晔编撰《后汉书》成书于445年，祝文中的稽首，是指《汉书》中的稽首。南北两朝共称的“稽首”是指同一个人。祝文可证明两点：稽首来这一带为王；为王的地区在乌洛侯国之西或西北，即现在的内蒙古鄂伦春地区和额尔古纳市周围的地方。外夷稽首为王的辽东塞外，也正是奇首八部从这里南迁的地方。

稽首为王的地方是契丹国。《魏书·室韦传》载：“路出和龙北千余里，入契丹国，又北行十日至啜水，又北行三日有盖水，又北行三日有犊了山，其山高大，周回三百余里，又北行三日有大水名屈利，又北行三日至刃水，又北行五日到其国。……语与库莫奚、契丹、豆莫娄国同。”[18]北魏时：1里=300步，1步=5尺[19]。北魏的尺有三个标度：前尺为0.279米，中尺为0.280米，后尺为0.296米[20]。取三者平均值为0.285米。北魏1里相当于现在约427.5米。路出和龙北千余里，和龙是十六国时，因前燕慕容皝修建和龙宫而得名。故地在今辽宁省朝阳市双塔区。在卫星地图上，从朝阳市向北测427.5千米，到达今兴安盟科右中旗巴仁哲里木镇，再向北入北魏时的契丹国。引文句中六个“又北行”，合计27天，以最低日行程25千米计算，总行程675千米到室韦国。当测至600千米时，已经到达蒙兀室韦苏木，650千米便到达室韦镇。从今巴仁哲里木镇到蒙兀室韦苏木，中间是契丹国。额尔古纳市和鄂伦春自治旗嘎仙洞含在其中。稽首来王管辖的是契丹国所在地。

奇首八部又在哪里呢？《辽史·营卫志·部族》载：“奇首八部为高丽、蠕蠕所侵，仅以万口附于元魏。……乃去奇首可汗故壤，居白狼水东。”[21]这里的奇首八部，也正是《魏书》中所说的契丹人的八个部落。《魏书·列传·契丹》载：“契丹国，在库莫奚东，异种同类，俱窜于松漠之间。……悉万丹部、何大何部、伏弗郁部、羽陵部、日连部、匹洁部、黎部、吐六于部等，各以其名马文皮入献天府，遂求为常。……太和三年，高句丽窃与蠕蠕谋，欲取地豆于分之。契丹惧其侵轶，其莫弗贺勿于率其部

17　《北史》卷94《乌洛侯传》（简体字本），中华书局，1999年，第2078页。

18　《魏书》卷100《室韦传》（简体字本二十六史），吉林人民出版社，2006年，第1360页。

19　魏励：《中国文史简表汇编》，商务印书馆，2007年，第202页。

20　张传玺：《中国古代史教学参考手册》续表，北京大学出版社，1985年，第509页。

21　《辽史》卷32《营卫志·部族》，中华书局，1974年，第378页。

落车三千乘、众万余口，驱徙杂畜，求入内附，止于白狼水东。”[22] 这里的蠕蠕，是指柔然国。柔然人游牧的核心区在今蒙古国全境。北到俄罗斯贝加尔湖地区，向南达中国内蒙古自治区北部，东面至额尔古纳河西岸，地近原呼伦贝尔盟额尔古纳市。额尔古纳市再往东就是鄂伦春自治旗西北部的阿里河镇嘎仙洞一带。奇首八部是从额尔古纳河东岸而南迁。稽首来王的契丹国八个部落，正是《辽史》中的奇首八部。稽首和奇首不仅音同、事同，为王的地区也相同。值得注意：汉武帝时，霍去病击破匈奴左地，徙乌桓于上谷、渔阳、右北平、辽西、辽东五郡塞外，单于稽首的匈奴部民北窜松漠之间，再没有南归，直到北魏时契丹国八个部落求入内附，止于白狼水东。奇首八部仅以万口附于元魏，乃去奇首可汗故壤居白狼水东。《汉书》、《魏书》和《辽史》记载是一致的。

二、奇首生在扎鲁特旗大黑山

《辽史·太祖本纪》曰："奇首生都庵山，徙潢河之滨。"首先可以确定的是都庵山和潢河之滨是在一片连续的地方。都庵山在哪里？《辽史》只有一处记载，在阿保机北追剌葛归程途中。《辽史·太祖本纪》曰："甲申，上登都庵山。抚其先奇首可汗遗迹，徘徊顾瞻而兴叹焉。"[23]在都庵山上，有奇首可汗什么遗迹引起阿保机抚摩之后如此兴叹呢？下面从北追剌葛归途路径的细节中，梳理出都庵山所在的区位。

（一）"诸弟之乱"和北追剌葛

阿保机立国七年（913）三月，三弟迭剌与安端绐称入觐，阿保机怒而拘之。二弟剌葛具天子旗鼓，将自立。弟寅底石引兵径趋行宫，焚其辎重、庐帐，纵兵大杀。神速姑劫西楼，焚明王楼。皇太后阴遣人谕令避去，剌葛掠居民北走[24]。史称"诸弟之乱"。

四月北追剌葛，追及培只河（苇子河），剌葛逆战众溃，追至柴河，遇南北合击大败。器服资货委弃于楚里河（绰尔河），轻骑东遁，邀击于鸭里河（雅鲁河），又西逃，剌葛、涅里衮、阿钵被擒于榆河（海勒斯台河）。从整个追击过程看，他们是战于大兴安岭东麓，今扎兰屯和阿尔山市境内（参见"北追剌葛路线详考"）[25]。

（二）北追剌葛归程必经扎鲁特旗大黑山

扎鲁特旗大黑山是大兴安岭余脉，从西北到东南而渐低，绵亘近三百里。岩画先师盖山林先生发现人面岩画遗址，就在大黑山的东南端。人面岩画主画像面朝南，高1.3、宽1.1米。在主画像南侧有七个大小不一的人面画像。在与岩画相对的山下有三处

22 《魏书》卷100《契丹传》（简体字本二十六史），吉林人民出版社，2006年，第1362页。

23 《辽史》卷1《太祖本纪》，中华书局，1974年，第8页。

24 《辽史》卷1《太祖本纪》，中华书局，1974年，第6、7页。

25 郑福贵：《古奇首可汗与今通辽地区》，《第十四届辽金史学术研讨会论文集》，2018年，第243页。

用石砌的直径12米的石圈，石圈周边稍远处散落有20余座规格不等的墓葬，有祭祀的遗迹。周围的其他山上还存在许多生活的遗迹，如捣米的石舂等。

由《辽史·太祖本纪》，阿保机归程可简述为："五月……甲寅，奏擒剌葛……上还至大岭……丙寅，至库里……六月辛巳，至榆岭……甲申，上登都庵山。抚其先奇首可汗遗迹，徘徊顾瞻而兴叹焉……壬辰，次狼河，获逆党雅里、弥里，生埋之铜河　南轨下……至石岭西……"[26]总归程是从石岭东到石岭西。大岭是兴安大岭的旧称，清朝乾隆作《御制兴安大岭歌》时，仍称兴安大岭。今称大兴安岭。由地理条件决定，阿保机在石岭东，只有向南行一条通道，绕过大兴安岭南端，才能至石岭西。大兴安岭在阿尔山以南的这一段有两座高峰南北相连，西老头山和南巴代艾来山，所以只有沿岭东诸河谷南行。

五月丙寅，至库里，以青牛白马祭天地。以人口六百、马二千三百分赐大小鹘军。可推知，库里至少能容纳二万匹的战马。其地非现在科右中旗吐里毛都草原莫属，近大兴安岭主岭东余脉，只有这一片开阔的地方。吐里毛都镇有个大型古城遗址，库里应指此地。六月"辛巳，至榆岭，以辖赖县人扫古非法残民，磔之"，沿诸河谷南行经过半月时间的行程，可称榆岭的地方只有一处。此榆岭就是位于扎鲁特旗鲁北镇南的金厥山上的古榆林。山上是桑树，山腰是绵延的天然杏树林，山脚下是集中连片四万多亩土地，四周稀疏散布近八万亩榆林绕山周围。这里的榆树不是树龄古，而是反复自然更新至今延续不绝，称为"千年古榆林"，是东北地区仅有。古榆林西南三五千米就进入查布嘎吐大黑山人面岩画遗址。人面岩画遗址的山脚下有一条北南走向的通道，是南行必经之路。

（三）大黑山是阿保机所登都庵山

阿保机从辛巳至榆岭，到甲申登都庵山中间只隔两天。从了解到扫古非法残民到施以裂刑，也需要两天，说明阿保机在榆岭附近未动。在榆岭西南就是查布嘎吐大黑山人面岩画遗址。只有这里符合阿保机登都庵山后的连续举动。登上都庵山，抚摩奇首可汗遗迹之后，"徘徊顾瞻而兴叹焉"，来回走动（徘徊）之后，回过头看看（顾）山下的生活遗迹，再转身向上瞻仰先祖的遗像，追思他们生息的艰辛。回顾建国后诸弟反叛的现实，继而发出叹息。只有这个地方，才符合山上山下、身前身后的情境。这里是辖赖县，也是阿保机的故乡，叹息中也有另一番感慨。

登都庵山之后，又南行八天。"壬辰，次狼河，获逆党雅里、弥里，生埋之铜河南轨下。"辽代的狼河是现在的乌力吉木仁河，铜河南轨是与天山东河交汇后，西东走向的一段，从这里到石岭西。为什么要这样走呢？从大黑山岩画遗址，南行绕过巴日迪敖宝山南端再西行，遇天山山脉再南行，到狼河再西行至石岭西。这样也反证了登都庵山，在狼河之左地，狼河北面岩画遗址所在的大黑山就是都庵山，人面岩画及生活遗存是奇首可汗遗迹。

26　《辽史》卷1《太祖本纪》，中华书局，1974年，第7、8页。

（四）大黑山是契丹王牙帐

大黑山人面岩画遗址所在地，为什么叫都庵山？“都”是最高首领所在的地方，“庵”是指圆形草庐。此处三个石圈是搭建草庐用的。把最高首领住地，草庐所在的山叫都庵山，是契丹人的特指。“奇首生都庵山，徙潢河之滨”，潢河在哪里？大黑山东端南行六七十里就是新开河流域，这是古潢河的中段。两地之间是扎鲁特旗南部和开鲁县的北部。这里是唐朝与契丹三次战争所指的黑山和潢河。

薛仁贵于显庆三年（658），“俄又与辛文陵破契丹于黑山，擒契丹王阿卜固及诸首领赴东都。以功封河东县男”[27]。说明契丹王住黑山，此黑山，是个易守难攻之地，故曰破。大黑山岩画遗址东端，山脚下只有一条狭窄的南北通道，地理特征相符。下文述及，唐高宗复召见薛仁贵，谓曰：“卿又北伐九姓，东击高丽、漠北，辽东咸遵声教者，并卿之力也。”[28]此“漠北”者，沙漠之北缘，黑山以南是科尔沁沙地，漠北即指契丹王所在的黑山。

薛楚玉（薛仁贵之子）于开元二十一年（733）闰三月，出榆关攻打契丹，被可突干败于平卢都山下。之后，薛楚玉、乌知义再讨黑山。唐樊衡在《为幽州长史薛楚玉破契丹露布》中写道：“我是以有平卢之战。当为兵少城孤，不暇追比，尽其巢穴。残凶游魂，假气绝徼，自以篡为黄河泾渭，可以保天险；悬塞沙漠，可以逃灵诛。陆梁穷荒，迷肆不复，我王师远略，是以有黑山之讨。”[29]在黑山之讨的原因中，“篡为黄河泾渭”，唐人称潢河为北黄河，其流亦上清下浊。“悬塞沙漠”，即指高于沙漠的黑山巢穴。露布中又道：“以四月二十三日夜，衔枚渡黄河，质明顿兵松漠。漠庭疾雷暴惊，……二十五日收获南驱。”这次突袭是夜渡黄河，顿兵松漠，围黑山巢穴，三者之间位置关系明矣。

该露布，列具姓名的将领计有32位，经历战斗前后31阵，远征劲虏23部，可突干挟马浮河，仅获残喘。露布夸词报捷，不为朝廷认可，不久薛楚玉被革职，幽州长史由张守珪接替。经历两天的战斗中，究竟牺牲了多少唐军将领未可知也。位于大黑山北巨力河镇联合屯有唐十将军山，山中埋葬唐十将军，也许就有其中的十位。

唐天宝十一年（752）安禄山来攻契丹，两唐书契丹传和安禄山传四者各有差异，其中，至土护真河（土河），又倍程三百里，奄至契丹牙帐，败于潢水，这四点是一致的[30]。《辽史·萧塔列葛传》载：“八世祖只鲁，遥辇氏时尝为虞人。唐安禄山来攻，只鲁战于黑山之阳，败之。”[31]萧只鲁是管理此地山、水、林、苑的人，相当于卫戍官。又《辽史·世表》载：“太祖四代祖耨里思为迭剌部夷离堇，遣将只里姑、括里，

27 《旧唐书》卷83《薛仁贵传》，中华书局，1975年，第2781页。

28 《旧唐书》卷83《薛仁贵传》，中华书局，1975年，第2783页。

29 （清）董浩：《全唐文》卷352《为幽州长史薛楚玉破契丹露布》，中华书局，1983年，第2651页。

30 《旧唐书》卷199、200上《安禄山、契丹传》，中华书局，1975年，第5349、5367页；《新唐书》卷219、225《安禄山、契丹传》，中华书局，1975年，第6167、6411页。

31 《辽史》卷85《萧塔列葛传》，中华书局，1974年，第1318页。

大败范阳安禄山于潢水。”[32]只里姑就是只鲁（同迪里古就是萧敌鲁）。只鲁战于黑山南，败安禄山于潢水，两地是连续相接的。

唐朝时，从显庆三年到天宝十一年，一百年间都是过潢水攻黑山，或可突干挟马浮河，或败安禄山于潢水，黑山和潢水位置关系明矣。黑山是契丹王牙帐。在潢河之滨，今新开河两岸出土了大量匈奴和鲜卑时期的文物，从西到东：开鲁县福兴地、科左中旗六家子、哈拉吐，直到双辽境内，出土了子母马、双马、人面双狮等匈奴时期的金牌饰[33]。“奇首生都庵山，徙潢河之滨”，此言不虚。

（五）大黑山是契丹人祖山

《辽史·礼志》载：“冬至日，国俗，屠白羊、白马、白雁，各取血和酒，天子望拜黑山。黑山在境北，俗谓国人魂魄，其神司之，犹中国之岱宗云。每岁是日，五京进纸造人马万余事，祭山而焚之。俗甚严畏，非祭不敢近山。”[34]黑山在境北，天子望拜的黑山就是都庵山，是奇首可汗出生的黑山，非祭不能近山。在大黑山南的凤凰山岭上有一高处叫巴日迪敖宝，正确的译法应该是“戛日迪敖包”，汉语意为凤凰山敖包，敖包是祭祀的地方，天子就在这里望拜黑山，近而不进。五京进纸造人马万余事，保卫这座祖山，犹中原之泰山也。

三、奇首可汗故壤

在《辽史》中，有两处称奇首可汗故壤。其一是，“潢河之西，土河之北，奇首可汗故壤也”。同时具备潢河北南走向之西，土河西东走向之北两个约束条件的地区，只有现在的开鲁县、科尔沁区和科左中旗大部分地区。其中，包含古今以来河道局部变迁，但总趋势不变。在奇首可汗故壤上，承天太后建永州。“东潢河，南土河，二水合流，故号永州。”[35]《辽史·国语解》载：“永州：其地居潢河、土河二水之间，故名永州，盖以字从二从水也。”[36]概言之，现在西辽河以北是奇首可汗故壤之一。

其二是奇首八部附于元魏，再一次回到奇首可汗故壤，居白狼水东。白狼水东在哪儿呢？白狼水，因发源于白狼山而得名。唐朝称白狼河，辽朝称灵河，现在称大凌河。它由两大支流汇成，唐沈全期诗曰：“白狼河北音书断，丹凤城南秋夜长。”白狼河北是指南支流，近乎由西而东流。而北支流是指发源于内蒙古奈曼旗的虻牛河，此河由北向南流。库伦旗出土的“灵安州刺史印”即取灵河安之意。“止于白狼水东”是说西不过虻牛河，虻牛河西之土河两岸是降魏的奚族四部；南不过燕长城，燕长城南为秦汉故

---

32 《辽史》卷63《世表》，中华书局，1974年，第955、956页。

33 乔子良、薛彦田：《科尔沁史话》，内蒙古人民出版社，2008年，第29页。

34 《辽史》卷53《礼志》，中华书局，1974年，第879页。

35 《辽史》卷37《地理志》，中华书局，1974年，第445页。

36 《辽史》卷116《国语解》，中华书局，1974年，第1545页。

地。《通典》释《史记》言："燕将秦开袭破东胡，却千余里。燕亦筑长城，自造阳至襄平，（造阳，在今妫川郡之北。襄平即辽东所理，今安东府）。"[37]战国时期的燕国长城故址犹存，西经过今敖汉、奈曼、库仑至彰武段，连续可见，大体是沿科尔沁沙地南缘就高而筑。综上所述，虻牛河以东、燕长城之北、西辽河之右地，也是奇首可汗故壤。现在通辽市全境是卫青、霍去病未破匈奴前，被奇首可汗占据的地方。

四、结　　语

契丹人近可知的先祖奇首可汗是汉武帝时期人，两汉书和《辽史》记载与文物相印证，奇首可汗应该是单于稽首，是一位真实的人。出生在扎鲁特旗大黑山（都庵山），徙息于今开鲁县、科尔沁区、科左中旗和双辽市境内的新开河两岸（潢河之滨），这个地区是其主要生息地。遣子入侍六十余年，汉设辽东、辽西等五郡，东部匈奴得居近辽东之地。王莽篡位，始开边隙，王莽派大员带兵宣制，奇首后人认为不是刘氏皇帝，由是归怨莽斩其侍子，此乃慕刘、慕萧之缘由也。

（郑福贵　通辽市第一中学）

37　（唐）杜佑：《通典》卷194《边防十》，中华书局，1988年，第5299页。

浅议耶律德光于大梁城的政务运作

葛华廷

内容提要：耶律德光灭石晋后，在大梁城进行了一系列政务运作，以至即皇帝位，建国号“大辽”、改元“大同”、升镇州为中京。其意在建立跨越中原、草原的大一统帝国。明确了耶律德光这一宏大战略目标，即可对其建国号“大辽”之“辽”的含义做出恰当的解读。

关键词：辽　大梁城　建国号　政务运作

契丹国会同九年（946）十二月，耶律德光统帅的契丹大军大败后晋军，兵临后晋都城大梁，晋出帝出降，后晋灭亡。在大梁城，耶律德光展开了一系列政务运作，着手政权建设。

《辽史》载：契丹会同九年（946）十二月壬午，耶律德光“次赤冈。重贵举族出封丘门，稿索牵羊以待”[1]。《资治通鉴》载：后晋开运三年（946）“十二月，丁巳朔”[2]。以此查《辽史》所记的会同九年十二月石重贵出降的“壬午”日，当为该月的二十六日。几天后，即第二年春正月丁亥朔，耶律德光“备法驾（法驾——天子的车驾）入汴，御崇元殿受百官贺”。“二月丁巳朔，建国号大辽，大赦，改元大同。升镇州为中京。”[3]对于辽太宗耶律德光于灭后晋之后建“大辽”国号及相关问题，史学界有多种解读。笔者也不揣冒昧，就此提出几点愚见。

一、后晋灭亡后的朝政

后晋灭亡，就意味着改朝换代。对这个新朝，《辽史》等史书表述不够明确。《辽史》记载，会同九年（946）九月，耶律德光率军南下伐晋。当年十二月，晋军主力投降。在大势已去之际，后晋帝“素服拜命”，后晋灭亡。第二年的正月，“大同元年春正月丁亥朔”，耶律德光“备法驾入汴，御崇元殿受贺”，“癸巳，以张砺为平章事，晋李崧为枢密使，冯道为太傅。”“二月丁巳朔，建国号大辽，大赦，改元大同。升镇

1　《辽史》卷4《太宗下》，中华书局，1974年，第58、59页。

2　（宋）司马光：《资治通鉴》卷285《后晋齐王下》，内蒙古人民出版社，2000年，第4193页。

3　《辽史》卷4《太宗下》，中华书局，1974年，第58、59页。

州为中京。”[4] 按《辽史》记载，大同元年春正月丁亥朔之时，在原晋地臣民看来，耶律德光还不具备皇帝身份。而从其“备法驾入汴”的记载看，似又是具皇帝仪卫入大梁城，但建国号大辽、改元大同，却是在下个月。这就使备法驾、登帝位、建国号这些本应是先后紧相衔接的诸事，却分在正月、二月两个月中，明显不符合礼仪，当是记载有误。而《资治通鉴》对此的记载就较为合乎情理。《资治通鉴》载：天福十二年（947）“春，正月，丁亥朔，百官遥辞晋主于城北，乃易素服纱帽，迎契丹主，伏路请罪。契丹主貂帽、貂裘，衷甲，驻马高阜”，“契丹主入门，民皆惊呼而走。……至明德宫，下马拜而后入宫。以其枢密副使刘密（《辽史》作刘敏，当是同一人——笔者注）权开封尹事。日暮，契丹主复出，屯于赤冈”。癸巳，“是日，契丹主自赤冈引兵入宫”[5]。据此记载，可知此月丁亥日、癸巳日，耶律德光都不可能备法驾入宫。至于癸巳日耶律德光“自赤冈引兵入宫”，“废东京，降开封府为汴州，尹为防御使”，以及“未几，以崧为太子太师，充枢密使；（冯）道守太傅”的政令颁布和官员委任，耶律德光无疑是以军事占领者的面貌出现的。根据《资治通鉴》的记载，丁亥朔日契丹主耶律德光入宫时的装束，是“貂帽、貂裘，衷甲”，而非《辽史》所云的“备法驾入宫”。《资治通鉴》所记“二月，丁巳朔”却是“契丹主服通天冠、绛纱袍，登正殿，设乐悬、仪卫于庭。百官朝贺，……下制称大辽会同十年，大赦”[6]。《资治通鉴》此载正与中原王朝皇帝登帝位，同时颁国号、年号的传统做法是相一致的。且《资治通鉴》记载，耶律德光备法驾入宫之前，有一个被推戴为皇帝的过程，这样其“备法驾入宫”才顺理成章。推戴过程是：“契丹主召晋百官悉集于庭，问曰：‘吾国广大，方数万里，有君长二十七人；今中国之俗异于吾国，吾欲择一人君之，如何？’皆曰：‘天无二日。夷、夏之心，皆愿推戴皇帝。’如是者再。……二月，丁巳朔，契丹主服通天冠、绛纱袍，……下制称大辽会同十年（此处文字当有缺失——笔者注），大赦。”[7]

《资治通鉴》所记耶律德光被晋臣推戴为皇帝，而后则服通天冠，设乐悬、仪卫于庭，而至颁国号、年号，这时身为皇帝的耶律德光，是为何朝的皇帝呢？《契丹国志》在记述诸臣推戴耶律德光为帝之后，即云：“于是下制，以晋国称大辽，大赦天下。”[8]这似乎是说此时的耶律德光是后晋这块土地的皇帝。林鹄先生《南望——辽前期政治史》一书的观点类于《契丹国志》此云，其曰：“太宗灭后晋建号之大辽，最初并非契丹的另一国号，而是汉地新朝之号。”[9]林先生此书多层次、多角度地审视、剖析已有史料，深入开掘其中隐藏的深意，提出了许多独特的见解，令人耳目一新。但有的观点尚有待商榷，其所谓大辽国号最初“是汉地新朝之号”的说法，即值得探讨。从《资治通鉴》所载的晋臣推戴耶律德光为帝时德光与晋臣的对话及《契丹国志》的相关

4 《辽史》卷4《太宗下》，中华书局，1974年，第57～59页。

5 （宋）司马光：《资治通鉴》卷286《后汉高祖上》，内蒙古人民出版社，2000年，第4198、4199页。

6 （宋）司马光：《资治通鉴》卷286《后汉高祖上》，内蒙古人民出版社，2000年，第4203页。

7 （宋）司马光：《资治通鉴》卷286《后汉高祖上》，内蒙古人民出版社，2000年，第4203页。

8 （宋）叶隆礼撰，贾敬颜、林荣贵点校：《契丹国志》卷3《太宗下》，中华书局，2014年，第43页。

9 林鹄：《南望——辽前期政治史》，生活·读书·新知三联书店，2018年，第298页。

记载看，实际恐非是这样。

《资治通鉴》载：契丹主耶律德光召晋百官议推戴皇帝时，德光即曰："吾国广大，方数万里，有君长二十七人；今中国之俗异于吾国，吾欲择一人君之，如何？"皆曰："天无二日。夷、夏之心，皆愿推戴皇帝。""二月，丁巳朔，契丹主服通天冠、绛纱袍，登正殿，……百官朝贺，华人皆法服，胡人仍胡服，立于文武班中间。"[10]《契丹国志》所记此日朝贺时的百官亦是汉官、契丹官皆有："华人皆法服，北人仍胡服。"[11]《资治通鉴》《契丹国志》记载的晋臣所云的"天无二日。夷、夏之心，皆愿推戴皇帝"之语及两书所载朝贺的百官中既有汉人，又有胡人（所称"北人""夷"，都是指契丹人），说明当时推戴耶律德光即帝位并列班朝贺的不但是汉臣，还有契丹大臣，这就是说耶律德光此时所即位之帝，不但是原后晋这块汉地的皇帝，也是契丹人的皇帝，也就是"天无二日"之语所表达之意。因此说，此际颁布的"大辽"国号不可能只是"汉地新朝之号"。《辽金史解读》一书更是明确指出："太宗灭晋之后，于会同十年（947）二月在汴州（今河南开封）称帝，改契丹国号为辽，改年号为大同，想直接统治中原。"[12]其说无疑是正确的。

就灭晋之战的演进过程看，耶律德光可能曾有在晋地建立傀儡政权的打算。《辽史·赵延寿传》云：德光"尝许灭晋后，以中原帝延寿，以故摧坚破敌，延寿常以身先"，并"赐延寿龙凤赭袍"[13]。而从晋出帝降但耶律德光并未"以中原帝延寿"的结果看，其"以中原帝延寿"许诺的提出，似乎只是为驱使赵延寿为其卖命出力的诱饵而已，即如《资治通鉴》就"以赭袍衣杜威"一事所言的"其实皆戏之耳"[14]。但也不能排除另一种可能：为便于统治即将降服的晋地，仍采取如扶立石敬瑭之类的傀儡的方式。而其手下的在中原有一定影响的汉人将领赵延寿，当就是一个预定的人选。当灭晋战事进展顺利，晋地的反抗、抵触未表现出预想的激烈程度时，耶律德光则放弃了此一选项，而直接将晋地纳入契丹国。据《资治通鉴》《辽史》的记载，在灭后晋之际，耶律德光使用一些手段，尽力消除后晋官民对其的排斥和反感。《资治通鉴》载：天福十二年（947）正月丁亥，契丹入汴梁城，"民皆惊呼而走。契丹主登城楼，遣通事喻之曰：'我亦人也，汝曹勿惧!会当使汝曹苏息。我无心南来，汉兵引我至此耳'"[15]。耶律德光将其将兵南下伐晋之举推诿为"汉兵引我至此"，可见其用意是减弱中原民众的敌对情绪。《资治通鉴》记载："契丹主召晋百官悉集于庭，问曰：'吾国广大，方数万里，有君长二十七人；今中国之俗异于吾国，吾欲择一人君之，如何？'皆曰：'天无二日。夷、夏之心，皆 愿推戴皇帝。'如是者再。"[16]契丹主耶律德光在这里向晋臣

10 （宋）司马光：《资治通鉴》卷286《后汉高祖上》，内蒙古人民出版社，2000年，第4203页。

11 （宋）叶隆礼撰，贾敬颜、林荣贵点校：《契丹国志》卷3《太宗皇帝下》，中华书局，2014年，第43页。

12 赵望秦、张新科主编：《辽金史解读》，华龄出版社，2007年，第4页。

13 《辽史》卷76《赵延寿传》，中华书局，1974年，第1248页。

14 （宋）司马光：《资治通鉴》卷285《后晋齐王下》，内蒙古人民出版社，2000年，第4194页。

15 （宋）司马光：《资治通鉴》卷286《后汉高祖上》，内蒙古人民出版社，2000年，第4203页。

16 （宋）司马光：《资治通鉴》卷286《后汉高祖上》，内蒙古人民出版社，2000年，第4203页。

所介绍的契丹国的情况，与事实也有出入：其国存在部族制，有若干部族，契丹基本部有8个。到耶律阿保机整编部族时，则有20部。这时的部族制，各部之长虽有掌控本部的一定权力，但还是在皇权掌控之下，不存在所谓的“二十七君长”。耶律德光对晋臣的此一番话，则是极力淡化他自身的皇帝身份，为晋臣推戴自己为皇帝做铺垫。至于耶律德光北返之际中原各地掀起反抗契丹统治的浪潮，则是由于耶律德光一些错误政策激化矛盾的结果，此即《辽史》所载的其自我总结的“三失”：“朕此行有三失：纵兵掠刍粟，一也；括民私财，二也；不遽遣诸节度使还镇，三也。”[17]

二、国号“大辽”的寓意

《契丹国志》载：阿保机“自称皇帝，……置百官，建元曰神册，国号契丹。”[18]至耶律德光会同九年南下灭后晋，建国号大辽。“大辽”这一国号，其中的“大”，当属敬称、尊称，即如中原王朝隋、唐等，一般皆称作“大隋”“大唐”一样。耶律德光灭后晋所建国号“大辽”，此国号“辽”有何寓意，又是因何而起呢？对此，史籍有载，专家有详细考证。

徐梦莘《三朝北盟汇编》卷三载：金朝“以本土名阿禄阻为国号，‘阿禄阻’，女真语也。以其水产金，而名之曰‘大金’，犹辽人以辽水名国也”[19]。冯家升在其《契丹名号考释》一文中指出“‘阿禄祖’即‘按出虎’、‘按春’之转”[20]，即按出虎河。现在我们就按出虎水与辽水在金、契丹两朝的重要地位做以比较。《东北历代疆域史》一书谓：建立金朝的主要部落完颜部，其分布中心即在按出虎水流域。按出虎水，也就是今哈尔滨市东南的阿什河[21]。《东北通史（上编六卷）》一书谓：“按出虎水即今阿什河，……金人亦称此地为金源，以为金室始兴之地也，今阿什河之支流，有海古水，俗呼大海沟，……其后太祖阿骨打，建都于此，称上京会宁府。”[22]按出虎水是金皇族完颜氏世居之地，是金上京会宁府所在，此水在金朝的地位当是很高的，阿骨打建立新朝以按出虎水的女真语义“金”为名，自是在情理之中。

我们再来看契丹的辽水。按《三朝北盟汇编》所云，金朝的国号“金”，是仿效辽朝（契丹），“犹辽人以辽水名国”。那么，耶律德光所建国号“辽”，果真是以辽水之“辽”名之吗？

---

17 《辽史》卷4《太宗下》，中华书局，1974年，第60页。

18 （宋）叶隆礼撰，贾敬颜、林荣贵点校：《契丹国志》卷1《太祖大圣皇帝》，中华书局，2014年，第2页。

19 （宋）徐梦莘：《三朝北盟汇编》卷三，页一一下，转引自冯家升：《契丹名号考释》第二章第二节·三《辽以水得名说》，载孙进己、王欣等编：《契丹史论著汇编（上）》，辽宁省社会科学院历史研究所，1988年，第52页。

20 冯家升：《契丹名号考释》第二章第二节·三《辽以水得名说》，《契丹史论著汇编（上）》，辽宁省社会科学院历史研究所，1988年，第52页。

21 张博泉、苏金源、董玉瑛：《东北历代疆域史》，吉林人民出版社，1981年，第182页。

22 金毓黻著：《东北通史（上编六卷）》，五十年代出版社，1981年翻印，第344页。

契丹腹地的辽水，是指西辽河，即《契丹国志》所云之“潢河”：“本其风物，地有二水。……曰袅（枭）罗个没里，复名女古没里者，又其一也，源出饶州西南平地松林，直东流，华言所谓潢河是也。”[23]对此，贾敬颜先生云：“契丹语的‘枭（袅）罗个’、‘女古’，似可与蒙古语的sira［q］相比较；‘没里’自是蒙古语的mure［n］；前者为‘黄’，后者为‘河’。”[24]《契丹国志》所载的契丹“袅（枭）罗个没里”，本意为黄河，即今西拉木伦河，古代亦称辽河、西辽河。为与中原黄河相区别，则写作“潢水”。西辽河这条潢水，地处契丹腹地，且流长也很可观，为契丹境内的重要河流。但与按出虎水在金代的崇高地位相比，西辽河这条潢水在契丹国的地位则是难以企及的。辽上京临潢府虽然是以临近潢水而得名，但临潢府却非以临近西辽河这条潢水而得名，而是以临近辽上京遗址旁的今巴林左旗白音高勒河又名沙里河（蒙古语为潢河之意）而得名。对此，笔者《辽上京临潢府所临之潢水考辨》一文做了详细论述[25]。在笔者此文发表10年之后的2000年，在辽上京遗址北约15千米的巴林左旗宝力罕吐王家沟出土了辽萧兴言墓志。墓志称志主葬地“西楼潢水北三十里，嵩山之阳”[26]。而萧兴言墓地南至辽上京遗址，恰当三十里，可以证辽上京临潢府所临之潢水确系辽上京遗址旁的今沙里河。而此沙里河，其上游即辽祖州地界，在辽代此水即《辽史·地理志》祖州条下的“世（里）没里”。“世里没里”为契丹语“黄（潢）河”的一种汉译。今沙里这条潢水，上游是辽祖州、祖陵所在，下游距祖州东约20千米处，即辽上京所在。可见此潢水在契丹国的崇高地位，也是辽水（西辽河）这条潢水难以企及的。耶律德光建国号，如是要以契丹一水的名称来称之，即不当以在契丹境内处于次等重要的西辽河之名名之。所以说，契丹以“辽”为国号，此“辽”当非河流名称。南宋、金、元之际的文人、史家以金皇族完颜氏世居地，且为都城上京会宁府所在的按出虎水以“按出虎”的汉译“金”名国的事例，推想耶律德光建国号“辽”亦当是以水名国。很显然，这种推想是错误的。耶律德光所建国号“辽”，此“辽”字当非河流名称，其即当为辽阔之意。景爱先生就提出契丹与辽水的关系并不密切，其“辽国”一号，实得名于“辽远”之意[27]。其说无疑是精当的。

耶律德光在灭晋之后，“备法驾入汴，御崇元殿受百官朝贺”，建国号“大辽”，改元“大同”，其时的政权格局也很能说明“大辽”国号的含义。耶律德光率契丹铁骑南下伐晋，战而胜之，取而代之，中原广阔疆土、数以百万计的人口被纳入契丹统辖之下，实现了德光及其父多年来梦寐以求的入主中原、与草原一统的夙愿。此际，长城内外寰宇归一，幅员辽阔，以“辽”为国号称之，实当之无愧，是当时南北一统、契汉一体宏大格局的最恰当的反映。

23 （宋）叶隆礼撰，贾敬颜、林荣贵点校：《契丹国志》卷首《契丹国初兴本末》，中华书局，2014年，第3页。

24 贾敬颜：《东北古地理古民族丛考》，《文史（第十二辑）》，中华书局，1981年，第162页。

25 葛华廷：《辽上京临潢府所临之潢水考辨》，《北方文物》1990年第1期，第77～80页。

26 《萧兴言墓志》，盖之庸编著：《内蒙古辽代石刻文研究（增订本）》，内蒙古大学出版社，2007年，第457页。

27 引自姜维公、姜维东：《“辽”国号新解》，《吉林大学社会科学学报》2014年第1期，第47页。

对于耶律德光建国号大辽之“辽”的含义，姜维公、姜维东《“辽”国号新解》一文（以下简称姜文）称：“辽太宗破晋之后，则以‘辽’为国号，显然是以‘辽水’为植根之地，这一点颇出人意料，亦遭后人质疑。盖辽水非契丹故乡，在此之前为渤海所有，辽太祖去世前始征服渤海，将今辽东地区收入版图。那么，辽太宗以‘辽’为国号，是出于何种正统承接理念呢？笔者认为，是箕子正统理念。”又云：“契丹建国后，也加入到争夺‘箕子国继承者’的行列中来。……强调其继承箕子朝鲜之理由是以辽东地区的政权承接，契丹灭掉渤海，从渤海国手里得到箕子故壤，以此获得君子国的身份。”[28]其文的逻辑即辽水原为渤海国所有，此辽水即为箕子君子国的标志；契丹灭渤海国将其收入契丹版图，契丹即得到了箕子故壤，也就获得了君子国的身份，所以命国号为“大辽”。该文的本意还是说“大辽”国号的“辽”是因辽水而来，不过是经过了一番推导而已。对此，笔者有几点不同意见。

1）所谓的箕子“君子国”，无非是儒家所标榜的即礼让之邦而已。辽前期虽然对儒教有所青睐，但只是统治者对所有宗教都持的开放态度使然。同时统治者认可儒教，也是安抚、驾驭辽地汉民的一个手段，并不能说明辽初阶段统治者就大行儒教、追求什么“君子国”的境界。姜文称契丹“曾一度臣附于高句丽，这期间，契丹族懂得获得‘君子国’的声誉对成为东北地区霸主的重要性，所以，契丹建国后也加入到争夺‘箕子国继承者’的行列中来。……契丹灭掉渤海，从渤海国手里得到箕子故壤，以此获得君子国的身份。”[29]按《辽史·世表》所载，北齐天保年间，契丹“以万家寄处高丽境内”[30]，这万家肯定不是契丹族的全部，还谈不上是契丹“臣附于高句丽”。姜文说契丹在臣服高句丽时期就重视箕子君子国的声誉的强大威力，而阿保机又灭渤海国，即获得了“君子国的身份”。如是，阿保机在征服渤海国之后，那时就当直接将姜文视为“君子国”标志的“辽（水）”来作为新疆土国名，而不必以“东丹”之名来称之，那岂不是一步到位？何须再等20年到耶律德光灭晋之后才建国号“大辽”？在阿保机灭渤海国之后没有改渤海国为姜文意义上的“大辽”国号，本身就说明姜文对“辽”这一国号的含义的理解有误。

2）笔者认为“大辽”这一国号并非因辽水而起，但不认可姜文所称的“盖辽水非契丹故乡，在此之前为渤海所有”的观点。辽水的名称来源既久，古代往往又析为大辽水、小辽水而称之。北魏郦道元所作的《水经注》卷14所列7条水，其中就有大、小辽水。大辽水即今西拉木伦河，亦即辽之潢水或云大潢水。此潢水，在契丹始祖传说的神人天女说及阴山七骑说中都有涉及。在契丹建国前后，此潢水流域皆为契丹人活动的核心区域。姜文所称的“辽水非契丹故乡”之语，并不准确。

3）姜文称：“笔者在研究《辽史·地理志》时发现契丹曾一度以箕子正统自居，其改易国号，与这种正统观的变易密切相关。”其文所指《辽史·地理志》即《辽史·地理志二·东京道》卷首的一段。卷首此段文即概述东京道地域的历史沿革，这也

---

28 姜维公、姜维东：《“辽”国号新解》，《吉林大学社会科学学报》2014年第1期，第54页。

29 姜维公、姜维东：《“辽”国号新解》，《吉林大学社会科学学报》2014年第1期，第54页。

30 《辽史》卷63《世表》，中华书局，1974年，第951页。

是《辽史·地理志》以五京为纲总括一道地域的历史沿革及域内州、军、城、县的行政建制及人口、山川概况的统一模式。从东京道一卷卷首对此地域历史沿革的叙述来看，尽管存在一些不准确甚至是错误的地方，但其内容绝对看不出有姜文所称的辽朝“篡改历史，实际是想炮制出一份君子国的传承表来”的痕迹。姜文之说，并无一点依据。

近年来，随着契丹文字解读的进展，辽史研究中的疑难——国号“辽”的含义问题趋于明朗。刘凤翥老先生在解读契丹大、小字墓志中的国名时，步步推进，终于发现契丹、辽双国号并存的现象，并明确国号“辽”乃“远”之意，而非水名[31]。陈晓伟先生的《辽朝国号再考释》一文，利用中外多种文献，确证了契丹文墓志中的契丹、辽双国号的存在，而“辽”即辽远之意[32]。

三、“大同”年号的寓意

耶律德光建“大辽”国号的同时，改元“大同”。以“大同”为帝王年号，有很深厚的政治意义。大同是儒家孜孜追求的一种理想社会。《礼记》载：“大道之行也，天下为公，选贤与能，讲信修睦，故人不独亲其亲，不独子其子，使老有所终，壮有所用，幼有所长，矜寡孤独废疾者，皆有所养，男有分，女有归。货恶其弃于地也，不必藏于己。力恶其不出于身也，不必为己。是故谋闭而不兴，盗窃乱贼而不作，故外户而不闭，是谓大同。”[33]大同，又指天地万物为统一整体，《吕氏春秋》即云：“天地万物，一人之身也，此谓之大同。”[34]耶律德光取得伐晋战争的胜利，他“服通天冠、绛纱袍，登正殿，设乐悬、仪卫于庭。百官朝贺，……下制称大辽会同十年，大赦”，其又将后晋末帝迁往契丹内地安置。这无疑表明，此时的耶律德光既是契丹国的皇帝，又是原晋地的皇帝，而其建的新年号“大同”，即取契丹与汉混一之意。

此前，耶律德光曾建有“会同”年号。天显十一年（936），耶律德光率军援助石敬瑭，大败后唐军，立石敬瑭为晋帝。其后，晋将幽云等十六州献与契丹。《辽史·太宗纪下》记此等相关事云：会同元年（938）9月“边臣奏晋遣守司空冯道、左散骑常侍韦勋来上皇太后尊号，左仆射刘昫、右谏议大夫卢重上皇帝尊号”。11月“壬子，皇太后御开皇殿，冯道、韦勋册上尊号曰广德至仁昭烈崇简应天皇太后”，“丙寅，皇帝御宣政殿，刘昫、卢重册上尊号曰……嗣圣皇帝。大赦，改元会同。是月，晋复遣赵莹奉表来贺，以幽、蓟、瀛……十六州并图籍来献”[35]。《辽史》此处所载耶律德光改元会同与晋献幽、云等16州地诸事的时间顺序不够清晰，似有前后颠倒之嫌。割地、称儿皇帝是石敬瑭求救于契丹时的许诺。《资治通鉴》载：后晋天福元年（936）夏，石敬瑭

---

31 张少珊：《潜龙师对解读契丹文字辽代国号的学术贡献》，《辽金历史与考古（第七辑）》，辽宁教育出版社，2017年，第43页。

32 陈晓伟：《辽朝国号再考释》，《文史》2016年第四辑，第95～154页。

33 陈澔注：《礼记》卷4《礼运第九》，上海古籍出版社，1987年，第120页。

34 吕不韦：《吕氏春秋》卷13《有始览第一·有始》，《诸子集成（六）》，团结出版社，1996年，第383页。

35 《辽史》卷4《太宗下》，中华书局，1974年，第44、45页。

面对后唐的讨伐军，自觉不是对手，于是“遣间使求救于契丹，令桑维翰草表称臣于契丹主，且请以父礼事之，约事捷之日，割卢龙一道及雁门关以北诸州与之。……契丹主大喜，……乃为复书，许俟仲秋倾国赴援”[36]。在耶律德光的援助下，后唐灭亡，石敬瑭登上帝位，其后就兑现了对契丹的许诺，割幽云十六州与契丹。《辽金史解读》一书正确地表述了后晋割幽云十六州与契丹及契丹改年号“会同”的前后时间顺序：“天显十三年（晋高祖天福三年，938），（辽）太宗在正式接受了晋国奉献的幽蓟十六州地图后，即改年号为会同。”[37]由以上情况可知，耶律德光改天显年号为“会同”，是在取得援石敬瑭灭后唐之战的胜利并获得幽云十六州的背景下进行的。“会同”，《书经》卷二《夏书·禹贡》谓：“灉、沮会同。”是说灉水、沮水两河交汇。耶律德光取“会同”为年号，此“会同”年号，当即会合一起之意，是幽云十六州大片汉地与契丹会合在一起的反映。而耶律德光灭晋之后改元“大同”年号，其背景与多年前改元“会同”大体相似，其反映的是一种规模更为宏大的契、汉会合，寰宇一统。“大同”年号是耶律德光灭后晋而一统天下的写照，而并非为中原新朝所建的年号。

四、都城的设置

耶律德光于后晋的大梁城颁布建国号大辽，改元大同，而未涉及都城设置之事。《礼记》云：“天下有王，分地建国，置都立邑。”[38]按中原礼法，建国号、改元、建都，是一个成龙配套的组合拳。如以林鹄先生所云建国号大辽“最初并非契丹的另一国号，而是汉地新朝之号”，那么，这一汉地“新朝”的都城又何在呢？后晋灭亡，耶律德光在都城的布局上有过一番动作。《资治通鉴》载：天福十二年（947，辽大同元年）春正月癸巳日“契丹主自赤冈引兵入宫”，“废东京，降开封府为汴州，尹为防御使”；同年三月，耶律德光在准备北返之际，“复以汴州为宣武军，以萧翰为节度使”[39]。后晋之东京大梁，先是被废除京号及府号，降为防御州。时隔一个月，又升为节度州，但未见恢复京号。就在废东京开封府的十几天之后，“契丹主以前燕京留守刘晞为西京留守”[40]。此西京，当就是原后晋陪都西京洛阳。看来，在耶律德光灭后晋驻大梁城之际，虽然废掉了大梁的东京之号而降为州，但洛阳的西京之号并未废除，仍委有留守之官。此际，耶律德光还新建中京。《辽史》载，耶律德光建国号大辽的同时，即“升镇州为中京。以赵延寿为大丞相兼政事令、枢密使、中京留守”[41]。此际，耶律德光关于都城的布局就呈现出这样的格局：在中原汉地，置有西京、中京；在契丹境内，则有上京、东京、南京。这样已是五京具备。看来，设于洛阳的西京及设于镇州的

36 （宋）司马光：《资治通鉴》卷280《后晋高祖上》，内蒙古人民出版社，2000年，第4114页。

37 赵望秦、张新科主编：《辽金史解读》，华龄出版社，2007年，第3页。

38 陈澔注：《礼记》卷8《祭法·第二十三》，上海古籍出版社，1987年，第253页。

39 （宋）司马光：《资治通鉴》卷286《后汉高祖上》，内蒙古人民出版社，2000年，第4199、4207页。

40 （宋）司马光：《资治通鉴》卷286《后汉高祖上》，内蒙古人民出版社，2000年，第4200页。

41 《辽史》卷4《太宗下》，中华书局，1974年，第59页。

中京，并不是为汉地新朝而设，而是契丹国的两个京城。多京制，在中原王朝由来已久。大唐王朝就置有东、西、南、北四京。受唐朝的影响，当时建立在东北地区的附属国渤海国也实行多京制，以至设立东、西、南、北、中等五京。契丹国的多京制直接受渤海国的影响，“辽朝吸收了辽东渤海国建立五京的经验”[42]。契丹辽朝这种多京制的考虑与实施，不可能只是在辽的中后期才出现。耶律德光随其父耶律阿保机参加了灭渤海国之战，其对渤海国多京的设置自是了然于胸。耶律德光灭后晋，随着国土的扩张，在新增国土上设置京城而加以有效的控制，自是顺理成章之事。耶律德光在原晋地设置的京城特别是中京，明显不是哪一个汉地新朝之京城，而是大辽国多京的组成部分。

耶律德光以镇州为大辽国的中京，似有一个矛盾：从镇州地理方位看，以镇州所置之中京处于南京幽州之南，似以幽州为中京，镇州为南京应更为合理。但耶律德光以镇州为中京，《辽史》《资治通鉴》皆有明载，当不致有误。此中京镇州在南京幽州之南的不合情理情况的出现，当是史书缺载所致。从常理来说，耶律德光既然以镇州为中京，其就当以镇州之南的原晋地的某城为南京，这应是基本常识。而以耶律德光的雄才大略来说，得到原为后晋的中原半壁江山当不是其中原战略的全部，后晋之南邻南唐、吴越等国，早在太祖耶律阿保机时期，就与契丹建立了联系，彼此情况都有一定的了解。耶律德光在灭后晋之前，对南唐、吴越等国不一定有什么企图，但其灭晋之后，南唐、吴越就显露在耶律德光面前，江南的富庶和武力的孱弱，对处于扩张高峰期的耶律德光来说，无疑有着很大的诱惑。耶律德光在以镇州为中京的同时，将镇州之南甚至大梁之南的某城置为南京，既是五京设置的需要，亦是着眼于南图南唐、吴越等国的前沿阵地的布局，确为当时形势之必要，只是史书对此失载而已。

五、结　　语

辽太宗耶律德光率军南下攻灭后晋之后，在众臣的推戴下于大梁城即帝位，建国号“大辽”，改元“大同”，并改镇州为中京。此一系列举措，是相互关联的一个整体，它明确地表示出将晋地纳入契丹国，实现契丹与中原大一统的宏大格局的战略意图。“大辽”这一国号是超然于中原、草原的狭隘地域局限的。“大辽”国号，并非因辽水而得，亦非是为汉地新朝而置，更与所谓的箕子君子国无关。

（葛华廷　赤峰市巴林左旗公安局）

42　赵望秦、张新科：《辽金史解读》，华龄出版社，2007年，第82页。

关于耶律隆庆的几个问题

孙　阳

内容提要：耶律隆庆，是辽景宗次子，圣宗皇太弟，《契丹国志》有传，生前建宫卫敦睦宫，死后圣宗辍朝七日，陪葬景宗乾陵，备极殊荣。本文就耶律隆庆的生平事略及妻子与子女等略陈己见，以求教正。

关键词：耶律隆庆　景宗　圣宗　皇太弟

一、耶律隆庆的皇太弟赠号

耶律隆庆，《契丹国志》[1]有传，孝文皇太弟隆庆，番名菩萨奴，母日萧氏，景宗第二子。历任兵马大元帅、尚书令、西京留守等职，先后被封为梁王、秦晋国王。寻薨，葬祖州，谥曰孝文皇太弟。《辽史》虽无传，但其名字多次见及，是辽朝皇室中一位重要人物。《辽史·营卫志·宫卫》载有"孝文皇太弟敦睦宫"[2]。据《辽史》所载："辽国之法：天子践位置宫卫，分州县，析部族，设官府，籍户口，备兵马。崩则扈从后妃宫帐，以奉陵寝。"[3]有辽一代，除九位皇帝外，还有应天皇后建长宁宫，承天太后建崇德宫，孝文皇太弟建敦睦宫。除此之外，汉人丞相韩德让，赐国姓耶律隆运有文忠王府，耶律隆庆能以皇太弟身份领有敦睦宫，可见其生前地位十分显赫，仅在一人圣宗皇帝之下，无人可及。但有关耶律隆庆的皇太弟赠号，《契丹国志》及《辽史》均记为孝文皇太弟。对此赠号，学术界目前有两种观点。费国庆认为：据出土的《耶律宗允墓志》及《秦晋国妃墓志》记载均为"赠孝贞皇太弟讳隆庆"，认为皇太弟耶律隆庆赠号为"孝贞"，《契丹国志》及《辽史》所载"孝文"为误，应改正[4]。向南认为：耶律隆庆皇太弟赠号由"孝贞"改为"孝文"，是因避宋仁宗赵祯名讳，"祯"与"贞"同音[5]。笔者赞同向南的观点。《契丹国志》为南宋叶隆礼著，《辽史》由元代

1　（宋）叶隆礼撰，贾敬颜、林荣贵点校：《契丹国志》卷14《孝文皇太弟》，上海古籍出版社，1985年，第152页。

2　《辽史》卷31《营卫志上》，中华书局，1975年，第364页。

3　《辽史》卷31《营卫志上》，中华书局，1975年，第362页。

4　费国庆：《（辽史）补正五则》，《社会科学辑刊》1988年第3期（总第56期）。

5　向南：《辽代石刻文编》，河北教育出版社，1995年，第305页《耶律宗政墓志》文末注释4隆庆条。

脱脱等撰，成书均在辽代亡国之后，因避宋仁宗赵祯讳是正常的。

另外，除费国庆所引的《耶律宗允墓志》和《秦晋国妃墓志》之外，还有《秦晋国大长公主墓志》记有："女二人，长适秦晋国王追谥孝贞皇太弟隆庆，册为秦国妃。"[6]《耶律宗政墓志》记有："王即孝贞皇太叔之元子。"[7]《耶律宗教墓志》记有："孝贞皇太叔胤子。"[8]墓志皆为辽代文人所书，视为实录是可信的。五方墓志均记耶律隆庆的皇太弟赠号为"孝贞皇太弟（叔）"，说明辽代当时并未避宋仁宗名讳。

二、耶律隆庆的生平事略

耶律隆庆，虽然《辽史》无传，但其名字多见于《辽史》。据《辽史·景宗下》记载：（乾亨）"二年春正月丙子朔，封皇子隆绪为梁王，隆庆为恒王。"[9]又据《辽史·皇子表》记有"隆庆八岁封恒王"[10]。景宗乾亨二年为980年，古人年龄皆以虚岁计，由此上推，可知耶律隆庆生于景宗保宁五年（973）。据《辽史》记载，耶律隆庆卒于辽圣宗开泰五年（1016），享年44岁，属英年早逝。

耶律隆庆自八岁被景宗封为恒王后，先后被圣宗封为梁国王[11]、秦晋国王[12]。历任南京留守、西京留守、燕京管内处置使、尚书令、兵马大元帅等职。被圣宗皇帝赐予铁券，权倾朝野。而辽朝的兵马大元帅，据有学者论及，兵马大元帅有继承皇位，君临天下的权力[13]。除上述记载外，耶律隆庆梁国王的封号还见于圣宗统和二十三年（1005年）的《盘山甘泉寺新创净光佛塔记》："我大元帅梁国大王，机宣虎帐，力赞龙图。"[14]耶律隆庆秦晋国王的封号还见于道宗咸雍九年（1073）的《萧德恭墓志》："皇考大丞相、陈王知足，母秦晋国王女公主耶律氏。"[15]《秦德昌墓志》："公初十六，会秦晋国王宅燕，见其体貌魁秀，知后必为伟器，因荐于圣宗。"[16]指的是秦德昌16岁时，在秦晋国王耶律隆庆王府，耶律隆庆慧眼识才，知秦德昌日后必成伟才，遂

---

6 郑绍宗：《契丹秦晋国大长公主墓志铭》，《考古》1962年第8期。

7 陈述辑校：《全辽文》卷7《耶律宗政墓志铭》，中华书局，1982年，第156页。

8 鲁宝林、辛发、吴鹏：《北镇辽耶律宗教墓》，《辽海文物学刊》1993年第2期，第36页。

9 《辽史》卷9《景宗下》，中华书局，1975年，第103页。

10 《辽史》卷64《皇子表》，中华书局，1975年，第986页。

11 《辽史》卷14《圣宗五》统和十六年："十二月丙戌朔……，进封皇弟恒王隆庆为梁国王。"，中华书局，1975年，第154页。

12 《辽史》卷15《圣宗六》开泰五年："九月癸卯，皇弟南京留守秦晋国王隆庆来朝，上亲出迎劳至实德山。"中华书局，1975年，第178页。

13 蔡美彪：《论辽朝的天下兵马大元帅与皇位继承》，《中国民族史研究（第4辑）》，改革出版社，1992年。

14 向南：《辽代石刻文编》，河北教育出版社，1995年，第119页文末注释①。

15 向南著，张国庆、李宇峰辑注：《辽代石刻文续编》，辽宁人民出版社，2010年，第153页。

16 李波：《建平三家乡辽秦德昌墓清理简报》，《辽海文物学刊》1995年第2期，第14页。

推荐给圣宗皇帝。秦德昌从此走上仕途，效忠朝廷，历仕圣、兴、道三朝，成为著名的外交使臣，曾先后出使高丽、北宋和西夏。

据《辽史》记载，耶律隆庆死后，圣宗皇帝极为哀恸，辍朝七日，并于开泰六年（1017）："三月乙巳，如显州，葬秦晋国王隆庆……追册隆庆为太弟。"[17]可知耶律隆庆死后陪葬景宗乾陵，而《契丹国志》记耶律隆庆死后，葬祖州是不对的，应予订正[18]。依据约定俗成的辽代高官丧葬习俗，辽代皇室成员及高官显贵死后，辽代皇帝辍朝数日以示哀悼。一般辍朝日期多以单数为计，如一、三、五、七日不等。最多的辍朝七日，为最高丧礼[19]。据目前碑志所见，辍朝七日的仅有两例：一是道宗咸雍八年（1072）去世的圣宗第六子侯古，汉名耶律宗愿[20]；另一是道宗大安三年（1087）去世的兴宗次子，道宗之弟耶律弘世[21]。都是皇帝之子，可见辽朝高官丧葬习俗的等级和规定还是十分严格的。耶律隆庆死后陪葬其父景宗乾陵。但其墓葬今在何地，长期以来一直无人论及。从2012年起，受辽宁省文物局委托，辽宁省文物考古研究所主持开展了北镇市医巫闾山辽代帝陵（显、乾二陵）专项考古课题的调查和发掘，并取得了阶段性的丰硕成果[22]。依据考古新发现，有学者认为位于二道沟龙岗耶律宗政、耶律宗允墓[23]上方的"琉璃砖辽墓"极有可能是耶律隆庆墓[24]。该墓现已经发掘，但未出土墓志，仅凭出土琉璃砖难以确定是耶律隆庆墓。只有出土耶律隆庆墓志后，才能进行进一步研究与考证。

三、耶律隆庆的妻子

耶律隆庆由于其母睿智皇后即承天太后的自幼宠爱，养成其"桀黠""骄侈"的个性。据宋人路振《乘轺录》所记："隆庆者，隆绪之弟，契丹国母萧氏之爱子也。故王以全燕之地而开府焉。其调度之物，悉侈于隆绪。尝岁籍民子女，躬自拣择，其尤者为王妃，次者为妾媵。炭山北有凉殿，夏常随其母往居之，妓妾皆从。穹庐帟幕，道路相属。虏相韩德让尤忌之，故与德让不相叶也。"[25]路振《乘轺录》所记，是他于北宋

17 《辽史》卷15《圣宗六》，中华书局，1975年，第986页。

18 （宋）叶隆礼撰，贾敬颜、林荣贵点校：《契丹国志》卷14《孝文皇太弟》，上海古籍出版社，1985年，第152页。

19 谷丽芬：《碑志所见辽代高官丧葬述略》，《辽金历史与考古（第五辑）》，辽宁教育出版社，2014年，第312页。

20 盖之庸编著：《内蒙古辽代石刻文研究（增订本）》，内蒙古大学出版社，2007年，第381页。

21 盖之庸编著：《内蒙古辽代石刻文研究（增订本）》，内蒙古大学出版社，2007年，第430页。

22 辽宁省文物考古研究所：《辽宁北镇市辽代帝陵2012—2013年考古调查与试掘》，《考古》2016年第10期。

23 张克举：《北宁龙岗辽墓》，《辽宁考古文集》，辽宁民族出版社，2003年，第112页。

24 王绵厚：《北镇龙岗耶律宗政墓北邻辽墓发现的考古学窥探》，《辽金历史与考古（第四辑）》，辽宁教育出版社，2013年，第3页。

25 （宋）江少虞：《宋朝事实类苑》卷77，上海古籍出版社，1981年。

真宗大中祥符元年，即辽圣宗统和二十二年（1004）出使契丹时，在幽州听幽客司刘斌所言，当时的辽南京（今北京）留守正是耶律隆庆，以当朝人记述当朝事，应该是真实可信的，说明耶律隆庆生性风流，妻、妃（妾）众多。其中有名可考者四人：一是秦晋国大长公主观音长女秦国妃[26]；一是幽国夫人之女齐国妃[27]；一是魏国公主长寿奴之女秦晋国妃[28]；一是耶律宗教之母，故渤海圣王孙女迟女娘子[29]。在这四人中，据朱子方考证，耶律隆庆至少娶了三个外甥女为妃，一个是大姐之女秦国妃，两个是其三妹之女，齐国妃和秦晋国妃，是典型的契丹族盛行的舅甥婚。而正妃应该是其大姐之女秦国妃，因为其在这三姊妹中年龄最大[30]，此说甚是。秦国妃作为耶律隆庆的正妃，为其生了四位公主，吴国公主、韩国公主、陈国公主、某国公主[31]。齐国妃为耶律隆庆生了三个儿子，即耶律宗政、耶律宗德、耶律宗允。秦晋国妃有墓志出土[32]，据墓志记载秦晋国妃于圣宗开泰五年（1016），年仅16岁时即嫁与耶律隆庆为妃，当年耶律隆庆死后，圣宗皇帝下诏逼迫耶律宗政娶其后母秦晋国妃为妻。时年秦晋国妃16岁，耶律宗政14岁。但他生性耿直，个性极强，拒不奉旨迎娶秦晋国妃为妻。秦晋国妃后来又奉旨改嫁刘二玄为妻。刘二玄出身燕京名门，家世显赫。四世祖为唐幽州卢龙军节度使刘怦，曾祖父为辽南京副留守刘守敬，祖父为《辽史》有传的刘景[33]，父亲为北府宰相刘慎行。刘二玄之弟刘六符，《辽史》亦有传[34]，是辽朝中期著名的外交家。秦晋国妃改嫁刘二玄时间不长，或是刘二玄病卒，或为其他原因，总之二人婚姻维系时间不长，没有子嗣。秦晋国妃于道宗咸雍五年（1069）死后，仍与耶律宗政合葬一墓，成为名义上的夫妻。据墓志记载，秦晋国妃作为后族才女，聚书数千卷，博览经史，其歌诗赋咏，落笔则朝野传诵，脍炙人口。雅善飞白，尤工丹青。所居屏扇，多其笔也。嗜书成僻，晚年尤甚，并撰有《见志集》若干卷流行于世，可惜没有流传下来。各种辽史艺文志均未提及，仅从出土的《秦晋国妃墓志》才略知一二。可见辽朝被湮没的诗人，诗集尤其是著名女诗人及著述尤多，按其才学，秦晋国妃应该与辽道宗懿德皇后萧观音齐名，耶律宗教之母为渤海圣王孙女迟女娘子，据韩世明和都兴智考证，应该是渤海国亡国之君大諲譔的孙女，应称迷里吉迟女娘子，迷里吉是姓，迟女是名，娘子是称呼[35]。不赘言。

---

26 郑绍宗：《契丹秦晋国大长公主墓志铭》，《考古》1962年第8期："女二人，长适秦晋国王追谥孝贞皇太弟隆庆，册为秦国妃""景宗皇帝生三子，次讳隆庆，后赠孝贞皇太叔，烈考也。齐国妃兰陵萧氏，故幽国夫人之女，皇妣也。"

27 陈述辑校：《全辽文》卷7《耶律宗政墓志铭》，中华书局，1982年，第156页。

28 陈述辑校：《全辽文》卷8《秦晋国妃墓志铭》，中华书局，1982年，第193页。

29 鲁宝林、辛发、吴鹏：《北镇辽耶律宗教墓》，《辽海文物学刊》1993年第2期，第36页。

30 朱子方：《辽陈国公主、萧仅墓志刍议》，《辽海文物学刊》1988年第1期，第68页。

31 向南：《辽代石刻文编》，河北教育出版社，1995年，第153页《陈国公主墓志》文末注释3。

32 陈述辑校：《全辽文》卷8《秦晋国妃墓志铭》，中华书局，1982年，第193页。

33 《辽史》卷88《刘景传》，中华书局，1975年，第132页。

34 《辽史》卷88《刘六符传》，中华书局，1975年，第1323页。

35 韩世明、都兴智：《渤海王族姓氏新考》，《中国边疆史研究》2015年第2期。

四、耶律隆庆的儿子

据《辽史·皇子表》记载，“隆庆字燕隐，小字普贤奴。子五人：查葛、遂哥、谢家奴、驴粪、苏撒”[36]。耶律隆庆有五个儿子，但《皇子表》上记载的都是契丹名字，未记汉名。关于五人的汉名，向南有详细考证，即长子查葛，汉名耶律宗政；次子遂哥，汉名耶律宗德；三子谢家奴，汉名耶律宗允；四子驴粪，汉名耶律宗教；五子苏撒，汉名耶律宗诲[37]。其中耶律宗政、耶律宗允、耶律宗教有墓志出土。耶律宗德墓据张克举先生论及，应在其兄耶律宗政墓的东侧，其规模亦与耶律宗政，耶律宗允墓相当[38]。耶律宗诲死后不知葬于何处。若依向南的考证，耶律宗教与耶律宗诲是亲兄弟，同为耶律隆庆的王妃迟女娘子所生，或许耶律宗诲墓应该在耶律宗教墓附近。

先说长子耶律宗政，在《契丹国志》里有传[39]，但说查葛汉名为宗懿，是以谥号作汉名，乃误。《辽史》虽无传，但其名字多次见于记载，但都是契丹名字，未见汉名记载。耶律宗政的汉名，除本身墓志记载“王讳宗政，字去白”外，耶律宗政汉名还见于兴宗重熙十五年（1046）的《秦晋国大长公主墓志》：“乃诏宗子，中书令，宋王宗政等监护神柩。”[40]兴宗重熙十七年（1048）的《萧绍宗墓志》：“诏南宰相鲁王耶律宗政监护丧事。”[41]道宗咸雍元年（1065）的《耶律宗允墓志》“兄二人，长曰宗政，守太傅、兼中书令、魏国王”[42]。道宗咸雍五年（1069）的《秦晋国妃墓志》：“故资忠佐理保义翊圣同德功臣，开府仪同三司，守太傅、兼中书令、判武定军节度使，魏国王讳宗政，即妃次奉诏所归之嘉偶也。”[43]至于墓志已有学者考释[44]，恕不赘言。

次子耶律宗德，契丹名遂哥，在《辽史》里多见提及，但汉名仅在其弟《耶律宗允墓志》里一见：“兄二人：长曰宗政，守太傅，兼中书令，魏国王，次日宗德，大内惕隐，同中书门下平章事，汧王。棣华增茂，义笃无伦，桐叶启封，勋高人爵，皆先王而逝。”[45]耶律宗德曾先后被封为乐安郡王、幽王、汧王，其中汧王可补史缺。

三子耶律宗允有墓志出土，契丹名谢家奴，一生所历官职较多，其历官王号，《辽史》与墓志所记基本符合，且可互为补充。值得引起注意的是耶律宗允墓志撰者刘诜之

36 《辽史》卷64《皇子表》，中华书局，1975年，第986页。

37 向南：《辽圣宗子侄契丹、汉名考》，《辽金史论集（第十二辑）》，吉林大学出版社，2012年。

38 张克举：《北宁龙岗辽墓》，《辽宁考古文集》，辽宁民族出版社，2003年。

39 （宋）叶隆礼撰，贾敬颜、林荣贵点校：《契丹国志》卷14《晋王宗懿》，上海古籍出版社，1985年，第153页。

40 郑绍宗：《契丹秦晋国大长公主墓志铭》，《考古》1962年第8期。

41 郭宝存、祁彦春：《辽代（萧绍宗墓志铭）和《耶律燕哥墓志铭》考释》，《文史》2015年第三辑。

42 陈述辑校：《金辽文》卷8《耶律宗允墓志铭》，中华书局，1982年，第183页。

43 陈述辑校：《全辽文》卷8《秦晋国妃墓志铭》，中华书局，1982年，第193页。

44 姜念思、韩宝兴：《龙岗辽代墓志考释》，《东北地方史研究》1985年第2期。

45 陈述辑校：《全辽文》卷8《耶律宗允墓志铭》，中华书局，1982年，第183页。

名曾两见于《辽史·道宗纪》[46]，陈述认为刘诜所历官职与事略，与《辽史》有传的刘伸的事迹、时间相符[47]，两者似为一人[48]。若果为一人，则刘诜为耶律宗允撰写墓志的署衔“朝请大夫，守将作少监，充史馆修撰，应奉阁下文字，飞骑尉，赐紫金鱼袋”则皆可补其本传的缺略。

四子耶律宗教有墓志出土，并有契丹小字墓志出土：墓志刻于兴宗重熙二十二年（1053），这是迄今为止，考古发现年代最早的契丹小字墓志，其史料价值弥足珍贵。耶律宗教，契丹名在《辽史》、《皇子表》及《皇族表》里为驴粪[49]。在《辽史》、《圣宗纪》及《兴宗纪》里皆称旅坟[50]。据《耶律宗教墓志》记载，耶律宗教与旅坟（驴粪）历官名称、任职时间相符。从而可证耶律宗教与旅坟（驴粪）实为一人，耶律宗教为汉名，旅坟（驴粪）为契丹名，另外，驴粪之名，在《懿州记事碑》见及[51]，可知耶律宗教在兴宗重熙年间曾经参与辽代懿州（即今地阜新蒙古族自治县塔营子城址）遭洪灾后的救灾活动。另外，在耶律隆庆五个儿子之中，虽然据墓志分析，耶律宗教年长于耶律宗政、耶律宗德、耶律宗允兄弟三人，但其母迟女娘子并非耶律隆庆正妻，故耶律宗教称为胤子而非元子。耶律宗政三兄弟母亲齐国妃亦非耶律隆庆正妻，耶律隆庆正妻是秦国妃。耶律宗政作为耶律隆庆的嫡长子，虽非正妻秦国妃所生，但称元子是可以的。

五子耶律宗诲，契丹名苏撒，其事略待考。

五、耶律隆庆的女儿

前已述及，目前所知耶律隆庆有四个女儿，陈国公主、吴国公主、韩国公主、某国公主。其中陈国公主有墓志出土[52]，据墓志记载，陈国公主是景宗皇帝次子秦晋国王耶律隆庆之女，正妃萧氏所生。初封太平公主，晋封为越国公主，追封为陈国公主。其母萧氏据《秦晋国大公主墓志铭》记载为景宗长女观音的长女[53]，嫁与秦晋国王，册为秦国妃。陈国公主，《辽史·公主表》失载，可补史缺。据有学者论及陈国公主于圣宗开泰五年（1016）16岁时下嫁驸马萧绍矩，开泰七年（1018），18岁时早逝，未留下子

46 《辽史》卷22《道宗二》（咸雍）：“二年五月辛巳，以户部使刘诜为枢密副使”，中华书局，1975年，第265页。

47 《辽史》卷98《刘伸传》，中华书局，1982年，第1416页。

48 陈述辑校：《全辽文》，《全辽文作者索引及事迹考》“刘诜”条，中华书局，1982年，第421页。

49 《辽史》卷64《皇子表》《皇族表》，中华书局，1975年，第986、1023页。

50 《辽史》卷17《圣宗八》（太平）：“八年十二月壬申，旅坟宜州节度使”，中华书局，1975年，第203页又及《辽史》卷98《兴宗二》（重熙）：“十五年七月乙未，以北院宣徽使旅坟为左夷离毕。”中华书局，1975年，第202页。

51 吕振奎、袁海波、黄士梅、童立红：《懿州造像碑新考》，《阜新辽金史研究（第四辑）》，中国社会出版社，2000年，第128页。

52 内蒙古文物考古研究所：《辽陈国公主驸马合葬墓发掘简报》，《文物》1987年第11期。

53 郑绍宗：《契丹秦国晋国大长公主墓志铭》，《考古》1962年第8期。

嗣，死后与驸马萧绍矩合葬。萧绍矩之名不见于《辽史》。陈国公主死于圣宗开泰七年（1018），因此志文里提及的皇后，据向南考证，应指圣宗仁德皇后。仁德皇后是睿智皇后弟隗因之女，由此可知，萧绍矩是隗因之子[54]。又据《陈国公主墓志》记载，陈国公主是"景宗皇帝之孙，秦晋国王皇太弟正妃萧氏之女，吴国公主之妹"。可知，吴国公主是陈国公主之姊，吴国公主《辽史·公主表》亦失载。可补史缺。但吴国公主叫什么名字，驸马是何人，目前限于资料，难以详考。除吴国公主、陈国公主之外，见于记载的耶律隆庆还有两个女儿，据《辽史》有传的《萧匹敌传》记载："匹敌，字苏隐，一名昌裔……，既长，尚秦晋王公主，拜驸马都尉。"[55]另据《辽史》《地理志》记载，渭州为驸马都尉萧昌裔所建，尚秦国王隆庆女韩国长公主[56]。其中秦国王脱一"晋"，应为秦晋国王。韩国公主后于兴宗重熙年间晋封韩国长公主。向南认为：韩国公主与吴国公主年龄相仿。故疑吴国公主或即是韩国公主的观点在目前没有确凿的资料证实时，是难以成立的[57]。耶律隆庆的另一女嫁与萧阿剌。萧阿剌，《辽史》有传："萧阿剌，字阿里懒，北院枢密使萧孝穆之子也。幼养宫中，兴宗尤爱之。重熙二十一年（1052），拜西北路招讨使，封西正平郡王。寻尚秦晋国王公主，拜驸马都尉。"[58]只是不知这位公主的封号，只能存疑待证。关于这位公主的情况，朱子方已有精当的考证，甚是[59]，笔者赞同，恕不赘述。

六、结　　语

耶律隆庆，虽然《契丹国志》有传，但极为简略。《辽史》和最近出版的《中国北方各族人物传·辽代卷》都没有耶律隆庆的传略[60]，应是一大缺漏。但可喜的是，随着辽宁省文物考古研究所关于北镇医巫闾山辽代帝陵（显、乾二陵）考古专项课题的进一步深入，我们相信不久的将来，会有有关耶律隆庆墓的发现与发掘，若能出土耶律隆庆的墓志，将有助于学术界对耶律隆庆的全面研究。

（孙　阳　朝阳博物馆）

54 向南：《辽代石刻文编》，河北教育出版社，1995年，第153页《陈国公主墓志》文末注释⑤。

55 《辽史》卷88《萧匹敌传》，中华书局，1975年，第1343页。

56 《辽史》卷37《地理志一》："渭州，高阳军节度、驸马都尉萧昌裔建。尚秦国王隆庆女韩国长公主，以所赐媵臣建州城。……辽制，皇子嫡生者，其女与帝女同。"中华书局，1975年，第449页。

57 向南：《辽代石刻文编》，河北教育出版社，1995年，第153页《陈国公主墓志》文末注释③。

58 《辽史》卷90《萧阿剌传》，中华书局，1975年，第1355页。

59 朱子方：《辽陈国公主·萧仅墓志刍议》，《辽海文物学刊》1988年第1期，第68页。

60 黄凤岐、冯继钦主编：《中国北方各族人物传·辽代卷》，辽海出版社，1989年。

《辽史·公主表》补述

李宇峰

内容提要：辽代册封公主的制度，与历代相比，具有本身特点，除皇帝之女外，皇帝同母兄弟之女、嫡生皇子之女、皇族之女嫁与西夏，高丽国王或西夏、高丽、大食国王之子者，均可封为公主。《辽史·公主表》所记之公主，除昭怀太子耶律濬之女外，全是皇帝之女。其余公主的封号及名字，虽然《公主表》未载，但却散见于《辽史》的《本纪》《列传》《地理志》及陆续出土的辽代碑志中。今读新近出版的陈述的《辽史补注》有关《公主表》的补注极为简略，现以后续发现的辽代碑志为依据，对《辽史·公主表》再做补述，以期推动学术的交流与进步。

关键词：《辽史》　《公主表》　补述

辽代册封公主的制度，基本上沿袭中原唐宋之制，但又具有本身特点，《辽史》置有《公主表》，《公主表》按帝王承继顺序和由长及幼原则排列了36位公主、39位驸马（其中天祚帝六女未列驸马），这在二十四史中是首开先例的。辽代对公主实行封赏制度，允许公主建私人头下州，拥有部曲，受封户、享食邑的特权，这也是历代鲜见的。据《辽史》所记辽代公主可分为四种：一为皇帝之女，二为皇帝同母兄弟之女，三为嫡生皇子之女，四为皇族之女嫁给西夏、高丽国王或西夏、高丽、大食国王之子者。由于《公主表》所记错漏之处甚多，并多与出土的辽代碑志所记不符。学术前贤多作补注，今读新近出版的陈述的《辽史补注》有关《公主表》的补注极为简略[1]，现以后续发现的辽代碑志为依据，对《辽史·公主表》再做补述，以期推动学术的交流与进步。

一、皇帝之女

《辽史·公主表》所载之公主，除昭怀太子耶律濬之女外，都是皇帝之女。昭怀太子之女列入《公主表》内，是因为昭怀太子在道宗大康初年被耶律乙辛谋害之前已是储君。死后，其子天祚皇帝于乾统元年（1101）又追谥为大孝顺圣皇帝，庙号顺宗，所以修史者也将其女作为皇帝之女看待而载入《公主表》内。由于《公主表》所记错漏甚

1　（元）脱脱等撰，陈述补注：《辽史补注》8，中华书局，2018年，第2669页。

多，闫万章曾做详细校补考证[2]。

1. 关于太祖之女质古公主

据《公主表》记载："太祖一女，质古，下嫁淳钦皇后弟萧室鲁。……未封而卒。"这个萧室鲁与《辽史》所记的太祖八年正月，"北宰相实鲁妻馀卢睹姑于国至亲，一旦负朕，从于叛逆，未置之法而病死，此天诛也"[3]中的北宰相萧实鲁为同一人。馀卢覩姑公主名字《辽史》仅一见[4]，仅知她是太祖之父德祖与宣简皇后唯一的女儿，是辽太祖之妹。2003年3月10日，在内蒙古通辽市科尔沁左翼后旗毛道苏木吐尔基山采石场发现一座保存完整的辽墓[5]。墓主人为一年轻女性，因为未出土墓志或纪年文物，墓主人的身份引起学术界广泛关注与讨论，王大方认为墓主人应是太祖之女，做过奥姑的质古公主[6、7]。笔者认为墓主人应是太祖之妹馀卢覩姑公主。如上述所引，馀卢覩姑公主下嫁的是北府宰相萧实鲁（萧室鲁），因此，《公主表》所记质古公主下嫁淳钦皇后弟萧室鲁是错误的。同样学术界有学者认为，质古公主与馀卢覩姑公主为同一人也是欠妥的[8]。因为二人所嫁夫君不同，馀卢覩姑公主下嫁的是北府宰相萧实鲁，而质古公主下嫁的夫君，据有学者研究应是卫国王驸马沙姑[9]。质古公主幼为奥姑，嫁与沙姑后早卒，未有子女。质古公主死后，沙姑又另娶妻生子，但沙姑死后仍与质古公主合葬，亦称卫国王驸马，笔者赞同此说。

2. 有关圣宗长女秦国长公主

据《公主表》记载："圣宗十四女，贵妃生一女，燕哥第一，封隋国公主，进封秦国，兴宗封宋国长公主，下嫁萧匹里。"这个萧匹里，据郑绍宗先生依《秦晋国大长公主墓志》的考证，即是志文里提及的秦晋国大长公主之子萧绍宗[10]。二者应为同一人，萧绍宗是汉名，萧匹里是契丹名。萧绍宗，《辽史》无传，但其名字和事略多见于《辽史·圣宗纪》。开泰元年（1012）五月戊辰朔，以驸马都尉萧绍宗为郑州防御使；开泰二年（1013），春正月癸巳朔，驸马萧绍宗加检校太师；开泰九年（1020）九月戊午。以驸马都尉萧绍宗平章事；太平四年（1024）九月，以驸马都尉萧绍宗为武定军节度使；太平六年（1026）冬十月庚寅，以萧绍宗兼待中。除此之外，萧绍宗的名字还见于辽宁朝阳东塔地宫出土的圣宗开泰六年（1017）的《无垢净光大掩罗尼法舍利经纪》石经幢的题名上，其署衔为左林牙平卢军节度使检校太尉左金吾卫上将军驸马都尉萧绍

---

2 闫万章：《辽史公主表补证》，《辽金史论集（第一辑）》，上海古籍出版社，1987年，第14页

3 《辽史》卷1《太祖》上，中华书局，1975年，第9页。

4 《辽史》卷4《太宗》下，中华书局，1975年，第51页。

5 内蒙古文物考古研究所：《内蒙古通辽市吐尔基山辽代墓葬》，《考古》2004年第7期。

6 王大方：《吐尔基山辽墓墓主身份的推测——兼述契丹古代社会的"奥姑"》，《中国文物报》2004年1月30日7版。

7 李宇峰：《吐尔基山辽墓墓主身份商榷》，《中国文物报》2004年9月3日7版。

8 闫万章：《辽史公主表补证》，《辽金史论集（第一辑）》，上海古籍出版社，1987年，第14页；（元）脱脱等撰，陈述补注：《辽史补注》8，中华书局，2018年，第2660页。

9 盖之庸编著：《内蒙古辽代石刻文研究（增订本）》，内蒙古大学出版社，2007年，第45页。

10 郑绍宗：《契丹秦晋国大长公主墓志铭》，《考古》1962年第8期。

宗。在萧绍宗后面是梁国公主的封号，据向南考证[11]，梁国公主疑为萧绍宗之妻，并认为若梁国公主即是圣宗长女燕哥的话，则《公主表》里“燕哥第一，封隋国公主，进封秦国，兴宗封宋国长公主”中隋为梁字之误，宋为秦字之误[12]。今据最近出土的兴宗重熙六年（1037）的《秦国长公主墓志》记载。秦国长公主：“公主实景宗孝成皇帝之孙，圣宗文武孝宣皇帝之女……统和三十年，特封梁国公主，下嫁今辽兴军节度使，守太傅，萧吴王绍宗。”[13]可证向南的考证是正确的。

3. 关于圣宗六女钿匿其人

据《公主表》记载，“萧氏生一女，钿匿第六，封平原郡主，进封荆国公主，下嫁萧双古”可知，圣宗六女名字细匿，先封平原郡主，后晋封荆国公主，下嫁萧双古。今据2010年10月在辽宁省阜新蒙古族自治县八家子乡乌兰木图山南麓平原公主与驸马萧忠的合葬墓出土的《平原公主墓志》记载，“公主即皇帝之女也，幼而聪晤，长乃贞纯。蕴是德容，愈曾爱重，乃封为平原郡公主”[14]。据此可订正《公主表》里所记，封平原郡主，晋封荆国公主之误。据《平原公主墓志》记载，平原公主下嫁的驸马为萧忠。另据有学者研究证明，平原公主就是《公主表》里所记的钿匿。其夫即拨里萧双古[15]。此说甚是。另有学者论及，《公主表》里所记的平原公主夫君为萧双古，与《平原公主墓志》所记平原公主夫君为萧忠为同一人，萧忠为汉名，字崇骨里是契丹名，崇骨里即契丹名双古里的不同汉字译音，双古则是“双骨里”略去语尾音的简译[16]。至于钿匿即为长女，为何在《公主表》里排名第六的原因是其母萧氏，是圣宗后宫地位较低的宫嫔，而《公主表》诸皇女的名次排序实际上是由其生母在后宫的等级地位决定的。

4. 有关圣宗十二女泰哥其人

据《公主表》记载：“泰哥第十二，下嫁萧忽列。”这个萧忽列与《辽史》有传的《萧惠传》里所记“弟虚列，武定军节度使”的萧虚列[17]，以及《辽史・圣宗纪》里的萧屈列三者为同一人[18]，都是契丹名字，音译不同所致。萧忽烈在《辽史》里见及的所任官职殿前都点检，侍中、南院统军使，武定军节度使等职与任职时间与《平原公主

---

11 向南：《辽代石刻文编》，河北教育出版社，1995年，第149页。

12 向南：《辽代石刻文编》，河北教育出版社，1995年，第150页《朝阳东塔经幢记》注释⑧。

13 郭宝存、祁彦春：《辽代（萧绍宗墓志铭）和（耶律燕哥墓志铭）考释》，《文史》2015年第三辑。

14 辽宁省文物考古研究所、阜新市考古队：《辽宁阜新县辽代平原公主墓与梯子庙4号墓》，《考古》2011年第8期。

15 乌拉熙春：《双古里驸马与乌隗帐》，《爱新觉罗乌拉熙春女真契丹学研究》，日车松香堂书店，2009年，第231页。

16 韩世明、都兴智：《辽（驸马萧公平原公主墓志）再考释》，《文史》2013年第三辑，第101页。

17 《辽史》卷93《萧惠传》，中华书局，1975年，第1373页。

18 《辽史》卷15《圣宗六》开泰四年五月，“殿前都点检萧屈烈为都监以伐高丽”；五年春正月，“耶律世良，萧屈烈与高丽战于郭州西，破之”；六年五月，“殿前都点检萧屈烈为都监以伐高丽”，卷16《圣宗七》，开泰七年冬十月：“诏以东平王萧排亚，为都统殿前都点检萧虚列为副统，东京留守耶律八哥为都监伐高丽。”中华书局，1975年。

墓志》所记驸马萧忠的大弟萧善宁的官职与任职时间皆相符合[19]，可证萧善宁与萧忽烈（萧虚列、萧屈烈）为同一人，萧善宁为汉名，其余皆为契丹名字。据有学者依据《皇弟秦越国妃萧氏墓志》所记考证，秦越国妃萧氏即为萧善宁之女，嫁与辽道宗皇弟秦越国王耶律弘世为妃。据志文记载可知萧善宁“初尚圣宗次女晋国公主”，这个晋国公主就是《公主表》里的圣宗十二女泰哥，《公主表》将其列为十二女，应非嫡女之故，《公主表》失载泰哥其晋国公主封号。可补史缺，笔者赞同此说[20]。

5. 有关萌古公主

据《辽史》卷71《后妃传》记载，“世宗怀节皇后萧氏，小字撒葛只，淳钦皇后弟阿古只之女，帝为永康王，纳之，生景宗，天禄末，立为皇后，明年秋，生萌古公主……”可知萌古公主为皇帝之女，父为辽世宗，母为怀节皇后。其名字仅此一见，其公主封号及下嫁驸马何人无从考证，可补《公主表》之缺。

二、皇帝同母兄弟之女

1. 蒲割額公主

据《辽史》卷3《太宗上》记载，天显十年（935）秋七月：“壬辰，蒲割額公主率三河乌古来朝。”蒲割額公主其名，仅此一见，不知其父母、驸马为何人，即称公主，从时间上推算，似为太祖同母兄弟之女。

2. 藹因公主

据《辽史》卷78《萧海瓈传》记载：“萧海瓈，字寅的哂……天禄间，娶明王安端女藹因翁主，应历初，察割乱，藹因连坐，继娶嘲瑰翁主。”明王安端为太祖同母弟，其女藹因按辽代册封公主的制度应称公主而非翁主。萧海瓈继娶的嘲瑰翁主不知是何人之女，如若是皇帝同母兄弟之女，则亦称公主而非翁主。

3. 阿不里公主

据《辽史》卷113《萧翰传》记载：“萧翰，一名敌列，字寒真，宰相敌鲁之子。……天禄二年。尚帝妹阿不里，后与天德谋反下狱。复结惕隐刘哥及其弟盆都乱，……翰伏辜，帝竟释之。复与公主以书结明王安瑞反，屋质得其书以奏，翰伏诛。”其中的皇帝即指辽世宗，阿不里公主为东丹王耶律倍之女。萧翰伏诛后，“阿不里瘦死狱中”[21]。阿不里是名字，不知公主封号。

4. 燕国公主

据《契丹国志》卷15《外戚传》中《刘珂传》记载：“刘珂，平章事晞之次子也，尚世宗妹燕国公主……”燕国公主是封号，不知这位公主姓名，燕国公主应是东丹王耶律倍另一女儿。

---

19 辽宁省文物考古研究所、阜新市考古队：《辽宁阜新县辽代平原公主墓与梯子庙4号墓》，《考古》2011年第8期。

20 盖之庸编著：《内蒙古辽代石刻文研究（增订本）》，内蒙古大学出版社，2007年，第441页。

21 《辽史》卷5《世宗》，中华书局，1975年，第65页。

三、嫡生皇子之女

1. 朴谨公主

据《辽史》卷84《萧讨古传》记载："讨古，字括宁，性忠简。应历初，始入侍。会冀王敌烈，宣徽使海思谋反，讨古与耶律阿列密告于上。上嘉其忠，诏尚朴谨公主，保宁末，为南京统军使。"朴谨应是公主名字。不知公主封号，朴谨公主之名仅此一见，既称公主，又非皇帝之女，必为嫡生皇子之女，究竟是何人之女呢，不见记载。有学者依时间推测，朴谨公主似为太宗次子太平王罨撒葛之女[22]。笔者以为目前尚无确凿的证据，可暂备一说。但朴谨公主是嫡生皇子之女应该是无疑的。

2. 义平公主

据《萧仅墓志》记载，萧仅"祖讳讫列，妻义平公主"[23]。按萧仅卒于圣宗太平九年（1029），享年48岁，逆时上推，萧仅应生于景宗乾亨四年（982）。其祖父讫列及祖母义平公主应生活在太宗、世宗两朝。义平公主或为皇帝同母兄弟及嫡生皇子之女，下嫁萧仅祖父萧讫列，二人名字不见史籍，仅萧仅墓志一见，弥足珍贵。

3. 永徽公主

据《秦晋国妃墓志》记载；"故燕京留守衙内都指挥驸马都尉讳割烈，永徽公主小字仙河，即王父母也。"[24]按墓志所记秦晋国妃卒于道宗咸雍五年（1069），享年69岁，逆时上推，秦晋国妃应生于圣宗统和十九年（1001）。其祖父萧割烈，祖母永徽公主应生活在太宗、世宗两朝。另据有学者考证[25]，萧割烈即是《辽史》有传的萧挞凛[26]，笔者以为不妥，萧割烈按时间推算应生活在太宗、世宗两朝，而萧挞凛是辽圣宗朝著名军事统帅，在辽宋澶渊结盟前，被宋军伏弩射杀于澶州（今河南濮阳）北城，其传记及其他史籍均无萧挞凛是驸马都尉或娶永徽公主为妻的记载。

4. 土呼公主

据《耶律昌允妻萧氏墓志》记载："阋里王长女土呼公主，国姓耶律氏，三太傅，驸马都尉讳耶屈辇，王父母也。春哥郎君，耶律氏屈辇娘子，烈考妣也。"[27]据墓志所记，萧氏卒于道宗大安七年（1091），享年81岁，逆时上推，其生年应为圣宗统和二十九年（1011），萧氏的祖母土呼公主应生活在穆宗、景宗两朝，土呼公主的父亲阋里王应生活在太宗朝，土呼公主应是阋里王正妃之女，父女二人的名字均不见史籍记载，仅墓志一见，可补史缺。

5. 袅胡公主

据《北大王耶律万辛墓志铭》记载，耶律万辛："又娶索胡驸马袅胡公主孙、奚

---

22 朱子方：《辽陈国公主、萧仅墓志刍议》，《辽海文物学刊》1988年第1期，第68页。

23 李宇峰、袁海波：《辽宁阜新辽萧仅墓》，《北方文物》1988年第2期。

24 陈述辑校：《全辽文》卷8，中华书局，1982年，第193页。

25 魏奎阁：《萧排押父为萧挞凛考》，《辽海文物学刊》1991年第2期，第83页。

26 《辽史》卷85《萧挞凛传》，中华书局，1975年，第1313页。

27 盖之庸编著：《内蒙古辽代石刻文研究（增订本）》，内蒙古大学出版社，2007年，第465页。

王西南面都招讨大王何你乙林冕之小女中哥。”[28]有学者认为耶律万辛妻中哥之祖父为索胡驸马、祖母为袅胡公主，索胡之名音近于《公主表》里圣宗六女下嫁的萧双古，索胡与萧双古是否为同一人，还有待考证[29]。笔者以为此说不妥，上已述及，圣宗六女钿匿，下嫁驸马萧双古。萧双古其人据有学者考释与出土的平原公主墓志里所记载的驸马萧忠是同一人，平原公主即是《公主表》里圣宗六女钿匿[30]。又据《北大王耶律万辛墓志铭》记载，耶律万辛卒于兴宗重熙十年（1041），享年69岁，逆时上推，其生年应为景宗保宁五年（973）。由此可知，耶律万辛与妻子中哥主要生活在圣宗时期，中哥的祖父索胡驸马及祖母袅胡公主应生活在世宗、穆宗两朝。二人的名字不见史籍记载，仅墓志一见。袅胡是公主名字，不知公主封号，或为嫡生皇子之女。

6. 胡独公主

据《辽史》卷170《耶律奴妻萧氏传》记载："耶律奴妻萧氏，小字意辛，国舅驸马都尉陶苏斡之女，母胡独公主。"萧意辛的夫婿耶律奴有契丹小字墓志出土[31]。有学者依据墓志考证出萧意辛生于兴宗重熙十二年（1043），卒于天祚帝保大三年（1123），享年81岁，与耶律奴育有二子女的情况[32]。萧意辛与耶律奴主要生活在道宗、天祚帝两朝。萧意辛的父亲陶苏斡、母亲胡独公主应生活在圣宗、兴宗两朝。胡独是公主名字，不知公主封号，胡独之名仅墓志一见，既称公主，又非皇帝之女，或为嫡生皇子之女，究竟为何人之女，存疑待证。

7. 陈国公主

据《陈国公主墓志》记载，陈国公主是景宗次子秦晋国王耶律隆庆之女，是耶律隆庆正妃萧氏所生。初封太平公主，晋封为越国公主，追封为陈国公主[33]。其母萧氏据《秦晋国大长公主墓志铭》记载为景宗长女观音女的长女[34]，嫁与秦晋国王，册为秦国妃。陈国公主据有学者考证，在圣宗开泰五年（1016）16岁时与驸马萧绍矩成婚，开泰七年（1018），陈国公主18岁时早逝，未有子女，死后与驸马萧绍矩合葬[35]。萧绍矩，《辽史》无记载，据《陈国公主墓志》记载可知他是圣宗仁德皇后之兄。

8. 吴国公主

据《陈国公主墓志》记载，陈国公主是"景宗皇帝之孙，秦晋国王皇太弟正妃萧氏之女，吴国公主之妹"可知，秦晋国王耶律隆庆正妃萧氏秦国妃，嫡生女二人，长为吴

28 陈述辑校：《全辽文》卷7，中华书局，1982年，第153页。

29 盖之庸编著：《内蒙古辽代石刻研究（增订本）》，内蒙古大学出版社，2007年，第294页。

30 乌拉熙春：《双古里驸马与乌隗帐》，《爱新觉罗乌拉熙春女真契丹学研究》，日车松香堂书店，2009年，第231页。

31 石金民、于泽民：《契丹小字〈耶律奴墓志铭〉考释》，《民族语文》2001年第2期。

32 石金民：《辽契丹族烈女萧意辛新考》，《阜新辽金史研究（第五辑）》，中国社会出版社，2002年，第114页。

33 内蒙古文物考古研究所：《辽陈国公主驸马合葬墓发掘简报》，《文物》1987年第11期。

34 郑绍宗：《契丹秦晋国大长公主墓志铭》，《考古》1962年第8期。

35 张郁：《辽陈国公主墓考释》，《内蒙古文物考古文集（第1辑）》，中国大百科全书出版社，1994年。

国公主，次为陈国公主。但墓志未记吴国公主下嫁驸马名字。据朱子方考证，吴国公主与下嫁萧匹敌的韩国公主为同一人[36]。萧匹敌，《辽史》有传[37]，字苏隐，一名昌裔，既长，尚秦晋王公主，拜驸马都尉。萧昌裔名字亦见于《地理志》[38]。由于辽代皇室后宫之争斗，圣宗死后，钦衰皇后摄政，萧匹敌被杀，公主并未受到株连。从《地理志》称隆庆女为“韩国长公主”看来，吴国公主在兴宗重熙年间晋封为长公主。至于萧匹敌死后，公主是否改嫁，若改嫁，再嫁何人，目前因资料所限难以详述。

9. 某国公主

据《辽史》有传的《萧阿剌传》记载：“萧阿剌，字阿里懒，北院枢密使孝穆之子也，幼养宫中，兴宗尤爱之。……二十一年，拜西北路招讨使，封西平郡王，寻尚秦晋国王公主，拜驸马都尉。”[39]萧阿剌所尚的公主是秦晋国王耶律隆庆的另外一个女儿，只是不知公主姓名及封号。另据《萧德温墓志》记载，萧知足的官职与封爵均与萧阿剌的官职与封爵基本相同[40]，并且时间亦相符，可知二者为同一人，萧知足为汉名，萧阿剌为契丹名。

10. 因八公主

据《耶律弘益妻萧氏墓志》记载：“夫人萧氏，名弥勒女，始承圣奖，授夫人之命，则以异服色于伦常者也。故母即因八公主是也。故公主是圣宗皇帝孙，兴宗皇帝侄，道宗皇帝妹，今天祚皇帝之姑也。”[41]因八公主之父为何人志文不载。但志文已书因八公主是兴宗皇帝侄，显见是其弟所出而嫡生者。除兴宗外，就是其弟耶律重元[42]，另据《辽史》有传的《萧革传》记载：“（清宁）九年秋，革以其子为重元婿。革预其谋，凌迟杀之。”[43]可见重元确有一女，亦可确定耶律重元是因八公主之父。因八公主下嫁夫君，驸马都尉是谁呢？据魏奎阁的考证，因八公主下嫁的驸马都尉是萧革之子萧参。因为萧革、萧参父子参与了道宗清宁九年（1063）的耶律重元父子之乱，均被处死，因此墓志志文只书因八公主是兴宗侄，而不直言其父，只书公主而不书驸马刻意回避谈论此事[44]。笔者同意此说。

11. 永宁郡公主（骨浴公主）

据《萧兴言墓志》记载，萧兴言三娶妻室：“大者曰永宁郡主，即三韩大王韩国妃之女也。”[45]这个三韩大王与《辽史》中的“三韩郡主合鲁”实为一人。据《皇

36 朱子方：《辽陈国公主、萧仅墓志刍议》，《辽海文物学刊》1988年第1期，第68页。

37 《辽史》卷88《萧匹敌传》，中华书局，1975年，第1343页。

38 《辽史》卷37《地理志》一，“渭州，高阳军节度，驸马都尉萧昌裔建，尚秦国王隆庆女韩国长公主，以所赐媵臣建州城。”中华书局，1975年，第449页。

39 《辽史》90《萧阿剌传》，中华书局，1975年，第1355页。

40 陈述辑校：《全辽文》卷9《萧德温墓志铭》，中华书局，1982年，第216页。

41 罗福颐辑：《满洲金石志补遗》，《辽耶律弘益妻萧氏墓志》，1937年。

42 罗福颐辑：《满洲金石志补遗》，《辽耶律弘益妻萧氏墓志》，1937年。

43 《辽史》113《萧革传》，中华书局，1975年，第1510页。

44 魏奎阁：《耶律弘益妻萧氏墓志铭新探》，《北方文物》1990年第1期。

45 盖之庸编著：《内蒙古辽代石刻文研究（增订本）》，内蒙古大学出版社，2007年，第456页。

子表》记载，景宗皇帝第三子耶律隆裕有三子，其第二子为合禄即合鲁。另据《辽史·圣宗七》记载，太平三年（1023）：“十一月辛卯朔，以皇侄宗范为归德军节度使，……十二月壬戌，以宗范为平章事，封三韩郡王。”[46]由此可知，宗范与合鲁（合禄）为同一人，宗范为汉名，合鲁（合禄）为契丹名。另据《辽史·萧图玉传》记载：“子双古，南京统军使，孙讹笃斡，尚三韩郡王合鲁之女骨浴公主，终乌古敌烈部统军使，以善战名于世。”[47]由此可见，萧兴言与讹笃斡实为同一人。萧兴言为汉名，讹笃斡为契丹名。永宁郡公主与骨浴公主为同一人，或许是先后封号不同。永宁郡公主（骨浴公主）的夫婿萧兴言，自道宗清宁四年（1058）27岁进入仕途，一直在辽朝的西北边境与乌古敌烈部任军事长官，先后历任节度使、统军使，熟读兵书，精通戒律，通晓天文地理，勇而有谋，是道宗朝内一位文武兼备的封疆大吏，为巩固辽朝的西北边疆戎马一生。

12. 永清公主

据《永清公主墓志》记载，永清公主是圣宗皇帝三弟耶律隆裕的孙女[48]，父亲耶律宗熙契丹名字为贴不，是耶律隆裕第三子。母亲萧氏是大国舅小翁帐萧克忠之女，是一位“善属文章，尤精书笔”的后族才女。据刘凤翥对契丹小字《永清公主墓志》的解读[49]，永清公主下嫁的驸马萧大山是《辽史》有传的辽朝开国功臣萧敌鲁一支的后裔子孙[50]。永清公主的夫婿萧大山官居千牛卫将军，是大国舅驸马萧王五之子。《公主表》里称圣宗十四女为艾氏所生的兴哥公主，下嫁萧王六[51]。据墓志所记载萧王五可订正《公主表》之误。

由此可知，萧大山的母亲是兴哥公主。而兴哥公主的母亲艾氏的职位最初为尚功，后于圣宗开泰二年（1013）正月升为芳仪[52]。她是萧大山的外祖母，圣宗皇帝是萧大山的外祖父。

13. 郑国公主

据《萧德恭妻耶律氏墓志》记载：“儿女有七，长男莹，稚儒出家，特奉皇太后圣削归元。时年一十有九，得偶于兴宗皇帝次男皇太叔长女郑国公主为妻，特授驸马都尉。”[53]萧莹亦有墓志出土[54]，两方墓志所记萧莹所任官职相同，均为始平军节度使，始平军为辽东京道所属辽州军号，地即今辽宁新民市公主镇辽滨塔村古城址[55]。根据墓志记载，萧莹卒于道宗大康三年（1077），19岁时娶皇叔祖长女郑国公主为妻。这位皇

---

46 《辽史》卷16《圣宗七》，中华书局，1975年，第192页。

47 《辽史》卷93《萧图玉传》，中华书局，1975年，第192页。

48 李宇峰、袁海波：《辽代汉文（永清公主墓志）考释》，《中国历史文物》2004年第5期。

49 袁海波、刘凤翥：《契丹小字（萧大山和永清公主墓志）考释》，《文史》2005年第一辑。

50 《辽史》卷73《萧敌鲁传》，中华书局，1975年，第1222页。

51 《辽史》卷65《公主表》，中华书局，1975年，第1007页。

52 《辽史》卷15《圣宗六》，中华书局，1975年，第172页。

53 向南著，张国庆、李宇峰辑注：《辽代石刻文续编》，辽宁人民出版社，2010年，第270页。

54 向南著，张国庆、李宇峰辑注：《辽代石刻文续编》，辽宁人民出版社，2010年，第241页。

55 冯永谦：《沈阳地区辽代城址调查》，《沈阳文物》1992创刊号，第19页。

叔祖，应指道宗之弟和鲁乾。据《辽史·皇子表》记载："和鲁斡，字阿辇，第二，重熙十七年，封越王，清宁初，王鲁，进王宋魏。乾统三年，册为皇太叔。"[56]从《萧莹墓志》记载可知，在天祚帝乾统三年（1103）前，和鲁斡就已册为皇太叔，可订正《皇子表》之误。郑国公主为和鲁斡长女，郑国公主是其封号，不知公主姓名，仅墓志一见，可补《公主表》之缺。

14. 安定公主

安定公主墓志与驸马萧宁墓志于2014年6月在内蒙古赤峰市宁城县福峰山一座被盗掘的辽墓出土，两方墓志均被打碎成多块，志文残缺不全。发掘简报依据残存的志文分析认为是辽代萧宁及妻子安定公主的合葬墓是正确的[57]。但未就两墓志文做考释。笔者依据两方墓志文已做详细考释[58]。现简述要点，安定是公主名字，不知公主封号。其公主名字安定仅在《萧公妻耶律氏墓志》一见："故北宰相安定即先舅，先姑也。……以其年十二月十七日，掩葬于宰相公主玄堂之右。"[59]其中志文的北宰相即指萧宁，公主即指安定公主。至于在《萧公妻耶律氏墓志》的文末注释8中认为北宰相安定疑是萧宁当是失检所致。最近又有学者认为安定为北宰相与萧孝忠（惠）之子阿速为同一人更是错误的[60]。安定公主已有墓志出土，可为定论。依据辽国册封公主的制度，一般皇帝之女下嫁萧氏夫婿者，其夫婿均被封为驸马都尉，而萧宁未被封为驸马都尉。显然安定公主不是皇帝之女，或许是皇帝同母兄弟之女，或嫡生皇子之女。因为志文残缺不全。难以妄断，存疑待考。

15. 同哥公主与讨古别胥

据乌拉熙春对《契丹小字耶律宗教墓志》的解读，可知当时参加耶律宗教葬礼的人中间有耶律宗教的两个妹妹，同哥公主与讨古别胥的名字[61]，这是前所未知的。仅墓志一见，弥足珍贵，既为耶律宗教之妹，应是秦晋国王耶律隆庆嫔妃所生之女。耶律隆庆一生风流，妻妾嫔妃众多，应还有不知名的公主，恐怕不只是同哥公主与讨古别胥两位。

16. 耶律弘世之女

据《耶律弘世墓志》记载："女一，适兴圣副宫使，同签中丞司事萧德崇。"[62]耶律弘世贵为皇帝嫡子，其女亦应封为公主，只是墓志未记其女名字及公主封号。其女所嫁夫婿萧德崇即《辽史》有传的萧药师奴[63]。萧德崇为汉名，萧药师奴为契丹名。据

---

56 《辽史》卷64《皇子表》，中华书局，1975年，第991页。

57 赤峰市博物馆、宁城县文物局：《赤峰宁城县福峰山辽代墓葬》，《草原文物》2018年第1期。

58 么乃亮、李宇峰：《辽代（萧宁墓志）与（安定公主墓志）考释》，待刊。

59 向南著，张国庆、李宇峰辑注：《辽代石刻文续编》，辽宁人民出版社，2010年，第220页。

60 盖之庸：《辽萧公妻耶律氏墓志铭考证》，《契丹学研究（第一辑）》，商务印书馆，2019年，第174页。

61 爱新觉罗·乌拉熙春：《契丹小字墓志综考》，《契丹语言文字研究》，东亚历史文化研究会，2004年，第226页。

62 盖之庸编著：《内蒙古辽代石刻文研究（增订本）》，内蒙古大学出版社，2007年，第430页。

63 《辽史》卷91《萧药师奴传》，中华书局，1975年，第1363页。

《契丹国志》记载，萧德崇曾于道宗寿昌五年（1099）出使北宋，劝其北宋与西夏罢兵握手言和[64]。

四、嫁与西夏、高丽、大食国之公主

辽朝自圣宗始，因政治、军事、外交之需要，将皇族之女封为公主，下嫁与西夏、高丽国王或西夏、高丽、大食国王之子者。今检《辽史》可知，有下列诸条：

1）据《圣宗纪》记载，统和四年（986）："十二月丁巳，……李继迁引五百骑兵欵塞。愿婚大国，永作藩辅。诏以王子帐节度使耶律襄之女封义成公主下嫁，赐马三千疋。"[65]

2）据《圣宗纪》记载，统和七年（989）：三月"戊戌，以王子帐耶律襄之女封义成公主，下嫁李继迁。"[66]

3）据《圣宗纪》记载，统和十四年（996）："三月壬寅，高丽王治表乞为婚，许以东京留守驸马萧恒德女嫁之。"[67]

4）据《圣宗纪》记载，太平元年（1021）："是月（三月），大食国王復遣使请婚，封王子班郎君胡思里女可老为公主，嫁之。"[68]

5）据《兴宗纪》记载，太平十一年（1031）："十二月……以兴平公主下嫁夏国王李德昭子元昊，以元昊为夏国公、驸马都尉。"[69]

6）据《天祚纪》记载：乾统五年（1105）："三月壬申，以族女南仙封成安公主，下嫁夏国王李乾顺。"[70]

以上辽朝公主下嫁外邦后的名字及事略只有兴平公主和成安公主有简略记载。据《兴宗纪》记载兴平公主下嫁李元昊后，夫妻不睦，后兴平公主于兴宗重熙六年（1037）郁闷而死，兴宗皇帝曾遣使到西夏诘问，后又以此为由讨伐西夏。另据《天祚帝纪》记载，成安公主下嫁李乾顺后，夫妻和睦，并于天祚帝乾统八年（1108）六月壬寅，夏国王李乾顺以成安公主生子，遣使来告辽朝。天庆二年（1112），夏六月戊戌，成安公主来朝。除此之外，其他公主的名字均湮没在史海之中。

除上述有公主名字或封号可查的辽代公主外，还有的辽代贵族墓葬虽然未出墓志或纪年文字，但墓主人的身份高贵，亦可能是辽代公主。目前考古发现有三例，其一即上述提及的内蒙古通辽市吐尔基山辽墓。自从资料发表之后，围绕墓主人的身份，学者们进行了热烈讨论，各抒己见，百家争鸣，虽然目前尚无趋于一致的认识，但学者们

64 （宋）叶隆礼撰，贾敬颜、林荣贵点校：《契丹国志》卷9，上海古籍出版社，1985年，第93页。

65 《辽史》卷11《圣宗二》，中华书局，1975年，第127页。

66 《辽史》卷12《圣宗三》，中华书局，1975年，第134页。

67 《辽史》卷13《圣宗四》，中华书局，1975年，第147页。

68 《辽史》卷16《圣宗七》，中华书局，1975年，第189页。

69 《辽史》卷18《兴宗一》，中华书局，1975年，第213页。

70 《辽史》卷27《天祚皇帝一》，中华书局，1975年，第321页。

都认为，吐尔基山的墓主人是辽代公主是无疑义的[71]。其二是辽宁法库县叶茂台七号辽墓[72]。其三是辽宁凌源市小喇嘛沟一号辽墓[73]。笔者曾分别论及，这两座辽墓的主人亦应是辽代公主，其理由囿于篇幅，恕不详述。

五、结　语

辽代公主是辽代贵族上层中的一个特殊群体，长期以来，笔者一直关注有关辽代公主的考古新发现与研究进展，注意收集新发现的辽代碑志资料中有关辽代公主的记载并及时发表相关论述[74]，现将收集的有关辽代公主资料试做简略补述，以求教正，虽然已有学者对辽代公主的封赏制度[75]，以及《公主表》的文化内涵进行了论述[76]，但笔者认为，目前学术界对辽代公主的研究尚处于薄弱环节，希望学术同仁共同努力，推动有关研究的进一步深入，促进学术的交流与进步。

（李宇峰　辽宁省文物考古研究院）

71 冯恩学：《吐尔基山辽墓墓主身份解读》，《民族研究》2006年第3期；王大方：《吐尔基山辽墓墓主身分辨析》，《内蒙古社会科学》2008年第3期；都兴智：《吐尔基山辽墓墓主人及其相关问题再探讨》，《东北史地》2010年第2期。

72 李宇峰：《辽宁法库叶茂台七号辽墓的年代及墓主身份》，《辽金历史与考古（第十辑）》，科学出版社，2019年，第108页。

73 李宇峰：《建国以来辽宁地区辽墓考古发现与研究》，《北方民族文化新论》，哈尔滨出版社，2001年。

74 李宇峰：《辽史公主表新补》，《东北史研究》2011年第4期，第16页。

75 张敏：《辽代公主及其封赏制度》，《赤峰学院学报（汉文哲学社会科学版）》2011年第8期。

76 孟凡云：《（辽史公主表）的文化内涵》，《昭乌达蒙族师专学报》1997年第4期。

从辽到西辽

——耶律大石与哈剌契丹帝国建立诸问题研究（下）*

曹 流 王 蕊 译

内容提要： 本文在汉文史料的基础上，结合穆斯林文献，对哈剌契丹建立前游牧民众的流动情况做出说明，同时探析了耶律大石的西行路线与地理位置，并厘清了耶律大石在卡特万进行的一系列军事活动及其影响，从而在各方面对耶律大石崛起的原因进行回溯。

关键词： 耶律大石　哈剌契丹　西辽　卡特万之战

一、哈剌契丹王朝建立前西方的契丹人

契丹的勃兴以及对蒙古草原（Mongolia）的占据引发了突厥（Turkic）与蒙古诸部的迁移[1]。穆斯林文献也记载了在大石建立哈剌契丹之前，一些契丹人就已移居伊斯兰国家（Islam realm）。

最大规模的迁徙出现在12世纪20年代。喀喇汗王朝的统治者托干汗（Tughan Khan，998～1018年在位）体弱多病，国势渐蹙，以致"从秦（中国）来的突厥人（The Turks）"趁势西侵该地，据载，有10万帐或者甚至超过30万帐之众，其中大部分为契丹人。虽然这批人已西进至距喀喇汗首都仅有八天路程之地，但当他们听说托干汗已痊愈，正从其他伊斯兰地区招来援军时，大多都向东返回了。他们后面的追兵在八剌沙衮追了三个月，之后托干汗追上他们，俘虏并杀死了许多人，也因此缴获了一些颇具中国风的物品[2]。

---

* 本文系彭晓燕（Michal Biran）《欧亚历史中的哈剌契丹》（*The Empire of the Qara Khitai in Eurasian History*）一书第一章"From Liao to Western Liao: Yelü Dashi and the establishment of the Qara Khitai empire"译文，题目为译者所加。承蒙宋国栋、许正弘、李荣辉、魏曙光、王遥、魏建东、杨驿、刘春艳、唐倩若、董衡等师友赐教，在此谨致谢忱！另，注释格式亦参考原著，不再做调整。

1 关于这些移民，参见高登，《突厥史入门》，164-5及其参考文献。

2 伊本·阿西尔，《全史》，9：297；乌比（al-'Utbī），*Ta'rīkh Yamīnī*（Cairo，1908/9），2：220（均将此事系于1017-18）；把·赫卜烈思（Bar Hebraeus），《阿布·法剌兹（俗称为把·赫卜烈思）编年史》（*Chronography of Gregory Abu'l-Faraj...commonly known as Bar Hebraeus*），布治（E. A. W. Budge）译Vol.1（London，1932），186（1014）；海答儿/舍弗尔编，《中亚蒙兀儿史——拉失德史》，233（1012/13）。

可能与前述有关的另一次侵袭，源自奥菲（‘Awfī）的记载：尽管之前双方为盟友，但中国可汗（the Khan of Chīn）之子仍对喀什噶尔（喀喇汗王朝）的桃花石汗（Tamghaj Khan of Kashgar）发动了攻击。有关此次侵袭，奥菲也未给出确切系年。当听闻桃花石汗放松警惕时，中国可汗趁势袭击喀什噶尔。喀喇汗王朝的统治者再一次率领当地军队成功击退了这次进犯，并俘获了许多契丹人[3]。

据伊本·阿西尔（Ibn al-Athīr）言，当大石抵达中亚时，已生活于此的1万名契丹人选择归附于他。这些契丹人曾臣服于西喀喇汗王朝统治者苏莱曼（Sulaymān）之子穆罕默德·阿尔斯兰汗（Arslan Khan Muḥammad，1102～1130年在位），并在其军队中服役。随着人数不断增加，加之阿尔斯兰汗试图阻止他们与妻子团聚，因此他们移居至八剌沙衮地区，在那里他们多次遭受阿尔斯兰汗的攻击[4]。将契丹人作为奴隶带到以美丽著称的伊斯兰地区（Islamic lands）是契丹人西迁的另一种重要方式[5]。

契丹人在哈剌契丹建立前已向西迁移（当然并非迁入伊斯兰国家）的另一个较有力的证据，即为钦察（Qipchaq）王子Kitanopa的名字，该名由Kitan（契丹）与opa（部族）组合而成，就证明了这一点。Kitanopa死于1103年罗斯公国（Russian）征讨钦察人的战争中[6]。甚至在这之前，1095年库曼（Cuman）派向基辅大公（the great prince of Kiev）的使者就被叫作契丹（Kitan）[7]。

在上述例证中，很难判定所提及的“契丹”一词是作为一种标识契丹本民族的族称（ethnic name），还是代指契丹政权统辖下所有民众的政治术语（political term，即所有隶属或曾隶属于契丹政权之人皆可称为契丹）。《辽史》中没有记载这些部族的活动，这一事实支持了第二种观点，即“契丹”是一个政治术语。此外，上面提到的第一件事（即指托干汗击退从中国来犯的突厥诸部）可能与1012年阻卜叛乱有关。这场叛乱始于

3 奥菲（‘Awfī），“Jawāmi‘ al-ḥikāyāt wa-lawāmi ‘al-riwāyāt”，MS BM OR 2676，fols.231a-232a，转引于巴托尔德（Barthold），《蒙古入侵时期的突厥斯坦》（*Turkestan v epokhu ‘Mongol’skogo nashestiva*），Vol.1（texts）（St. Petersburg，1900），94-7。人们易将此事与12世纪30年代初大石在喀什噶尔的失败联系起来，但我尚不确定此事的时间。

4 伊本·阿西尔，11：84。巴托尔德及其之后的皮科夫将这次迁徙与“来自吐蕃的突厥人”迁到八剌沙衮联系起来。据海答儿言，这群突厥人在1041/2年臣服于八剌沙衮的喀喇汗王朝，但拒绝皈依伊斯兰教［海答儿/舍弗尔编，《中亚蒙兀儿史——拉失德史》234；巴托尔德，《中亚史研究四篇》（Leiden，1962），1：101；皮科夫，《西契丹》，74］。然而，伊本·阿西尔所指的肯定是后来1041/2这一时期的迁徙，他提到的可汗就证明了这一点。后来的这次迁徙在阿布·加兹《蒙古和鞑靼的历史》一书中也有记录，49。

5 纳坦兹（Naṭanzī），《木因历史选》（Ta’rīkh-i Mu‘īnī），MS SPb C 381，fol.157b；胡萨尼（al-Ḥusaynī），《历史精要》［*Akhbār al-dawla al-Salijūkiyya*（*Zubdat al-Tawārīkh*）］（Lahore，1933），150。

6 高登，《库曼人Ⅳ：库曼—钦察部落联盟》（CumanicaⅣ：The Tribes of the Cuman-Qipchaqs），*AEMA* 9（1995-7），113；塞诺，《西方契丹史料及其相关问题》（Western Information on the Kitans and Some Related Questions），《美国东方协会杂志》（*Journal of the American Oriental Society*）115（1995），266。

7 塞诺，《西方契丹史料及其相关问题》，266。

可敦附近，此后很快就遍及所有边境部族。此次叛乱虽于1013年被辽朝贵族耶律化哥平定，但是阻卜部众大多向西逃窜。化哥随后追剿，路遇喀喇汗军队，因为喀喇汗士兵也被派去对付入侵者。据汉文史料记载，化哥俘获许多喀喇汗士兵，但当其发现所俘为契丹盟友时，随即将之释放[8]。因此，契丹无论是指契丹本民族还是指隶属于契丹政治体之人，他们都参与了这一事件。后来契丹人的西迁似与1098～1102年阻卜叛乱有关[9]。

还应提到的是，其他从中国前往中亚的移民，虽不能直接归因于契丹，但很可能深受其迁徙的影响。一拨是，据称有70万之众的蒙古乃蛮部（Naiman）骑兵的迁徙，他们进至喀什噶尔地区。1046年，一封由景教大主教（Nestorian metropolitan）写给辖区教长（patriarch）的信中便提到了此事[10]。这拨人可能与1042/1043年向八剌沙衮的喀喇汗统治者投降的“来自吐蕃（即中国）的突厥人”有关[11]。另一拨是，1030～1050年的浑人（Qun）和奚人（Qay）的迁徙，他们是出于“对契丹人（Qitā khan）的畏惧”而迁移的[12]。

这些让大石获知西方情况的渠道，也为其提供了潜在盟友的信息。然而，尽管有这些盟友，尽管中亚政权相对弱小，契丹人的西行仍不容易。重新绘制他们从可敦到中亚的路线也非易事。

二、西　行　记

许多学者都曾对大石西行路线问题下以定论，通常几年后，他们又重新探讨该问题，提出了新的想法[13]。然而，包括笔者在内，尚无人能对大石从可敦行至八剌沙衮的路线在时间线上和地理位置上给出一个确切的描述。《辽史》与志费尼（Juwaynī）的

8　魏良弢，《哈喇汗王朝与宋辽及高昌回鹘的关系》，219，221；《辽史》，15/169，171，173，174，176，178，180，94/1381；魏特夫、冯家昇，587。

9　有关11世纪初辽与阻卜之间的摩擦，参见《辽史》，85/1315，87/1331，93/1373，103/1447-8；魏特夫、冯家昇，557。关于阻卜叛乱（1092-1102），参见魏特夫、冯家昇，593-4；杜希德和蒂兹，《辽》，138-9。

10　把·赫卜烈思，《阿布·法剌兹编年史》，205；高登，《突厥史入门》，274。

11　海答儿/舍弗尔编，《中亚蒙兀儿史——拉失德史》，234。

12　马卫集/米诺斯基，《马卫集书》，18，29，95-100，104；高登，《突厥史入门》，276；皮科夫，《西契丹》，72；参见普里查克（O. Pritsak），《9—11世纪欧亚大草原的两次迁徙》（Two Migratory Movements in the Eurasian Steppe in the 9th-11th Centuries），《第26届东方学会议纪要》（*Proceedings of the 26th Congress of Orientalists*）（New Delhi，1968），2：158-62。

13　最近的相关研究，参见《西辽史研究》，67-70；《西辽史纲》，36-42；纪宗安，《耶律大石西行纪略》一文各处；纪宗安，《关于耶律大石和西辽建国时期的几个问题》一文各处；纪宗安，《西辽史论：耶律大石研究》，33-45；余大钧，《耶律大石创建西辽帝国过程及纪年新探》，《辽金史论集》3（译者按，应为《辽金史论集》第1辑）（1987），234-52；钱伯泉，《耶律大石西行路线研究》，《西域研究》，1999/3，33-41；乔萨耶夫（K. D. Dzhusaev），“Marshrut pokhoda Eloj Dashi”，*Pis'mennye pamiatniki i problemy istorii kul'tury narodov vostoka* 22（1988），94-9；皮科夫，《西契丹》，75-86。所有上述研究中，魏良弢《西辽史纲》与纪宗安《关于耶律大石和西辽建国时期的几个问题》的研究最为严谨。关于重新考察大石西迁路线的困难之处，参见伯希和，《马可·波罗寰宇记》，1：222-3；魏特夫、冯家昇，623-4。

记载相互抵触，加之其他穆斯林文献和汉文史料记述不合，且时序模糊，很难将之连缀成一个明晰的记述。笔者下面提出的设想基于以下两个主要事实。第一，唯一与这一时期有关的确切纪年出现于《金史》。据该书记载，1131年9月，回鹘人将在高昌（和州）所俘的大石部下献于金军[14]。第二，《辽史》所示，1131年或1132年，耶律大石首次建元“延庆”，意味着这是成就斐然的一年[15]。这一点很重要，因为在那些年里，有关大石活动的很多记载呈现出来的都是失败的一面，而非胜利的一面。

甲辰年二月甲午（1130年3月13日）[16]，大石杀青牛白马祭天地祖宗，从可敦西征[17]。尚无法确定这个时期他是否从可敦城带走了所有部下，或是有多少支持者追随他：尽管在追随者中确有敌剌部众，但他与十八部的联盟无法强迫所有部众都追随他[18]。志费尼声称，突厥诸部在叶密立（Emil）加入大石后，其军势日盛，已达4万帐[19]，这说明大石最多率领1万～2万人离开可敦。一行人中包括几位耶律氏和萧氏的契丹贵族，并且这群人族属众多，至少包括契丹人、蒙古人，或许还有汉人[20]。在这次迁移中似乎还包括牧群和一些家眷[21]。

大石第一步可能向北到了叶尼塞河（Yenisei）地区的黠戛斯（Qyrghyz）。这一路他走得最为畅通无阻，因为此时黠戛斯已被回鹘人打得国势衰微。然而，或是由于国力衰弱的黠戛斯人对契丹人的袭扰，或是由于气候因素，他们很快向西进发，跟随越过阿尔泰山（Altai mountains）的部族，来到人烟更为稀少的额尔齐斯河（Irtish）和叶密立河地区[22]。在叶密立河边，契丹人修筑城池，建立了自己的第一个根据地[23]。显然，这

14 《金史》，3/63。

15 《辽史》，30/357；魏特夫、冯家昇，621。

16 《辽史》，30/356；日期参见梁园东，38；魏特夫、冯家昇，622；以及《西辽史纲》，36；《西契丹》，70；参见周良霄，《关于西辽的几个问题》，249-50；纪宗安，《关于耶律大石和西辽建国时期的几个问题》，32。

17 《辽史》，30/357。

18 同上；纪宗安，《关于耶律大石和西辽建国时期的几个问题》，33。

19 志费尼，《世界征服者史》，2：86，波义耳译，《世界征服者史》，354。叶密立河位于塔城（Chuguchak）南部，流入阿拉库里湖（Ala Kul）。后来耶律大石建立的叶密立城（参见下文），至少一直存在到14世纪初，该城为蒙古贵由汗（Qa'an Güyüg，1246-8）及其后裔的封地（志费尼，波义耳译，《世界征服者史》，43）；彭晓燕（M. Biran），《海都与中亚独立蒙古国家的兴起》［*Qaidu and the Rise of the Independent Mongol State in Central Asia*（Richmond，1997），20，38，77，97］。

20 《辽史》，30/356-8；伊本·阿西尔，《全史》，11：85；你沙不里（al-Nīshāpūrī），《塞尔柱人之书》（Saljūq nāmah）（Tehran，1954），45。

21 参见朱兹贾尼（Jūzjānī）/哈比卜（Ḥabībī）编，《卫教者列传》（*Ṭabaqāt-i Nāṣirī*）2vols（Kabul，1342-44/1963-64），1：261；《辽史》，30/356。

22 志费尼，《世界征服者史》，2：86，波义耳译，《世界征服者史》，354；阿布·加兹，《蒙古和鞑靼的历史》，49；阿克西甘地（S. Akhsīkandī），《编年史集》（“Majmū'al-tawā rī kh”），MS SPb B667，fol，28b；纪宗安，《关于耶律大石和西辽建国时期的几个问题》，33。

23 志费尼，《世界征服者史》，2：87，波义耳译，《世界征服者史》，355。

个根据地规模较小，大石必须要为其子民营建一个更为坚实的经济基盘。大石可能是在叶密立致书高昌回鹘的统治者毕勒哥（Bilge Khan）的，以叙双方旧好之名，请求借道过境。收到信后，这位回鹘统治者在宫殿亲迎大石，并伴送至国境，赠以羊马牲畜，甚至送以质子，从此宣布成为大石的附庸[24]。其实，金军1130年便得知大石在和州（高昌）[25]。

正如同毕勒哥所说的那样，大石此时的目的地是穆斯林（the Muslims）的大食。因此，他从高昌继续前往喀什噶尔。然而，在那里他被喀喇汗哈桑（Ḥasan）之子阿合马（Aḥmad）的军队击溃，双方激战后，大石最少损失了一员大将。伊本·阿西尔将此事系于1128年，但桑贾尔（Sanjar）在1133年的信中却说穆斯林获胜为最近之事。因此，这场战争很有可能发生在1131年夏[26]。大石退回高昌，但这时回鹘人对他不再热情。在那时，他们俘虏了大石的一些部下，并于1131年9月将之献于金廷[27]。

女真人感受到了大石开疆拓土计划带来的恐惧，最终决定对大石在可敦的据点雷霆进击。《金史》明确记载，女真人是在得知大石出奔后才向西派兵的[28]。尽管金军直至1131年才抵达可敦附近，但备战一事应始于1130年夏[29]。金朝选用了辽朝叛将耶律余睹统帅出征，因为他熟悉契丹人的“巢穴”。然而，他的契丹血统也使其易被怀疑与大石有所勾结。因此，女真人给他配了两位以忠著称的副将——女真皇室拔离速和与金联姻的石家奴，他们都是华北战场上的老手[30]。此次征讨从一开始便困难重重：石家奴负责招募部族军随征，不想他们拒不随军出征。后因有疾，他半途而返，甚至未能行至可敦

---

24 《辽史》，30/356。拉施特证实了黠戛斯人、回鹘人和突厥人对大石做了什么（拉施特/阿里扎德译，《史集》，236）。并且《编年史集》记载大石先去了额尔齐斯河，再去了哈密，也从侧面印证了这一点（阿克西甘地，《编年史集》，fol.28b）。钱伯泉，《耶律大石西行路线研究》，39。

25 《金史》121/2637。

26 伊本·阿西尔，《全史》11：83；（“Alfī”），fol.101；*Inshā’*，巴托尔德，《蒙古入侵时期的突厥斯坦》，37-8；《西辽史纲》，39。伊本·阿西尔之后，巴托尔德及其后的博斯沃思（Bosworth）认为喀什噶尔之战并非大石的作战部队，并且契丹人通过两条路线离开：一是南线，穿过喀什噶尔，由伊本·阿西尔提到的“独眼中国人”率领。一是北线，由大石带领。参见巴托尔德，《中亚史研究四篇》，1：101；巴托尔德，《中亚突厥史十讲》（*Zwölf Vorlesungen iiber die Geschichte der Türken Mittelasiens*）（Berlin，1935），122；博斯沃思，《伊朗世界的政治史与王朝史（1000—1217）》［The Political and Dynastic History of the Iranian World（1000-1217 AD）］，《剑桥伊朗史》（*CHI5*），148。然而，汉文史料从未提及这两次迁徙，因此喀什噶尔之役的契丹人应是大石的军队。魏特夫、冯家昇，621-2；皮科夫，《西契丹》，74-5；《西辽史纲》，39；纪宗安，《西辽史论：耶律大石研究》，42-3。参见赵俪生，《西辽史新证》，《社会科学战线》1987/4，139-40；钱伯泉，《耶律大石西行路线研究》，39。

27 《金史》，3/63；《西辽史纲》，39-40；魏特夫、冯家昇，637。

28 《金史》，120/2641。

29 《金史》，121/2637；《建炎以来系年要录》，47/854。

30 《金史》，121/2637，120/2614，72/1665。

城[31]。虽然余睹听闻大石那时在和州，可是1130年由于余睹尚驻云中，故而远征被耽搁了一段时日。但1131年，或许是听回鹘人说大石欲重返可敦后，余睹率领女真军和汉军一至两万人前往可敦[32]。

余睹及所部的任务并不轻松：可敦道远路险。余覩征调山西与河东民众馈运西征军资粮，可他们已厌倦随金犯险，毫无随军的意愿；而且，一路上还有掳掠侵袭[33]。更糟糕的是，前往可敦途中，余覩丢失了金人赐予的金牌。这被疑为不忠之举，女真人随即做出反应，将其妻子作为人质扣留云中[34]。

远征以失败告终：虽然《契丹国志》记载耶律余睹遣使与大石谈判后，不战而退[35]，但目前仍不清楚两军之间是否确有接触。余睹抵达可敦，大石已离去，但后勤问题却限制了他继续追讨大石。余睹欲在可敦屯田，但其军队已精疲力竭，根本无力屯田，而后其部四散，有些去了“漠北”，比如，去了蒙古高原和叶尼塞地区，甚至有可能到了大石的营地[36]。余睹独自返回，但一年后的1132年9月，他以契丹之名反金[37]。

很难搞清，是不是因为大石从其盟友或回鹘人那里获知余睹要来征讨可敦，才致使大石返回可敦附近的。但他必定从余睹狼狈的撤退中获益匪浅。虽然这次撤退主要是因军粮问题，但这却可以被描述为大石抗击强大的女真人时所取得的一次伟大胜利。余睹走后，大石可能又返回了叶密立，也许余睹手下的归附又增强了他的实力。在叶密立，“突厥诸部”的拥戴，使其军力扩大至4万帐[38]。大石以建元“延庆”，赐爵显贵，册封贵胄，追谥祖先来彰显自己的功绩[39]。大约是1131年或1132年，大石的部下在叶密立拥立其为葛儿汗［Gürkhan，“大汗”（universal Khan）］，后又上汉尊号曰“天佑”皇帝[40]。

上汉式尊号直接延续了辽的尊号传统，但在大石建国前，葛儿汗的名号尚未被辽

31 《金史》，120/2641，121/2637。

32 熊克，《中兴小记》（丛书集成本），10/123；《大金国志》，6/102，7/63；《建炎以来系年要录》，43/786。

33 熊克，《中兴小记》，10/23；《建炎以来系年要录》，43/786。

34 《契丹国志》，19/184；《松漠纪闻》，1/9a；《建炎以来系年要录》，43/786。

35 《契丹国志》，19/184-5。

36 熊克，《中兴小记》，10/123，《大金国志》，7/63-4（译者按，应为111-2），14/107（译者按，应为194）；《建炎以来系年要录》，47/854；《金史》，121/6327（译者按，应为2637）。

37 关于余睹叛金，参见《金史》，133/2846；《松漠纪闻》，1/10a-11b；《契丹国志》，19/184；扎奇斯钦（S. Jagchid），《契丹反女真入侵的抗争》（Kitan Struggle against Jurchen Oppression：Nomadism versus Sinicization），收入氏著《蒙古学论集》（*Essays in Mongolian Studies*）（Provo，1988），37-8；何俊哲等，《金朝史》，151-3。

38 志费尼，《世界征服者史》，2：87，波义耳译，《世界征服者史》，355。

39 《辽史》，30/357。

40 《西辽史纲》，40；也可参见魏特夫、冯家昇，622-3；唐长孺，《耶律大石年谱》，17；周良霄，《关于西辽的几个问题》，251；丁谦，《西辽立国本末考》，1b-2a；羽田亨，《西辽建国始末及其纪年》，162；余大钧，《耶律大石创建西辽帝国过程及纪年新探》，247；纪宗安，《耶律大石西行纪略》，49；《西契丹》，65-6；纪宗安，《关于耶律大石和西辽建国时期的几个问题》，31；纪宗安，《西辽史论：耶律大石研究》，31，33。

人使用。这一封号在穆斯林和蒙古帝国统治下编著的文献中，一般意为大汗（universal Khan）或汗中之汗（the Khan of Khans）。当然该词在内亚语境中的含义很清楚，但它究竟源出何处仍是一个众说纷纭的问题[41]。然而，这个新名号与汉式尊号并列，则反映了哈剌契丹获得了中国与内亚双重合法性。

先前两年行程紧张，此后大石逐渐放缓西迁脚步，强兵壮马，因而作为地区强国声名鹊起，并逐步将自己的势力扩张至海押立（Qayaliq）和阿里马（Almaliq）地区，渐趋逼近楚谷（Chu Valley）的八剌沙衮[42]。虽然在喀什噶尔战败后，哈剌契丹人（Qara Khitai）已不被视为穆斯林的主要威胁[43]。但他们再次进入伊斯兰世界却是由八剌沙衮的喀喇汗可汗邀请的。这位软弱的统治者无力独自应对由葛逻禄（Qarluq）和康里（Qangli）组成的游牧部族联军，遂向大石求援，据志费尼所述："请求他（大石）到他（喀喇汗可汗）的都城（八剌沙衮）去，以此他（喀喇汗可汗）可以把他的整个版图置于他（大石）的治下，从而使他自己摆脱这尘世的烦恼。葛儿汗进抵八剌沙衮，登上那不费他分文的宝座。"[44]其他史料也记载，大石很容易就占据了八剌沙衮[45]。这是哈

41 伊本·阿西尔，《全史》，11：83；志费尼，《世界征服者史》，2：86，波义耳译，《世界征服者史》，354；拉施特/阿里扎德编，《史集》，236，419；柯立甫（F. W. Cleaves）译，《蒙古秘史》（*The Secret History of the Mongols*）（Cambridge，MA，1982），par.151，152，177，198；罗依果（I. de Rachewiltz）译注，《蒙古秘史》（*The Secret History of the Mongols：A Mongolian Epic Chronicle of the Thirteenth Century*）2vols（Leiden，2004），par.151，152，177，198，评论，1：544，563，2：640，699，1047-8；《辽史》，106/1540；关于其词源，参见魏特夫、冯家昇，431；孟格斯（K. H. Menges），《辽与西辽的名称和组织术语》［Titles and Organizational Terms of the Qytan（Liao）and Qara Qytai（Si Liao）］，《东方年鉴》（*Rocznik Orientalistyczny*）17（1953），68-79；伯希和，韩百诗译，《成吉思汗进军史——圣武亲征录》，248-51；多费尔（G. Doerfer），《新波斯语中的突厥语和蒙古语元素》（*Türkische und mongolische Elemente in Neupersischen*）（Wiesbaden，1963-75），3：633-7；伯希和，《马可·波罗寰宇记》，1：225-6。卡拉（G. Kara）提出了一个颇为吸引人的解释是，他将Gürkhan（葛儿汗）中的"Gur"读为"guo"（国），从而将葛儿汗封号与契丹语的"国"联系在一起（［卡拉，《契丹文字体系》（On the Khitan Writing System），《蒙古研究》（*Mongolian Studies*）*10*（1987），24］，但清格尔泰（Chinggeltei）认为契丹语中的"国"读"Kuek"或"Kuei"，不读"Gur"［清格尔泰等，《契丹小字研究》（北京，1985），91］，然而卡拉却认为清格尔泰的想法不切实际（与其私人通信，1996年6月，1999年3月）。

42 朱兹贾尼/哈比卜编，《卫教者列传》1：261；志费尼，《世界征服者史》，2：87，波义耳译，《世界征服者史》，355。

43 *Inshā'*，36-7。

44 志费尼，《世界征服者史》，2：87，波义耳译，《世界征服者史》，355。（译者按，此引汉译本《世界征服者史》译文，何高济译、翁独健校，内蒙古人民出版社，1980年，上册，第417-8页。）

45 阿布·加兹，《蒙古和鞑靼的历史》，50；穆罕默德·巴克兰（Muḥammad Bakrān），《世界志》（*Jahān nāmah*），里雅希（M. A. Riyaḥ ī）编（Tehran，1983），72；《金史》，121/2637。

剌契丹历史上的决定性时刻，1134年宣告改元“康国”（国泰民安之意）便体现了它的重要性[46]。

葛儿汗将八剌沙衮的喀喇汗统治者伊利克可汗（Illig Khan）降封为“伊利克·土库曼”（Illig Türkmen）。大石在八剌沙衮或其附近建都，以突厥语虎思斡耳朵［Quz Ordo，即强大的斡鲁朵（宫帐）］命名该城[47]，且从那里向叶尼塞、伊塞克湖（Issyk Kul）、怛罗斯（Talas）、伊犁河（Ili river）等地区派驻官员，并逐步在康里，甚或在葛逻禄建立起了统治[48]。之前在阿尔斯兰汗治下的一万名契丹人也在八剌沙衮加入了他，从而使其实力大增[49]。在这个阶段，葛儿汗可能已与喀喇汗的宗主塞尔柱的苏丹桑贾尔（Sanjar）建立了联系。据仅见于志费尼的记述所言，在喀喇汗的许可下，哈剌契丹人（以赎买的方式）进据八剌沙衮时，向桑贾尔寻求牧场。在得到应允后，才将八剌沙衮、海押立和阿里马变成自己的牧场[50]。

然而，在进一步深入伊斯兰地区前，大石却派军东征大金国。大石命萧斡里剌为兵马都元帅率7万骑兵出征。他再次以青牛白马祭天，慷慨激昂地誓师，誓言回顾了大辽的衰亡以及重建大辽的使命，并指出此为朔漠之地不宜他和他的民众居留。尽管誓词振奋人心，但此次东征依然惨败：“［军］行万余里无所得，勒兵而还。牛马多死，将士返还。大石曰：‘皇天弗顺，数也。’”[51]正如魏特夫与冯家昇已注意到的，《辽史》对此次战役的记述让人疑窦顿生：若这是一次重要的远征，为何大石不亲率其部呢？若这真是一场惨败，为何萧斡里剌仍能在契丹将领中身居高位呢？如此的惨败，加之牛马损失惨重，为何没有削弱葛儿汗的权威呢？又是为何此后数年里，他在塔里木（Tarim basin）、回鹘以及费尔干纳（Farghāna）部分地区建立统治时未受影响呢？事实上，这场战役无论是在规模上，或者至少是在它失败的程度上，一定比《辽史》记载的要小得多。也许，恰如魏特夫和冯家昇阐释的，契丹人怀恋故土之情迫使大石组织了这场东征，他根本无意真正打败金人，只是希望预料中的失败会说服他的追随者将全部精力投向中亚[52]。

的确，东征虽然失败，但大石的军势却日盛，这在1134年东方的金朝留下了印记：1128年便被扣留在金的宋朝汉士宇文虚中，在写给川陕宣抚使张浚的密信中就言：大石“林牙势浸盛，欲以其言”告知宋朝君主[53]。此外，尽管《辽史》声称东征失败后，大

46 《辽史》，30/357；魏特夫、冯家昇，621。

47 关于该城的名称与位置，参见本书pp.106-7。

48 志费尼，《世界征服者史》，2：88，波义耳译，《世界征服者史》，355-6；阿布·加兹，《蒙古和鞑靼的历史》，50。

49 伊本·阿西尔，《全史》，11：84。在魏特夫、冯家昇，634-5中，该数字为16000。《论库曼的民族性》（Über das Volkstum der Komanen），马奎特（J. Marquart）和邦格（W. Bang），《东部突厥方言研究》（*Osttürkisch Dialektstudien*），（Berlin，1914），164-5；《西辽史纲》，51；纪宗安，《西辽史论：耶律大石研究》，38-9。

50 朱兹贾尼/哈比卜编，《卫教者列传》，1：261，2：94。

51 《辽史》，30/357。

52 魏特夫、冯家昇，624。

53 《建炎以来系年要录》，78/1279。

石已放弃对抗金朝的野心，但在1137年初金朝名将粘罕上书中则记录了西辽与金的又一次冲突，此次以哈剌契丹小胜告终。粘罕上书中所记的是前两年冬天（1136年或1135年）之事，“御林牙”兵突袭金军应在这一时期。粘罕被皇帝派去征伐他们。在沙漠中与之相遇，两军大战三日，未分胜负。最终，由于后勤问题：粮草断绝以及天气极寒，女真军被打败。更糟糕的是，粘罕的契丹萧姓副将，率几千骑兵投奔了他的族人耶律大石，使金将手无一卒[54]。有关此次远征的传闻已流传至宋：一封落入宋人之手的金朝书信称粘罕死于1137年，并称大石“尚偏泊一隅”，军声日盛[55]。据志费尼记载，在夺取八剌沙衮后，葛儿汗在喀什噶尔、于阗（Khotan）、黠戛斯以及回鹘人的政治中心别失八里（Besh Baliq）树立起威信[56]。因此，第二次抗金战役可能是其辖域内东部地方势力发动的。尽管此次胜利以及由此获得的几千士兵让契丹人士气大增，但这似乎只是一次突袭，而非有预谋的战役，更非试图对金的全面挑战。

尽管向东扩张了大片疆域，但大石仍继续向西推进，向肥沃的费尔干纳谷地挺进[57]。这一系列迁移使他在1137年5月与西喀喇汗在忽毡（Khujand）陷入公开对决。有关这次战斗的记述极其简单：西喀喇汗的统治者马合木（Maḥmūd），在锡尔河（Jaxartes）边的忽毡遭遇契丹军队。他被打得一败涂地，撤回撒马尔罕（Samarqand），留下惊慌失措的河中地区（Transoxania）民众，面临契丹下一次的进攻[58]。然而，契丹并未立即乘胜进击。葛儿汗更倾向巩固对锡尔河以外地区，主要是对费尔干纳和沙什（Shāsh）的控制。《编年史集》（*Majmū ʻal-tawārīkh*）提到了一长串地名，其中有些地方不详，但其他地方，如乌兹干（Uzgand）、安集延（Andijān）、卡尚（Kāsān）和塔什干（Tashkent，即沙什），则组成了一条合理的大石行进路线。《编年史集》也是记述葛儿汗血腥占领这些地方的唯一史源，书中就谴责了葛儿汗摧毁乌兹干并屠杀该地民众[59]。然而，这一记述与该城市后来在哈剌契丹疆域内的重要性不符；与伊本·阿西尔对哈剌契丹征服的描述不符，也与此后哈剌契丹在河中地区的行为不符[60]。在1141年卡特万之战中，哈剌契丹取得了他们在伊斯兰东部地区的最大胜利，此后他们才回到河中地区。

---

54 《三朝北盟会编》，178/7a；《西辽史纲》，53；魏特夫、冯家昇，636，22；皮科夫，《西契丹》，69；纪宗安，《西辽史论：耶律大石研究》，44-5；刘浦江，《辽朝亡国之后的契丹移民》，《燕京学报》10（2001），140，均驳斥了这则逸闻。

55 《建炎以来系年要录》，114/1854。

56 志费尼，《世界征服者史》，2：88，波义耳译，《世界征服者史》，355。

57 阿布·加兹，《蒙古和鞑靼的历史》，50；阿克西甘地，《编年史集》，29a-b。

58 伊本·阿西尔，《全史》11：84-5；“Alfī”，fol.102；贾法里（Ghaffārī），*Jahān arā*（Tehran，1342-3/1963），161；海答儿/舍弗尔编，《中亚蒙兀儿史——拉失德史》，241。

59 阿克西甘地，《编年史集》，fol. 28b-30a。尚未确认位置的地方有：Mīng Chūba；Jadkhūl，该地由三个大城市组成；Murghāb（很可能并非呼罗珊东部的城镇或河流）；Furghāb/Furtāb以及Dungāl，据文中所述，这些地方似乎都在费尔干纳及其附近。

60 乌兹干是在费尔干纳的喀喇汗国的首都，它是哈剌契丹的附庸。［普里查克，“Die Karachaniden”，《伊斯兰教》（*Der Islam*）31（1953-4），57］葛儿汗的国库就在该城；志费尼，《世界征服者史》，1：48，波义耳译，《世界征服者史》，64；伊本·阿西尔，《全史》，11：84，并见下文。

三、卡特万之战及其影响

朱兹贾尼（Jūzjānī）将卡特万之战归因于哈剌契丹人口的激增，激增的人口使得他们对新领地的需求大增，并促使他们采用了侵略性的扩张政策[61]。此外，其他穆斯林文献同样认为，至少伊斯兰土地的诱惑也驱使哈剌契丹在1141年重返河中地区。人们通常认为，是花剌子模沙（Khwārazm Shāh）阿即思（Atsïz）唆使哈剌契丹进攻疏于守备的富硕土地的领主苏丹桑贾尔的[62]。阿即思的二心致使桑贾尔与其附庸花剌子模间的紧张局势于1138年愈演愈烈，同年阿即思公然反叛。他的军队很快在哈扎拉（Hazārasb）被塞尔柱苏丹桑贾尔打败。桑贾尔随即处死阿即思之子（或兄弟），将花剌子模赐予自己的侄子苏莱曼（Sulaymān）。在桑贾尔返回木鹿（Marw）后不久，阿即思从葛儿汗那里避难回来，在花剌子模民众的支持下东山再起将苏莱曼驱逐出境。1139/1140年，阿即思进攻布哈拉（Bukhara），俘虏了塞尔柱的总督，摧毁了这座城市。尽管如此，他还是在1141年初选择臣服于桑贾尔。然而，由于桑贾尔处决其子（或兄弟），可能使他依旧想伺机报复，因此仍与哈剌契丹保持联络[63]。

葛逻禄人，尤其是在塞尔柱史料中，被认为是诱使哈剌契丹进攻的另一个因素。这些游牧部众中至少有一部分臣属于喀喇汗王朝，并充当其士兵。但他们往往难以驾驭，从东喀喇汗在八剌沙衮向大石求援即可看出。这一问题在西喀喇汗也很突出，1130年西喀喇汗的阿尔斯兰汗为控制他的这些游牧军队，不得已向桑贾尔求助[64]。然而，在卡特万之战中，似乎最初塞尔柱的桑贾尔并未被请求对付葛逻禄人：喀喇汗马合木在忽毡被哈剌契丹打败后，才请求其宗主桑贾尔为穆斯林复仇[65]。桑贾尔不急不缓从容前行，在战争爆发四年后才至撒马尔罕。河中地区民众的呼声影响了桑贾尔的前行速度，因为河

---

61 朱兹贾尼/李（Lees）编，《卫教者列传》（*Ṭabaqāt-i Nāṣirī*）（Calcutta，1864），328；朱兹贾尼/哈比卜编，《卫教者列传》，1：261。

62 Ibn al-Jawzī, *al-Muntaẓam fī ta'rīkh al-mulūk wa'l-umam*（Beirut，1992），18：19；伊本·阿西尔，《全史》，11：81；艾布·斐达（Abū al-Fidā'），《人类简史》（*al-Mukhtaṣar fī akhbār al-bashar*）（Cairo，1907），3：15-16；努威里（Nuwayrī），《文苑观止》（*Nihāyat al-arab fī funūn al-adab*）（Cairo，1985），26：385；达哈比（Dhahabī），《伊斯兰史》（*Ta'rīkh al-Islām*）（Beirut，1995），43：216-17，220；伊本·哈勒敦（Ibn Khaldūn），*Kitāb al-'ibar*（Beirut，1957），5：138；"Alf ī"，fol.103；把·赫卜烈思，《阿布·法剌兹编年史》，266-7；巴托尔德，《蒙古入侵时期的突厥斯坦》，327；博斯沃思，《伊朗世界的政治史与王朝史（1000-1217）》，144-5；博斯沃思，《桑贾尔》（Sanjar），《伊斯兰百科全书》（*EI2*）9（1995），147-8；《西辽史纲》，59；布尼亚托夫（Buniiatov），《花剌子模沙》（*Gosudarstvo Khorezmshakhov-Anushteginidov*）（Moscow，1986），13/14。

63 关于桑贾尔和阿即思的关系，参见博斯沃思，《伊朗世界的政治史与王朝史（1000—1217）》，143-5。

64 伊本·阿西尔，《全史》，11：83；"Alf ī"，fol.103。关于葛逻禄，参见高登，《突厥史入门》，196-9。

65 伊本·阿西尔，《全史》，11：85。

中地区的人民认为不必为了毫不相干的葛逻禄人与暴力和压迫扯上联系[66]。但桑贾尔之所以仍然答应马合木的请求，携大军前往撒马尔罕，既与其想要弄清哈剌契丹垂涎伊斯兰土地的传闻有关，也与其意欲加强对这一遥远地域的控制有关[67]。1141年7月，抵达撒马尔罕后，桑贾尔受到马合木的蛊惑，也许更是受到下属的煽动，他不仅抑制葛逻禄人繁育，而且驱赶他们，并抓住他们的孩子[68]。在撒马尔罕地区，纪律涣散的塞尔柱大军的出现，尽管使葛逻禄人深受其害，甚至成为被直接攻击的目标，但他们却对桑贾尔忠心耿耿，并向其慷慨地馈赠牲畜以示支持，但桑贾尔却拒而不受[69]。

在慷慨的馈赠被驳回后，葛逻禄人转投葛儿汗，抱怨桑贾尔的不公，恳求他进攻那个愚蠢而嗜酒如命的、连其军队都反感的苏丹[70]。葛儿汗同意为葛逻禄人辩护，并致信桑贾尔，请求其原谅葛逻禄人。桑贾尔的回信极为傲慢。他拒绝葛儿汗的建言，要求他皈依伊斯兰教，并以武力相威胁。葛儿汗对桑贾尔的自吹自擂不以为意。毕竟，他的线人（葛逻禄人和花剌子模人）已为之提供了桑贾尔真实力量的信息。伊本·阿西尔甚至说，当听到桑贾尔信使说塞尔柱士兵可以用箭截断须发时，葛儿汗拔下信使的一绺胡须并给他一根胡须和一根针，命其以针将此胡须一截两半。使臣做不到，葛儿汗说："如果你不能用针截断胡须，你怎么能用箭办到呢？"[71]

1141年9月9日，在撒马尔罕附近的卡特万草原上爆发了这场战争。虽然许多穆斯林文献强调葛儿汗的军队人数巨大，并以蚂蚁和细沙做比形容数量之多，而且认为双方的人数比对葛儿汗极为有利，达到了1：3（100000：300000）[72]，甚至是1：10

---

66 亚兹迪（Yazdī），*al-'Arāḍa fī al-ḥikāya al-Saljūqiyya*，（Leiden，1909），97；拉施特/路德（K. A. Luther）译，《〈史集〉所载塞尔柱突厥的历史》（*The History of the seljuq Turks from the Jāmi' al-tawārīkh*）（Richmond，2001），83。

67 你沙不里，《塞尔柱人之书》，45；拉施特/路德译，《〈史集〉所载塞尔柱突厥的历史》，83；亚兹迪，*al-'Arāḍa fī al-ḥikāya al-Saljūqiyya*，97；拉文迪（Rāwandī），《心灵的慰藉和快乐的标志》（*Rāḥat al-ṣudūr wa-āyat al-surūr*）（London，1921），172。

68 伊本·阿西尔，《全史》，11：84-5；伊斯法哈尼（al-Iṣfahānī），*Kitāb ta'rīkh dawlat Āl Saljūq*（Cairo，1900），253；邦达里（Bundārī），*Zubdat al-Nuṣra wa-nukhbat al-'uṣra*，胡茨马（M. T. Houtsma），*Recueil de textes relatifsà l'histoire des Seljoucides*（Leiden，1886），1：277-8；胡萨尼，《历史精要》，93。

69 胡萨尼，《历史精要》，93；拉施特/路德译，《〈史集〉所载塞尔柱突厥的历史》，84-5；拉文迪，《心灵的慰藉和快乐的标志》，172-3；伊本·达达拉里（Ibn al-Dawādārī），*Kanz al-durar wa-jāmi'al-ghurar*（Cairo，1961），6：534；米哈旺德（Mīkhwānd），*Ta'rīkh-i rawḍat al-ṣafā*（Tehran，1960），4：312。

70 伊本·阿西尔，《全史》，11：84；米哈旺德，*Ta'rīkh-i rawḍat al-ṣafā*，4：312-3胡萨尼，《历史精要》，93。

71 伊本·阿西尔，《全史》，11：85。

72 伊本·阿西尔，《全史》，11：81，85；达哈比，*al-'Ibar fī khabar man ghabar*（Kuwait，1963），4：98；达哈比，《伊斯兰史》，43：241；伊本·伊马德（Ibn al-'Imād），*Shadharāt al-dhahab fī akhbār man dhahab*（Damascus，1993），6：183；把·赫卜烈思，《阿布·法剌兹编年史》，267。

（70000：700000）[73]，但其他穆斯林文献则记载此次战役双方势均力敌[74]。《辽史》记载大石军队的人数最少，大石左右两翼各2500人，这一数字意味着大石作为主力的中路军应为1万～2万人。当然，这可能并不是一个传统排兵布阵的方式（一般来说，作为主力的中路军规模应该特别大）。这也许是《辽史》通过减少对军队人数的记载来夸大大石的胜利，就像穆斯林可能会通过增加哈剌契丹的人数来为自己的失败辩护[75]。桑贾尔军中也包括其藩属的步武：呼罗珊（Khurāsān）、哥疾宁（Ghazna）、古尔（Ghūr）、西吉斯坦（Sijistān）、马赞德兰（Māzandarān）、尼姆鲁兹（Nīmrūz）的国王也都领兵加入，甚至还有伊拉克（Iraqi）的军队。哈剌契丹军队是由契丹人、突厥人、蒙古人，也许还有汉人组成，葛逻禄人也为之增援了3万～5万的精锐骑兵[76]。

双方军队皆分左、中、右三部。葛儿汗亲率中路军。契丹左、中、右三部同时进击，包围了穆斯林的军队，将之逼入距撒马尔罕大约12千米的达尔加姆河谷（Dargham wadi），并堵住出口[77]。塞尔柱的骄兵惨败，苏丹桑贾尔勉强逃奔忒耳米（Tirmidh）[78]。他的妻子和一些名将被俘。伤亡惨重，约有1.1万到10万人；《辽史》记载："僵尸数十里。"穆斯林文献提到，在众多受害者中有军事将领、宗教高层、世俗显贵以及妇女[79]。

除了当即获得的财富、牲畜、俘虏和巨大的威望外，卡特万之战尽将河中地区纳入哈剌契丹的疆域之内[80]。葛儿汗在撒马尔罕驻跸90日，在此期间，他获得了穆斯林统治者的归顺，并在撒马尔罕和布哈拉任命了自己的总督。喀喇汗马合木可汗已出逃，但葛儿汗封他的弟弟穆罕默德之子伊卜拉欣（Ibrāhīm）为撒马尔罕新的统治者，甚至将女儿许配

73 胡萨尼，《历史精要》，93；伊斯法哈尼，*Kitāb ta'rīkh dawlat Ãl Saljūq*，253。

74 艾布·斐达，《人类简史》，3：15-16；伊本·卡兰尼斯（Ibn al-Qalānisī），*Dhayl ta'rīkh Dimashq*（Leiden，1908），275。

75 《辽史》，30/365；魏特夫、冯家昇，648。参见P.151。

76 伊本·阿西尔，11：85-6；拉施特/路德译，《〈史集〉所载塞尔柱突厥的历史》，85；拉文迪，《心灵的慰藉和快乐的标志》，172；Muḥammad b. 'Alī Shabānkāra'ī, *Majma 'al-ansāb*，Ed. M. H. Muḥḥadith，（Tehran，1363/1984），110；你沙不里，《塞尔柱人之书》，45；达哈比，《伊斯兰史》，43：240；法西（Fasīḥ），*Mujmal-i Fāsiḥī*（Tus-Mashed，1960），2：235）。参见P.147。

77 《辽史》，30/356；伊本·阿西尔，《全史》，11：85；你沙不里，《塞尔柱人之书》，44；萨姆阿尼（al-Sam'ānī），*Kitāb al-ansāb*（Beirut，1988），2：470；纳萨菲（al-Nasafī），*Qandiyya dar bayān-i mazārāt-i Samarqand*（Tehran，1955），24，41。

78 胡萨尼，《历史精要》，83；伊本·阿西尔，《全史》，11：85。

79 伊本·阿西尔，《全史》，11：81；拉施特/路德译，《〈史集〉所载塞尔柱突厥的历史》，88；拉文迪，《心灵的慰藉和快乐的标志》，173；*Majma 'al-ansāb*，110；"Alf ī"，fol.102；达哈比，*al-'Ibar fī khabar man ghabar*，4：98；达哈比，《伊斯兰史》，43：210-12，220，421；伊本·伊马德，*Shadharāt al-dhahab*，6：183；艾哈迈德·拉济（Aḥmad Rāzī），*Haft Iqlīm*，收入舍弗尔（C. Schefer）编，*Description de Boukhara par Nerchakhy*（Paris，1892），246；雅克特（Yāqūt），*Mu'jam al-buldān*（Beirut，1955-8），1：354，4：375；《辽史》，30/356。

80 拉文迪，《心灵的慰藉和快乐的标志》，174；你沙不里，《塞尔柱人之书》，46。并见ch.2。

给了他[81]。在布哈拉，葛儿汗保留了当时的宗教领袖布尔罕的（Burhāns）萨德尔家族（the *ṣadr* family），但他也派驻了自己的官员，命令他们与当地穆斯林领袖密切合作[82]。

对于哈剌契丹来说，卡特万之战的另一个结果就是让花剌子模成为其附庸。尽管他们可能很早就已结盟，但葛儿汗可能已被阿即思的独立野心惹怒，进攻呼罗珊（详见下文）即为明证。又或许葛儿汗就是想从花剌子模这片富裕的商业地域攫取些好处。大约在1142年，他派大将额儿布思（Erbuz）进军花剌子模。后者大肆劫掠，造成巨大破坏，从而迫使阿即思愿意岁输贡赋三万金第纳尔（dinars）[83]。据朱兹贾尼记载，哈剌契丹人大获全胜后，他们向桑贾尔索要阿曼（*amān*，异教徒在穆斯林地界享有安全保障的护身符）[84]。就双方战争结果而言，哈剌契丹的这一举动似乎让人很奇怪。或许是双方达成了某种协议，因为战争结束一年后，哈剌契丹便将包括桑贾尔妻子以及异密库马吉（*amīr* Qumāch）在内的一些重要俘虏送回，桑贾尔则回报以慷慨的赎金[85]。

然而，既无法证明朱兹贾尼所言，大多数呼罗珊的统治者都向契丹进贡，也无法明证契丹的扩张确已越过了阿姆河（Oxus），并在这一时期深入呼罗珊内部[86]。

总之，与1130年桑贾尔花费六个月征服撒马尔罕相比[87]，哈剌契丹征服河中地区似乎相当迅速，而且远没有12世纪50年代乌古斯（Oghuz）侵入呼罗珊血腥[88]。

桑贾尔在卡特万战败，是他经历的第一次失败，这严重动摇了他的地位。正如法里德·卡蒂布（Farīd al-Kātib）所作的与这场战争有关的著名诗篇，被广泛地引用就清楚地反映出了这一点：

> 王啊，你的矛已刺透天下；
> 你的敌人已四十年之久，你的刀也曾吞灭他们：
> 如果厄运降临，命运也会如此，
> 因为只有上帝保持一种状态！[89]

---

81 拉施特/路德译，《〈史集〉所载塞尔柱突厥的历史》，87。

82 内扎米（Niẓamī），《四类英才》（*Chahār maqāla*），22。关于“萨德尔”的制度以及布尔罕家族，参见普里查克，“Āl-i Burhān”，《伊斯兰教》30，（1950），81-96；并参见pp.124，180，以及183-4。

83 志费尼，《世界征服者史》，2：88，波义耳译，《世界征服者史》，356。

84 朱兹贾尼/李编，《卫教者列传》，328。关于阿曼及其重要性，参见卡杜里（M. Khadduri），《伊斯兰法中的战争与和平》（*War and Peace in the Law of Islam*）（Baltimore，1955），162-6。

85 朱兹贾尼/李编，《卫教者列传》，328；拉文迪，《心灵的慰藉和快乐的标志》，174。

86 朱兹贾尼/李编，《卫教者列传》，328。

87 关于桑贾尔进攻撒马尔罕，参见博斯沃思，《伊朗世界的政治史与王朝史（1000—1217）》，140。

88 伊本·阿西尔，《全史》，11：95。关于乌古斯进攻呼罗珊，参见下文ch.2。

89 译文见布朗（E. G. Browne），《波斯文学史》（*A Literary History of Persia*）（London，1906），2：345（他错误地记叙卡特万之战桑贾尔是被乌古斯打败的），这首诗也出现在如下几种文献中：你沙不里，《塞尔柱人之书》，46；米尔卡旺德（Mīrkhwānd），*Ta'rīkh-i rawḍat al-ṣafā*，Vols.4，5（Tehran，1960），4：313；亚兹迪，*al-'Arāḍa fi al-ḥikāya al-Saljūqiyya*，99；拉文迪，《心灵的慰藉和快乐的标志》，173。

桑贾尔权威的衰落很快被他的封臣阿即思所利用。战争结束不久，阿即思就入侵了木鹿、内沙布尔（Nīshāpūr）以及呼罗珊的其他城市[90]。第二年（1142/1143年），桑贾尔也只是暂时地恢复了他在呼罗珊的地位[91]。

然而，卡特万之战最著名的影响却与双方这场历史性的对决无关。伟大的穆斯林被非穆斯林敌人打败的消息传至在巴勒斯坦（Palestine）的十字军（Crusaders）中，这使得约翰长老（Prester John）的传说流传更广。据传，这位来自亚洲遥远国度的基督教国王“约翰”一定会加紧去拯救他们这些在耶路撒冷圣地的信徒。尚无法确定“约翰”是否真为“葛儿汗”一名演化而来，但毫无疑问，这个传说的名声可比哈剌契丹本身传播得更为广泛[92]。

大石并没有享受多久胜利的喜悦，他死于1143年，至此开启了哈剌契丹历史上最不为人知的岁月。

1143年，大石建立的哈剌契丹帝国至少包含河中地区、费尔干纳，七河地区（Semirechye）、塔里木盆地以及回鹘地区。这片广袤的土地大致相当于现今中国新疆地区和吉尔吉斯斯坦（Qyrghyzstan）、乌兹别克斯坦（Uzbekistan）、塔吉克斯坦（Tajikistan）和哈萨克斯坦（Qazaqstan）南部；到1175年为止，它还囊括了蒙古高原西部的部分地区。帝国分为哈剌契丹直接统辖的中心地区，其中心就在楚谷的八剌沙衮及其附近[93]；还有属国：高昌回鹘、东西喀喇汗以及花剌子模，与直辖区相比，它们更像是“外蕃”；以及其他属部，如葛逻禄以及在1175年以前一直都归附它的乃蛮和康里。很难具体确定哈剌契丹帝国的边界。其西部边界通常被认为是阿姆河，但是在12世纪60～80年代哈剌契丹军队曾越过阿姆河活跃于呼罗珊，而且至少在1165～1198年间巴里黑（Balkh）也仍在其治下。南部边界可能越过了巴里黑、于阗和哈密一线。北至叶尼塞河地区的黠戛斯、额尔齐斯河上游的康里东部以及巴尔喀什湖（Balqash）北部，1175年之后其北界南退至巴尔喀什湖地区[94]。东部边界更难廓清：回鹘地区必然是哈剌契丹疆域的一部分，而且至少在1175年以前，西辽仍对乃蛮享有主权，也即说西辽的东

90　关于阿即思对呼罗珊的入侵，参见志费尼，《世界征服者史》，2：5-8，波义耳译，《世界征服者史》，280-2；巴托尔德，《蒙古入侵前夜的突厥斯坦》，327；博斯沃思，《伊朗世界的政治史与王朝史（1000—1217）》，145。

91　见下文第二章（或者“见本书第二章”）。

92　关于约翰长老的传说，参见贝克汉姆（C. F. Beckingham）和汉密尔顿（B. Hamilton）编，《约翰长老、蒙古人与十个失落的部落》（*Prester John, the Mongols and the Ten Lost Tribes*）（London，1996）；皮雷纳（J. Pirenne），《“约翰长老”的传说》（*La legende du “Prêtre Jean”*）（Strasbourg，1993）；克洛普罗格（A. Klopprogge），*Ursprung und Ausprägung des abendländlichen Mongolen bildes im 13, Jahrhundert*（Wiesbaden，1993）；古米列夫（L. N. Gumilev），《寻找一个想象中的王国：有关约翰王国的传说》（*Searches for an Imaginary Kingdom: The Legend of the Kingdom of Prester John*）（Cambridge，1987）；杰克逊（P. Jackson），《约翰长老的“复活”：一篇评论文章》（Prester John Redivivus: A Review Article），《英国皇家亚洲学会学刊》（*JRAS*），3，7（1997），424-32。

93　有关哈剌契丹中心区域边界的细致讨论，参见pp.104-6。

94　《金史》，121/2637。

部疆域包括阿尔泰山（Altai）以东，甚至可能一直延伸到后来离可敦城不远的哈喇和林（Qara Qorum）[95]。西辽可能也在其他蒙古诸部及其领地上行使过这种主权。例如，1156年，我们就听说哈剌契丹曾出现在可敦附近。他们能走到这么远，至少说明其与蒙古诸部有着良好的关系[96]。即便不将蒙古诸部的领地算在内，大石也建立了一个与其同时期金、宋疆域规模大致相当的帝国[97]。

在尝试解释大石崛起之时，必须考虑12世纪中亚游牧民众的流动情况。有些现象比如统治者试图限制游牧民族的数量和繁衍，又如游牧民族与定居民族对牧场的争夺，都证明了这一时期游牧众的数量在持续增长。这一情况必然让许多游牧部众准备以个人或整部的方式归附一个像耶律大石那样有前途的新领袖。游牧民数量的持续增加以及相互间的不稳定性也导致了当地统治者统治力的衰弱，就如喀喇汗王朝事件所证明的那样。因此，这一情况为新势力的迅速崛起铺平了道路[98]。

除了这些重要因素外，早期效忠他的追随者，以及最初相对丰富的战马供给，也是大石崛起的因素。而且，大石享有中国作为文化实体和辽朝作为游牧政治力量的双重威望，也同样得到了蒙古与突厥诸部的尊重，这是其政权合法性的因素[99]。这种二元性体现在汉式皇帝尊号和葛儿汗的双重头衔上。此外，不管是否名副其实，大石击败强大的女真，以及其从加冕至东征败北期间所取得的一系列军事胜利，都为其个人赢得了声誉。加之其坚韧的性格，这些特质使其成为一个令人向往的领袖，而他在卡特万之战取得的最终胜利也无疑巩固了这一领袖地位。他往往将原先的地方统治者留任原职，这也促进了新帝国的平稳有序。

在此必须解决的另一个问题是，在河中地区以及花剌子模取得成就之后，哈剌契丹是否仍有兴趣恢复辽朝以前的疆域。虽然这也许仍是统治精英的梦想，但一些实际问题，比如，需要跨过蒙古诸部或者穿过西夏领地才能进击势头未减的女真军队，加之哈剌契丹现在统御的是一个巨大的中亚帝国，与原先辽朝毫不相似，这些都阻碍了“复辽疆域”愿景的实现。同样使人生疑的是，大石能否真正获得非契丹臣民的支持，进行一场漫长、复杂而无望的远征，就如同螳臂当车一样对抗整个女真政权。

---

95 《金史》，121/2637；拉施特，《史集》（*Jami'u't-tawarīkh Compendium of Chronicles*），萨克斯顿（W. M. Thackston）译（Cambridge，MA，1998），1：68。尚无证据表明12世纪乃蛮确实到了哈喇和林地区。

96 《大金国志》，14/107，并见ch.2；《西辽史纲》，62。

97 关于哈剌契丹的疆域，参见魏特夫、冯家昇，657-9；丁谦，《西辽立国本末考》，3b；邓锐龄，《西辽疆域浅释》，《民族研究》，1980/2，31-8；《西辽史研究》，114-30；《西辽史纲》，62-5。

98 伊本·阿西尔，《全史》，11：84；胡萨尼，《历史精要》，83；古米列夫，《寻找一个想象中的王国：有关约翰王国的传说》，119-20。关于进一步的讨论和例证，参见pp.139-43。

99 关于辽与蒙古的关系，参见周良霄，《元代史》（上海，1993），18-28；佩里（K. Perlee），Sobstvenno Mongol'skie plemena v period Kidan'skoj imperii，*Trudy XXV mezhdunarodnogo kongressa vostokovedov*（Moscow，1963），314-16；基恰沃夫（E. I. Kychavov），Mongoly v VI-pervoj polovine XIIv，*Dal'nij Vostok i sosedenie territorii v strednie veka*（Novosibirsk，1980），136-48。

尽管"复辽疆域"的愿景已部分消退，但哈剌契丹仍保留了对契丹本民族的身份认同，此后来自"东方"的契丹人想要加入他们就可证明这一点；不仅如此，他们还在统治中保留了独特的汉式传统，比如，使用汉式头衔和钱币。不管对契丹（及汉）的追随者，还是对其他臣属而言，哈剌契丹一直保有的这种二元特质在其合法性构建中都起到了重要作用，因此在12世纪，汉与契丹在内亚的蒙古人、突厥人以及伊朗人中仍享有崇高的威望[100]。即使从1141年起，哈剌契丹与中亚的穆斯林就建立了紧密的联系，但这种独特的合法性使哈剌契丹人与其辖域内绝大多数穆斯林民众保持了相当的距离。

附记：本文系2019年度国家社会科学基金研究专项："宣威、平衡与宽容：12至13世纪西辽对西域及中亚地区的统治"、2018年度中央民族大学研究生课程建设项目"中国古代史料学"、2020年度中央民族大学优秀教学成果培育项目："将'弘扬优秀传统文化，牢铸中华民族共同体意识'纳入传统文化课程体系的探索"阶段性成果。

（曹　流　王　蕊　中央民族大学）

100　哈剌契丹立国前的汉与辽在中亚的地位，参见pp.96-100。

辽属女真与北宋的朝贡隶属关系

赵文生

内容提要：自宋太祖至宋仁宗时期，辽属女真一些部落与北宋建立了朝贡隶属关系。这种关系建立和中断的原因也比较复杂。北宋初年，在东辽控制下的女真族就遣使到宋廷朝贡方物，至宋真宗天禧三年（1019），一直频繁朝贡，宋廷为此提供了便利。乾德五年（967），女真一部劫掠北宋白沙寨的百姓和官马，宋廷扣留女真贡使，交换被掠走的人马。高丽与辽廷一道攻打女真，遭到宋廷切责。为阻止女真跟宋廷之间的往来，辽廷沿海置栅、设兵防范，女真请求宋廷发兵摧毁，没有得到宋廷响应，至此后双方政治联系中断。居住在辽阳一带的“熟女真”，常由苏州泛海至登州卖马，与中原居民保持了密切的经济联系。

关键词：北宋　女真　辽朝　朝贡隶属

一、历史文献记载中的朝贡情形

宋太祖赵匡胤建立宋朝后，受辽朝控制的一些女真族部落首领，纷纷与其建立政治联系。宋太祖建隆二年（961）八月，喝突剌朱[1]向北宋贡“名马貂皮”等方物[2]。同年十二月，拽鹿猪又贡方物。“自此无虚岁，或一岁再至。”[3]建隆三年（962）正月、三月两次入贡，“是年，女直遣使只骨入宋贡方物”[4]。建隆四年（963）正月、八月、九月又三次入贡。其中，“秋八月癸巳（笔者注：公历9月4日），女直遣使贡名马于宋”[5]。女直即女真，为避辽兴宗耶律宗真讳，改女真为女直。

由于女真部落入贡频繁，宋廷专门诏命登州沙门岛多置舟楫，以便女真人马来往。

1　此为孙进己等《女真史》作“喝突剌朱”，杨保隆《肃慎挹娄合考》作“突剌朱”。

2　万福麟监修，张伯英总撰，崔重庆等整理：《黑龙江志稿·大事志卷一·辽》，黑龙江人民出版社，1992年，第2640页。

3　（南宋）徐梦莘：《三朝北盟会编》卷3，上海古籍出版社，2008年，第8、9页。

4　万福麟监修，张伯英总撰，崔重庆等整理：《黑龙江志稿·大事志卷一·辽》，黑龙江人民出版社，1992年，第2640页。

5　万福麟监修，张伯英总撰，崔重庆等整理：《黑龙江志稿·大事志卷一·辽》，黑龙江人民出版社，1992年，第2640页。

宋太祖乾德二年（964），女真再次来贡。翌年九月，女真贡宋时，赍定安国（居于鸭绿江中游的渤海遗民）王烈万华表，此次贡宋的女真似为长白山女真[6]。

宋太祖乾德五年（967），女真一部寇掠北宋的白沙寨，掠夺官马三匹、居民一百二十八口。于是，宋廷下诏拒还长白山女真入贡者。未及，又令长白山三十部女真送还被恶女真所掳的白沙寨人马。这恶女真当为接近北宋的鸭绿江女真[7]。人马送回后，宋廷切责先前寇掠之罪，又嘉其归顺之意，把扣留的入贡者悉数放还。

宋太祖开宝二年（969），“女直首领悉达理并侄阿里歌、首领马撒鞋并妻梅伦并遣使献马及貂皮于宋”[8]；三年（970），“女直遣使朝贡于宋”[9]；五年（972），“女真马撒鞋并首领斫姑贡马于宋”[10]，“而且开宝三年来贡，还为渤海遗裔‘定安国王烈万华’赍‘表以闻’，后又带领‘铁利王子五户并母及子弟’向宋‘贡马’（马端临：《文献通考》卷三二七，第2570页）”[11]。宋太宗太平兴国四年（979），宋太宗赐乌舍城、浮渝府、渤海琰府王诏，令助攻契丹。太平兴国六年（981），定安国王上书宋太宗称：“夫余府昨背契丹，并归本国。”[12]张博泉认为，“浮渝府即夫余府”，指燕颇于975年叛占黄龙府（原渤海夫余府，今吉林省农安县）事[13]。

俟后，辽属女真一些部落与北宋的关系进一步发展。宋太宗太平兴国六年（981），女真遣使贡宋时，宋太宗下诏要求女真和兀惹联合反抗辽朝的统治。此时的兀惹，不仅成为团结渤海遗民与辽廷抗衡的力量，而且也是宋朝“讨击契丹”的“劲旅”[14]。

宋太宗雍熙（984～987）初年，契丹官军途经高丽攻打女真，女真以木契告急，向宋廷控告高丽与契丹联合掠夺女真，宋廷因此切责高丽[15]。“契丹怒其朝贡中国，去海岸四百里置三栅，栅置兵三千，绝其朝贡之路。”[16]为此，女真一些部落遣使“泛海入朝，求发兵”，“共平三栅”[17]，恢复联系通道。鸭绿江女真因契丹修筑三栅断绝去北宋之路而求助于宋廷和长白山三十部女真。可惜的是，宋太宗“但降诏抚谕，而不为发

6 孙进己、张璇如、蒋秀松、干志耿、庄严：《女真史》，吉林文史出版社，1987年，第80页。

7 孙进己、张璇如、蒋秀松、干志耿、庄严：《女真史》，吉林文史出版社，1987年，第80页。

8 万福麟监修，张伯英总撰，崔重庆等整理：《黑龙江志稿·大事志卷一·辽》，黑龙江人民出版社，1992年，第2641页。

9 万福麟监修，张伯英总撰，崔重庆等整理：《黑龙江志稿·大事志卷一·辽》，黑龙江人民出版社，1992年，第2641页。

10 万福麟监修，张伯英总撰，崔重庆等整理：《黑龙江志稿·大事志卷一·辽》，黑龙江人民出版社，1992年，第2641页。

11 杨保隆：《肃慎挹娄合考》，中国社会科学出版社，1989年。

12 《宋史·定安国传》，中华书局，1985年。

13 张博泉：《夫余史地丛说》，《扶余王国论集》，吉林市文物管理处，2003年，第50页。

14 杨茂盛：《恰喀拉族分布源流考》，《东北亚历史与文化》，辽沈书社，1991年。

15 （明—朝鲜李朝）郑麟趾：《高丽史·世家第三·成宗》第三卷。

16 马端临：《文献通考》卷327，中华书局，1986年，第2570、2571页。

17 马端临：《文献通考》卷327，中华书局，1986年，第2570页；（南宋）徐梦莘：《三朝北盟会编》卷3，上海古籍出版社，2008年，第9页。

兵”[18]，使女真人很失望。雍熙四年（987），又有女真部落遣使朝贡。宋太宗淳化二年（991），仍有女真部落遣使朝贡。同年“冬十二月，女真以契丹兵隔其贡宋之路，请宋攻之，不许。自是遂属契丹”[19]。淳化五年（994）十二月“女直国以宋人由海道赂本国及说兀惹叛，遣使来告”契丹朝廷[20]。从此看出，自宋太宗淳化二年（991）十二月至淳化五年（994）十二月，女真部落对宋廷的关系发生了微妙的变化。

尽管如此，朝贡关系在一些女真部落间仍旧维系着。宋真宗大中祥符七年（1014）、大中祥符八年（1015）、天禧元年（1017）随高丽使者纳贡、天禧三年（1019）等多次朝贡。

自宋仁宗天圣（1023～1032）后，女真部落“不复入贡”[21]。直到宋徽宗宣和元年（1119），宋金之间开始“海上之盟”，才又重新建立政治联系。

与此同时，住在辽阳一带的、“著籍”于辽朝的“熟女真”，虽受辽廷的严密控制，但他们利用其与山东半岛隔海相望的有利条件，经常“由苏州泛海至登州卖马”[22]，在经济上冲破了契丹的控制，与中原内地保持了正常的经济往来。

二、辽属女真人与北宋朝贡隶属关系的形成和中断的原因初探

1. 辽属女真人与北宋朝贡隶属关系的形成原因

首先，是双方在政治上的需求。辽朝建立后，女真等族深受契丹统治者的民族压迫与歧视，但自身无力摆脱这种处境。宋朝的建立，使女真等族看到了摆脱辽朝统治的希望。因而，在宋朝建立的第二年，女真一些部落的首领即主动遣使向宋廷纳贡，建立政治联系和隶属关系，以求北宋统治者援助其摆脱辽朝统治。另外，北宋也需要辽朝境内的女真等民族作为内应与外援，协助其夺取燕云十六州。因而，在登州沙门岛多置舟楫，为的是方便女真人马往来。尤其是在宋太宗结束了五代十国的分裂局面之后，借助胜利的余威，大举攻辽，以图一举收取燕云十六州。因此需要女真等族在后方牵制辽朝。这一点，在宋太宗于太平兴国六年（981）下诏要求女真和兀惹联合反抗辽朝的做法上表现得最为明显。故而，女真部落的朝贡，主要集中在宋太祖和宋太宗时期。从现有的历史记载上看，在宋太祖时期，女真部落的朝贡次数较多，在宋太宗时期，女真部落与北宋的关系较为紧密。当然，这种朝贡完全是政治行为，是辽属女真一些部落对北宋的政治依附和行政隶属的一种表现形式，这已为历史记载所证实。

其次，女真部落朝贡北宋，也是双方经济的需要。女真各部落，不仅在政治上遭受

18 马端临：《文献通考》卷327，中华书局，1986年，第2570页；（南宋）徐梦莘：《三朝北盟会编》卷3，上海古籍出版社，2008年，第9页。“太宗”，《三朝北盟会编》作“真宗”。

19 （南宋）叶隆礼撰，贾敬颜、林荣贵点校：《契丹国志·圣宗天辅皇帝》，上海古籍出版社，1985年，第65页。

20 《辽史·属国表》，中华书局，1974年，第1142页。

21 马端临：《文献通考》卷327，中华书局，1986年，第2571页；（南宋）徐梦莘：《三朝北盟会编》卷3，上海古籍出版社，2008年，第9页。

22 （南宋）徐梦莘：《三朝北盟会编》卷3，上海古籍出版社，2008年。

欺压，而且在经济上也饱受勒索之苦，闻名于世的“鹰路”和“打女真”即是一证。为了改善自己的生活条件，女真一些部落的朝贡，也含有一定的经济目的。不言而喻，政治联系的紧密势必带动经济联系的开展。女真人需要中原地区的生活用品，中原人也需要女真人的“名马貂皮”等方物，在经济上有一定的互补性。宋朝统治者在登州沙门岛多置舟楫，一方面是为了方便女真人的朝贡，同时也是便于双方经济往来。不仅“生女真”各部来此贸易，就连生活在辽阳一带的“熟女真”也经常由苏州泛海来登州卖马。

最后，这种朝贡隶属关系，是中国历史上边疆民族对中原王朝贡属关系的延续，是中原文化的辐射力和向心力所导致的。辽属女真人继承了其先世的传统，虽处辽朝境内，受辽朝管辖，但其心向中原，仰慕中原文化，成为当时与北宋关系最密切的东北民族。远的不说，单就讲北宋之前的五代。后唐庄宗同光二年（924）九月，摆脱渤海役属的黑水靺鞨遣使朝贡。十一月庚寅（公历11月24日）朝贡使兀儿被后唐任命为归化中郎将。翌年五月，黑水靺鞨另一个首领胡独鹿也遣使来后唐朝贡[23]。一些与北宋隔海相望的部落，借助地理上的优势，利用朝贡的时机，努力学习中原文化，提高自己的民族素质。

2. 辽属女真人与北宋朝贡隶属关系中断的原因

首先是辽朝统治者在去海岸四百里置三栅，设九千官兵严防，女真人很难再像过去那样泛海朝贡。不得不经高丽或附高丽使者入贡，受制于人，非常不便。

其次是女真各部对北宋统治者的失望。宋太宗雍熙（984～987）初年，当辽军经高丽攻女真之际，宋廷仅仅是切责高丽。当辽朝统治者在沿海设置三栅的形势出现后，女真一些部落遣使渡海，要求与宋军共同攻破三栅。但是，宋太宗只是一味降诏抚谕，终不肯发兵进取。到了宋真宗时期的辽宋“澶渊之盟”，北宋朝廷的软弱尽显于世。结果，女真人仰仗宋廷的希望破灭了。

最后是宋朝统治者在民族政策上的失误。无论是宋太祖，还是宋太宗、宋真宗，都没有对女真等民族及其居住地域的经营做出通盘考虑，只是使其名义上的臣服和作为攻取燕云十六州的后援。在女真人遭受侵犯时，仅是切责当事方和降诏抚谕，没有满足女真人的请求，采取实质上的措施。因而，深失女真人的人心。在辽宋两朝对比的天平上，女真人最终完全倒向了辽朝。故而，才有了宋太宗淳化五年（994）十二月女真使者向契丹朝廷报告宋使在其部落和兀惹人那里活动情形的事件。

（赵文生　克山县社会科学界联合会）

23 万福麟监修，张伯英总撰，崔重庆等整理：《黑龙江志稿·大事志卷一·契丹》，黑龙江人民出版社，1992年，第2638页。

辽金之际高永昌起义若干问题浅谈

李智裕　苗霖霖

内容提要：辽金之际高永昌起义后，辽军出兵时间是在收国二年（1116）闰二月，而不是《契丹国志》记载的夏五月。根据出土《辽孟初墓志》记载，辽军征讨高永昌政权因天降大雨导致太子河而不是浑河与蒲河暴涨，被迫撤回沈州。收国二年（1116）四月金太祖就已决定征讨高永昌政权，而不是五月“沈州之战”获胜后。高永昌起初向金朝求援，后又表辞不逊并向金朝索还被俘渤海人，前后态度截然不同，究其原因与当时辽东战局有关。辽金之际辽东渤海遗民群体分化严重，分属不同政治势力，并非完全拥护高永昌政权，其政治取向主要由家族利益所决定。

关键词：辽阳　高永昌　孟初墓志

辽金之际辽东局势动荡，民族关系紧张。诚如学者所言，“辽朝的民族政策看似取得完全成功。但这只是表面现象，亡国之恨、失家之痛，在一部分渤海人的心中仍然深深隐藏，遇到合适的机会，就会爆发出来”[1]。渤海遗民多年来苦于辽国的暴政压迫，心怀不满，这种反压迫情绪在女真族起兵勃兴和辽国军事上节节败退的背景下爆发。女真反辽获胜的消息极大地鼓舞了对辽腐朽统治早已不满的渤海遗民，出现“挹娄渤海秽种，首尾畔换”接连起义局面[2]。收国二年发生东京辽阳渤海遗民高永昌起义事件。高永昌“乃诱诸渤海，并其戍卒入据东京，旬月之间，远近响应，有兵八千人，遂僭称帝，改元隆基”[3]。由此建立割据政权。关于此次起义，学界多有论述取得诸多研究成果[4]，但不可否认的是还有

1　郑毅：《辽对渤海的统治及东京辽阳的兴亡》，《黑龙江民族丛刊》2017年第1期（总第156期）。

2　杨亦武：《辽〈孟初墓志〉考》，《辽金历史与考古（第十一辑）》，科学出版社，2020年，第323、333页。

3　《金史》卷71《斡鲁传》，中华书局，1975年，第1632页。

4　目前关于高永昌起义的研究有刘肃勇：《辽金时辽阳渤海人复国斗争演变历程》，《辽宁省博物馆馆刊（2015）》，辽海出版社，2015年；史话：《高永昌与“大渤海国”的历史影响》，《东北史地》2016年第2期；罗永男：《辽代后期渤海人的政治斗争——以兴辽国和大渤海的理解为中心》，《宋史研究论丛（第19辑）》，河北大学出版社，2017年；汪妮：《辽末沈州之战及其对辽方的影响》，《赤峰学院学报（汉文哲学社会科学版）》2016年第1期；刘肃勇：《高永昌据辽阳反辽抗金复国战争》，《沈阳故宫博物院院刊》2010年第1期；刘肃勇：《论高永昌反辽抗金的战争》，《辽宁师院学报》1981年第4期。

些许问题有必要进行探讨。不揣愚陋，草创拙文，不足之处敬请方家指正。

一、辽国出兵高永昌政权时间考

关于辽国出兵的时间，《辽史》记载明确，天庆六年（1116）春“遣萧乙薛、高兴顺招之，不从。闰月己亥，遣萧韩家奴、张琳讨之”[5]。《金史》虽然没有准确记载，但仍有迹可循。《金史·太祖纪》记载收国二年，“闰月，高永昌据东京，使挞不野来求援”[6]。此事在《金史·斡鲁传》也有明确记载。高永昌派挞不野向金太祖求救，起因是辽人对其进行征讨。可知在闰月时，辽朝已经出兵高永昌政权，与《辽史》记载相印证。

> 永昌乃诱诸渤海，并其戍卒入据东京，旬月之间，远近响应，有兵八千人，遂僭称帝，改元隆基。辽人讨之，久不能克。永昌使挞不野、杓合，以币求救于太祖，且曰：“愿并力以取辽。”[7]

《契丹国志》记载收国二年夏五月，辽军从显州出兵进攻高永昌政权，“夏五月初，自显州进兵，渤海止备辽河三叉黎树口。张琳遣羸卒数千，疑其守兵，以精骑间道渡河趋沈州，渤海始觉，遣兵迎敌”[8]。时间明显与《辽史》《金史》记载存在误差。《契丹国志》相关史实一直被学界质疑，诚如刘浦江先生认为，“《契丹国志》是第一部通记辽朝一代之事的纪传体史书，也是目前除元修《辽史》之外最系统最具有参考价值的文献，但是关于这部书的来历，却是一个使人们困惑已久的问题”[9]。

根据《辽史》《金史》《契丹国志》记载，高永昌被金军击败是在收国二年五月。相关材料记载内容如下：

> 五月，清暑散水原。女直军攻下沈州，复陷东京，擒高永昌[10]。
>
> 五月，斡鲁与辽军遇于沈州，败之，进攻沈州，取之。永昌闻取沈州，大惧，使家奴铎剌以金印一、银牌五十来，愿去名号，称藩。斡鲁使胡沙补、撒八往报之。会渤海高桢降，言永昌非真降者，特以缓师耳。斡鲁进兵，永昌遂杀胡沙补等，率众来拒。遇于沃里活水，我军既济，永昌之军不战而却，逐北至东京城下。明日，永昌尽率其众来战，复大败之，遂以五千骑奔长松岛[11]。

5 《辽史》卷28《本纪第二八·天祚皇帝二》，中华书局，1974年，第334页。

6 《金史》卷2《本纪第二·太祖》，中华书局，1975年，第29页。

7 《金史》卷71《斡鲁传》，中华书局，1975年，第1632页。

8 （宋）叶隆礼撰，贾敬颜、林荣贵点校：《契丹国志》卷10《天祚皇帝上》，中华书局，2014年，第121页。

9 刘浦江：《关于〈契丹国志〉的若干问题》，《史学史研究》1992年第2期。

10 《辽史》卷28《本纪第二八·天祚皇帝二》，中华书局，1974年，第334页。

11 《金史》卷71《斡鲁传》，中华书局，1975年，第1632页。

夏五月初，自显州进兵，渤海止备辽河三叉黎树口。张琳遣羸卒数千，疑其守兵，以精骑间道渡河趋沈州，渤海始觉，遣兵迎敌。旬日间三十余战，渤海稍却，退保东京。……初七日夜移寨，渤海骑兵尾袭，强壮者仅得入城，老幼悉被杀掠……女真初援渤海，已而复相攻，渤海大败。高永昌遁入海，女真遣兀室、讷波勃堇以骑三千追及于长松岛，斩之[12]。

根据出土《辽孟初墓志》记载，墓志主人孟初生前参加了征讨高永昌军事行动，并在辽军中担任要职，“得翰林孟公为副帅”[13]。志文中对辽军征讨高永昌过程也有详细描述，“师出不数月，捷问络绎不绝，赐御札嘉激。公率部下乘胜转战，直抵寇所窃邑。邑城漂摇，拔在朝夕”，以“师出不数月”时间为限，辽军出兵高永昌为收国二年“闰月”当属无误，而不是《契丹国志》记载的五月。

二、辽国征讨高永昌政权失败原因试探

高永昌占据辽阳城后，辽天祚帝耶律延禧先是命萧乙薛、高兴顺前去招抚，高永昌不为所动，“遣萧乙薛、高兴顺招之，不从”[14]。根据《契丹国志》记载，张琳“募辽东失业者”补充兵员，“旬日之间，得两万余”，借机渡过辽河进驻沈州。初期与高永昌交战获胜，曾对其移文招抚未果。辽军南下强渡太子河时被高永昌击败，又因粮草不济，最终选择退兵沈州。

宰相张琳，沈州人也，天祚命讨之。琳先常两任户部使，有东京人望，至是募辽东失业者，并驱转户强壮充军。盖辽东夙与女真、渤海有仇，转户则使从良，庶几效命敢战。旬日之间，得兵二万余，随行官属、将领，听从辟差。

是春，天祚募渤海武勇马军高永昌等二千人，屯白草谷，备御女真。会东京留守太师萧保先为政酷虐，渤海素悍，有犯法者不恕。东京乃渤海故地，自阿保机力战二十余年始得之，建为东京。

夏五月初，自显州进兵，渤海止备辽河三叉黎树口。张琳遣羸卒数千，疑其守兵，以精骑间道渡河趋沈州，渤海始觉，遣兵迎敌。旬日间三十余战，渤海稍却，退保东京。张琳兵距城五里，隔太子河扎寨。先遣人移文招抚，不从，传令留五日粮，决策破城。越二日，发安德州义军先渡河，次引大军齐渡，忽上流有渤海铁骑五百，突出其傍，诸军少却，退保旧寨，河路复为所断，三日不得渡，众以饥告，谋归沈州，徐图后举。初七日夜移寨，渤海骑兵

12　（宋）叶隆礼撰，贾敬颜、林荣贵点校：《契丹国志》卷10《天祚皇帝上》，中华书局，2014年，第121、122页。

13　杨亦武：《辽〈孟初墓志〉考》，《辽金历史与考古（第十一辑）》，科学出版社，2020年，第323、333页。

14　《辽史》卷28《本纪第二八·天祚皇帝二》，中华书局，1974年，第334页。

尾袭，强壮者仅得入城，老幼悉被杀掠[15]。

以往学界比较看重《契丹国志》相关记载内容，认为辽军败退沈州，因高永昌部阻隔太子河加上军中大饥所致。但根据《辽孟初墓志》记载辽军征高永昌时，“师出不数月，捷问络绎不绝，赐御札嘉激。公率部下乘胜转战，直抵寇所窃邑。邑城漂摇，拔在朝夕”[16]，“窃邑”“邑城”之“邑”当指东京辽阳城，不难看出张琳所率辽军在与高永昌交战初期时取得军事胜利。这与《契丹国志》中记载的“旬日间三十余战，渤海稍却，退保东京。张琳兵距城五里，隔太子河扎寨”基本吻合。志文又载“会天大雨，河水暴涨，班师驻沈州”[17]，结合志文“直抵寇所窃邑。邑城漂摇，拔在朝夕”分析，“河水”当指辽阳附近的太子河，“沈州”即沈阳。由此分析，辽军班师沈阳，因为天降大雨太子河水暴涨所致。《辽史》《金史》等史书方志中对此并未记载，结合墓志撰文时间，当为可信，可补正史之阙。

另有文章认为“沈州的地理位置是极为特殊的，众多河流纵贯其间，特别是在雨季辽代辽宁地区的河流就会经常泛滥，而沈州正好在浑河和蒲河之间，因此才会出现志文中所说‘会天大雨，河水暴涨’的情况”[18]。笔者以为，“河水暴涨”并非指的是沈阳附近的浑河和蒲河，而应该是东京辽阳附近的太子河。

三、高永昌与金朝前后态度转变原因新探

金太祖早在收国二年（1116）四月，高永昌起兵之初就筹划出兵占领辽东地区，下诏斡鲁统领诸军，与阇母、蒲察、迪古乃合咸州路都统斡鲁古等，征讨高永昌。学界普遍认为，高永昌在五月“沈州之战”获胜后，金国恐“大渤海国”顺势坐大，向高永昌的领地大举进攻[19]。实则不然，《金史》明确记载，同年四月时金太祖就已决定征讨高永昌攻占辽东。

收国二年四月，诏斡鲁统诸军，与阇母、蒲察、迪古乃合咸州路都统斡鲁古等，伐高永昌。诏曰：“永昌诱胁戍卒，窃据一方，直投其隙而取之耳。此非有远大计，其亡可立而待也。东京渤海人德我旧矣，易为招怀。如其不

15 （宋）叶隆礼撰，贾敬颜、林荣贵点校：《契丹国志》卷10《天祚皇帝上》，中华书局，2014年，第121、122页。

16 杨亦武：《辽〈孟初墓志〉考》，《辽金历史与考古（第十一辑）》，科学出版社，2020年，第323、333页。

17 杨亦武：《辽〈孟初墓志〉考》，《辽金历史与考古（第十一辑）》，科学出版社，2020年，第323、333页。

18 汪妮：《辽末沈州之战及其对辽方的影响》，《赤峰学院学报（汉文哲学社会科学版）》2016年第1期。

19 参见外山军治著，李东源译：《金朝史研究》，黑龙江朝鲜民族出版社，1988年，第98页；史话：《高永昌与“大渤海国”的历史影响》，《东北史地》2016年第2期。

从，即议进讨，无事多杀。”[20]

高永昌建立政权不久，便遭到了辽军的征讨，“辽人讨之，久不能克。永昌使挞不野、杓合，以币求救于太祖，且曰：‘愿并力以取辽。’”[21]立即派人与金太祖阿骨打取得联系，通告已称帝建制并乞求金朝给予援助。为了争取东京渤海遗民的势力，阿骨打虽然拒绝高永昌称帝，但却表示可以与高永昌共同征讨辽国，前提条件是高永昌取消帝制。

> 太祖使胡沙补往谕之曰：“同力取辽固可。东京近地，汝辄据之，以僭大号可乎。若能归款，当处以王爵。仍遣系辽籍女直胡突古来。”高永昌使挞不野与胡沙补、胡突古偕来，而永昌表辞不逊，且请还所俘渤海人。太祖留胡突古不遣，遣大药师奴与挞不野往招谕之[22]。

高永昌起初向金朝求援，后又表辞不逊，并向金朝索还被俘渤海人，前后态度截然不同，究其原因与当时辽东战局有关。如前文所述，张琳所率辽军在与高永昌交战初期占有军事优势，“旬日间三十余战，渤海稍却，退保东京”，高永昌处于被动局面，“邑城漂摇，拔在朝夕”，只能在固守辽阳城的同时向金朝求援。这从《金史》对此事记载叙述方式也可窥见。先有“辽人讨之”，然后高永昌才向金朝求救。但到了五月初七日，战局出现急转，辽军因久攻不下，粮食短缺又遭遇太子河暴涨，被迫退还沈州（沈阳），渤海军骑兵一路尾随追杀，辽军损失严重。“初七日夜移寨，渤海骑兵尾袭，强壮者仅得入城，老幼悉被杀掠。”高永昌击败辽军后局势一时扭转处于优势，所以出现“表辞不逊，且请还所俘渤海人”。

随即金太祖完颜阿骨打按照既定计划派军南下攻占辽东。1116年5月，金军乘胜一举攻克沈州（今沈阳）。面对金军咄咄逼人的态势，高永昌政权感到时局压力，重新调整策略向金国称臣，派人携金印一、银牌五十，向金称藩。“使家奴铎剌以金印一、银牌五十来，愿去名号，称藩。斡鲁使胡沙补、撒八往报之。会渤海高桢降，言永昌非真降者，特以缓师耳。”[23]由于渤海遗民高桢告密，斡鲁识破高永昌意图后果断派军进攻，高永昌兵败退守辽阳城。双方曾在首山进行激战，高永昌再次战败，被迫率军5000人逃入长松岛，最后被金军斩杀。

至此，为时不足六个月的高永昌领导的渤海遗民复国运动被东北新生政权金国所灭亡，金军趁势占领辽东半岛地区。“五月，斡鲁等败永昌，挞不野擒永昌以献，戮之于军。东京州县及南路系辽女直皆降。”[24]

---

20 《金史》卷71《斡鲁传》，中华书局，1975年，第1632页。

21 《金史》卷71《斡鲁传》，中华书局，1975年，第1632页。

22 《金史》卷71《斡鲁传》，中华书局，1975年，第1632页。

23 《金史》卷71《斡鲁传》，中华书局，1975年，第1632页。

24 《金史》卷2《本纪第二·太祖》，中华书局，1975年，第29页。

四、辽金之际辽东渤海遗民群体分化

辽金之际辽东渤海遗民群体分属不同政治势力，分化十分明显。辽圣宗朝末年为了缓和矛盾，在东京渤海遗民“大延琳起义”被镇压后，开始施行“渤海旧族有勋劳材力者叙用”，调整对渤海遗民的统治策略，改善渤海人出仕选拔途径，并在全国范围内实行科举制度，从而在渤海人中选拔了大量具备较高文化素质和政治才能的优秀人才，加以笼络和任用。在辽朝优抚政策下，渤海遗民逐渐融入辽朝的政治社会生活中，成为护卫辽朝统治的一支重要力量。以往习惯认为辽东渤海遗民群体在辽金之际跟随高永昌起兵反辽。但不可否认的是，以辽阳为中心的渤海遗民群体中也有部分拥护辽国统治的渤海遗民。

天庆六年（1116）除夕夜，东京辽阳城内发生变乱，东京留守萧保先被刺杀。继任留守官大公鼎和副留守高清臣疯狂报复，集结诸营奚人和汉人军队千余人，大肆逮捕东京城内渤海遗民，并杀害无辜百姓。继任留守官大公鼎，“渤海人，先世籍辽阳率宾县”，“东京汉人与渤海人有怨，而多杀渤海人”[25]。当时东京辽阳汉人与渤海遗民有矛盾，辽朝官员执法不公颇有偏袒，多杀渤海遗民。作为东京辽阳重要官员渤海遗民大公鼎、高清臣并未袒护渤海遗民群体，由此成为进一步扩大动乱的开端。

> 六年春正月丙寅朔，东京夜有恶少年十余人，乘酒执刃，逾垣入留守府，问留守萧保先所在：“今军变，请为备。”萧保先出，刺杀之。户部使大公鼎闻乱，即摄留守事，与副留守高清明集奚、汉兵千人，尽捕其众，斩之，抚定其民。东京故渤海地，太祖力战二十余年乃得之。而萧保先严酷，渤海苦之，故有是变[26]。

无独有偶，东京辽阳渤海遗民大族李氏“世为辽阳大族”[27]，同样是辽朝忠实拥护者。金贞懿皇后李洪愿之父李雏讹只担任辽桂州观察使。《契丹国志》记载辽末分兵四路攻打金国，其中“黄龙府尹耶律宁黄龙府路都统，桂州观察使耿钦副之”，后被金军击败死伤惨重。结合时间推断，李雏讹只因耿钦败亡接任桂州观察使之职。高永昌割据东京辽阳公开起义叛辽时，李雏讹只率众攻打不胜而战亡。究其原因，渤海遗民李氏家族屡受辽国统治者笼络封赏。李氏家族已知可考者有七代，因史料缺乏未能较全面了解其家族成员仕辽情况，但其家族成员中有多位担任军职并获得军功和赏赐，这在以重视军功为主的辽代社会也是成为世家大族的重要条件。李氏家族成员曾担任辽朝宰相一职，虽然史书无详细记载，但可推知其家族在辽代也应是在辽东地方有影响力的世家大族。第二代李仙寿由于营救辽主之舅有功，曾被封赏，并占有大面积田园，在辽东地区

---

25 《金史》卷71《斡鲁传》，中华书局，1975年，第1632页。

26 《辽史》卷28《本纪第二八·天祚皇帝二》，中华书局，1974年，第333、334页。

27 邹宝库：《辽阳市发现金代〈通慧圆明大师塔铭〉》，《考古》1984年第2期。

具有一定的经济实力。可以说是辽国在辽东地区依赖的地方力量[28]。《金史》卷86《李石传》载：

> 李石字子坚，辽阳人，贞懿皇后弟也。先世仕辽，为宰相。高祖仙寿，尝脱辽主之舅于难，辽帝赐仙寿辽阳及汤池地千顷，佗物称是，常以李舅目之。父雏讹只，桂州观察使，高永昌据东京，率众攻之，不胜而死[29]。

可见，渤海右姓李氏家族，不仅是辽朝的官员家族，更以其武装力量捍卫了辽朝的统治，其在辽末的政治抉择不取决于民族出身，而主要由其家族利益所决定。

综上所述，辽金之际东京辽阳渤海遗民高永昌政权起义叛乱后，辽军出兵进攻时间是在收国二年闰二月，而不是《契丹国志》记载的夏五月。辽国征讨高永昌政权因天降大雨导致太子河水暴涨，被迫撤回沈州。金太祖早在收国二年四月就已制订攻占辽东军事计划。高永昌起初向金朝求援，后又表辞不逊，并向金朝索还被俘渤海人，前后态度截然不同，究其原因与当时辽东战局有关。辽东渤海遗民群体分化严重，分属不同政治势力，并非完全拥护高永昌政权，其政治取向主要由家族利益所决定。

附记：本文系国家社会科学基金青年项目“金朝墓志整理与研究”（15CZS029）阶段性成果。

（李智裕　辽阳市公共文化和体育服务中心　　苗霖霖　黑龙江省社会科学院历史研究所）

28　李智裕：《略论辽金时期东京渤海遗民李氏家族》，《辽金历史与考古（第六辑）》，辽宁教育出版社，2015年，第203页。

29　《金史》卷86《李石传》，中华书局，1975年，第1911页。

金朝殿前都点检司研究述评

张宝珅

内容提要：学界对金朝殿前都点检司已有一些研究。前人所论涉及殿前都点检司制度沿革，衙署人员职能职掌，金朝对殿前都点检司的管理措施，衙署人员的选任与迁转，以及殿前都点检司的作为与地位等方面。现有成果建树颇丰，但体现基础性、分散性的特点。后续研究可以从重新探讨金朝殿前都点检司制度渊源、全面系统阐述金朝殿前都点检司职能、深入研究金朝殿前都点检司官员人事制度和更全方位展现殿前都点检司在有金一代的地位入手，从而进一步深化相关研究。

关键词：殿前都点检司　金朝　官制

12世纪初，女真人肇兴于白山黑水间，建立金政权。自太祖立国，至太宗先后灭亡辽朝与北宋，金朝崛起仅用十余年；至熙宗皇统元年（1141）与南宋达成“绍兴和议”时，金已大致据有秦岭淮河以北广袤领土；再至宣宗贞祐南渡，“金有天下之半”[1]几近百年。此间，历经太祖、太宗庶事草创，熙宗、海陵锐意改革，世宗、章宗大定明昌之治，金朝各项典章制度渐趋成熟完备。其中，殿前都点检司置于“天眷改制”期间，并随着金制的成熟而逐步完善。对此机构，学界已开展一定程度研究，然其中缺乏全面系统检讨之论著，为更好地开展进一步相关研究，有必要对前贤成果做一简要述评。

一、金朝殿前都点检司沿革的研究

任何制度均非无源之水，亦非一成不变。金朝殿前都点检司自有其制度渊源与发展嬗变轨迹。

（一）金朝殿前都点检司的渊源与设置

在制度渊源方面，武玉环在比对官署、长贰官名号基础上，推定金朝殿前都点检司

1　（清）张金吾：《金文最》自序，中华书局，2020年，第10页。

源自唐、宋制度[2]。李锡厚、白滨观点与武玉环相左，认为金朝殿前都点检司非因袭唐制，而是源于五代殿前司，其下宫籍监、近侍诸局署与鹰坊、顿舍官等则兼有唐朝殿中省特质[3]。李锡厚另撰文以殿前都点检司下宫籍监为研究对象，认为宫籍监在辽、宋皆无，但辽之宫户、宫分人被金朝继承，故始有宫籍监之设，以管理这些宫户[4]。刘浦江认为李氏观点颇有见地[5]。靳静认为金朝殿前都点检一职虽源于五代后周，但应是直接借鉴辽朝制度而来[6]。张宝珅认为，殿前都点检司下符宝郎源自唐制，但与前朝制度不同，金朝符宝郎不再隶属门下省，而是隶殿前都点检司下符宝局[7]。对于殿前都点检司下承应人，王雷以名目为本，认为入寝殿小底（奉御）、不入寝殿小底（奉职）等均承自辽朝[8]。

在设置目的方面，日本学者外山军治认为殿前都点检司是金熙宗于天眷元年（1138）颁行官制背景下用以加强禁卫的机关[9]。吴本祥、程妮娜、任文彪等同样认为殿前都点检司是熙宗天眷改制过程中一项重要卫禁举措[10]。关于殿前都点检司的性质，王曾瑜认为其是军事机构，然又非纯军事机构[11]。任文彪进一步指出，金代殿前都点检司具有军事与仪卫双重性质[12]。关于殿前都点检司下近侍局的创设，学者多对《金史·百官志二》：近侍局，“提点，正五品。泰和八年创设”[13]一语表示质疑。韩世明与都兴智认为近侍局并非泰和八年（1208）创设，应在世宗时便已存在[14]。都兴智另撰文指出，有史料表明早在金熙宗时就已创设近侍局[15]。事实上，上述学者对《金史·百官志二》“近侍局”条的解读仍有商榷余地，按《金史·百官志》体例，“泰和八年”当是指近侍局提点职位的始设时间，而非针对近侍局整体而言，张博泉等对此早已有所说明[16]。

---

2 武玉环：《金朝中央官制的改革》，《北方文物》1987年第2期，第80页。

3 李锡厚、白滨：《辽金西夏史》，上海人民出版社，2016年，第201页。

4 李锡厚：《金朝的宫籍监户》，《临潢集》，河北大学出版社，2001年，第177～187页。

5 刘浦江：《金代户籍制度刍论》，《民族研究》1995年第3期，第70页。

6 靳静：《金朝殿前都点检探析》，《赤峰学院学报》2010年第2期，第1页。

7 张宝珅：《金代符宝郎考论》，《宋史研究论丛（第25辑）》，科学出版社，2019年，第417页。

8 王雷：《金代吏员研究》，社会科学文献出版社，2018年，第306页。

9 〔日〕外山军治著，李东源译：《金朝史研究》，黑龙江朝鲜民族出版社，1988年，第228页。

10 吴本祥：《金代初期的官制》，《农垦师专学报》1997年第4期，第7页；程妮娜：《金代政治制度研究》，吉林大学出版社，1999年，第111页；任文彪：《文献、典制与政治文化：金朝礼制史研究》，北京大学博士学位论文，2015年，第128页。

11 王曾瑜：《辽金军制》，河北大学出版社，2011年，第172页。

12 任文彪：《文献、典制与政治文化：金朝礼制史研究》，北京大学博士学位论文，2015年，第128页。

13 《金史》卷56《百官志二》，中华书局，2020年，第1341页。

14 韩世明、都兴智：《〈金史〉之〈食货志〉与〈百官志〉校注》，中国社会科学出版社，2005年，第143页。

15 都兴智：《金代官制的几个问题》，《辽宁师范大学学报》1999年第4期，第69页。

16 张博泉等：《金史论稿》（第二卷），吉林文史出版社，1992年，第160页。

（二）金朝殿前都点检司的发展演变

前贤对殿前都点检司嬗变的讨论集中于殿前都点检司与亲军的关系方面。日本学者三上次男认为，海陵王时期曾罢亲军之制，世宗时又重新恢复亲军，此时亲军开始和护卫一样，隶属殿前都点检司[17]。李锡厚、白滨剖析《金史·兵志》“禁军”条，认为海陵期间以殿前都点检司掌从驾军，与大兴府、宣徽院分掌亲军，并认为其目的在于使其互相牵制，增加安全系数[18]。王曾瑜同样以《金史·兵志》“禁军”条为线索，对殿前都点检司之变迁加以说明与分析，推测殿前都点检司设立后可能便管理护驾军；正隆二年（1157），海陵王于侍卫亲军内所选精兵一千六百人分为龙翔马军与虎步步军，似亦属殿前都点检司管辖；正隆五年（1160），侍卫亲军司撤销后，其马军改为左、右骁骑，隶殿前都点检司。王氏另指出，殿前都点检与殿前左、右副都点检兼任侍卫亲军指挥使与副都指挥使应是世宗时定制，但金世宗继位初仍沿用海陵朝制度，未将侍卫亲军步军隶于殿前都点检司。经过上述演变与合并，自金章宗以降，殿前都点检司与其下侍卫亲军成为主要京城卫戍机构和戍军[19]。

二、金朝殿前都点检司职能的研究

自设置伊始，殿前都点检司便发挥应有职能，并主要围绕护卫、侍奉以皇帝为核心的皇室展开活动。前人成果亦涉及于此。

殿前都点检司掌握军事力量，并主管宿卫。杨树藩认为，殿前都点检司长贰官都点检与副都点检因兼侍卫将军，从而统领亲军[20]。于光度提出，金朝殿前都点检司与宣徽院分掌禁军，与武卫军都指挥使司、中都城兵马司共同组成中都京畿警备系统[21]。王曾瑜同样认为殿前都点检司执掌军队，并将殿前都点检司所掌军队分为护卫与亲军两部分[22]。王氏另提出，自金章宗起，殿前都点检司之侍卫亲军、拱卫直使司之威捷军、武卫军都指挥使司之武卫军三足鼎立，共同卫戍京城[23]。殿前都点检司职责之一为管理亲军之选补，其流程为先由猛安谋克将候选名单上报兵部，再由宣徽院与殿前都点检司从中分选威捷军与侍卫亲军[24]。王氏还指出，殿前都点检司具有宿卫之责[25]。李锡厚与白滨提出，在熙宗、海陵改行汉制后，在警卫职能外，殿前都点检司亦承担仪仗任务；在

---

17 〔日〕三上次男著，金启琮译：《金代女真研究》，黑龙江人民出版社，1984年，第429页。
18 李锡厚、白滨：《辽金西夏史》，上海人民出版社，2016年，第158、159页。
19 王曾瑜：《辽金军制》，河北大学出版社，2011年，第171～175页。
20 杨树藩：《辽金中央政治制度》，台湾商务印书馆股份有限公司，1978年，第179页。
21 于光度：《临安及中都的城市管理体制》，《大同高等专科学校学报》1995年第4期，第42、43页。
22 王曾瑜：《辽金军制》，河北大学出版社，2011年，第173页。
23 王曾瑜：《辽金军制》，河北大学出版社，2011年，第175页。
24 王曾瑜：《辽金军制》，河北大学出版社，2011年，第251页。
25 王曾瑜：《辽金军制》，河北大学出版社，2011年，第169页。

金中期后，亲军亦有戍守之责[26]。姜宾对金朝中都驻军亦有探讨，认为城内驻军主要有武卫军、侍卫亲军、汉卫军和射粮军，侍卫亲军包括殿前都点检司所统亲军、护卫和大兴府、宣徽院所属亲军，上述军队共同防御中都[27]。张宝珅提出，符宝郎除掌宝、奉宝职责外，亦有宿卫之责[28]。

殿前都点检司还有一些较为特殊的职能。张博泉便指出，亲军与护卫参与监视科举考场，使考生不易作弊[29]。任万平从官印制度入手，提出殿前都点检司是金朝皇帝特许的造印机构，但铸印范围有限制，仅限本机构下属人员印信[30]。程妮娜指出，由于被皇帝信任，护卫时常代行监察官员职责，被赋予审问大臣的权力[31]。靳静认为，殿前都点检司长官殿前都点检会在特殊时期执行非常任务，如出使他国、领兵作战等[32]。姜宾对此亦有所探讨，认为普通亲军与护卫也奉皇帝之命参与作战、戍边[33]。王峤认为，作为皇帝近侍，护卫除负责皇帝日常仪卫，还会在特殊时期执行皇帝的特殊使命，如督捕盗贼、参与科举考试监考、审理特殊案件或监督审理特殊案件、替皇帝巡视各路与选择护卫、监视大臣、诛杀异己等。王峤还强调，护卫执行特殊任务均发生在金朝中期，后来则不见，盖因金朝中后期，近侍权力越来越大，曾经需要护卫执行的特殊任务被近侍取代[34]。

也有一些研究成果涉及殿前都点检司下属机构职能。陶晋生认为，近侍局在金末具有“谍报”职能，甚至可以监视御史[35]。周峰提出，近侍本职虽为侍从皇帝、上传下达，同时也作为皇帝耳目刺探大臣私下言行向皇帝汇报，还经常奉皇帝之命出使国内、国外[36]。王雷观点与周峰大致相当[37]。王雷另外还强调，护卫、奉职、奉御等吏员多接触皇帝，故常奉帝命行事，如执行镇压叛军、诛杀异己、采访外事等较为特殊的政治任务[38]。对于殿前都点检司下宫籍监，李锡厚与白滨以其为专门管理官奴婢的机构，其内官奴婢在金朝称为“宫籍监户”，担负御前侍应，与唐宋宦官类似[39]。

---

26 李锡厚、白滨：《辽金西夏史》，上海人民出版社，2016年，第159、160页。

27 姜宾：《金中都城驻军初探》，《首都师范大学学报》2011年第51期，第80～85页。

28 张宝珅：《金代符宝郎考论》，《宋史研究论丛（第25辑）》，科学出版社，2019年，第419页。

29 张博泉：《金史论稿》（第二卷），吉林文史出版社，1992年，第401页。

30 任万平：《金代官印制度述论》，《故宫博物院院刊》1998年第2期，第85页。

31 程妮娜：《金代政治制度研究》，吉林大学出版社，1999年，第203页。

32 靳静：《金朝殿前都点检探析》，《赤峰学院学报》2010年第2期，第2页。

33 姜宾：《金中都城驻军初探》，《首都师范大学学报》2011年第51期，第80～85页。

34 王峤：《金代护卫述论》，《河北师范大学学报》2016年第2期，第86、87页。

35 陶晋生：《金代的政治结构》，《历史语言研究所集刊》第四十一本第四分，“中央研究院”历史语言研究所，1969年，第579页。

36 周峰：《金代近侍初探》，《内蒙古社会科学》1998年第2期，第35页。

37 王雷：《金代吏员研究》，社会科学文献出版社，2018年，第259页。

38 王雷：《金代吏员研究》，社会科学文献出版社，2018年，第106、107页。

39 李锡厚、白滨：《辽金西夏史》，上海人民出版社，2016年，第201、257页。

三、金朝管理殿前都点检司的研究

基于殿前都点检司职能之宽泛与重要，金朝统治者以一系列制度化规定和临时性举措强化对殿前都点检司的管理与控制。

（一）殿前都点检司的待遇

王曾瑜以《金史》为据，指出殿前都点检司下护卫、亲军在本俸之外，还有试补之补助[40]。李锡厚与白滨指出，金朝亲军人数不多，但每名亲军都有苍头与弹压服侍，地位与待遇非常高[41]。关树东认为，除俸禄外，宫中承应人还享受如从己人力、奉敕外出丰厚补助、免廉察、免役、冠服、秩满与退休奖赏、身后津贴等政治、经济待遇[42]。王雷以包括殿前都点检司下吏员在内的宫廷吏员为研究对象，认为金朝对其有赏物、赏金、给予赏赐金银牌等三种主要奖励措施[43]。王雷还将吏员俸禄归纳为俸钱、俸粟与绢绵等，其数额尤以符宝郎、奉御最高[44]。陈昭扬提出，约在章宗年间，金朝开始形成以俸给数量为宫中承应人职位阶的定序标准。陈氏以《金史·百官志四》为据，认为自护卫至普通亲军等大多数殿前都点检司承应人属于百司承应的第二序列。其中，护卫地位最高，护卫长俸禄为宫中承应最高数额[45]。郗志群与姜宾同样认为亲军装备精良，且待遇优厚，一是军俸优于其他军队，二是有特殊补助，三是可入仕做官，四是可拥有依附自己的奴婢，五是犯法不由地方官随便处罚[46]。

（二）对殿前都点检司的教育、监督与约束

李锡厚与白滨认为皇帝安全系于亲军，为确保亲军忠诚，统治者非常重视以儒家思想教育亲军。但也指出，这种教育的实际效果值得怀疑[47]。王峤同样提出，由于金代护卫整体素质不高，皇帝采取儒化教育措施以提高其素质[48]。周峰则认识到金朝皇帝对近侍培养教育的重视[49]。王雷认为，金代对于官吏考核有制度化规定，其中涉及包括殿前都点检司承应人在内的宫廷吏员，且呈现动态管理模式。如金朝后期考核奉职、奉御的主要内容之一便是采访外事，以所采访事定升降，在护卫考核方面根据考核对象的差

---

40 王曾瑜：《辽金军制》，河北大学出版社，2011年，第249页。

41 李锡厚、白滨：《辽金西夏史》，上海人民出版社，2016年，第159、160页。

42 关树东：《金朝宫中承应人初探》，《宋史研究论文集》，宁夏人民出版社，1999年，第451、452页。

43 王雷：《金代吏员研究》，社会科学文献出版社，2018年，第115页。

44 王雷：《金代吏员研究》，社会科学文献出版社，2018年，第129～133页。

45 陈昭扬：《金代宫中承应人的选任制度》，《台湾师大历史学报》2013年第49期，第9～13页。

46 郗志群、姜宾：《金代“细军”探微》，《第七届中日学者中国古代史论坛文集》，中国社会科学出版社，2016年，第254～259页。

47 李锡厚、白滨：《辽金西夏史》，上海人民出版社，2016年，第161页。

48 王峤：《金代护卫述论》，《河北师范大学学报》2016年第2期，第88、89页。

49 周峰：《金代近侍初探》，《内蒙古社会科学》1998年第2期，第34页。

异，则有适当弹性[50]。王雷还认为，世宗时加强对吏员管理，其中便包括提高护卫文化素养、加强护卫专业技能，不再授予鹰房子等杂班吏员官职等举措。章宗时继续加强对护卫、符宝、近侍等有出身承应人的文化教育，并禁止上述人员饮酒。宣宗时以诏令形式禁止宫廷吏员与亲王、公主、宰执等显贵勾结[51]。

四、金朝殿前都点检司官吏选任与迁转的研究

殿前都点检司官吏在选任与迁转方面具有不同于其他衙署人员的特质，学界对此也有较多关注。

（一）殿前都点检司官吏的选任

官员选任。日本学者提出，殿前都点检司官职由女真人专任，汉人不能充任[52]。杨树藩认为，殿前都点检多选自女真族曾充护卫者暨有忠勇勤奋事迹表现者。对于左、右副都点检而言，亦多选女真族中曾充护卫之亲信，或有征伐功绩之女真族武臣[53]。刘凤翥、于宝林在解读萧仲恭契丹小字墓志基础上，进一步确认契丹人萧仲恭很可能为金朝首位殿前都点检[54]。靳静认为金代选任殿前都点检的最基本条件是皇帝的信任，另有军功、从三品以上品级为任选的主要条件。靳氏在典籍中找出金朝殿前都点检任职者36人，据此提出殿前都点检任职者以女真人为主，并尤以宗室与外戚等贵族最多的观点[55]。夏宇旭在梳理文献基础上，认为共有两位契丹人任殿前都点检，分别为萧仲恭与耶律湛[56]。程妮娜指出，近侍局长官或为宗室外戚，或为皇帝宠臣，均深得皇帝信任[57]。周峰对近侍局下近侍有所探讨，认为由于近侍职能所在，故大多为女真人，并从《金史》中摘出有明确身份的近侍74人，其中女真人占78%，在这些女真近侍中，又颇多权贵乃至宗室[58]。张宝珅探析金代符宝郎选任，认为其任职者多是皇亲或功臣子弟，并以女真人为主[59]。

护卫、亲军选任。王曾瑜指出，侍卫亲军的选补由殿前都点检司主管，虽然制定有具体选补标准，但并未严格执行，不合格者亦可变通录用。王氏另指出，武举之优异

50　王雷：《金代吏员研究》，社会科学文献出版社，2018年，第110～112页。

51　王雷：《金代吏员研究》，社会科学文献出版社，2018年，第120～126页。

52　〔日〕东亚研究所编，韩润棠、张廷兰、王维平等译：《异民族统治中国史》，商务印书馆，1964年，第88页。

53　杨树藩：《辽金中央政治制度》，台湾商务印书馆股份有限公司，1978年，第176、177页。

54　刘凤翥、于宝林：《契丹小字〈萧仲恭墓志〉考释》，《民族研究》1981年第2期，第39页。

55　靳静：《金朝殿前都点检探析》，《赤峰学院》2010年第2期，第2、3页。

56　夏宇旭：《金代契丹人研究》，中国社会科学出版社，2014年，第60页。

57　程妮娜：《金代政治制度研究》，吉林大学出版社，1999年，第129页。

58　周峰：《金代近侍初探》，《内蒙古社会科学》1998年第2期，第33页。

59　张宝珅：《金代符宝郎考论》，《宋史研究论丛（第25辑）》，科学出版社，2019年，第421页。

者必须在一定期限内充侍卫亲军[60]。德国学者傅海波以“合扎谋克”为金朝皇帝与太子侍卫亲军，认为这支数千人的军队选自诸军，既有身高要求，也需通过军事考核；侍卫亲军的核心为“近侍（护卫）”，身高要求甚于其他亲军[61]。程妮娜认为，作为皇帝卫士，护卫主要来源于宗室子、功臣子，均受皇帝信任[62]。李锡厚与白滨提出，金代早期亲军基本都是女真人，后来不再有此局限，契丹人亦可充当亲军[63]。王雷同样认为护卫主要由功臣子、猛安谋克、皇亲构成，并且认为，基于职责所在，一般以外形、才干及射击技能为护卫选任标准，另在体魄、技艺上也有更高要求，但对于功臣子孙，在外形方面会有放宽[64]。陈昭扬大体同意此观点[65]。姜宾亦将殿前都点检司所掌亲军以地位高低分为两类：护卫和普通侍卫亲军。认为护卫人数较少，但地位很高。在人员组成上，亲军主要是女真人，也包括部分契丹人和奚人[66]。郗志群、姜宾在前人研究基础上，认为正隆六年（1161）的亲军选拔最为严格，由海陵王亲自把关；但在金朝后期，亲军选拔标准逐渐放宽[67]。王峤认为，护卫选任标准包括门第、年龄、身形、武艺等[68]。

奉御、奉职等承应人选任。陈昭扬将宫中承应人的选取标准分为三类：其一，以前任职务为准；其二，以个人条件为准，如体貌、才干、品德等；其三，以家世条件为准[69]。王雷认为，总体看来奉职主要由功臣子弟、死节军士之后与宗室子构成；奉御主要由驸马、宗室子、大臣子与世戚构成；符宝典书任职者较少，未见如《金史》所记皇家袒免以上亲、有服外戚人员为之，但有功臣子为符宝典书的史例；符宝祗候则主要由宗室子、大臣子孙与驸马构成。王氏亦强调，在达到制度规定选任标准外，尚有因得皇帝赏识而充奉职者，如孙国纲；另有因孝行或战功而充奉御者；对于符宝祗候，在制度性选任规定外，亦有一定文化要求[70]。

（二）殿前都点检司官吏的迁转

长贰官迁转。杨树藩提出，无论殿前都点检还是左、右副都点检，均有很好的出路，殿前都点检可升为宰执，殿前副都点检则可补外路典军之官[71]。靳静认为，殿前都点检卸任后除因过失降职等特殊情况外，大多会转任到以左右丞、平章政事、参知政事

60　王曾瑜：《辽金军制》，河北大学出版社，2011年，第251、254页。

61　〔德〕傅海波、〔英〕崔瑞德编：《剑桥中国辽西夏金元史》，中国社会科学出版社，1998年，第284页。

62　程妮娜：《金代政治制度研究》，吉林大学出版社，1999年，第203页。

63　李锡厚、白滨：《辽金西夏史》，上海人民出版社，2016年，第160页。

64　王雷：《金代吏员研究》，社会科学文献出版社，2018年，第85、86页。

65　陈昭扬：《金代宫中承应人的选任制度》，《台湾师大历史学报》2013年第49期，第19页。

66　姜宾：《金中都城驻军初探》，《首都师范大学学报》2011年第51期，第81～84页。

67　郗志群、姜宾：《金代“细军”探微》，《第七届中日学者中国古代史论坛文集》，中国社会科学出版社，2016年，第253页。

68　王峤：《金代护卫述论》，《河北师范大学学报》2016年第2期，第85、86页。

69　陈昭扬：《金代宫中承应人的选任制度》，《台湾师大历史学报》2013年第49期，第17、18页。

70　王雷：《金代吏员研究》，社会科学文献出版社，2018年，第86～90页。

71　杨树藩：《辽金中央政治制度》，台湾商务印书馆股份有限公司，1978年，第178、179页。

为主的中央宰辅机构或以枢密使、副使为主的军事决策机构，从而成为辅佐皇帝的中央政府核心官员[72]。

在符宝郎迁转方面，张宝珅认为，任符宝郎之人的迁入职大都是殿前都点检司其他职位或供职宣徽院，即接近皇帝之职；其迁出职若是外放，则以任州刺史居多，若继续随朝，则多担任具有军事职能之职位[73]。

承应人出职与迁转。陶晋生很早便认识到护卫、奉御为金代仕进的一大特色[74]。陶氏还以护卫为例，强调护卫可在十年内达到五品官阶，甚至有十年之内官至宰相的现象[75]。杨树藩在剖析金代枢密院时，以史例说明枢密院官多选自护卫出身者[76]。程妮娜同样指出，护卫与亲军是女真官宦子弟门荫入仕之职，再经一定年限则可出职为官。世宗时护卫出职多会成为治民之官，但由于良莠不齐，年老且不识字、不善治民者，不再授亲民之职；青壮者则依例出职，再行考课[77]。王曾瑜亦以护卫为金朝重要的、令人羡慕的入仕之途，强调不少将领出身护卫；但也指出，护卫出职虽然优越，但女真人与非女真人有所差别；护卫以外，侍卫亲军也可入仕[78]。对于亲军出职，李锡厚与白滨的探讨更为深入，指出亲军出职有具体办法，亲军中的女真人即使是文盲也可做官[79]。关树东认为，宫中承应人具有出职资格，从而构成一支特殊的官僚后备队伍[80]。李鸣飞则指出，金代荫叙出身者的出仕迁转较复杂，可以牌印祗候、护卫、亲军等诸司承应人待阙。其中，高官贵族子弟荫叙尤以充护卫、符宝郎、奉御、奉职、各局库本把等宫中诸局承应人为常见。此类承应人受皇帝关注，有较好出职机会[81]。王峤认为，金代中后期，护卫出职起点较高，升迁较快。很多护卫出身的人很快跻身政治高层，虽有明确制度规定其迁转，但许多取得皇帝信任或赏识的护卫，在仕途上会一帆风顺，并不受制度约束[82]。

王雷对护卫、奉职、奉御、符宝祗候等殿前都点检司吏员的出职与迁转有细致考察。王氏认为，护卫在服役一定时间后即可出职为官，但相关规定有变化。护卫出职的要求是文武兼备，另也考虑年龄与宿卫实际情况。通过分析个别护卫情况，王雷认为护卫出职后的迁转路径一般为：“护卫→……→刺史→……→节度使→……→平章政事→……→尚书右丞相→左丞相。”但也指出，由于古代重“人治”，并非所有护卫均按此路径迁转，大多数护卫不会身居丞相，而是止步防御使或其他官位。对于奉职，王雷

72　靳静：《金朝殿前都点检探析》，《赤峰学院学报》2010年第2期，第4页。

73　张宝珅：《金代符宝郎考论》，《宋史研究论丛（第25辑）》，科学出版社，2019年，第422页。

74　陶晋生：《金代的政治结构》，《历史语言研究所集刊》第四十一本第四分，“中央研究院”历史语言研究所，1969年，第587页。

75　陶晋生：《女真史论》，食货出版社，1981年，第54页。

76　杨树藩：《辽金中央政治制度》，台湾商务印书馆股份有限公司，1978年，第156页。

77　程妮娜：《金代政治制度研究》，吉林大学出版社，1999年，第272页。

78　王曾瑜：《辽金军制》，河北大学出版社，2011年，第254、255页。

79　李锡厚、白滨：《辽金西夏史》，上海人民出版社，2016年，第160页。

80　关树东：《金朝宫中承应人初探》，《宋史研究论文集》，宁夏人民出版社，1999年，第452页。

81　李鸣飞：《金元散官制度研究》，兰州大学出版社，2014年，第89、90页。

82　王峤：《金代护卫述论》，《河北师范大学学报》2016年第2期，第87、88页。

认为其出职所需时间经历变化，女真族奉职出职优于他族。另外，虽然制度规定奉职出职为九品或八品官，但由于与皇帝关系接近，故奉职实际出职品秩往往高于制度规定。在迁转路径方面，奉职出职后一般会经历："奉职→奉御→……→监察御史→……→节度使（副使）→……"的过程，且呈现反复性与曲折性。对于奉御，王雷判断制度层面的出职基本为从七品职官，但与奉职类似，由于常伴皇帝，奉御出职迁转路径与奉职基本一致："奉御→……→节度使→路统军使→六部侍郎（或尚书）→宰执"，其迁转同样具有反复性。同时，也不乏特例存在。对于符宝祗候，王雷通过分析个案，推定其出职迁转路径大致为："符宝祗候（牌印祗候）→符宝郎→刺史→节度使、防御使→……→御史大夫、御史中丞→参知政事→尚书左丞→右丞"，不过亦有特殊情况[83]。

陈昭扬对相关问题也有深入考察，认为包括殿前都点检司护卫、亲军、牌印祗候（符宝祗候）、符宝郎、奉职、奉御等在内的宫中承应人有互相迁转现象，但大多是由地位低的职位转至较高职位[84]。陈氏另以11名金朝官员出职后又任奉御、符宝郎与护卫十人长为例，表示金代迁转存在回任现象[85]。陈氏还撰文对宫中承应人出职进行讨论，认为海陵以前对护卫、符宝郎、奉御、东宫护卫、符宝典书在内的六种职务设有出职格法，世宗后则大幅放宽承应人出职机会。具体来看，章宗以后护卫、符宝郎、奉御、奉职、东宫护卫、妃护卫、符宝典书、东宫妃护卫、东宫入殿小底、侍卫亲军的出职职务分别为从六品、七品、从七品、正从八品丞（或录事、军防判）、七品、八品、八品、司军（或军辖）、八品、县尉。在后续迁转方面，陈氏认为宫中诸局承应人出职后的待遇落差极大[86]。

五、金朝殿前都点检司地位的研究

陶晋生认识到金朝内朝机构的重要性，认为其较之以前朝代重要得多，殿前都点检司不仅是女真人入仕的主要机构，还掌握很大的权力，其下近侍局在金末的权势甚至超过外朝[87]。对于这种内朝权力强化现象，陶晋生认为是一种退化[88]。外山军治以萧仲恭呵止宗磐为例，强调殿前都点检司作为新官制起到维护天子尊严的作用[89]。李锡厚与白滨认为，作为执掌禁军的最主要机构，殿前都点检司级别甚高，下隶诸多机构，禁军关系皇帝安全与金政权存亡；在某些关键时刻，亲军或在威胁、利诱下屈服他人，如亲

83 王雷：《金代吏员研究》，社会科学文献出版社，2018年，第173～184页。

84 陈昭扬：《金代宫中承应人的选任制度》，《台湾师大历史学报》2013年第49期，第27～29页。

85 陈昭扬：《金代宫中承应人的选任制度》，《台湾师大历史学报》2013年第49期，第31页。

86 陈昭扬：《金代的官员迁转路径——以格法为中心的考察》，《成大历史学报》第47号，2014年12月，第267～271页。

87 陶晋生：《金代的政治结构》，《历史语言研究所集刊》第四十一本第四分，"中央研究院"历史语言研究所，1969年，第581页。

88 陶晋生：《金代的政治结构》，《历史语言研究所集刊》第四十一本第四分，"中央研究院"历史语言研究所，1969年，第593页。

89 〔日〕外山军治著，李东源译：《金朝史研究》，黑龙江朝鲜民族出版社，1988年，第228页。

军在胡沙虎针对卫绍王的政变中便起到重要作用。另外，亲军在金代还是一个社会地位相当高的特权阶层[90]。关树东认为，皇帝为满足自身奢侈腐化生活，不断扩充包括殿前都点检司人员在内的宫中承应人数量，成为国家财政沉重负担。这些承应人出身不凡，长侍龙庭，出职后多在政治舞台上呼风唤雨，但由于整体素质低下，故多扰乱朝政[91]。靳静在分析金代殿前都点检特点基础上，认为这一职位体现金朝是以女真人为主体的贵族统治政体，反映出金朝民族歧视与压迫的实质[92]。任文彪认为，作为皇帝专属宿卫机构，殿前都点检司的设立是强有力的尊君举措，使得皇帝面对宗室大臣时处于绝对优势地位[93]。王雷提出，护卫、寝殿小底等宫廷吏员参与金代宫廷政治始于熙宗遇弑，时任护卫仆散忽土、小底大兴国均充当谋杀熙宗的马前卒[94]。在哀宗受制蒲察官奴时，护卫、近侍等宫廷吏员则诛杀官奴及其党羽，此举虽不能改变时局与战争进程，但对维护君主权威和政治稳定性的影响不容忽视[95]。总之，殿前都点检司下以护卫、奉职、奉御为代表的宫廷吏员对金代政治影响是把双刃剑，既可成为皇帝的眼线与依仗，为加强专制集权与维护政治、社会稳定发挥重要作用，亦可利用固有优势干预政治[96]。张宝珅提出，金代符宝郎的地位与重要性较唐宋时期有所提升，这是君主强化自身权威的手段和表现形式[97]。

元朝史官言："金法置近侍局，尝与政事，而宦者少与焉。"[98]可见，近侍局在金朝具有与其他朝代宦官机构类似地位，此亦成为学界关注的焦点。张博泉认为金章宗创设近侍局提点是加强近侍权力的一种举措，与缩小尚书省拟注等权约同时，预示近侍地位之抬头[99]。周峰提出，在宣宗、哀宗两朝，近侍权位愈重，形成干预朝政、总揽大权的局面，并认为金代近侍存在的消极性大于积极性，是使金代朝纲紊乱的原因之一[100]。程妮娜则指出，世宗以后，近侍局地位逐渐提高，开始参与时政，其官员不仅干预朝政，还时常访察地方，为皇帝耳目；宣宗南渡后，近侍之权尤重；但在哀宗继位后，近侍局治政的地位为宣政院取代[101]。李锡厚与白滨也以近侍局地位重要，可参与决策[102]。李锡厚另认为，从金熙宗开始推行汉制，近侍逐渐取代郎君而受皇帝

90 李锡厚、白滨：《辽金西夏史》，上海人民出版社，2016年，第159、161页。

91 关树东：《金朝宫中承应人初探》，《宋史研究论文集》，宁夏人民出版社，1999年，第453、454页。

92 靳静：《金朝殿前都点检探析》，《赤峰学院学报》2010年第2期，第4页。

93 任文彪：《文献、典制与政治文化：金朝礼制史研究》，北京大学博士学位论文，2015年，第129页。

94 王雷：《金代吏员研究》，社会科学文献出版社，2018年，第208页。

95 王雷：《金代吏员研究》，社会科学文献出版社，2018年，第209页。

96 王雷：《金代吏员研究》，社会科学文献出版社，2018年，第209、210页。

97 张宝珅：《金代符宝郎考论》，《宋史研究论丛（第25辑）》，科学出版社，2019年，第423页。

98 《金史》卷131《宦者传》，中华书局，2020年，第2807页。

99 张博泉：《金史论稿》（第二卷），吉林文史出版社，1992年，第160页。

100 周峰：《金代近侍初探》，《内蒙古社会科学》1998年第2期，第36、37页。

101 程妮娜：《金代政治制度研究》，吉林大学出版社，1999年，第129页。

102 李锡厚、白滨：《辽金西夏史》，上海人民出版社，2016年，第201页。

重用，而近侍权重是金亡的重要原因之一[103]。张帆指出，近侍局属于内朝官，实质是皇权的依附品，其在政治上的活跃，反映了皇权的膨胀[104]。孙孝伟认为，金朝近侍通过收集信息、传达旨令、承担皇帝直接安排的任务等方式干预政事，金朝宰执与近侍存在既交结又争斗的关系，二者权力此消彼长。近侍权力扩张与皇帝支持密不可分，是皇权加强的一种表现形式，近侍预政加深，说明贵族政治回归，种族统治至上，皇权逐渐加强[105]。崔健认为近侍局在宣宗南渡后迁入宫廷中心区域，与此相对应，近侍局官员权势日盛。近侍局官员权势来源于皇权，其对外廷事务的参与反映了皇权的强化[106]。王雷强调，虽然近侍局官员品级不高，且在行政上隶属殿前都点检司，但其忠诚履行皇帝意志，是参与金代政治的重要力量[107]。但总体上，熙宗至章宗期间，近侍参与政治主要是个人行为[108]。在宣宗南渡后，近侍权力快速膨胀失去制衡，严重影响金朝国家政治制度的正常运转[109]。

六、其他相关研究

尚有一些研究涉及殿前都点检司下承应人分类整理。关树东认为殿前都点检司所辖承应人包括护卫、妃护卫、东宫护卫、东宫妃护卫、奉御、奉职、符宝郎、尚辇局本把、器物局本把、尚厩局承应、武库署承应人、鹰坊子和侍卫亲军等[110]。陈昭扬在关树东研究基础上，以所属机构为序，对金朝宫中诸局承应人名目进行整理，认为殿前都点检司内有侍卫亲军；另辖将军司，内有护卫；振肃卫司，内有妃护卫、妃奉事；符宝局，内有符宝郎、符宝祇候与符宝典书；近侍局，内有奉御、奉职；器物局、尚辇局，内均有本把；尚厩局，内有小底、习骑、群子都管、司兽、医兽、驼马牛羊群子与酪人；武库署，内有本把、武库枪寨；武器署，内有旗鼓笛角唱曲子人；鹰坊，内有鹰坊子[111]。王峤依据服务对象的不同，将金代护卫分为皇帝护卫、东宫护卫、妃护卫、太子妃护卫四种，并指出皇帝护卫要优于其他三种护卫[112]。王雷也对金代吏员进行分类，提出殿前都点检司与其下近侍局等机构内有护卫、符宝典书、符宝祇候、符宝郎、奉职与

103 李锡厚：《金朝的“郎君”与“近侍”》，《社会科学辑刊》1995年第5期，第107～109页。

104 张帆：《回归与创新——金元》，《中国古代官僚政治制度研究》，北京大学出版社，2004年，第296页。

105 孙孝伟：《金朝近侍预政探微》，《北方论丛》2012年第2期，第88页。

106 崔健：《内外之间：试论金代近侍局官员与君主的信息传递》，《周口师范学院学报》2018年第3期，第106～109页。

107 王雷：《金代吏员研究》，社会科学文献出版社，2018年，第259页。

108 王雷：《金代吏员研究》，社会科学文献出版社，2018年，第208页。

109 王雷：《金代吏员研究》，社会科学文献出版社，2018年，第311页。

110 关树东：《金朝宫中承应人初探》，《宋史研究论文集》，宁夏人民出版社，1999年，第443～450页。

111 陈昭扬：《金代宫中承应人的选任制度》，《台湾师大历史学报》2013年第49期，第4、5页。

112 王峤：《金代护卫述论》，《河北师范大学学报》2016年第2期，第84页。

奉御等名目宫廷吏员[113]。在侍卫亲军方面，王曾瑜认为海陵王以降，侍卫亲军也有紫茸军、黄茸军、青茸军等非正式番号，后者之名来源于亲军所披甲胄装饰之颜色[114]。郗志群、姜宾还认为，金代所谓“细军”是皇帝侍卫亲军的又一别称，此名称在海陵王正隆六年（1161）南征期间正式出现[115]。

七、金朝殿前都点检司研究的展望

学界现有涉及金代殿前都点检司的论著中不乏颇有创见和价值的成果。但前人研究或是在通论性著作中略有提及，或是对此机构之一隅进行集中讨论，且所述多集中于对基础史料的解读，涉及面虽广，但整体呈现基础性、分散性特点。因而，有必要在前人研究基础上，对这一论题做全面、系统、深入之梳理与研究。

第一，可以重新探讨金朝殿前都点检司制度渊源。目前学界关于金朝殿前都点检司制度渊源方面的研究尚有不足，有唐、宋说和五代后周说。以上认识均是针对“殿前都点检司”“殿前都点检”名称展开研究并得出初步结论，而缺乏对此机构其他组成部分渊源的探讨。与前朝宫廷禁卫、供奉机构相比较，金朝殿前都点检司不仅继承前朝制度，同时也具有非常浓厚的北族政权色彩，因而金朝殿前都点检司与各北疆民族政权护卫、侍从组织尤其是辽朝相关制度有颇深继承关系。另外，前贤虽早已指出金朝殿前都点检司非单纯军事机构，但对其宫廷职能方面的制度渊源尚未加以全面审视。

第二，可以更加全面系统地阐述金朝殿前都点检司职能。目前学界多从军事职能视角认识金朝殿前都点检司，对近侍局职能的研究则集中在传谕与预政方面。从而相对忽视殿前点检司在宫廷服务方面发挥的作用。另外，文献记载许多殿前都点检司官员或参政议政，或出访出使，或执行其他特殊任务。上述职能均可做细致梳理。

第三，可以更深入研究金朝殿前都点检司官员的人事制度。早有前辈提出“‘活’的制度史”命题，其中一个理解维度即是认为制度是“死”的，制度里的人是“活”的。前贤有言：“在选任原则方面，任人与任法的关系；规定条文方面，法与例的关系；选任机构内部，官与吏的关系；参选资格方面，课绩与年劳的关系……凡此种种，不一而足。正是处理这些关系时不同的公开规则与潜在规则，反映出人与制度间的互动，造就了制度实施过程中的不同特质。”[116]因而对制度中的人事问题进行研究是解析制度与人关系的必经之路。现阶段研究已表明金朝官员选任、转任、奖惩均有一定规律可循，金朝殿前都点检司的进一步研究要解决的一个问题便是殿前都点检司官吏在其中处于何种位置、以何种方式运行。

113 王雷：《金代吏员研究》，社会科学文献出版社，2018年，第50、51页。

114 王曾瑜：《辽金军制》，河北大学出版社，2011年，第202页。

115 郗志群、姜宾：《金代“细军”探微》，《第七届中日学者中国古代史论坛文集》，中国社会科学出版社，2016年，第249页。

116 邓小南：《走向“活”的制度史——以宋代官僚政治制度史研究为例的点滴思考》，《浙江学刊》2003年第3期，第102页。

第四，应该全方位展现殿前都点检司在有金一代的地位。自金熙宗设置殿前都点检司，此机构就在金朝政治中发挥作用，在海陵弑杀熙宗、胡沙虎弑杀卫绍王、金哀宗继位等政治风波中均有一定作为，并产生不同政治影响。另外，由于朝局变化和皇帝政策更迭，殿前都点检司在有金一代的地位并非一成不变，尤其在重大政治变故后，殿前都点检司地位不可避免产生变化。进一步研究可以尝试在历史发展大脉络下解析殿前都点检司的地位变化。

（张宝珅　首都师范大学历史学院）

金代官员越级赠官现象考论

宋亚涛

内容提要：赠官是国家授予已故官员或现职官员的已故直系亲属的荣誉职衔。一般以高于逝世官员最终官品一级为惯例，对逝世官员进行超越品级的赠官，则是统治者对逝世官员的极尽恩宠。金代越级赠官最早出现于熙宗天眷元年（1138），结束于哀宗天兴二年（1233），而大规模越级赠官的高峰则发生于宣宗时期。战功是金代官员获得越级赠官的最重要原因，个人经历、家庭出身、逝世原因等也都是其中的影响因素。金代越级赠官无论是对逝者还是其家族都有着重要的意义，国家也借此对官员起到道德示范所用。

关键词：金代　越级追赠　官制　战功

一般认为赠官最早出现在西汉。徐乐帅在《中古时期封赠制度的形成》中提出："早在西汉时期，就已经有了大量的封赠事例，不过这时的封赠是针对一个特殊群体的，即皇帝对皇太后、皇后父母的封赠。"[1]但也有学者将封赠的时间提前到了西周时期。孙健在《宋代"封赠"制度考论》中提出："在西周初年，就已经有了帝王追尊先人为王的事例。"[2]但多数学者却认为在西汉之前所得赠者都是赠予爵位或者尊号，不属于赠官的范畴。

关于金代的赠官问题，学者也已有所关注，其中孙红梅的《金代品官父祖封赠制度探析》[3]主要从品官本人等级对父祖封赠的官爵等级的影响这个角度，说明了金代封赠遵循"近重而远轻"的原则，被封赠者的官爵视其与品官本人代际关系的近远而依次降低。王姝的《金代品官命妇封赠制度考》[4]主要以女性为主体，说明品官的母辈或妻辈根据品官的官品、勋级、爵位品级的不同而享有的不同封赠资格。高云霄的《金朝赠官

1　徐乐帅：《中古时期封赠制度的形成》，《唐史论丛（第十辑）》，三秦出版社，2008年，第97～104页。

2　孙健：《宋代"封赠"制度考论》，《中国史研究》2011年第2期，第117～127页。

3　孙红梅：《金代品官父祖封赠制度探析》，《史学月刊》2020年第10期，第19～28页。

4　王姝：《金代品官命妇封赠制度考》，《首都师范大学学报（社会科学版）》2016年第1期，第20～27页。

制度述略——以官民自身卒殁赠官为中心》[5]主要从金朝赠官的类别、赠官的模式、赠官的主管机构几个方面，对金朝赠官制度进行研究。

总体上看，目前学术界对金代赠官，主要是围绕着赠官的主体、赠官的模式等方面进行研究，但是就针对金代越级赠官这个领域的研究较少。本文侧重于对金朝官员越级赠官现象进行考述，希图为金朝赠官制度研究提供一些补充，能为日后学术界研究金代赠官和越级赠官制度提供一些帮助。

一、金代越级赠官制度的形成

赠官是国家授予已故官员或现职官员的已故直系亲属，如曾祖父母、祖父母、父母、妻室的荣誉职衔。该制度开始于西汉时期，后世王朝将赠官逐渐向制度化的方向发展，到了唐宋时期，赠官制度已经发展得比较完善，而金代的赠官制度主要是对宋朝和辽朝的继承和发展。本文主要就国家对已故官员本人的赠官现象进行考述。

金代在对已故官员的追赠中，一般按照赠官加故衔一级的方式进行追赠。如王晦生前官职为翰林侍读学士，加劝农使，官职品阶为正三品，死后“诏赠荣禄大夫、枢密副使，仍命有司立碑，岁时致祭”[6]，赠官品阶为从二品。再如彰化军节度使夹谷守中，生前官职为彰化军节度使，官职品阶为从三品，“诏赠资善大夫、东京留守”[7]，其赠官品阶为正三品。这些都是在官员生前官职品级的基础上加一级给予赠官。这也是我国古代对逝世官员进行追赠的惯例。

此外，在对已故官员本人的赠官中，存在着越级赠官的现象，即在官员生前官职品级的基础上加两级甚至加三或四级进行赠官的现象。《金文最》卷90《应奉翰林文字赠济州刺史李公碑铭》载：

> 郡人李演以前应奉翰林文字墨衰居此……势不敌，城陷，公被执……已而敌退，朝廷遣使宣抚山东，廉得其实，奏请加赠，上意矜恤，遂以济州刺史之章，仍令勒碑致祭[8]。

应奉翰林文字李演在父母逝世后，于济州守丧，遇上敌军围城，率领兵马抵挡，但是势力较弱，抵挡不住敌军的进攻，城陷被俘。他宁死不屈，被敌军杀死，敌军退后，朝廷派遣宣抚使安抚山东，上奏朝廷请求为李演追加赠官，于是皇帝下诏用济州刺史的规格，刻碑祭祀。李演，生前官职品阶为从七品，死后赠济州刺史，官职品阶为正五品。官品提升两级，这也是金代越级追赠的一个显著案例。

5 高云霄：《金朝赠官制度述略——以官民自身卒殁赠官为中心》，《辽东学院学报（社会科学版）》2020年第5期，第18～25页。

6 《金史》卷121《王晦传》，中华书局，1975年，第2653页。

7 《金史》卷121《夹谷守中传》，中华书局，1975年，第2642页。

8 张金吾：《金文最》卷90《应奉翰林文字赠济州刺史李公碑铭》，中华书局，1990年，第1320、1321页。

赠官在金太祖时期就已出现，据《金史》记载，在太祖天辅二年（1118），宗室胡十门卒，“赠监门卫上将军，再赠骠骑卫上将军”[9]，金代赠官最后的记载发生于哀宗天兴二年（1233），《金史》卷123《姬汝作列传》载：

> 姬汝作，字钦之……以便宜授汝作北山招抚使，佩银符，遂迁入汝州……授以同知汝州防御使，便宜从事……中京破，部曲私议有唇亡之惧，计以城降，惧汝作，不敢言……州人梁皋作乱，与故吏温泽、王和七八人径入州廨，汝作不为备，遂为所杀……哀宗甚嗟惜之，遣近侍张天锡赠汝作昌武军节度使，子孙世袭谋克。

姬汝作生前为同知汝州防御使，对内安抚百姓官吏，对外坚决抵御敌军入侵，最终被奸臣叛乱杀害。姬汝作死后被赠昌武军节度使，官品秩为从三品。

纵观整个金代的赠官行为，如表1所示会发现：金代赠官的高峰出现于宣宗时期。在宣宗朝，被赠官的官员有四五十位之多。这一状况的出现，与当时的社会现状有着密切的关系。宣宗时期，蒙古大规模南侵，金朝面临着内忧外患的局面，宣宗被迫南迁汴京。此时由于与蒙古作战，很多官员英勇牺牲，国家需要通过赠官的形式来褒奖逝世官员，以此安抚去世的官员及其亲属，提高部队的战斗力，增加军队的信心，鼓励士兵们浴血奋战。

表1　金代不同时期赠官的人数及其占比

时期	太祖	太宗	熙宗	海陵王	世宗	章宗	卫绍王	宣宗	哀宗	未知	总数
人数	1	6	34	19	17	11	9	45	3	13	158
占比/%	1	4	22	12	10	7	6	28	2	8	100

金代越级赠官现象最早出现于熙宗天眷元年（1138）对婆卢火的赠官。《金史》卷71《婆卢火列传》载：

> 有婆卢火者，娄室平陕西，婆卢火、绳果监战。后为平阳尹，西南路招讨使，终于庆阳尹。
>
> 泰州婆卢火守边屡有功，太宗赐衣一袭，并赐其子剖叔。八年，以甲胄赐所部诸谋克。天会十三年，加同中书门下平章事。天眷元年，驻乌骨迪烈地，薨。赠开府仪同三司，谥刚毅。

婆卢火屡有战功，终于庆阳尹，并于天会十三年（1135），加同中书门下平章事，官品秩为正三品。天眷元年（1138），逝世赠开府仪同三司，官品秩为文官从一品上。这是金代越级赠官的开始。

随后，熙宗对在太祖和太宗时期去世的有战功的高级官员谩都本、斡鲁古勃堇、

9　《金史》卷66《胡十门传》，中华书局，1975年，第1562页。

迪姑迭、宗雄等人进行追赠，而且基本上都是越级赠官，随后金代的各个皇帝在位时期都存在着越级赠官的现象。金代越级赠官现象结束是在哀宗天兴二年（1233）对姬汝作的赠官，这是目前从史料中找到的金代赠官的最晚记录，也是关于金代越级赠官的最晚记录。

通过对整个金代越级赠官的官员数量的统计，如表2所示可以发现金代越级赠官的高峰出现于宣宗时期，这与金代赠官高峰的时间基本上是一致的。在宣宗朝，获得越级赠官的官员有25位，尤其是在贞祐和兴定年间，越级赠官的官员分别高达14位和10位。赠官是统治者恩宠官员的一种重要方式，而对去世官员进行越级赠官，更是表达了统治者对去世官员的极尽恩宠。

表2　金代不同时期越级赠官的人数及其占比

时期	太祖	太宗	熙宗	海陵王	世宗	章宗	卫绍王	宣宗	哀宗	未知	总数
人数	0	0	7	11	6	3	1	25	2	7	62
占比/%	0	0	11	18	10	5	2	40	3	11	100

二、金代官员越级赠官的原因

金代官员获得越级赠官者一般都与其特殊的身份和经历有关，主要可以从金朝被越级赠官官员的出身、民族成分、个人经历、去世原因等几个方面进行详细的统计和整理，研究金代官员越级赠官的原因。

（一）军功获赠

金代官员被越级赠官的原因有很多，但主要是因为战功，通过对《金史》《金文最》《大金国志》等金朝相关史料的全面耙梳，笔者发现，在62名获得越级赠官的官员中，有49名官员因为战功获得越级追赠，占到了越级赠官总数的79%，可以发现，战功是金代官员被越级赠官的最重要原因。

金朝的统治民族为女真族，初属于辽朝的统治之下，到了辽天祚帝时期，皇帝荒淫无度，女真人深受其苦，奋起反抗叛辽，1125年，金灭亡辽朝。在灭辽后发动靖康之变，灭亡北宋。在金先后灭亡辽和北宋的战争中，有一大批在战场上立下汗马功劳的官员，为金朝的建立做出了巨大贡献，因此得以获得越级赠官。习室一生南征北讨，战绩卓著，从斡赛军，授猛安，后随从斜也攻克中京，在鸳鸯泺袭击辽主，打败西夏将李良辅兵，在余睹谷与娄室一起俘获辽帝。宗翰攻伐宋时，习室与银术可一起围守太原。明年，攻襄垣，下潞城，降西京，至汴。在天会五年（1127）去世。猛安为从四品。熙宗时，赠特进，官品秩为文官从一品。

麻吉也是一个为灭亡辽朝，建立金朝立下赫赫之功的官员，他“年十五，隶军中，从破高丽兵，下宁江州，平系辽女直，克黄龙府，皆身先力战，以功为谋克，继领猛安。破奚兵千余。自斡鲁古攻下咸、信、沈州及东京诸城，麻吉皆有功”[10]。后来，麻

10　《金史》卷72《麻吉传》，中华书局，1975年，第1664页。

吉和辽军在高州境上对战，被暗箭射中眼睛，阵亡。麻吉一生一共经历大小三十余战，所至皆捷。麻吉生前以功为谋克，继领猛安，谋克为从五品，猛安为从四品。战死后，在皇统中，赠银青光禄大夫，官品秩为文官正二品下。

钱穆先生指出："及其吞辽取五京，前后不出九年。"[11]产生了一大批在战场上立下赫赫战功的官员，习室、麻吉等人便是其中的主要代表。他们既有宗室成员的身份，又有战场上的功绩，对他们进行越级赠官，是对他们为建立金朝立下功劳的一种官方认可，也是朝廷为了笼络大臣之心的一种手段。

低级官民、守护家园。这类官员多是在战争中战死牺牲的低级官员或平民，他们在战争中都有具体的功绩，或守护城池，或传递情报，都是为了抵御外族入侵，为守护家园做出了贡献，因此得以被越级赠官。

如张顺，生前只是淄州的一个普通士兵，在抵御敌军时，巧用计谋，冒着生命危险传递了情报，为战争的胜利做出了重大贡献，"后赠宣武将军、同知棣州防御使事。诏有司给养其亲，且访其子孙，优加任用"[12]，死后被赠的官职有两个，第一个是宣武将军，武散官，官品秩为从五品下；第二个是同知棣州防御使事，官品秩为正六品。

> 贾邦献，霍州霍邑县陈村人也。举进士第。质直有勇略。大元攻河东，邦献集居民为守御计。既而，兵大至，居民悉降。邦献弃其家，独与子懿保于松平寨。是时，权知州事刘珍在寨，与之共守，竟能成功。珍每欲辟之，邦献辄以衰老为辞。兴定四年十月，兵复大至，病不能避，与懿俱被执。欲以为镇西元帅，且持刃胁之，邦献不屈，密遣懿归松平，遂自刭。赠奉直大夫、本县令。

贾邦献生前举进士第，虽没有官职，但他在与蒙古的作战中英勇不屈，最终被迫自杀，他死后被"赠奉直大夫、本县令"[13]。赠的官职有两个：第一个是奉直大夫，官品秩为从六品上；第二个是霍邑县令，官品秩为从七品。

张顺、贾邦献等人虽不是什么高品级官员，甚至连官员也算不上，他们只是想守护家园，保卫自己的州县，对他们进行越级赠官，表彰他们为维护金朝统治做出的贡献，号召更多的人像他们一样，抵御外族入侵，宣扬忠君爱国的思想，勉励其他官员尽忠尽孝、尽职尽责。

在动乱中宁死不屈、保持气节而牺牲的低级官吏，虽然国家面临大难，社会动荡不安，但他们不屈于外敌或强盗，彰显了读书人的气节，为维护名教统治，稳定社会秩序做出了贡献，因此得以被越级赠官。如赵益面对元军入侵，屡立战功，元军猛烈攻击太原城，赵益身为太原府长官，宁死不屈，最终自杀以殉国。赵益，生前累官至太原治

11 钱穆：《国史大纲（下）》，九州出版社，2011年，第652页。

12 《金史》卷122《张顺传》，中华书局，1975年，第2659页。

13 《金史》卷122《贾邦献传》，中华书局，1975年，第2667页。

中，同知太原府事，兼招抚使，官品秩为正四品。死后“宣宗闻之嘉叹，赠银青荣禄大夫、河东北路宣抚使，仍谕有司求其子孙录用”[14]，银青荣禄大夫，官品秩为文官正二品下。河东北路宣抚使，官品秩为从一品。赠官品级之高，大大超越了制度的规定。耶律思忠，生前官职为同知凤翔府事中京副留守同知归德府事，官品秩为正四品。他由于不愿入元“以某月十有七日自投于内东城濠中水而殁。时年六十有一。上闻之震悼，赠工部尚书、龙虎卫上将军”[15]，工部尚书，官品秩为正三品。龙虎卫上将军，官品秩为正三品上。这也是越级追赠的一个典型案例。

国家对他进行越级赠官，是为了宣扬赵益抵抗外敌侵略的英雄气概，表达了朝廷对赵益这种宁死不屈、血战到底、与城共存亡的精神的褒扬，鼓舞了金朝其他地方反抗大元军队的斗志。

（二）忠良谏臣

忠良谏臣多是被叛乱的奸臣谋害的官员，朝廷为了维护纲常礼教，笼络人心，安慰去世官员的亲属，安抚其他大臣的情绪，对其越级赠官。《金史》卷122《梁持胜列传》载：

> 梁持胜，字经甫，本名询谊，避宣宗嫌名改焉。保大军节度使襄之子。多力善射。泰和六年进士，复中宏词。累官太常博士，迁咸平路宣抚司经历官。兴定初，宣抚使蒲鲜万奴有异志，欲弃咸平徙曷懒路，持胜力止之，万奴怒，杖之八十。持胜走上京，告行省太平。是时，太平已与万奴通谋，口称持胜忠，而心实不然，署持胜左右司员外郎。既而太平受万奴命，焚毁上京宗庙，执元帅承充，夺其军。持胜与提控咸平治中裴满赛不、万户韩公恕约，杀太平，复推承充行省事，共伐万奴。事泄，俱被害。诏赠持胜中顺大夫、韩州刺史，赛不镇国上将军、显德军节度使，公恕明威将军、信州刺史。

梁持胜“保大军节度使襄之子。多力善射。泰和六年进士，复中宏词”[16]，生前累官至左右司员外郎，官品秩为正六品。死后“诏赠持胜中顺大夫、韩州刺史，赛不镇国上将军、显德军节度使，公恕明威将军、信州刺史”[17]。被赠的官职有两个：第一个是中顺大夫，官品秩为正五品下；第二个是韩州刺史，官品秩为正五品。裴满赛不，生前官职为提控咸平治中，死后被赠的官职有两个：第一个是镇国上将军，武散官，官品秩为从三品下；第二个是显德军节度使，官品秩为从三品。韩公恕，生前是万户，死后

---

14 《金史》卷122《赵益传》，中华书局，1975年，第2671页。

15 姚奠中：《元好问全集》卷第26《龙虎卫上将军耶律公墓志铭》，山西古籍出版社，2004年，第630页。

16 《金史》卷122《梁持胜传》，中华书局，1975年，第2665页。

17 《金史》卷122《梁持胜传》，中华书局，1975年，第2665页。

被赠的官职有两个：第一个是明威将军，武散官，官品秩为正五品下；第二个是信州刺史，官品秩为正五品。梁持胜、裴满赛不、韩公恕三人是被叛乱的奸臣杀害，国家对他们进行越级赠官，是为了表扬他们为维护王朝的统治而做出的牺牲，可以笼络朝廷大臣。

还有些官员是因直言劝谏而被统治者所杀害，但被后世的统治者所平反，因此得以被越级赠官。《金文最》卷114《祁忠毅公传》载：

> 公讳宰，字彦辅，江淮人，宋季以医术补官，王师破汴得之，后隶太医。海陵朝，继迁通奉大夫太医使。自以数被恩遇，欲自效，会后宫有疾，召宰诊视。既入见，即上言谏南伐……言甚激切，海陵怒，命戳之于市，籍其家产，天下哀之。越明年，世宗即位于辽东，四年，诏赠公资德，复其田产。

祁宰因为“上言谏南伐……言甚激切，海陵怒，命戳之于市，籍其家产，天下哀之”[18]。世宗继位后，为安抚天下人心，越级追赠他为资德大夫。祁宰生前累迁至中奉大夫，官品秩为文官从三品下。而太医使，官品秩为从五品。其死后被赠资政大夫，官品秩为文官正三品上。

三、金代越级赠官制度的意义

金朝越级赠官制度不管是对去世官员而言，还是对国家来说，都有着十分重要的意义。对个人而言，越级赠官是一个巨大的荣誉，可以安抚去世官员的家人，其家人也可以借此得到更高品级的官职；对国家而言，越级赠官更多的是发挥道德引领的作用，鼓励官员们践行忠君爱国的思想，维护统治。

这意味着会给官员及其家人带来莫大的荣耀，还可以使其子孙获得更高品阶的官职。此外，国家一般还会对获得越级追赠官员的长辈进行赡养，对其子孙后代进行优待，朝廷优先录用其子孙当官。淄州士兵张顺，有功战死牺牲后，皇帝“诏有司给养其亲，且访其子孙，优加任用”[19]。

有功绩的官员去世后，皇帝除了会对去世官员本人进行越级赠官外，还会给予赙赠。如孛术鲁定方、瑶里孛迭等人去世后，皇帝都派官员致祭，赐银五百两。孛术鲁定方是金朝大将，海陵王南伐时，定方为神勇军都总管。后来授定方凤翔尹。宋人阻边，以本职行河南道军马副统，战死牺牲。“上闻而闵之，诏有司致祭，赙银五百两、重彩二十端，赠金紫光禄大夫。”[20]瑶里孛迭，承安五年（1200），授知广宁府事，后又改东北路招讨使，因为捍守边疆有功劳，皇帝下诏褒奖，三迁为崇义军节度使。泰和六

18 张金吾：《金文最》卷114《祁忠毅公传》，中华书局，1980年，第1632页。

19 《金史》卷122《张顺传》，中华书局，1975年，第2659页。

20 《金史》卷86《孛术鲁定方传》，中华书局，1975年，第1924页。

年，卒。“讣闻，遣官致祭，赐银五百两，赠金紫光禄大夫。”[21]

金代越级赠官，给予了去世官员亲属很多经济上的好处。官员去世后，皇帝下诏派遣有关部门进行祭奠，赏赐银两，以保证官员去世后其亲属可以更好地生活下去，安抚去世官员的亲属。赵益为同知太原府事、兼招抚使，宁死不屈，战死后，宣宗除了赠他银青荣禄大夫、河东北路宣抚使外，还“谕有司求其子孙录用”[22]。通过对官僚系统里下层官员的推恩，可以激励其他文武官员为国家忠诚效命，从而达到巩固统治的目的。

对去世官员进行越级赠官，对国家而言，也意义重大，影响深远。对在战场战死的将士进行越级赠官，会安慰其他将士的情绪，在一定程度上激励他们为国家效力，提高军队作战士气。对虽然在战场上战败却不投降而自杀的将士进行越级赠官，则更能激励前方作战的兵士奋勇杀敌，报效国家。如齐鹰扬生前为淄州军事判官，当元军攻打淄州时，他积极募兵防御，城破后率众巷战，因身体多处被创被执，面对元军的诱降不屈而死，死后“诏赠鹰扬嘉议大夫、淄州刺史”[23]。到了金朝后期，蒙古入侵，社会动荡不安，一些官员为稳定社会秩序，安定乡里，被杀害，对他们进行越级追赠，既是对他们所做出功绩的认可，也是对老百姓的一种安抚，有着宣扬教化、惩恶扬善、弘扬爱国主义的作用，维持社会秩序。

对去世官员进行越级赠官，具有笼络人心的作用，维护朝廷官员的团结，安定社会秩序。世宗继位后，对中奉大夫、太医使祁宰的追赠便是出于此目的。海陵王时期，祁宰因直言劝谏被杀，天下哀之。正隆六年（1161），世宗在辽东继位。大定四年（1164），诏赠祁宰资政大夫，恢复其田宅。章宗继位后，又下诏访求其子忠勇校尉、平定州酒监公史，擢尚药局都监。从世宗到章宗两代皇帝既赠祁宰官职，又恢复其家产田宅，又对其后代优待有加，再到泰和初，诏定功臣谥，有司拘文，以职非三品不在议谥之例，而特赐谥以旌其忠，谥曰忠毅。这些措施对祁宰而言则意味着，对他进行平反和认可，是朝廷对其行为的官方肯定。对朝廷而言，是为了宣扬祁宰忠君爱民的思想，对他进行褒扬，说明海陵王残暴，世宗继位是民心所向，是人间正义，为世宗继位增强合法性、合理性，拉拢文武官员士子之心，维护了王朝统治。

四、结　语

赠官是统治者恩宠官员的一种重要形式，而对逝世官员进行超越规格的赠官，则更能表达统治者对逝世官员的哀悼和极尽恩宠。金代越级赠官现象出现的时间在熙宗天眷元年（1138），结束在哀宗天兴二年（1233），而大规模越级赠官的高峰则出现于宣宗时期。

从金代越级追赠官员的分析可以发现，战功是金代官员被越级赠官的最重要原

21 《金史》卷94《瑶里孛迭传》，中华书局，1975年，第2096页。

22 《金史》卷122《赵益传》，中华书局，1975年，第2671页。

23 《金史》卷121《齐鹰扬传》，中华书局，1975年，第2653页。

因，其次是官员的个人经历不同，视为金朝发展做出的贡献大小，决定是否被越级赠官。此外，赠官官员的民族身份，也是关系官员是否被越级赠官的一个因素，作为统治民族的女真族的官员更容易获得越级赠官。金朝越级赠官现象是对赠官制度的一个重要补充。国家通过对去世官员越级赠官的形式，安抚去世大臣亲属，笼络人心，维护朝廷统治。

附记：本文系国家社会科学基金青年项目“金朝墓志整理与研究”（15CZS029）阶段性成果。

（宋亚涛　黑龙江省社会科学院）

金开国前的部落战争

——以世祖至穆宗时期为中心

陈笑竹

内容提要：女真完颜家族经过始祖函普、献祖绥可、昭祖石鲁、景祖乌古乃时期的发展，建立了以完颜家族为核心的部落联盟体。面对女真完颜部的迅速扩张，乌林答部、温敦部、纥石烈等部忌惮女真完颜部的发展，又不愿依附其生存。从世祖劾里钵到穆宗盈歌时期，双方进行了一系列混战。女真完颜部逐一征服敌对部落，为太祖阿骨打开国奠定了坚实的基础。

关键词：女真完颜家族　世祖劾里钵　穆宗盈歌　部落战争

女真完颜家族的发展与变革始于始祖函普入赘完颜部。献祖绥可率部迁徙使家族获得独立发展的机会。昭祖石鲁立“条教”，建立部落联合。景祖乌古乃成为生女真节度使，部落联合向部落联盟转变。世祖劾里钵在此基础上继续扩张，但周围一些部落惧怕女真完颜部的势力又不愿依附其生存，双方开始了大规模混战。女真完颜部在混战的过程中逐一铲除敌对部落，进一步增强了自身的实力。穆宗盈歌时期禁止其他部称都部长，女真完颜部开始为统一号令而战。

一、世祖劾里钵与乌春的战争

世祖劾里钵时期，女真完颜部的主要敌人之一便是乌春。而乌春在景祖乌古乃时，便与女真完颜部有了联系。

《金史·乌春传》载

> 乌春，阿跋斯水温都部人，以锻铁为业。因岁歉，策杖负檐与其族属来归。景祖与之处，以本业自给。既而知其果敢善断，命为本部长，仍遣族人盆德送归旧部。盆德，乌春之甥也。[1]

1　《金史》卷67《乌春传》，中华书局，1975年，第1577页。

乌春，阿跋斯水温都部人。阿跋斯水，今敦化北勒福成河[2]。温都，又作温敦。乌春后人称温敦氏[3]。温敦部在《辽史》中记载为越里笃部，辽五国部之一。景祖时，乌春曾投奔女真完颜部，后在景祖的帮助下返回本部。景祖帮助乌春是希望增强联盟者的力量进而增强自身的实力。但令景祖没有想到是，乌春返回本部后，走向了与女真完颜部分庭抗礼的道路。世祖时，温敦部与女真完颜部的关系发生了新的变化。

> 《金史·世纪》载："景祖异母弟跋黑有异志，世祖虑其为变，加意事之，不使将兵，但为部长。跋黑遂诱桓赧、散达、乌春、窝谋罕为乱，及间诸部使贰于世祖。"[4]
>
> 《金史·乌春传》载："世祖初嗣节度使，叔父跋黑阴怀觊觎，间诱桓赧、散达兄弟及乌春、窝谋罕等。乌春以跋黑居肘腋为变，信之，由是颇贰于世祖，而虐用其部人……世祖内畏跋黑，恐君朋为变，故曲意怀抚，而欲以婚姻结其欢心。"[5]

从《金史》记载来看，皆是说世祖的叔叔跋黑引诱桓赧、散达、乌春、窝谋罕等与世祖为敌。跋黑的"异志"，世祖是知道的，所以没有给跋黑兵权。跋黑空有勃堇的身份，却没有相应的实力。在这样的情况下，与跋黑联合敌对世祖是缺少胜算的。乌春等人不会没有考量，但还是选择接受了"引诱"，说明乌春等人并不是要跋黑取代世祖，他们真正要对抗的是整个女真完颜部。女真完颜部联盟体的逐渐壮大，使乌春等人感到了严重威胁，而跋黑的"引诱"正好给了乌春等人围攻世祖的由头。

（一）乌春不断挑衅世祖劾里钵

乌春以跋黑的"引诱"为借口，开始不断挑衅世祖。先是杀无罪之人，面对世祖的质问，乌春以长辈自居，态度傲慢。但此时世祖害怕跋黑与乌春联合起兵，只好曲意安抚，想用联姻的方式稳住乌春。

> 《金史·乌春传》载："世祖内畏跋黑，恐君朋为变，故曲意怀抚，而欲以婚姻结其欢心。使与约婚，乌春不欲，笑曰：'狗彘之子同处，岂能生育。胡里改与女真岂可为亲也。'乌春欲发兵，而世祖待之如初，无以为端。"[6]

然而面对联姻，乌春却讥讽世祖为"狗彘之子"，称胡里改人不可与女真人结

2 张博泉：《东北地方史稿》，吉林大学出版社，1985年，第257页。

3 《金史》卷67《乌春传》，中华书局，1975年，第1580页。

4 《金史》卷1《世纪》，中华书局，1975年，第7页。

5 《金史》卷67《乌春传》，中华书局，1975年，第1577、1578页。

6 《金史》卷67《乌春传》，中华书局，1975年，第1577、1578页。

亲。乌春称世祖为“狗彘之子”不仅是挑衅世祖，寻找发兵的理由，更重要的一点是看到此时女真完颜部与温敦部地位的不对等。温敦部即越里笃部，辽五国部之一，系辽籍。而女真完颜部不是辽籍。两部地位不对等，地位低的部落很难与地位高的部落联姻。面对世祖的隐忍，乌春继续挑衅。在加古部乌不屯售甲于世祖后，乌春让世祖将甲归还。完颜部人害怕乌春发兵，不得不将甲给了乌春，乌春从此更加肆无忌惮。

（二）乌春联合桓赧、散达攻打世祖劾里钵

面对乌春的挑衅，世祖一直隐忍退让，避免了跋黑和乌春里应外合发生叛乱。乌春几次挑衅也没能找到发动战争的借口，便不再掩饰，开始直接攻打女真完颜部。在双方交战的过程中，一些忌惮女真完颜部的发展，又不愿依附其生存的部族，逐渐加入了乌春的军队之中。

> 《金史·乌春传》载：“后数年，乌春举兵来战，道斜寸岭，涉活论、来流水，舍于术虎部阿里矮村滓不乃勃堇家。是时十月中，大雨累昼夜不止，冰澌覆地，乌春不能进，乃引去。于是桓赧、散达亦举兵。世祖自拒乌春，而使肃宗拒桓赧。已而乌春遇雨归，叔父跋黑亦死，故世祖得并力于桓赧、散达，一战而遂败之。”[7]

乌春第一次攻打世祖，取道斜寸岭，涉活论、来流水。斜寸岭即今张广才岭[8]，活论即孩懒水。乌春兵在北，桓赧、散达起兵在南，把世祖包围其中，兵势强盛。但乌春因大雨而退兵，丝毫没有顾忌桓赧、散达的死活，说明其联盟关系还较为松散。此时战争的胜负对于乌春来讲，似乎不是十分紧要，失败了也不会动摇自身根基，所以遇到大雨便退兵了。第一次战争以乌春联军的失败而告终。

（三）乌春联合杯乃再战世祖劾里钵

第一次战争虽然失败，但乌春并没有打消攻打世祖的念头，又与杯乃组成联军，拉开了第二次进攻的序幕。

> 《金史·乌春传》载：“斡勒部人杯乃，旧事景祖，至是亦有他志……世祖获杯乃，释其罪，杯乃终不自安，徙居吐窟村，与乌春、窝谋罕结约。乌春举兵度岭，世祖驻军屋辟村以待之。进至苏素海甸，两军皆阵，将战，世祖不亲战，命肃宗以左军阵，斜列、辞不失助之，征异梦也。”[9]

---

7 《金史》卷67《乌春传》，中华书局，1975年，第1578页。

8 孙乃民：《吉林通史》第一卷，吉林人民出版社，2008年，第353页。

9 《金史》卷67《乌春传》，中华书局，1975年，第1579页。

杯乃，斡勒部人，居安出虎水之北[10]。安出虎水即今阿什河。杯乃在景祖时曾归顺，世祖时因诬陷欢都纵火被抓[11]，虽被免罪，但始终不安。后与乌春、窝谋罕组成了联军，攻打世祖。然而此次攻打又以杯乃、乌春联军的失败而告终。乌春军受到重创，杯乃被擒并送于辽。通过这场战争，世祖打击了强敌乌春，解决了杯乃，占据了苏素海甸，进一步扩大了势力范围。苏素海甸，即今黑龙江省尚志市马廷镇东南，苇河、亮河一带[12]。更重要的是肃宗颇剌淑作为国相[13]，得到了“上天”的帮助，承担了巫者的角色，进一步凝聚了以女真完颜部为核心的部落联盟体。乌春军在第二次攻打世祖时，虽受重创，但并没有被完全打垮。其后又派兵参与了腊醅、麻产的大围攻。

（四）乌春派兵相助腊醅、麻产联军

与杯乃联军再战世祖失败后，乌春仍然没有放弃。当腊醅、麻产求助于乌春时，乌春再次派兵相助攻打世祖。

> 《金史·乌春传》载：“腊醅使旧贼秃罕等过青岭，见乌春，赂诸部与之交结。腊醅、麻产求助于乌春，乌春以姑里甸兵百十七人助之……乃为谰言以告曰：‘未尝与腊醅为助也。德邻石之北，姑里甸之民，所管不及此。’”[14]

乌春派姑里甸兵相助腊醅、麻产攻打世祖。乌春作为温敦部的首领，管辖范围在德邻石以南，姑里甸在德邻石以北，并不是乌春的管辖范围。但乌春为何可以派姑里甸兵，这里有个被忽略的人物便是窝谋罕。窝谋罕又作窝谋海，是乌春军联盟的一员，其生活的地域应与乌春相近。

> 《金史·乌春传》载：“世祖自将过乌纪岭，至窝谋海村，胡论加古部胜昆勃堇居，乌廷部富者郭赧请分一百军由所部伐乌春，盖以所部与乌春近，欲以自蔽故也。”[15]
>
> 《金史·外国下》又载：“康宗以为信然，使完颜部阿聒、乌林答部胜

10 《金史》卷68《欢都传》，中华书局，1975年，第1592页，载：“斡勒部人杯乃，自景祖时与其兄弟俱居按出虎水之北，及乌春作难，杯乃将与乌春合，间诱斡鲁紺出水居人与之相结，欲先除去欢都。”

11 《金史》卷1《世纪》，中华书局，1975年，第9页。

12 《中国历史地图集》中央民族学院编辑组：《中国历史地图集·东北地区资料汇编》，中央民族学院出版社，1979年，第185页。

13 《金史》卷1《世纪》，中华书局，1975年，第11页，载：“初，雅达为国相。雅达者，桓赧、散达之父也。景祖以币马求之于雅达，而命肃宗为之”。

14 《金史》卷67《乌春传》，中华书局，1975年，第1579页。

15 《金史》卷67《乌春传》，中华书局，1975年，第1579页。

昆往境上受之。康宗畋于马纪岭乙只村以待之。”[16]

世祖过乌纪岭，乌纪岭应是马纪岭的误写。其占据窝谋海村后，没有让完颜部人居住而是让加古部胜昆居住，说明胜昆与窝谋罕应属同部。康宗在马纪岭等待胜昆，是因为胜昆所居的窝谋海村在马纪岭东，相距不远。从地理位置的对应上看，加古部胜昆和乌林答部胜昆应是同一人，加古部和乌林答部应是同一部落的两个分支。根据语音对比，姑里甸是乌林答的同音异写，姑里甸之民与乌林答应是同一部人。姑里甸之民在德林石以北，归窝谋罕调遣，窝谋罕实际上是乌林答部人。乌春之所以可以调遣姑里甸之民，正是因为得到了窝谋罕的支持。

腊醅、麻产、乌春等人第三次围攻世祖也以失败而告终，腊醅先被擒，其后乌春战死，窝谋罕逃跑。乌春、窝谋罕联军彻底被打垮。温敦部这个曾经强大一时，不屑与女真完颜部联姻的部落，在前后三次攻打世祖的过程中彻底被击败。以世祖为首的女真完颜部联盟体在此次部落战争中赢得了胜利，继续其东扩的征程。

二、世祖劾里钵与桓赧、散达的战争

世祖劾里钵初期，曾与桓赧、散达进行了激烈的战争。《金史》记载其起兵的原因是跋黑的“引诱”，但其实跋黑并没有兵权，跋黑的“引诱”只是桓赧、散达起兵的借口。桓赧、散达起兵的真正原因还需要进一步分析。

（一）桓赧、散达起兵的原因

桓赧、散达起兵的真正原因就隐藏在他们的身份之中。

《金史·桓赧传》载：“桓赧、散达兄弟者，国相雅达之子也。居完颜部邑屯村。雅达称国相，不知其所从来。景祖尝以币与马求国相于雅达，雅达许之。景祖得之，以命肃宗，其后撒改亦居是官焉。”[17]

桓赧、散达是国相雅达的儿子。景祖曾用币马买走雅达国相之位，使国相权力发生了转移。肃宗任国相后，矛盾便凸显出来。桓赧、散达反对国相权力的转移，开始与乌春等人联合围攻世祖。双方从相安无事到发生战争，国相权力的转移是其矛盾激化的关键。

国相，主要辅佐部落联盟首领并具有巫者的职能。在世祖与乌春的战争中，肃宗颇刺淑作为国相，便展现了其巫者的职能，得到“上天”的帮助打败了乌春[18]。景祖收

16 《金史》卷135《外国下》，中华书局，1975年，第2883页。

17 《金史》卷67《桓赧传》，中华书局，1975年，第1574页。

18 《金史》卷1《世纪》，中华书局，1975年，第12 页，载：“肃宗下马，名呼世祖，复自呼其名而言曰：‘若天助我当为众部长，则今日之事神祇监之。’语毕再拜。遂炷火束缊。顷之，大风自后起，火益炽。是时八月，并青草并焚之，烟焰涨天。”

买国相之位，使国相权力转移到了女真完颜部，平等的部落联合关系进一步发生变化，促使了以女真完颜部为核心的部落联合向部落联盟转变。相反，桓赧、散达失去国相之位，怀恨在心，发动了反对女真完颜部的战争。

（二）桓赧、散达联军攻打世祖劾里钵

桓赧、散达联合乌春攻打世祖。乌春军在北，桓赧军在南。世祖怕其形成合势，与肃宗兵分两路分别抗击。乌春虽因大雨退兵，但桓赧军仍节节胜利，打败了肃宗。世祖绕道去了桓赧、散达的家，烧毁了他们的居所，并杀了其部百余人。在肃宗节节败退的情况下，世祖一方面让欢都、冶诃相助，另一方面派人与桓赧、散达议和。但议和因桓赧、散达索要盈歌的大赤马、辞不失的紫骝马而失败[19]。从这次战争中，不难看出桓赧、散达的实力强盛，在乌春退兵的情况下，也能逼得肃宗节节败退并使世祖不断派人去议和。双方的战争还在继续并愈发激烈。

> 《金史·桓赧传》载："是时，肃宗求救于辽，不在军中。将战，世祖屏人独与穆宗私语，兵败，则就与肃宗乞师以报仇。仍令穆宗勿预战事，介马以观胜负，先图去就……世祖之众以长枪击之，步军大败。辞不失从后奋击之，桓赧之骑兵亦败。世祖乘胜逐北，破多退水水为之赤。"[20]

桓赧、散达兵势强盛，肃宗向辽求救，世祖也做了最坏的打算，令穆宗不要参与战事，如果失败，以后再为他报仇。世祖带着"必死"的心态与桓赧进行了最后的战争，双方死伤之多，使破多退水都变成了血色。在"必死"心态的刺激和辞不失的配合下，世祖最终反败而胜，打败了桓赧。世祖打败桓赧、散达联军，因国相之位转移的纷争就此结束，女真完颜部的权力进一步得到集中，为其之后的发展奠定了基础。

三、世祖劾里钵与腊醅、麻产的战争

纥石烈部是继温敦部之后，女真完颜部的又一劲敌。双方战争持续了世祖、肃宗两代。以腊醅、麻产为首，反对女真完颜部的联盟者空前广泛。

（一）腊醅、麻产的居地

腊醅、麻产，活刺浑水诃邻乡纥石烈部人。活刺浑水，有观点认为是今呼兰河（呼兰至铁力两县之间）[21]，在松花江北岸。而景方昶考证活刺浑水应在松花江右岸较为合

19 《金史》卷67《桓赧传》，中华书局，1975年，第1575页。

20 《金史》卷67《桓赧传》，中华书局，1975年，第1576页。

21 《中国历史地图集》中央民族学院编辑组：《中国历史地图集·东北地区资料汇编》，中央民族学院出版社，1979年，第184页。

理[22]。李秀莲对此做了补充，认为活剌浑水，即隋唐时期的忽汗水，与活剌浑是同音异写[23]。活剌浑水应是今牡丹江的异写，不在松花江北岸，而是在松花江右岸。这在腊醅、麻产与野居女真的战争路线中可以进一步得到论证。

《金史·世纪》载："腊醅、麻产侵掠野居女直，略来流水牧马。"[24]

《金史·腊醅传》载："其同里中有避之者，徙于苾罕村野居女直中，腊醅怒，将攻之……海罗、斡茁火间使人告野居女直，野居女直有备，腊醅等败归。腊醅乃由南路复袭野居女直，胜之，俘略甚众。海罗、斡茁火、胡什满畏腊醅，求援于世祖。"[25]

腊醅、麻产侵略野居女真并过来流水劫掠牧马，来流水即今拉林河，表明野居女真的居地近拉林河，在松花江右岸。野居女直，贾敬颜认为是对兀的改人的别称[26]。腊醅、麻产第一次攻打野居女真时，因海罗、斡茁火派人告密，使野居女真有所防备，导致腊醅打了败仗。但腊醅没有放弃，而是绕到南路又袭击了野居女真，取得了胜利。腊醅从南路复袭野居女真，就表明活剌浑水不会是今呼兰河。

如果腊醅在呼兰河也就是位于野居女真的北面，他攻打野居女真就要先渡过松花江。失败后从南路复袭，就要从北面经过西面或者东面才能绕道南面。这样不仅路线远，也容易被野居女真发现，显然是非常不符合实际的。腊醅在牡丹江先从东面攻打野居女真失败，再绕道南路复袭，从路线上看较为合理。腊醅能过拉林河劫掠牧马，牡丹江距拉林河较近，在地理位置的排定上也比较合理。因此，腊醅、麻产的居地应在今牡丹江流域。

腊醅、麻产复袭野居女真胜利后，俘掠甚众。海罗、斡茁火因先前告密，害怕腊醅报复，求助于世祖。世祖派斜列击败了腊醅，尽得所俘。腊醅、麻产与世祖、肃宗的战争也由此拉开了序幕。

（二）腊醅、麻产联军攻打世祖劾里钵

在腊醅、麻产与世祖的战争中，胜负局面出现了反复。双方的第一次战争发生在野

22 《东北舆地释略》卷2《金史上京路属地释略·活剌浑》，《北方史地资料之二·东北历史地理论著汇编（第6册）》，辽宁社会科学院历史研究所出版，1986年，第135页。载："腊醅传，腊醅、麻产兄弟，活剌水诃邻乡纥石烈部人。方昶按，今霍伦即活剌浑之音转。乌春传，涉活论、涞流水，霍伦即活论之异文，亦作和陵。欢都传，石显（鲁）之子劾孙举部来归，居安出虎水源，胡凯山者，所谓和陵之地是也。是和陵即活论之证。今图又作活龙，则活论之转也。"

23 李秀莲：《金源女真的英雄时代》，社会科学文献出版社，2018年，第84页。载："活剌浑水，即隋唐时期的忽汗水，'忽汗'是省音，完整的读音是胡里改、忽儿哈、呼尔哈、忽尔海、虎尔哈等，与活剌浑是同音异写。"

24 《金史》卷1《世纪》，中华书局，1975年，第9页。

25 《金史》卷67《腊醅传》，中华书局，1975年，第1581页。

26 贾敬颜：《女真及其相关的民族》，《历史教学》1985年第10期。

鹊水。野鹊水，即哈什哈泡[27]。世祖在战争中受伤，不能再战。第一次遭遇战以腊醅军的胜利而结束。腊醅胜利后，继续抢夺牧马，并与乌春、窝谋罕结交。世祖再次攻打腊醅，但腊醅假意投降，双方没有直接交手。腊醅假意投降的原委，《金史》中并没有详细交代，可能刚与乌春、窝谋罕等人结交还没有得到明确的答复，又或是离开了居地活刺浑水，后备力量没有跟上，只好先假意投降。无论为何假意投降，结交了乌春、窝谋罕的结果是好的，“窝谋罕以姑里甸兵百有十七人助之”[28]。

腊醅得到了乌春、窝谋罕的帮助，在暮棱水（今穆棱河）集结兵力准备反攻，婆诸刊亦加入其中。婆诸刊是乌林答部石显的儿子，他加入腊醅军阵营，一方面是因为景祖设计陷害自己的父亲而怀恨在心，另一方面也是惧怕完颜部的扩张。腊醅虽集结了兵力，但因被世祖率军围困，此次战争以腊醅军失败而结束。麻产逃跑，腊醅和婆诸刊被世祖擒住并献于辽。

（三）肃宗颇刺淑打败麻产

腊醅虽被擒，但反对女真完颜部的战争还在继续。先有蒲察部故石、跋石诱斜钵三百余人入城，“尽陷之”[29]。后有麻产“据直屋铠水，缮完营堡，招纳亡命，杜绝往来者”[30]。直屋铠水、帅水、率河是同一条水，音与今双阳河近，在今双阳区境内。双阳河是饮马河（移里闵河）的支流，饮马河又是伊通河的支流[31]。麻产在此得到了陶温水民的帮助。陶温水，可能是今伊通河[32]。世祖去世，肃宗袭节度使，开始了与麻产的最后一战。康宗乌雅束和太祖阿骨打兵分两路，包围了麻产居地，但麻产趁夜色突围逃跑。麻产在逃跑过程中，被欢都射中擒住，太祖阿骨打杀麻产并将他的左耳割下献给了辽。

至此，以腊醅、麻产为首的反对女真完颜部的联军被彻底消灭。双方的战争从世祖时期持续到肃宗时期，从来流水（今拉林河）打到暮棱水（今穆棱河），参加的部落也空前广泛。从昭祖石鲁东征苏滨、耶懒之地到肃宗颇刺淑打败腊醅、麻产联军，来流水、暮棱水、孩懒水（今海浪河）、忽汗水（今牡丹江）流域部落基本都被女真完颜部征服。铲除了强大敌人的女真完颜部，在此流域基本畅通无阻。女真完颜部的实力大大增强，为穆宗的发展奠定了基础。

四、穆宗盈歌为统一号令而战

世祖劾里钵、肃宗颇刺淑消灭了女真完颜部的主要敌人，为穆宗盈歌时期的发展奠

27 《中国历史地图集》中央民族学院编辑组：《中国历史地图集·东北地区资料汇编》，中央民族学院出版社，1979年，第184页。

28 《金史》卷67《腊醅传》，中华书局，1975年，第1582页。

29 《金史》卷67《乌春传》，中华书局，1975年，第1579页。

30 《金史》卷67《腊醅传》，中华书局，1975年，第1582页。

31 都兴智：《辽金史研究》，人民出版社，2004年。

32 李秀莲：《金源女真的英雄时代》，社会科学文献出版社，2018年，第86页。

定了坚实的基础。穆宗时期，女真完颜部实力强盛，具有了与辽周旋的能力。穆宗一边打压有“异志”的部落，一边愚弄辽的使臣。

《金史·阿疏传》载：“阿疏，星显水纥石烈部人。父阿海勃堇事景祖、世祖。世祖破乌春还，阿海率官属士民迎谒于双宜大泺，献黄金五斗。”[33]

阿疏，星显水纥石烈部人。星显水，今吉林省延吉市布尔哈通河[34]。其父阿海是纥石烈部勃堇，曾归附于完颜部。阿海死后，阿疏继勃堇。昭肃皇后很喜欢阿疏，两部关系曾较为亲密。然而穆宗袭节度使后，却闻阿疏有“异志”。阿疏究竟为何有“异志”，应是与穆宗“教统门、浑蠢、耶悔、星显四路及岭东诸部自今勿复称都部长”[35]有关。穆宗禁止其他部称都部长，是为其“统一号令”做准备。然而此举遭到了阿疏的反对，阿疏联合同部毛睹禄起兵反抗女真完颜部，双方拉开了战争的帷幕。

穆宗和撒改兵分两路至阿疏城，阿疏求于辽，辽派人来阻止了战争，穆宗只好命劾者留守阿疏城。劾者一直带兵围守阿疏城，阿疏不敢回去，又求于辽，辽使复来。穆宗为攻下阿疏城，设计愚弄辽使。穆宗令劾者等人换上与阿疏城内守军相同的衣服，诡辩称“吾等自相攻，干汝何事，谁识汝之太师”[36]，欺骗并吓走了辽史，攻破了阿疏城，并杀了阿疏的弟弟狄故保。穆宗攻破阿疏城，距“号令乃一”[37]又近了一步。

当穆宗的计谋被识破，辽节度使来问罪并让其赔偿阿疏时，穆宗没有服从，而是联合了主隈、秃荅水、鼻骨德部人继续欺骗愚弄辽朝。让辽以为有部落阻绝鹰路，而穆宗平叛鹰路有功，因而还获得了辽的奖赏。这不仅转移了辽的注意力，使穆宗攻破阿疏城之事不了了之，也维护了女真完颜部在诸部中的地位。

在女真完颜家族几代人的拼杀中，通过招抚、结亲等手段，联合了亲近部落，又通过征伐战争削弱了敌对势力。女真完颜家族获得辽的信任，得到了生女真节度使的身份，又反过来运用生女真节度使的身份号令诸部，愚弄欺骗辽朝。到穆宗时期，女真完颜家族终于做到了“号令乃一”，从此“东南至于乙离骨、曷懒、耶懒、土骨论，东北至于五国、主隈、秃荅，金盖盛于此”[38]。

（陈笑竹　浙江师范大学边疆研究院）

33 《金史》卷67《阿疏传》，中华书局，1975年，第1584、1585页。

34 《中国历史地图集》中央民族学院编辑组：《中国历史地图集·东北地区资料汇编》，中央民族学院出版社，1979年，第183页。

35 《金史》卷1《世纪》，中华书局，1975年，第14页。

36 《金史》卷67《阿疏传》，中华书局，1975年，第1586页。

37 《金史》卷1《世纪》，中华书局，1975年，第15页。

38 《金史》卷1《世纪》，中华书局，1975年，第15页。

辽金历史与考古·第十二辑

文物研究

朝阳县吐须沟村辽墓出土文物考述

宋艳伟

内容提要：2008年，朝阳县公安局在朝阳县西五家子乡吐须沟村收缴一批在吐须沟一座被盗掘的辽墓里出土的文物，后移交朝阳县博物馆，辽宁省文物保护中心应朝阳县公安局、文化局邀请，派专家于2009年3月13日赴朝阳，对吐须沟村辽墓出土文物进行定级鉴定。现分别考述如下，以供学术界同仁参考利用。

关键词：朝阳县　吐须沟村辽墓　文物鉴定

朝阳县西五家子乡吐须沟村辽墓由于被盗墓分子盗掘破坏，其墓葬形制结构不清，幸好朝阳县公安局将该墓出土文物从盗墓分子手里收缴后移交给朝阳县博物馆收藏。这批出土文物计有瓷器、木器、漆器、铜器、铁器、银器及马具、带具等合计120余件，现分别考述如下。

一、吐须沟村辽墓出土文物简述

酱釉鸡腿瓶　3件。形制相同。缸胎较粗，胎质厚重，通体施酱釉，釉厚不匀，有流釉痕，釉下有数道凹弦纹。小口，圆唇，短颈，溜肩，长腹，平底。口径4.8、高42、底径12厘米（图1）。

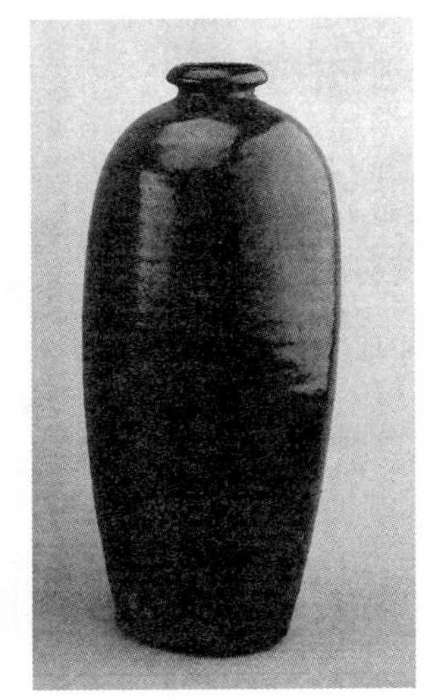
图1　酱釉鸡腿瓶

白釉绿彩长颈壶　2件。形制相同。灰白胎较细，通体施白釉泛青，釉色不匀，下腹近底部有流釉痕。侈口，圆唇，长颈，广肩，圆腹，腹最大径在上部，下腹斜长内收至凹底。颈部饰二道凸弦纹，肩部饰一道凸弦纹，凸弦纹以下至底部绕腹一周饰七道竖直绿条纹。口径10.5、高43.4、底径10.2厘米（图2）。

白瓷盖碗　1件。胎质灰白细腻，通体施白釉均匀，仅碗盖边沿处偶露胎痕。敞口，圆唇，深腹，圈足，有盖呈子母口，平纽，口沿至腹部有一道裂痕。口径13.2、高9.8、底径7.8厘米。盖口径14.2、高3.9厘米（图3）。

图2　白釉绿彩长颈壶

青釉花式口碗　1件。胎骨厚重，胎挂白粉衣，露胎处呈红褐色，通体施虾青色釉，圈足内亦有釉，釉色均匀明亮，面有冰裂纹。口呈五曲花瓣式，斜直腹，小圈足，平底。口径19.8、高7.7、底径7.7厘米（图4）。

贴金彩画木雕狮子　7件。形制相同，狮子用木料雕刻而成，施以红、绿彩绘，表面贴金。狮子均呈坐姿，头上有两角，宽眉竖起，双目圆睁。蒜头状鼻子，微张大嘴，露出四颗牙齿，唇下或一缕或两三缕胡须垂在胸前，胸前佩挂一串项圈，项圈中间挂一圆铃。四爪张开，前身仰起，臀部坐在仰莲座上。整体雕工细腻，刻划得惟妙惟肖，栩栩如生。大的高9.2、底座径4.5厘米。小的高7.8、底座径4厘米（图5）。

图3　白瓷盖碗

图4　青釉花式口碗

漆器　2件。

龙柄漆瓢　1件。木胎，瓢口呈椭圆形，口至底部雕一凸起三爪龙，龙首缺失，矮圈足，口沿至腹部有一裂痕。内外均施紫檀色漆，已部分脱落，显露木胎。通长23.6、高7.3厘米（图6）。

圆形漆盒　1件。木胎，内外均施紫檀色漆，盖与盒形制基本相同，呈圆形，直腹，相接部位均弧内收，以子母口扣合。盒口径18、腹径15.5、底径12.5厘米（图7）。

铜镜　2面。均为龟背纹连珠镜，圆形，弓状圆凸形纽，锈蚀严重，花纹图案不堪清晰，依稀可分辨出从纽向外依次作圆形、中菱形、圆形三组纹饰区，圆形内区和外区饰圆环交错纹，宽缘，内厚外薄。直径13.5、厚0.17厘米（图8）。

图5　贴金彩画木雕狮子

图6　龙柄漆瓢

图7　圆形漆盒

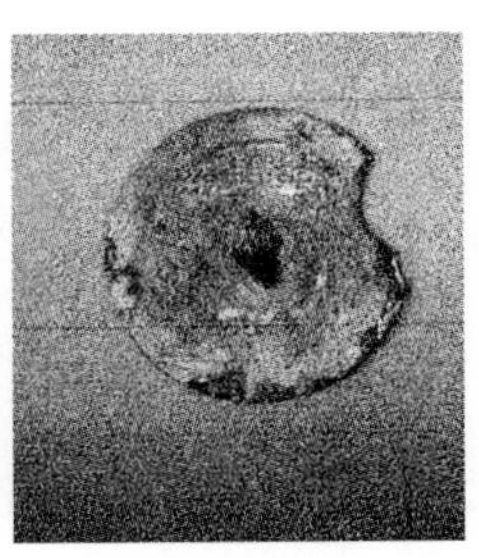
图8　铜镜

鎏金铜锁　1件。横式锁，铜质，表面鎏金。锁体在一端，较粗，圆形，中空，端部锁体折转上弯，接圆体锁梁，固定为一体，锁梁上套有游动锁卡，此锁卡可以摘下，当将其体环套于横梁锁身内时，卡簧张开，即锁上，构成此横式簧锁。此件鎏金铜锁现仅存锁体及相接圆体锁梁，游动锁卡缺失。长12.8、宽4.6、厚2厘米（图9）。

鎏金铜铺首　2件。形制相同。铺首为圆形，素面，铺首中心位置有一长方形孔，长方形孔处伸出一圆柱形铜条，铜条顶端置双环，双环的一侧环上又置一大圆环，整体鎏金，大圆环上鎏金保存较好。铺首直径8.2、厚0.1厘米（图10）。

鎏金摩尼珠纹铜饰件　1件。铜质，表面鎏金。完整。摩尼珠珠体呈椭圆形，环衬数道火焰纹，置于盛开的莲花上。高19、宽14厘米（图11）。

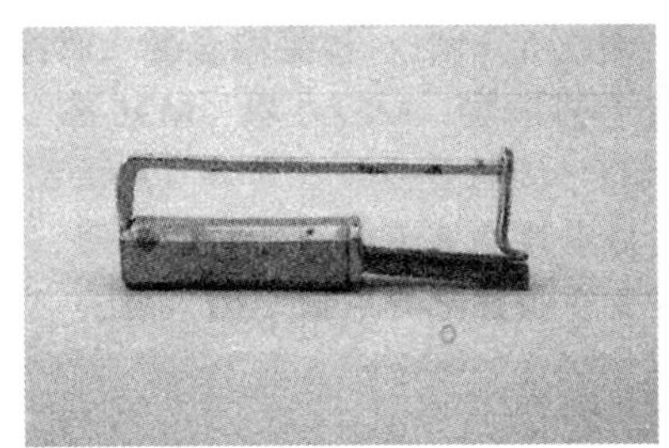
图9　鎏金铜锁

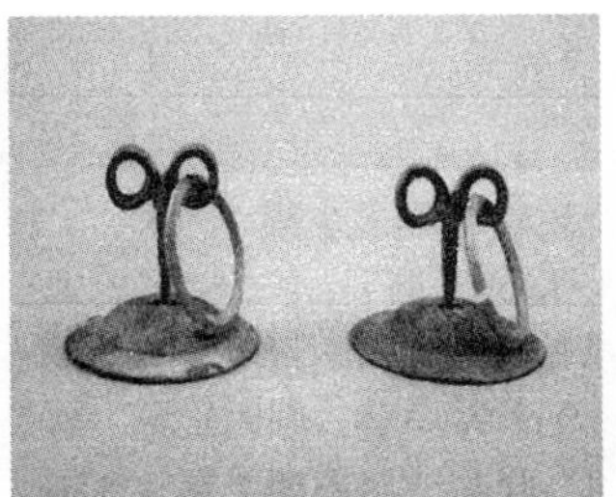
图10　鎏金铜铺首

图11　鎏金摩尼珠纹铜饰件

银柄铁剑　1件。铁质，剑钉铁铸，剑柄为银质。完整。剑首略宽，上下两侧以花瓣式铆钉固定，铆钉中间有透孔剑，把手窄，上下两面以两个花瓣或铆钉固定。剑身呈长条形，已残，锈蚀严重。残长11.6厘米（图12）。

铁鱼叉　1件。完整。铁质。由鱼叉刺、叉柄两部分组成。叉刺铁质，有三个齿，打磨锋利，叉刺中间部分，向后延伸，有一圆柱形铁筒，顶端銎口较粗，用以安装木柄，现仅存铁质叉刺部分，木柄缺失。长21.6厘米（图13）。

铁刮刀　1件。完整。铁质。体呈长条形，刃部略呈弧形，锈蚀严重。长27.31厘米（图14）。

鎏金银鞍桥饰　两副4件。形制相同。这是两副鎏金银鞍桥饰，由前桥与后桥组成，两件前桥均有图案，两件后桥无图案，前桥与后桥叠合起来为一套完整鞍桥饰，基本完整。其前、后桥均为凸面凹背的半圆形银饰，地为素面。其中一件中部均锤压錾刻

“双凤朝阳”，双凤中间为摩尼珠纹，凤尾后各饰一云朵，上边素面，下边饰卷云纹，花纹均鎏金。前桥宽36.5、高25.5厘米，后桥宽40、高26厘米（图15）。

其他还有迦陵频伽纹马具饰件（图16）、鎏金铜蹀躞带等（图17），恕不详述。

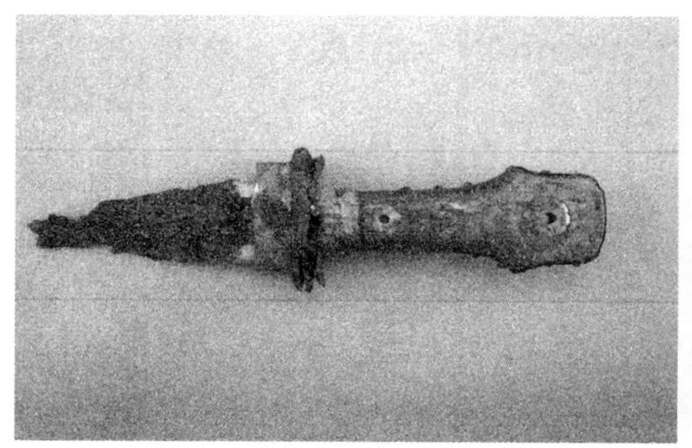

图12　银柄铁剑

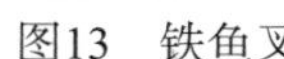

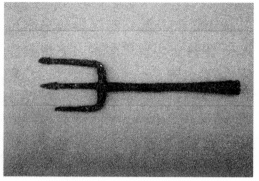

图13　铁鱼叉

图14　铁刮刀

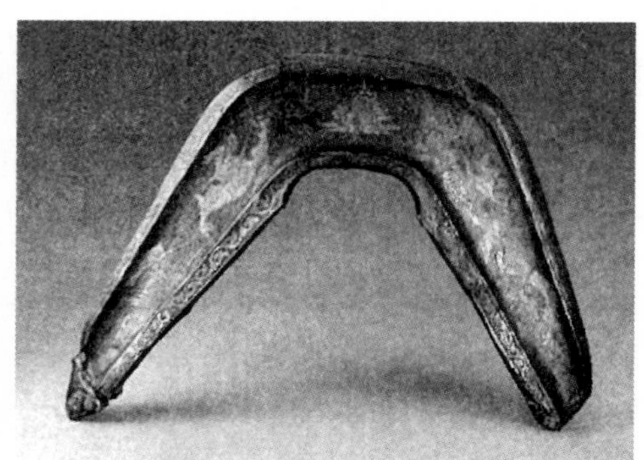

图15　鎏金银鞍桥饰

图16　迦陵频伽纹马具饰件

图17　鎏金铜蹀躞带

二、吐须沟村辽墓重要文物举例

吐须沟村辽墓虽经盗掘破坏，但经公安局收缴移交朝阳县博物馆的出土文物种类齐全，数量较多，其中有的重要文物在辽墓里极少见及，是弥足珍贵的考古第一手资料。

1）在瓷器中，白釉绿彩长颈壶比较重要，其形制与北票市韩杖子村二号辽墓出土的白瓷长颈壶[1]、内蒙古敖汉旗金厂沟梁镇出土的绿釉长颈瓶都十分相似[2]。区别是后者有盖，子母口，应称长颈壶更为贴切。这种竹节颈的长颈壶，在辽代陶瓷器中比较常见，是辽代早期的典型器物，亦是分期断代的主要依据之一。白釉绿彩瓷器在辽墓里出土极少，见于发表的有阜新县白玉都辽墓出土的白釉绿彩穿带瓶[3]、内蒙古巴林左旗隆昌镇双胜村辽墓出土的白釉绿彩鸡冠壶[4]、内蒙古翁牛特旗阿什罕苏木白音敖包出土的白釉绿彩鸡冠壶[5]。

2）彩画木雕狮子共出土7件，形制相同，保存完好，极为难得，其整体造型与朝阳北塔出土的白瓷子母狮子的形象十分相似[6]。这是目前所知辽墓出土的彩画木雕狮子的唯一考古实例，弥足珍贵。

3）吐须沟村辽墓出土的两件漆器中，其中一件定名为凸雕龙纹漆魁，不确，应该定名为龙柄漆瓢为宜。虽然龙首缺失，但其形制与辽宁法库叶茂台七号辽墓出土的一件龙首漆勺十分相近[7]。这件龙首漆勺定名亦不妥，应称为龙首漆瓢较为贴切。

在辽宁省博物馆藏的内蒙古赤峰市出土的2001年由辽宁省文化厅文物处移交给辽宁省博物馆的一件漆木龙柄瓢，其形制即与上述两件漆器相似[8]，因此这类漆器的名称应该称为漆瓢为对。漆瓢在有学者研究的辽代漆器中尚未提及[9]，应是重要补充。另一件圆形漆盒保存完整，其形制与内蒙古通辽市吐尔基山辽墓出土的圆形漆盒相似[10]，辽墓里出土漆盒较多，恕不详述。

4）鎏金铜锁，辽墓里出土铁锁较为普遍，已有学者详论[11]。铜锁次之，鎏金铜锁极为少见。吐须沟村辽墓出土的这件鎏金铜锁，属横式游卡锁。关于这类横式游卡锁的应用形态在河北宣化的张匡正墓出土的壁画中有比较形象的描述[12]。墓葬为仿木结构，后室北壁正中有砖雕的门楼，下部为饰有铁泡钉的木门，门上有横式铁锁1把。

5）鎏金摩尼珠纹铜饰件，原定名为鎏金莲托火焰形铜饰件不妥，应称现名为对。

---

1 北票市博物馆、北票市文物管理所：《北票文物》，辽宁人民出版社，2019年，图472。

2 邵国田：《敖汉文物精华》，内蒙古文化出版社，2004年，第141页上图。

3 袁海波：《辽宁阜新县白玉都辽墓》，《考古》1985年第10期，图2。

4 唐彩兰：《辽上京文物撷英》，远方出版社，2005年，第55页上。

5 刘增军：《翁牛特旗文物选粹》，内蒙古文化出版集团，内蒙古文化出版社，2012年，第89页。

6 辽宁省文物考古研究所、朝阳北塔博物馆：《朝阳北塔——考古发掘与维修工程报告》，文物出版社，2007年，图版七三，1，图三九，1。

7 辽宁省博物馆、辽宁铁岭地区文物组：《法库县叶茂台辽墓记略》，《文物》1975年第12期。

8 辽宁省地方志编纂委员会办公室：《辽宁省志・文物志（1986—2005）》，辽宁省人民出版社，2020年，第297页。

9 么乃亮：《辽代漆器的发现、品种及工艺》，《辽金历史与考古（第六辑）》，辽宁教育出版社，2015年，第304页。

10 内蒙古文物考古研究所：《内蒙古通辽市吐尔基山辽代墓葬》，《考古》2004年第7期。

11 冯永谦：《辽代铁器考古研究》，辽宁教育出版社，2018年，第497—502页。

12 河北省文物研究所：《宣化辽墓》下册图版，文物出版社，2001年。

摩尼珠是佛典上记载的一种神奇的珠宝[13]，深受辽人喜爱。据有学者论及辽代的摩尼珠图案主要受唐及五代的影响[14]。作为装饰纹样不仅拘囿于佛教美术，已扩展到诸多装饰艺术门类，如鎏金银冠[15]、鎏金银捍腰[16]、金花银枕[17]、铜镜等[18]，并多与龙、凤、摩羯、狮子相搭配，组合成复合纹饰图案，给人以丰富多彩的艺术美感。

6）鎏金银鞍桥饰图案就是摩尼珠与双凤相搭配的复合图案，其形制与图案与赤峰市大营子辽驸马赠卫国王墓[19]、敖汉旗新地乡英凤沟七号辽墓出土的鎏金银鞍桥饰相同[20]。这充分表明，辽代契丹族对马具的制作非常重视，反映出契丹族手工业的进步和发展，尤其是鞍具装饰艺术的绝妙高超。

三、吐须沟村辽墓的年代，墓主人身份及族属

吐须沟村辽墓墓葬形制结构均遭破坏，出土文物中亦无明确纪年文字，判断墓的相对年代只能依据出土文物来推测，从出土瓷器来看，未见黄釉瓷器和三彩器，又出土铁器，马具、带具较多，龟背纹连珠铜镜为辽代中期的典型镜型之一，因此，我们推测，吐须沟村辽墓的年代应为辽代中期。从出土的马具、带具和银柄铁剑、银箭箙分析，墓主人的身份应是一名契丹族武官。

（宋艳伟　朝阳县博物馆）

13 参阅《大般涅槃经》《大智度论》《长阿含经》《杂宝经》等佛典。

14 刘义：《浅析辽代多重信仰的融通性——以摩尼珠纹样演化为例》，《辽金历史与考古（第六辑）》，辽宁教育出版社，2015年。

15 冯永谦：《辽宁省建平、新民的三座辽墓》，《考古》1960年第2期。

16 靳枫毅：《辽宁朝阳前窗户村辽墓》，《文物》1980年第12期。

17 内蒙古文物考古研究所：《辽陈国公主驸马合葬墓发掘简报》，《文物》1987年第11期。

18 邵国田：《敖汉文物精华》，内蒙古文化出版社，2004年，第168页。

19 前热河省博物馆筹备组：《赤峰县大营子辽墓发掘报告》，《考古学报》1956年第3期。

20 邵国田：《敖汉文物精华》，内蒙古文化出版社，2004年，第121页。

辽代高嵩墓出土文物考述

刘　艳

内容提要：辽代高嵩墓出土的墓志已经发表，并有学者进行了校勘与考释。本文拟对同时出土的未发表的瓷器和铜镜做一简述，以供学术界同仁参考利用。

关键词：辽代　高嵩墓　墓志　瓷器　铜镜

一

辽代高嵩墓位于辽宁省朝阳县波罗赤镇萧三家村五尺营子屯吴八尺沟，因遭盗墓分子盗掘破坏，其墓室结构形制已无存，墓中幸存的文物有墓志一方（无盖）、瓷器22件、铜镜1面，2008年12月由朝阳县公安局收缴后转交给朝阳县博物馆收藏。其中高嵩墓志，灰砂岩石质，方形，边长95、厚11厘米。阴刻楷书志文竖排四十行，满行51字，合计1988字。志文首次在《辽代石刻文续编》发表[1]，因为仅据手抄本录文，并未与原石及拓片校勘志文，错漏颇多。杜晓红、李宇峰《辽宁朝阳县发现辽代高嵩高元父子墓志》一文首次公布了墓志拓片和经校勘的志文[2]，但因校勘不严，仍有几处误字，并将高嵩的族属与先世考订为渤海国人是失检所致。陈金梅、李莉《辽（高嵩墓志）校勘及浅释》一文[3]，纠正了上述错误，并详考了高嵩一族的世系，高嵩应是汉人渤海郡高氏一支的后裔子孙，笔者赞同此说。

二

2009年3月31日，应朝阳县公安局、文化局邀请，辽宁省文物保护中心组织徐英章、辛占山、田立坤三位专家赴朝阳对高嵩墓出土的瓷器、铜镜进行定级鉴定，现分别简述如下。

---

1 向南著，张国庆、李宇峰辑注：《辽代石刻文续编》，辽宁人民出版社，2010年，第37页。

2 杜晓红、李宇峰：《辽宁朝阳县发现辽代高嵩高元父子墓志》，《辽宁省博物馆馆刊（2011）》，辽海出版社，2011年，第85页。

3 陈金梅、李莉：《辽（高嵩墓志）校勘及浅释》，《辽金历史与考古（第十辑）》，科学出版社，2019年，第347页。

（一）景德镇影青（青白）瓷

1. 影青瓷温碗

1件。胎质细白，薄胎，瓷化甚高，通体施白釉泛青，光洁透明。釉色均匀润泽。釉厚处微呈青碧色。底足内无釉。八瓣花式口，深腹，腹壁亦呈八瓣形，外壁有明显的八条竖直线。高圈足，圈足内有五个支垫痕。口径18.3、通高12.8、底径8.6、足高2厘米（图1）。

2. 影青瓷执壶

1件。胎质细白，薄胎，瓷化甚高，通体施白釉泛青，光洁透明。釉色均匀润泽，釉厚处微呈青碧色。有盖，盖做塔状，六棱形颈，广肩，肩一侧为刀削六面长流，另一侧对面为执柄。圆腹，腹身由上至下凸起竖直八棱，圈足。口径3.7、通高31、底径6.5厘米（图2）。此执壶与上述温碗应为一套酒具。

图1 影青瓷温碗

图2 影青瓷执壶

3. 影青瓷盏托

1套2件。胎质细白，薄胎，瓷化甚高，通体施白釉泛青，光洁透明，釉色均匀润泽。托呈六瓣花式口，浅斜腹，腹中部有一周折棱，矮圈足。盏亦呈六瓣花式口，深腹，腹壁亦呈六曲形，矮圈足，平底。托口径13、高3.1、底径6.6厘米。盏口径10、高4.9、底径4厘米（图3）。这应是一套茶具。

4. 影青瓷盏托

1套2件。胎质细白，薄胎，瓷化甚高，通体施白釉泛青，光洁透明，釉色均匀润泽。托呈六瓣花式口，浅斜腹，腹中部有一周折棱，矮圈足。盏亦呈六瓣花式口，深腹，腹壁亦呈六曲形，矮圈足，平底。托口径12.7、高3.1、底径6.7厘米。盏口径9.8、高4.6、底径3.7厘米（图4）。这应是一套茶具。

（二）耀州窑系青瓷

青瓷碗

2件，形制相同。胎骨厚重，胎挂白粉衣，露胎处呈红褐色，通体施虾青色釉，

图3　影青瓷盏托

图4　影青瓷盏托

圈足内亦有釉，釉色均匀明亮，面有冰裂纹，大敞口，斜直腹，小圈足，平底。口径13.7、高4.8、底径3.8厘米（图5）。

（三）缸瓦窑白瓷

1. 白瓷盘口长颈瓶

2件，形制相同。灰褐胎较粗，露胎处显微红褐色。胎体有拉坯痕迹，通体施乳白釉，釉色不匀，近底部未施釉，有流釉痕。盘口，细长颈，广肩，斜长腹，平底。口径11.6、通高46、底径10.6厘米（图6）。

图5　青瓷碗

图6　白瓷盘口长颈瓶

2. 白瓷碗

2件，形制相同。灰白胎较厚，通体施乳白釉，釉色均匀，八瓣花式口，斜腹，圈足（图7）。

3. 莲瓣纹雕花白瓷碗

2件，形制相同。灰白胎较厚，胎质较细腻，通体施白釉泛青，釉色均匀润泽光亮。侈口，深腹，圈足，腹部外壁雕两周仰莲瓣纹。一件口径15.8、高8.2、底径7.6厘米。另一件口径16、高8.2、底径7.2厘米（图8）。

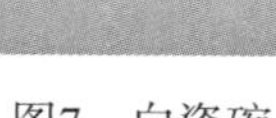

图7 白瓷碗

图8 莲瓣纹雕花白瓷碗

4. 莲瓣纹雕花白瓷碗

2件，形制相同。灰白胎较厚，胎质较细腻，通体施白釉泛青，釉色均匀润泽光亮，圈足部位未施釉，有流釉痕。侈口，深腹，圈足，腹部外壁雕两周仰莲瓣纹。一件口径15.8、高8.2、底径7.6厘米。另一件口径16、高8.2、底径7.2厘米（图9）。

5. 莲瓣纹雕花白瓷盘

2件，形制相同。灰白胎较厚，胎质较细腻，通体施白釉泛青，釉色均匀润泽光亮。圈足部位未施釉，有流釉痕。侈口，浅腹，圈足。腹部外壁雕两周仰莲瓣纹。口径16.8、高4.6、底径8.7厘米（图10）。

图9 莲瓣纹雕花白瓷碗

图10 莲瓣纹雕花白瓷盘

6. 五曲花式口白瓷碟

6件，形制相同。灰白胎较细，通体施白釉泛青，釉色均匀润泽光亮。圈足部位未施釉，有流釉痕。侈口呈五曲花瓣形，浅腹，圈足。内底有三个渣垫痕。口径13.2、高3.9、底径6.3厘米（图11）。

（四）铜镜

连球纹铜镜，1面。

圆形，花瓣纽座，镜背缘内一周环带内满饰连球纹，图案隽秀雅丽，素宽沿。直径13.2、缘厚0.1厘米（图12）。

图11　五曲花式口白瓷碟

图12　连球纹铜镜

三

高嵩墓虽然被盗掘破坏，但仍收缴幸存一批瓷器和铜镜，因为高嵩卒于圣宗统和十八年（1000），有明确的纪年，这批精美的瓷器和铜镜可以成为辽墓出土同类瓷器和铜镜分期断代的标准器。

从高嵩墓出土的22件瓷器来看，按窑系可以分为景德镇窑、耀州窑、缸瓦窑三个窑系。其中景德镇窑位于今江西省景德镇，自唐及五代、北宋以来就以烧制影青瓷器而享誉海内外，笔者认为，高嵩墓出土的影青瓷执壶与温碗、盏托实为北宋景德镇窑系烧造的宋瓷中颇具风格的精品，影瓷器执壶与温碗实为一套别致的温酒器，其形制可与朝阳前窗户村辽墓出土的一组影青瓷温酒器相媲美[4]。白沙宋墓壁画中就绘有这种温酒器[5]；1963年在安徽省宿松县曾出土过一套影青莲花瓣注碗温酒器[6]。宋辽之间，除短期交战外，一直保持着岁币、聘向馈答和贸易关系，尤其“澶渊之盟”以后，双方保持着长期和平共处的局面，从未发生大的战事直至辽亡，每年的官方使节络绎不绝，官方与民间的经贸交流更加频繁密切，北宋景德镇窑的影青瓷器大量流入北国辽境，供辽代皇室及上层贵族官吏使用，一时成为时尚，高嵩身居辽朝高官显位，拥有一套北宋景德镇窑烧制的影青瓷高级酒器是身份高贵的象征。

由于辽国地处北国草原大漠，契丹族以游牧狩猎为主，多食牛羊肉，少食果蔬，

4　靳枫毅：《辽宁朝阳前窗户村辽墓》，《文物》1980年第12期，图八、图一〇。

5　宿白：《白沙宋墓》，文物出版社，1957年，图版叁捌，第二号墓墓室西南壁画。

6　赵光林：《从几件出土文物漫谈宋元影青瓷器》，《文物》1973年第5期，图版壹。

因此饮茶之风尤盛，在内蒙古敖汉旗四家子镇羊山1号辽墓墓室的西南壁就绘有一幅茶道图[7]，图中的品茶器皿中的盏托与高嵩墓出土的两套4件北宋景德镇的影青瓷盏托很相似，或许这两套4件影青瓷盏托是一种兼有酒具或茶具两种功能的高级器皿。

高嵩墓出土一件耀州窑青瓷碗，耀州窑址在今陕西省铜川市，向以烧成青瓷而著称。辽墓出土的青瓷器多出自耀州窑。与此件青瓷碗形近或相似的青瓷碗在赤峰县（今赤峰市松山区）大营子辽墓[8]、辽宁法库县叶茂台七号辽墓[9]、内蒙古哲里木盟（今通辽市）奈林稿辽代壁画墓[10]、辽陈国公主墓都有出土[11]，说明当时地在北宋境内的耀州窑烧制的青瓷器在辽国的分布范围是很广泛的。

高嵩墓出土的白瓷器出自北方辽国境内的赤峰缸瓦窑，这是一处很大的辽国窑址，主要仿河北定窑的白瓷，产量很大，辽墓出土的白瓷器大都出自此窑。在高嵩墓出土的白瓷器中，尤以一件盘口长颈瓶比较重要，其形制与辽宁凌源市小喇嘛沟一号辽墓出土的一件白瓷盘口长颈瓶很相似[12]。一号墓的时代为辽代中期圣宗统和年间，与高嵩墓的纪年圣宗统和十八年（1000）时代亦相符合。说明这种白瓷盘口长颈瓶主要流行于辽代中期。

高嵩墓出土的一面连球纹铜镜与《辽代铜镜研究》一书中所收录的一面连球纹铜镜很相似[13]，这类连球纹铜镜主要流行于辽代中期。高嵩墓有明确的纪年圣宗统和十八年（1000）为这类铜镜的时代为辽代中期提供了明确的考古依据，这是弥足珍贵的。

（刘 艳 朝阳县博物馆）

---

7 邵国田：《敖汉文物精华》，内蒙古文化出版社，2004年，第237页《茶道图》。

8 前热河省博物馆筹备组：《赤峰县大营子辽墓发掘报告》，《考古学报》1956年第3期。

9 冯永谦：《叶茂台辽墓出土的陶瓷器》，《文物》1975年第12期。

10 内蒙古文物工作队：《内蒙古哲里木盟奈林稿辽代壁画墓》，《考古学集刊（第1辑）》，中国社会科学出版社，1981年。

11 内蒙古自治区文物考古研究所、哲里木盟博物馆：《辽陈国公主墓》，文物出版社，1993年。

12 辽宁省考古研究所：《凌源小喇嘛沟辽墓》，文物出版社，2015年，彩版八，2。

13 刘淑娟：《辽代铜镜研究》，沈阳出版社，1997年，第50页，图三十五。

文物研究

辽中京大明塔的年代、形制、佛像布置新探

郎智明　王玉亭

内容提要：本文根据辽中京“大明塔”的建造特点与墨书题记，通过分析辽代建塔的时间轴，推断其起工时间为1092～1093年。结合大明塔塔身特征及雕饰，指出其并非一座常规的辽式密檐塔，以塔身是否存在砖仿木构作为切入点，分析了塔身形制的来源，并为其基座下部的复原研究提供了依据。大明塔集辽代佛教文化内涵之大成，本文重新梳理了其第一层塔身砖雕佛教造像的分布，说明并推断佛像布置的依据及成因，同时探讨了后世维修时的若干问题。

关键词：辽中京　大明塔　砖仿木构　覆钵式辽塔　八大菩萨

一、概　　况

大明塔位于赤峰市宁城县大明镇辽中京遗址内，东距宁城县城天义镇约15千米，距离辽宁内蒙古边界最近处不到18千米。

辽中京，又称辽中都，府曰大定，辽河正源老哈河从中京城东南缓缓流过。对于中京，辽道宗敕赐的静安寺碑文[1]中描述“五都错峙，帝宅尊乎中土，则大定之分甲天下焉”，并称辽中京为“天邑”。于此足以得见中京大定府在辽朝的地位。

大明塔（图1）建于辽代，坐落在辽中京内城正南门——阳德门外东南100余米处。今中京城仅余城址，而大明塔依旧傲立苍穹。乾隆皇帝的《题大宁塔》曾写道：“鲁恭宫殿颓无存，惟余窣堵巍平原。”大明塔是俗称，其地后为元之大宁路、明大宁都司治所，故塔为大宁塔。后世改称大明塔，或为谐音。

图1　大明塔

辽中京大明塔规模巨大，塔身高而粗壮，其雄伟的气势，极具视觉冲击力。

1　向南：《辽代石刻文编》，河北教育出版社，1995年，第360、361页。

在1988年大明塔基台覆土尚未发掘之前，塔高的数据为73.12米（不含基台）[2]；清理覆土之后，大明塔高达80.22米（含辽代始建的台阶式基台）[3]，成为全国仅有的三四座高度在80米以上的古塔之一。

但此塔塔身直径之大，却是定州料敌塔、泾阳崇文塔等80米以上高塔所无法比肩的。大明塔基座底边边长为14米，对角直径达36.6米[4]，为全国第一粗塔，也是我国体积最大的古塔。大明塔曾经历过元代的武平路大地震（震级推断为7级[5]），地震为塔体留下了可容人身的裂缝与错位。但由于塔身体积巨大，这些地震的痕迹仅凭肉眼远观是很难识别的。

辽中京大明塔的高度和体量，令人叹为观止。而更为精彩的是大明塔身遍布的砖雕。

辽中京大明塔为八角十三级密檐式砖塔，第一层塔身为辽宁一带非常典型的八券龛、八主尊、十六胁侍与飞天、二十四华盖构图。但该塔的四个正面与四个隅面的胁侍形象有别，正面的胁侍为女性菩萨、隅面则为健硕的男性力士形象（图2，图中为正北面和东北面）。

图2　大明塔第一层塔身构图

大明塔身的各类佛教造像砖雕体量较大，雕刻细腻，人物衣着服饰线条流畅。主尊法相庄严；菩萨雍容华贵，天衣贴体，仿佛“曹衣滴水”；每对力士一张口一闭口，怒目圆睁，身形孔武有力，手持兵刃，衣带招展，宛若“吴带飘风”，极富动感。

八面飞天皆呈“一”字形，为平姿。飞天身体修长，双腿并拢，如同游动的美人鱼一般。

2　姜怀英、杨玉柱、于庚寅：《辽中京塔的年代及其结构》，《古建园林技术》1985年第2期，第32页。

3　乌成荫：《漫话辽中京》，内蒙古科学技术出版社，1997年，第70页。

4　乌成荫：《漫话辽中京》，内蒙古科学技术出版社，1997年，第70页。

5　胡廷荣：《关于1290年武平路地震震级讨论》，《华北地震科学》1984年第1期，第62页。

各面主尊皆趺坐于券龛之中，顶悬流苏华盖。各面胁侍头顶的小华盖则分为两种类型，一种见于塔身东南、西南两面，由三座须弥山状的砖雕组合而成；一种见于其他六面，与主尊头顶的华盖造型相近，只是体量较小。

大明塔的各类浮雕，当然也是辽时辽宁一带的典型做法，也就是将预砌砖垛雕刻成型后，镶嵌补砌于塔身表面的预留空位之中（图3）。

图3　大明塔第一层塔身的各类佛教造像砖雕

二、年代分析

对于辽中京大明塔的建造年代，只有《大元大一统志》的历代版本言之凿凿，皆记载其为辽统和四年（986）建[6]，为感圣寺佛舍利塔。然而，中京城是在辽宋澶渊之盟签订后的统和二十四年（1006）兴建，城之不存，塔将焉附？所以《大元大一统志》的记载并不准确。那么其他历史文献、出土文物中能找到关于大明塔年代的明确记载吗？

事实上，在20世纪80年代对大明塔进行维修时，工作人员就曾在该塔第二层檐发现"寿昌四年（1098）四月初八日……"[7]的墨书题记，以及多处带"寿昌"年号的其他题记。

6　金毓黻、安文溥辑：《大元大一统志》，《辽海丛书》，辽沈书社，1985年，第3590页；（元）孛兰肹等：《元一统志（上）》，中华书局，1966年，第211页。

7　项春松：《赤峰古代艺术》，内蒙古大学出版社，1999年，第338页。

寿昌四年的墨书题记本是断代分析的一个直接证据，可专家学者们却或多或少地无视这个年代，仅仅是推测该塔在辽寿昌年间有过维修。学界持这种观点的原因归根结底就是1098年这个时间有些晚，辽政权当时已临近终结。

学界普遍认为，大明塔体量巨大，辽道宗寿昌年间已无雄厚的财力斥巨资兴建如此规模的大塔。学者们通常都是结合一些北宋文人的使辽诗或其他著作，参考塔身木构件^{14}C的测定数据，给出一个建塔的时间范围，1013～1098年[8]是目前普遍采信的说法。

其实，若不是因为大明塔惊人的巨大体量，如若换作规模小一些的砖塔，怕是学界早就定论该塔为1098年所建了。但换作大明塔，寿昌四年（1098）这一年代之所以不被学界所广泛认可，主要还是寿昌年间已是辽代晚期的原因。

既如此，就让我们分析分析寿昌四年（1098）这个时间点到底晚不晚。

1098年放在整个辽代的时间轴上，的确是晚。1122年辽中京被金军攻陷，1125年辽朝灭亡。那么，对于辽代有修建佛塔记载的时间段，1098年还晚不晚呢？我们先来列举一下建于1098年之后的现存辽代大型砖塔有哪些（含已毁但留下照片者）。

蔚县南安寺塔（1111年）[9]、北京天宁寺塔（1119年建、1120年竣）[10]、义县广胜寺塔（不早于1116年）[11]、沈阳崇寿寺白塔（已拆，1107年建、1108年竣）[12]、绥中妙峰山大塔（1101～1123年）[13]、易县荆轲塔（1103年）[14]、新民辽滨塔（1110年建、1114年

8 姜怀英、杨玉柱、于庚寅：《辽中京塔的年代及其结构》，《古建园林技术》1985年第2期，第35页。

9 南安寺塔的地宫于2011年3月发现被盗。文物专家组清理现场时，在一处残破的墙角意外发现了一列墨书题记：“天庆元年（1111）三月十一日画□□□□照□□□□”。李新威：《蔚州南安寺塔地宫之谜》，《华夏地理》新浪博客，http://blog.sina.com.cn/s/blog_485b612b0102vmf3.html。

10 向南著，张国庆、李宇峰辑注：《辽代石刻文续编》，辽宁人民出版社，2010年，第301页。

11 孙立学等：《义县嘉福寺舍利塔建造年代及其他相关问题》，《北方文物》2014年第1期，第42页。

12 沈阳崇寿寺白塔拆除时，工作人员在地宫内出土的石函上发现铭文：“维乾统七年岁次丁亥四月小书。丁巳朔十一日丁卯火日选定辛时，于州北三岐道侧寺前起建释迦佛生天舍利塔”等。向南著，张国庆、李宇峰辑注：《辽代石刻文编续编》，辽宁人民出版社，2010年，第256页。同时，崇寿寺白塔地宫中发现的椭圆形银函盖上刻有“佛舍利子”“乾统八年”“三月二十三日”等文字。故推断该塔为辽乾统七年（1107）起工，乾统八年（1108）竣工。

13 绥中妙峰山大塔东南和西南两面有砖雕阴刻榜题“辽天祚皇帝”“宣赐舍利塔”，故推断此塔建于天祚帝时期。

14 《易州重修圣塔院记》落款“宋乾道二年岁次癸未五月己卯朔二十四日建”，乾道乃南宋孝宗年号，孝宗时，整个中国北部早已不是宋朝的领土，并且乾道二年（1166）为丙戌年，与碑文中干支“癸未”不合。此外，碑文开头有“……迄于我朝开国之后，仅百载□承天皇太（缺十三字）而（缺十一字）焉……”字样。显然说的是辽朝开国百年时，著名的承天皇太后萧绰。而辽乾统三年（1103）恰为癸未年，该年的五月朔（初一）也恰为己卯日。故推断此碑遭后人篡改，碑中“乾道二年”当为“乾统三年”所改，“宋”字亦为伪刻。向南：《辽代石刻文编》，河北教育出版社，1995年，第531、532页。

竣）[15]、房山天开塔（1110年）[16]、朝阳凤凰山凌霄塔（已拆，1100年）[17]、易县净觉寺塔（已毁，1115年）[18]、房山云居寺南塔（已毁，1117年）[19]。

除了上述有较明确纪年的，还有敖汉南塔[20]、朝阳八棱观塔等也推断建于1098年之后。其中特别是北京天宁寺塔，塔高55米有余，体量也不小，却是在辽朝灭亡前以区区10个月的工期完工[21]。

通过上面的列举，我们得知在1098年之后，还兴建了数量如此之多的、大大小小的辽塔。再结合目前年代明确可考的辽塔中修建最早者为涿州智度寺塔（1031年）[22]，那还会觉得1098年这个年代有些晚吗？至少还不算是太晚吧？

寿昌是辽道宗的最后一个年号，寿昌四年只是道宗朝的末期，后面还有二十余年的天祚朝。人们常常忽视亡国之君天祚帝一朝，其实辽代的道宗朝和天祚朝应并列为辽代两个建塔的高峰期。

所以，笔者觉得在塔身上发现的“寿昌四年四月初八”这一时间，就是大明塔的竣工日期。古人建塔，不管什么时候真正完工，普遍选择黄道吉日作为竣工时间，四月初八是佛诞日，以佛诞日作为正式落成的日期是很正常的。

不过，以大明塔巨大的体量，绝不是一年之内就可以营建完毕的。参照具有皇室背景的北京天宁寺塔，辽中都大明塔这座空前规模的超级大塔，塔高约是天宁寺塔的1.5倍，计算体积的话，$1.5^3=3.375$倍，再考虑到大明塔的“宽高比”要较其他辽代密檐砖塔为大，于是估计大明塔的体积应为天宁寺塔的4倍左右。北京天宁寺塔用了10个月的营建时间，那么对于大明塔，即使是以举国之力来营建，其时间跨度至少要在10个月这个基础上乘以4。

再考虑到高度的增加带来施工上的难度，以及宁城的冬季要较北京寒冷，考虑到天寒地冻时工程必须暂停，那么大明塔的工期，就应按5～6年来计算。于是笔者推断大明塔起建于1092年（大安八年）或1093年（大安九年）。

2018年下半年，首都博物馆的“大辽五京——内蒙古出土文物暨辽南京建城1080年展”中写道辽中京大明塔建于1092年，虽不知依据为何，但这个年代还是经得起推敲的。

总之，大明塔高度、体积皆为现存辽代砖塔之冠，地点又位于中京这个甲天下之地。而道宗继位之前，辽代大量建塔尚未开始，在中京营建如此规模空前的佛塔也必须是在各府州县都已落成一定数量的佛塔之后，经积累大量经验后而建。大安八年（1092）是一个非常合理的时间点。

---

15 沈阳市文物考古研究所：《沈阳新民辽滨塔塔宫清理简报》，《文物》2006年第4期，第53页。

16 汪建民、侯伟：《堪称小型辽代文物馆的天开塔》，《北京的古塔》，学苑出版社，2003年，第51页。

17 王建学等：《辽宁寺庙塔窟》，辽宁美术出版社，2002年，第489页。

18 河北省文物管理处：《河北易县净觉寺舍利塔地宫清理记》，《文物》1986年第9期，第76页。

19 向南著，张国庆、李宇峰辑注：《辽代石刻文续编》，辽宁人民出版社，2010年，第293页。

20 林林、付兴胜、陈术实：《武安州塔形制及建筑年代考》，《草原文物》2014年第1期，第135页。

21 向南著，张国庆、李宇峰辑注：《辽代石刻文续编》，辽宁人民出版社，2010年，第301页。

22 曹汛：《涿州智度寺塔的史源学考证》，《建筑师》2007年第2期，第97页。

三、塔身结构要素分析

辽中京大明塔属于典型的辽宁风格辽式密檐塔。大明塔除了塔身异常高大粗壮之外，似乎一切都中规中矩，和辽宁一带其他的典型辽式密檐塔并列在一起，貌似无甚差别（图4）。

1　2　3　4　5

图4　辽式密檐塔

1. 北镇崇兴寺西塔　2. 锦州广济寺塔　3. 辽中京大明塔　4. 辽阳白塔　5. 北镇崇兴寺东塔

然而，若是仔细观察就会发现，这位大哥和小弟们的差别还是不小的。

诸多先贤在对大明塔的形制进行研究时，尽管对其独有的形制进行过测绘、描述与分析[23]，但还是把它当成了辽式密檐塔中的普通一员，对横向比较同期的其他辽代砖塔做得还不够，均不约而同地忽略了大明塔是因体量巨大而形成的特殊形制。

（一）真木结构

辽代砖塔以用砖仿木为最大看点，砖仿木构主要表现在平座、第一层塔身和塔檐等部分忠实地按木结构仿出外形。可是大明塔并不具有这一特色（图5）。

砖塔的出檐主要是采用砖叠涩的方法，辽代密檐式砖塔通常是第一层檐以砖仿斗拱出檐，之上各层以砖叠涩出檐。但砖仿斗拱技术也是依托于砖叠涩的，对于通常的砖塔，是以斗拱型砖经叠涩组合，继而实现逼真的仿木效果。

辽代进入道宗朝后，以砖仿斗拱为代表的砖仿木技术早已炉火纯青，但大明塔却区别于其他所有辽代砖塔，塔身上找不到任何砖仿木构件，而使用的是货真价实的木质斗

23　姜怀英、杨玉柱、于庚寅：《辽中京塔的年代及其结构》，《古建园林技术》1985年第2期，第32～37页；陈术石、马雪峰、杜津伏：《内蒙古宁城大明塔建造年代考》，《古建园林技术》2012年第3期，第56～58、95页。

图5　北镇崇兴寺西塔与大明塔对比

（图示出了北镇西塔所有的砖枋木构，而大明塔却只有真木结构，毫无仿木造型）

拱（图6）。这是为什么？

原因就是大明塔的塔身直径过于庞大，而砖的承剪能力是有限的，即使是叠涩更多的砖层，也难以实现与大明塔硕大的塔身相匹配的出檐远度。而木结构的弹性、韧性、抗剪切力极强，为了挑檐深远，那就只有回归到木结构。辽代工匠非常熟悉木构，否则也不能用砖仿木仿得惟妙惟肖，故而大明塔第一层檐下采用了纯木斗拱。

第一层檐下斗拱为斗口跳，皆坐于木制普拍枋上。因塔身很宽，补间斗拱多达6朵（图6）。

图6　大明塔木质斗拱

栌斗之上，加垫了一层十字相交的小拱，这种十字相交的小拱叫作实拍拱，可以辅助华拱，增加出跳距离（图7）。

转角斗拱出角华拱，泥道拱和华拱转角出跳相列（即列拱）。转角斗拱与相邻的补间斗拱共用同一替木承托撩檐枋（图7）。

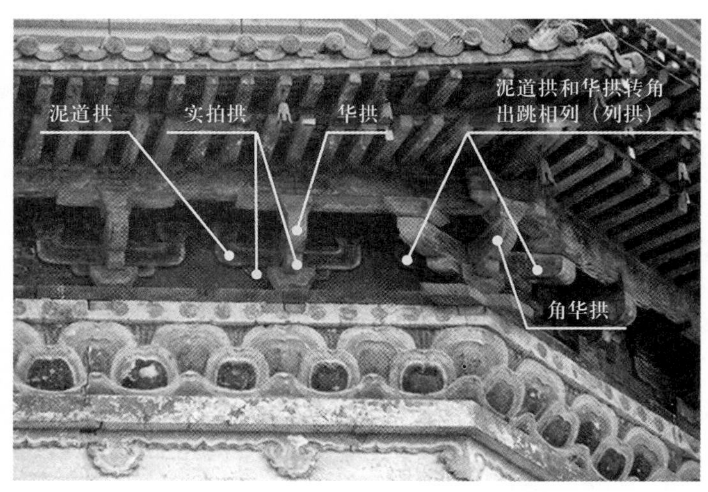

图7　大明塔第一层檐下木质斗拱各部分图示

尽管大明塔第一层檐下采用的是最简单的出跳斗拱形式——斗口跳（只用一跳华拱直承替木、撩檐枋等檐部组成部分，省去令拱），但足以使出檐距离与粗大的塔身相符合，令塔身与塔檐的结合富有美感。

大明塔真木斗拱用材尺寸为23厘米×15厘米[24]，按1尺=32厘米折算，约为7.2寸×4.7寸，大致合《营造法式》中的四等材。《营造法式》规定材分八等，其中四等材和三等材的差距很小[25]，大明塔的用材已经算是强度和韧性较高的等级了。

辽代的木结构建筑，学界公认仅存8座，即八大辽构。现存地面建筑中除了这8座辽构之外，就只有在大明塔身上能看到辽代原装的木结构了。笔者觉得，既然一些石窟寺的木结构窟檐都可以列入唐构名单，那大明塔的真木结构斗拱为何不能算作半座辽构呢？

图8　大明塔二层往上各层密檐

大明塔除最重要的第一层檐外，二层檐往上的各层密檐也采用施以木椽辅助挑檐的做法，增加出檐距离（图8），使得各层密檐做到出檐深远，满足与大体量塔身相匹配的视觉需要。

此外，大明塔第一层檐下斗拱中，不出跳的扶壁木构件（如泥道拱，见图7）使用的也是真木，但这些扶壁木构件却是完全嵌在砖里，

24　姜怀英、杨玉柱、于庚寅：《辽中京塔的年代及其结构》，《古建园林技术》1985年第2期，第34页。

25　《营造法式》规定的用材等级，其中四等材断面尺寸为7.2寸×4.8寸、三等材断面尺寸为7.5寸×5寸。潘谷西等：《〈营造法式〉解读》，东南大学出版社，2005年，第45页

根本就没有什么承力的作用。其实，以辽代工匠的砖仿木手法，这部分构造完全可以使用砖仿，就像呼和浩特的万部华严经塔和诸多江南砖身木檐塔那样，壁内的泥道拱为砖仿木，而出跳的华拱为真木。

看来，大明塔的工匠是放弃了他们擅长的砖仿木构。既然最复杂的斗拱部分都不再使用砖仿，那阑额、檐柱等相对简单的部位也索性一并放弃了。简单一句话：大明塔身全部不做砖仿木构。

总之，大明塔这座代表着辽代建筑雕刻技艺巅峰的砖塔，却唯独摒弃了辽人最擅长的以砖仿木技术。这也从一个侧面说明：砖仿木技术再精湛，也有力不从心的时候。

（二）雕饰处理

大明塔不做仿木结构，那塔身转角等处该如何处理？有没有“无仿木结构”的辽代砖塔可以参照、借鉴？

答案是有的，那就是一种辽代兴建数量较少的覆钵式辽塔，现仅存两例（天津市蓟州区观音寺白塔与赤峰静安寺塔）。笔者在《辽代的覆钵式塔》[26]一文中对这类砖塔进行过细致的阐述。这类覆钵式辽塔的特点是塔身往上（含塔身）全无砖仿大木作，也就是没有砖仿的檐柱、阑额、普拍枋、斗拱、椽飞等木结构。这类辽式覆钵塔型，通常仅基座上部的平座为砖仿木构，即仿小木作的勾栏和大木作的斗拱。

而对于大明塔来说，其基座上部并无平座，大明塔的第一层塔身由类似莲台一样的平台承托，但表面却并未雕刻莲瓣，而是素面（参见图1）。大明塔在增加斗拱出跳距离的具体实现上只考虑了檐下斗拱，也就是说只有檐下斗拱用了真木。大明塔不设平座，也就谈不上考虑平座的斗拱。

不设平座以及平座斗拱的原因，一方面是由于除檐下斗拱外，再用一部分真木结构有些麻烦；其二是就要突出重点，因为平座斗拱相比檐下斗拱的重要性要差得多，辽式密檐砖塔的平座都是装饰性的假平座，但塔檐却无论如何都是真檐。同时，平座部分并非辽式密檐塔的必要组成部分，辽宁一带亦可见须弥座上部无仿木平座的多处实例（如海城析木金塔、义县嘉福寺塔、绥中妙峰山大塔）。

那对于辽代的覆钵式塔，有没有须弥座上部亦无仿木平座的实例呢？

当然是有的，答案就是赤峰静安寺塔，此塔全塔上下无任何砖仿木构特征。赤峰静安寺塔与大明塔同位于赤峰市以南，两塔相距并不遥远。

那么，我们就来看一看，除却真木结构之外，其他位置全部不做砖仿木结构的大明塔，和全塔上下无任何砖仿木部分的赤峰静安寺塔相比，是否有相似之处呢（图9）？

图9中可以看到二塔细节上的相似处之多：须弥座壶门中的“卐”字、须弥座上枋中的莲带雕刻、塔身转角经幢、檐下混状曲面莲带雕刻。

特别是“卐”字装饰，壶门中雕刻大型“卐”字图案的装饰不见于其他现存辽塔。尽管二塔的“卍”“卐”旋向相反，但这个是无所谓的，佛教中两个方向的纹饰都是可

26　郎智明：《辽代的覆钵式塔》，《沈阳考古文集（第6集）》，科学出版社，2017年，第231～238页。

图9　赤峰静安寺塔与大明塔对比

用的，并无本质区别。

更须指出的还有大明塔真木斗拱和普拍枋下面外凸形的彩色仰莲带，此种做法虽为辽代砖塔中的孤例，但却完全有借鉴静安寺塔枭混曲线形塔檐的可能。

所谓枭混，是装饰线角的一种，上半部呈凹状的圆弧为枭，下半部凸状的圆弧为混，中间就是枭混曲线的拐点。大明塔借鉴覆钵式辽塔特有的檐部造型，即凸凹形状之下半部——凸起部分来塑造塔身，并且其莲瓣雕刻也与赤峰静安寺塔如出一辙（图10）。

图10　上为静安寺塔莲瓣、下为大明塔莲瓣

赤峰静安寺塔推断建于1072～1084年[27]，位于辽中都以北仅百余里，地理位置与大明塔很接近。而大明塔的营建又要比静安寺塔约晚10多年。所以很有可能在大明塔的施工设计中，有熟悉或参加了静安寺塔营建的工匠参与，并参考了部分静安寺塔的要素。

27　郎智明：《辽代的覆钵式塔》，《沈阳考古文集（第6集）》，科学出版社，2017年，第237页。

赤峰静安寺塔和宁城大明塔，是现存仅有的两例没有砖仿木构造型的辽代砖塔。二者一为密檐式塔、一为辽式覆钵塔；一座是高80米以上的辽塔之最、一座是以山巅岩石为基的仅约20米高的中小塔。两者看似并没有什么共同点，然而通过上述分析，我们却有理由相信，地理位置的接近和大明塔造型的特殊性决定了二者之间的遗传联系。

我们知道，大明塔现存之基座最下部的素面部分是后世维修时改造的，辽代始建之时其须弥座绝不止一层束腰，下层束腰等部位一定是有精美而残破的砖雕被包砌在里面。前文分析了大明塔和静安寺塔有诸多类似的要素，那现在假设要为大塔基座进行复原设计，是否就可以参照静安寺塔了？

这当然是毫无疑问的。

辽宁一带现存辽塔的基座多是双层束腰，大明塔应该也属于这个双束腰系列。静安寺塔下层束腰装饰壶门，间以蜀柱，上下束腰的蜀柱有对应关系。所以大明塔下层束腰也应该是三个壶门，壶门内饰有乐伎人的雕刻。

当然大明塔塔身巨大，下层束腰的壶门一定如同其“卐”字那般大小，内部乐伎人的雕刻也一定较其他辽塔为大，细腻程度也一定如同其塔身砖雕一般绚丽无比。

大明塔第一层塔身转角浮雕经幢，合为八大灵塔。浮雕经幢为两段幢身，与赤峰静安寺塔转角经幢形制相近。不同之处，便是大明塔体量巨大，浮雕经幢亦有足够的平面空间，上段幢身直接用汉字题写了八大灵塔名号，下段幢身则是用汉字题写八大菩萨名号（图11）。

图11　大明塔身转角处砖雕的八大灵塔

由正南面东侧转角经幢起，按顺时针方向，题写的灵塔和菩萨名号依次是（图11从右至左）：

淨飰王宮生處塔　觀世音菩薩　　菩提樹下成佛塔　慈氏菩薩
鹿野園中法輪塔　虛空藏菩薩　　給孤獨園論議塔　普賢菩薩
曲女城邊說法塔　金剛手菩薩　　耆闍崛山般若塔　妙吉祥菩薩
菴羅林衛維摩塔　除盖障菩薩　　娑羅林中圓寂塔　地藏菩薩

四、佛像辨识

20世纪80年代以来，我国学者如乌成荫、杭侃、陈术石、佟强等诸位先生皆对大明塔身上的佛教造像进行了解读[28]，成果颇丰，但先贤们却都不同程度地出现了误判。不过随着几代人的努力，对于大明塔的佛像辨识已经越来越趋于接近历史的真相。韩国学者成叙永先生曾撰文系统地研究了辽代的八大菩萨造像[29]，其中就有关于辽中京大明塔的内容，其观点笔者甚为赞同。不过成叙永先生并没有对大明塔进行个案分析，该文关于大明塔佛像辨识的内容并不完整，还有近乎笔误的瑕疵，因此有必要重新梳理一下。

对于大明塔的佛像辨识，八个经幢转角题写的八大菩萨名号是最直接的证据，那么我们就接上文，从题写的八大菩萨名号谈起。

八个转角题写八大菩萨名号，是不是意味着大明塔八面券龛中趺坐的主尊就是八大菩萨呢？还是指八大菩萨名号与其题写位置距离就近的胁侍菩萨一一对应呢？（图12）

图12　大明塔第一层塔身正南面

28　乌成荫：《漫话辽中京》，内蒙古科学技术出版社，1997年，第82～98页；杭侃：《辽中京大明塔上的密宗图象》，《宿白先生八秩华诞纪念文集（下）》，文物出版社，2002年，第587～595页；陈术石、佟强：《宁城大明塔的佛像》，《中国文化遗产》2011年第6期，第78～81页。

29　成叙永：《辽代八大菩萨造像研究》，《辽金历史与考古（第七辑）》，科学出版社，2017年，第81～109页。

辽中京大明塔正南券龛中的主尊双手结智拳印、身着菩萨装、头戴五佛冠（图12），这是一标准的大日如来形象，绝不是八大菩萨之一。因此大明塔各面券龛中的主尊并非八大菩萨（辽代砖塔中，塔身正南券龛中主尊为大日如来形象的尚有锦州广济寺塔、义县嘉福寺塔、北镇崇兴寺西塔）。

大明塔四个正面的胁侍为女性菩萨形象，隅面胁侍为男性力士形象。四个正面的各两尊胁侍菩萨才有可能为八大菩萨。

此塔四个正面的八尊胁侍菩萨皆为双足各踏一朵莲的形象，但手印、持物各不相同。而《八大菩萨曼荼罗经》中对八大菩萨的持物等都有详细的描述。

《八大菩萨曼荼罗经》中对八大菩萨的手持物等的具体描述如下[30]：

一、观自在菩萨：左手持莲花（即观世音菩萨）；

二、慈氏菩萨：左手执军持（军持，即净瓶——笔者注）；

三、虚空藏菩萨：左手持宝安于心上（宝即宝珠——笔者注）；

四、普贤菩萨：右手持剑；

五、金刚手菩萨：右手执金刚杵；

六、曼殊室利菩萨：五髻童子形，左手执青莲花（即文殊师利菩萨、文殊菩萨，也叫妙吉祥菩萨——笔者注）；

七、除盖障菩萨：左手持如意幢（如意幢形似伞盖——笔者注）；

八、地藏菩萨：左手安脐下托钵。

经过辨识，八大菩萨的八种持物大明塔上的确都有，此八尊胁侍菩萨当为八大菩萨无疑（塔身四个正面雕刻八大菩萨及其八种持物的实例，还有锦州广济寺塔）。

但是，该塔还存在一个大问题："菩萨手中持物无法与其身边就近经幢上题写的菩萨名号相对应。"例如正南面西侧菩萨（图12，大日如来右手边），手持如意幢（伞盖），应为除盖障菩萨。但其身边经幢上题写的却是慈氏菩萨（图12），而《八大菩萨曼荼罗经》中慈氏菩萨是手执军持（净瓶）。

那会是当时的建塔施工者不严谨，在施工过程中将八大菩萨所持法器弄混造成的吗？答案是否定的。试想以辽中京大明塔的地位，再结合辽时上至统治者，下至百姓对佛教认识的严谨态度，一般是不会在如此重要的大塔上犯下这么明显的错误的。

事实上，辽中京大明塔第一层塔身所供奉的八菩萨为按《佛顶尊胜陀罗尼念诵仪轨法》[31]布置，这一仪轨即"九位曼荼罗"，其中除八大菩萨外，还包括大明塔的正南主尊——大日如来，合计九位。这种布置亦见于山西应县木塔的最高层，说明九位曼荼罗是辽代最核心的佛教信仰，《佛顶尊胜陀罗尼念诵仪轨法》中描述的具体位置如图13所示。

从图13可见，九位曼荼罗中八大菩萨位置的顺时针排列顺序，与大明塔塔身转角菩

30 《大正藏》第二十册，第675页b～675页c。

31 《大正藏》第十九册，第364页c。

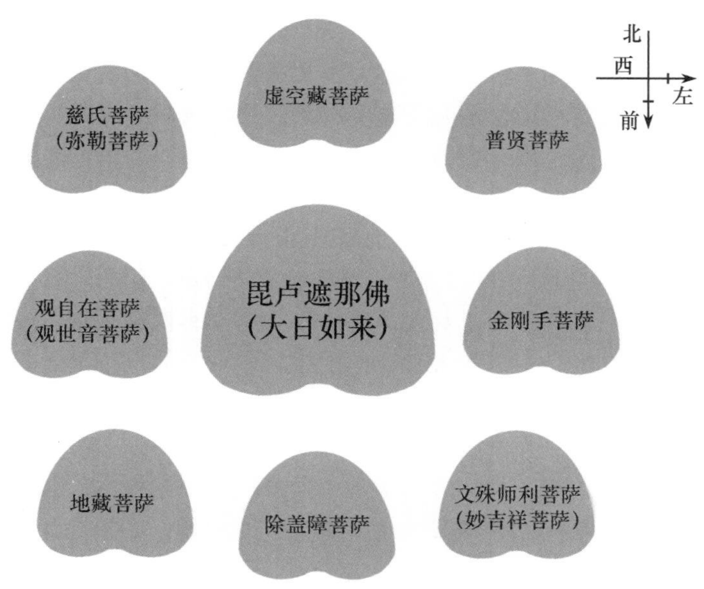

图13　九位曼荼罗示意图
（笔者自绘）

萨名号的顺时针排列顺序是完全一致的。

只是九位曼荼罗中的八大菩萨之首——观世音菩萨在大日如来右侧，即西侧，不似大明塔上观世音菩萨名号题写于南侧。

那我们就不妨转到塔西，看一看大明塔正西面的砖雕菩萨。可以看到，正西面北侧的菩萨持并蒂莲，与观世音菩萨持物一致（图14）。

再继续顺时针绕塔细看，并结合《八大菩萨曼荼罗经》中描述的持物依次辨认菩萨。可以惊喜地发现，八大菩萨的顺时针顺序根本没乱（图14）[32]。八大菩萨在塔身上的方位，几乎符合《佛顶尊胜陀罗尼念诵仪轨》（对比图14与图13）。

还有，每每望着各种大明塔照片上出镜率最高的正南三尊，总是觉得正南东侧的这尊菩萨头顶较其他七尊少了些什么？好像没戴宝冠。是砖雕宝冠脱落了吗？（图12，大日如来左手边菩萨；图14，妙吉祥菩萨）

根据“九位曼荼罗”确认，此尊应为文殊菩萨，即妙吉祥菩萨。文殊菩萨在《八大菩萨曼荼罗经》中的描述为五髻童子形，仔细审视会发现此尊头顶正是五个发髻（图12、图14）。于是乎此尊头顶未雕宝冠就容易理解了。

至于此尊文殊菩萨为何只梳五髻，但未作童子形，笔者个人觉得是考虑到保持全塔菩萨形象的一致性（作童子形的五髻文殊菩萨，现存辽塔中仅见朝阳八棱观塔）。

若说大明塔塔身八大菩萨布置与《佛顶尊胜陀罗尼念诵仪轨》的稍许区别，那就是各尊的位置要相差45°的一半，也就是22.5°。这应该是针对八边形佛塔的特有布置，

32　清华大学博士生成叙永先生对大明塔身的八大菩萨配置有很深入的研究，但其《辽代八大菩萨造像研究》一文所绘“大明塔初层八大菩萨配置图”中三尊菩萨的顺序有误。成叙永：《辽代八大菩萨造像研究》，《辽金历史与考古（第七辑）》，科学出版社，2017年，第96页。

图14　大明塔身砖雕九位曼荼罗示意图

（笔者自制）

适用于八边形塔身不得不有的偏差。

写到这里似乎已解读得较清楚了，但还是有疑问没有解答：大明塔身转角八幢上所题写的八大菩萨名号与其旁边的胁侍菩萨无法一一对应，当如何解释呢？

我们知道，大明塔身转角八幢上题写的不仅仅是八大菩萨名号，还有八大灵塔名称。我们结合兴城白塔峪塔地宫的石刻碑记，可见在同一块碑刻上，出现了“马头明王观世音菩萨摩诃萨”和“净饭王宫生处塔”字样（图15）。

以及“降三世大明王金刚手菩萨摩诃萨”和“曲女城边宝阶塔”字样（图16）。同理，其他碑刻上也有另六大菩萨与另六大灵塔相对应。

兴城白塔峪塔建于辽大安八年（1092）[33]，与大明塔的年代非常相近。兴城白塔峪塔地宫石刻是把八菩萨、八大灵塔成组写在一起的。因而可以推断大明塔身转角八幢上八大菩萨名号的书写是为了保持与八大灵塔的一致性，而实际菩萨形象则是按照“九位曼荼罗”的仪轨。

33　刘谦：《兴城县白塔峪塔》，《辽宁大学学报（哲学社会科学版）》1983年第4期，第97页。

图15　兴城白塔峪塔地宫八块坡顶石刻铭文之一
（陈术石拍摄）

图16　兴城白塔峪塔地宫八块坡顶石刻铭文之一
（陈术石拍摄）

此外，上面石刻碑文的照片亦可见八菩萨又是和八明王成组写在一起。陈术石先生指出，既然大明塔塔身明确有八大菩萨和八大灵塔的形象与名号，那么八大明王也是少不了的。于是可以推断大明塔身东南、西南、东北、西北四个隅面呈健硕的男性力士形象的胁侍应为八大明王，这体现了辽时的八大菩萨八大明王信仰、八大灵塔崇拜。

八大明王为八大菩萨的忿怒身，大明塔身上的砖雕八大明王和人们脑海中明王的形象还是有出入的，并非三头六臂的形象。

八大菩萨与其对应的明王身，在塔身上应雕刻在距离就近的位置，即转角经幢的两侧。

八大菩萨与八大明王的具体对应关系如下：

马头明王为观世音菩萨之忿怒身。

大轮金刚明王为慈氏菩萨之忿怒身。

大笑明王为虚空藏菩萨之忿怒身。

大部辙明王为普贤菩萨之忿怒身。

降三世大明王为金刚手菩萨之忿怒身。

大威德明王为妙吉祥菩萨之忿怒身。

不动尊明王为除盖障菩萨之忿怒身。

无能胜明王为地藏菩萨之忿怒身。

写到这里，还是有一个问题没有解答：“九位曼荼罗”中，大日如来居于中央。可大明塔身上的大日如来却是雕于正南面，这又当如何解释？

笔者认为，塔身表面设置的券龛是用以表征塔心室的。“券龛与龛内主尊的组合”和“券门与塔心室中央主尊的组合”具有等同的视觉效果，将本应位于塔心中央的佛像移至塔身表面，以券龛的形式表征其本质上是位于塔中央的，这是辽代砖塔独创的做法，视觉上更具艺术效果。

再来看看朝阳一带的四方形砖塔，各面的四方佛就没有供奉在券龛之中（如朝阳北塔、凤凰山云接寺塔、青峰塔）。这表示他们居于各自的方位，而不是中间。

而锦州广济寺塔、义县嘉福寺塔、北镇崇兴寺西塔等辽代八边形砖塔，正南面供奉的都是大日如来，其券龛与大明塔身券龛的作用相同。

但兴城白塔峪塔、绥中妙峰山大塔等供奉四方佛的八边形砖塔，却有别于朝阳地区诸方塔，将四方佛供于券龛之中。笔者觉得，兴城等塔的券龛应该是从其他八边形辽塔中舶来，有失券龛的本意。

锦州广济寺塔另外七面的主尊明确为药师七佛[34]；对于辽中京大明塔与义县和北镇三地的八边形砖塔，另外七主尊推断亦可能为药师七佛，但也不排除为过去七佛。

笔者更倾向大明塔身另外七主尊为过去七佛，原因有二。

一是前文提到的兴城白塔峪塔，其地宫铭文中有过去七佛名号[35]。兴城白塔峪塔的年代相较于锦州广济寺塔，更与大明塔临近，其地宫铭文极有可能反映了当时流行的佛教信仰。

二是赤峰静安寺塔下的静安寺，其地理位置与大明塔是近邻。“静安寺碑”碑文中有“中其殿，则曼荼罗坛，洎过未七佛明达高洁之像存焉”[36]的记载，过未七佛，即为过去七佛。鉴于前述大明塔与静安寺塔的细节上有不少相似之处，因而大明塔身供奉的另外七主尊极有可能亦为过去七佛。

那么这另外七主尊也同供奉于券龛之中，这个券龛的设置当如何解释呢？

笔者认为：一是为了保持塔身造型的整齐划一；二则是无论药师七佛还是过去七佛，都没有方位之分。

总之，辽中京大明塔砖雕精美，展现出一幅完美的密教曼荼罗，是辽代佛教内涵的集大成者。

五、原样与新妆

凡是来大明塔游览过的游客，或许都会发现此塔第一层塔身八面的砖雕呈现两种风格。一种风格较另一种风格的面部更细腻，色彩更绚丽，给人的直观感觉是有新有旧。新、旧两种风格皆位于相连的四面。

34　郑志宏、倪尔华：《广济寺古建筑群考证》，北方联合出版传媒（集团）股份有限公司、万卷出版公司，2017年，第30～32页。

35　陈术石、佟强：《兴城白塔峪塔地宫铭刻与辽代晚期佛教信仰》，《辽金历史与考古（第四辑）》，辽宁教育出版社，2013年，第227页。

36　向南：《辽代石刻文编》，河北教育出版社，1995年，第361页。

我们不妨称正东、东南、正南、西南为“新四面”，称正西、西北、正北、东北为“旧四面”。

莫非是辽时有两个风格迥异的施工队来同时完成浮雕？笔者觉得这种可能性很小。大明塔正南券龛两侧的蒙文（图12）为“大清咸丰甲寅年敬修”[37]之意，那么这种风格的差异会不会是咸丰四年（1854）维修时所为？会不会是清代维修时只搭了四面的脚手架？

有网文[38]以仰视的角度率先注意到大明塔的“新四面”主尊和“旧四面”主尊在五官的处理手法上区别比较明显。“新四面”主尊脸庞宽大，五官特别是鼻子比较扁平；“旧四面”主尊鼻子和下巴比较大而立体，脸庞更饱满（图17）。

图17　正南主尊大日如来（上）和西北面主尊（下）

“新四面”主尊有失辽代风格，而“旧四面”主尊则具有明显的辽代旧时原样，“新四面”非常有可能是清代维修时对佛像的妆容重新剔刻所成（比如佛像的鼻尖风化掉了，只能在原有砖雕上重新雕刻，这样面部就显得扁平了）。

同样，“新四面”的胁侍菩萨与明王，相比“旧四面”亦略显扁平。图18为西南面（左）与西北面（右）的明王砖雕对比，西南面（左）的明王砖雕显然是清代维修时动过。

37　乌成荫：《漫话辽中京》，内蒙古科学技术出版社，1997年，第105页。

38　尾黑君：《舔跪大明塔》，豆瓣网https：//www.douban.com/note/552057765/

图18　西南面明王砖雕（左）与西北面明王砖雕（右）

六、余　　话

北宋名相王曾早年曾作为宋使于辽开泰元年（1012）使辽，次年返还。王曾在《王沂公行程录》[39]中提到中京大定府“城内西南隅冈山有寺”，但全篇中无一“塔”字。学界据此认为大明塔的年代不可能早于开泰元年（1012），目前普遍采信的建塔起始时间1013年即源于此。

以大明塔的高度和体量，总会有对此感兴趣的北宋文人使者，他们不可能不记载。可从诸多的宋人使辽诗以及其他著作中，凡是来过中京的，根本找不到明确记录大明塔的。关于中京的使辽文字中有“塔”“浮图”或“窣堵坡”等字样的仅有苏颂的《和游中京镇国寺》[40]（作于辽大康三年，即北宋熙宁十年，1077年），“塔庙奚山麓，乘轺偶共登……”

但这句诗只能证明1077年之前辽中京有塔，但无法确认诗中塔是否为大明塔，更无法断言诗中塔已存在了多少年。

我们再把宋人有“塔”字的使辽作品放大到辽朝其他地区，北宋著名科学家沈括曾于1075年出使大辽，编撰了《熙宁使虏图抄》。来到庆州时沈括写道“复逾沙陁十余叠，乃转趋东北，道西一里许庆州。塔庙廛庐，略似燕中”[41]，沈括看到的这座塔是屹立至今的辽庆州白塔（建成于1049年）。庆州白塔巍峨高大，值得记录。据理推之，宋

39　赵永春辑注：《奉使辽金行程录（增订本）》，商务印书馆，2017年，第25～27页。

40　赵永春辑注：《奉使辽金行程录（增订本）》，商务印书馆，2017年，第84页。

41　赵永春辑注：《奉使辽金行程录（增订本）》，商务印书馆，2017年，第101页。

使见到了比庆州白塔还要高大许多的大明塔，没有不记录在案的理由。可沈括来到中京时，仅仅写道“中京西距长兴馆二十里少南。城周十余里，有厘闾宫室，其民皆燕、奚、渤海之人”[42]，中京半截塔（建成于1057年）当时已建，但其形象比较矮小，沈括不记是可以理解的。沈括不记录大明塔，那最有可能的事实是大明塔其时尚未建成，所以大明塔的年代不可能太早。于是推断苏颂在中京所见到的塔也不会是大明塔。

总之，辽中京大明塔出众的建筑技艺和完美的佛教内涵，实乃辽代建塔成熟时期的登峰造极之作，是极度笃信佛教的大辽王朝的代表之作。

古有“黄山归来不看岳”，今有“大明归来不看塔”。

（郎智明　中国科学院沈阳自动化研究所　　王玉亭　赤峰市巴林左旗政协文史委员会）

42　赵永春辑注：《奉使辽金行程录（增订本）》，商务印书馆，2017年，第99页。

关山萧和墓驼车出行图研究

魏聪聪

内容提要：驼车出行可以视为具有契丹民族特色的文化符号，是对契丹贵族生活的一种写实描绘。从目前辽墓发表的材料可见，最早的驼车出行图出自关山萧和墓。本文以萧和墓墓道北壁的驼车出行图为研究对象，从壁画空间的遮挡关系来看，补绘人物、骆驼及车辕彼此之间存在着错乱的空间关系，明显地看出人物为后来画上去的，并不在最初壁画的粉本图式之内，借此将重点讨论壁画粉本中改绘或补绘的现象，探究其背后的深层次原因。萧和墓驼车出行图属于壁画粉本的早期探索阶段，还未形成标准化的粉本样式，到了圣宗末年，驼车出行图开始走进辽统治地区的汉人墓葬系统中，并日益呈现出程式化、符号化的趋势。

关键词：关山萧和墓　驼车出行图　补绘　粉本

从目前出土的考古资料看，驼车出行图在辽墓中遗存较为丰富，以墓室壁画和石刻资料为主。关山、库伦辽墓群[1]中共有8座墓葬绘有驼车出行图。此外，宁城鸽子洞辽墓[2]、辽平原公主墓[3]和法库叶茂台萧义墓[4]等墓亦发现驼车出行图。根据辽墓中驼车出行的状态，可将其分为两类：一类为停歇状的驼车，停歇状的驼车都有一个共同的特点，就是用三角支架架起驼车，骆驼停歇的状态比较丰富，围绕在驼车的前后或左右的位置；另一类为行进状驼车，驾车骆驼的数量为1头或2头，驭驼人没有固定的数量和位置。关山萧和墓北壁的驼车出行为典型的行进状驼车出行。

在辽墓壁画中，车共有四类：第一大类即为驼车，又称附加凉棚车，剩下分别为轿形车、筒篷车和手推人力车。冯恩学认为，附加凉棚车在辽墓壁画中所见较多，而这种

1　哲里木盟博物馆、内蒙古文物工作队：《库伦旗第五、六号辽墓》，《内蒙古文物考古》1982年第2期；内蒙古文物考古研究所、哲里木盟博物馆：《内蒙古库伦旗七、八号辽墓》，《文物》1987年第7期；王建群、陈相伟：《库伦辽代壁画墓》，文物出版社，1989年。

2　内蒙古文物考古研究所、辽中京博物馆：《宁城鸽子洞辽代壁画墓》，《内蒙古文物考古（第二辑）》，中国大百科全书出版社，1997年，第631～638页。

3　辽宁省文物考古研究所、阜新市考古队：《辽宁阜新县辽代平原公主墓与梯子庙4号墓》，《考古》2011年第8期。

4　温丽和：《辽宁法库县叶茂台辽肖义墓》，《考古》1989年第4期。

车在辽墓中都是驾以骆驼，故又可称为驼车[5]。关山萧和墓（图1）中的驼车图像属于篷式前凉棚驼车，与其类似的还有辽平原公主墓和解放营子辽墓中的驼车图像。

图1　关山M4驼车出行图线描图局部

（辽宁省文物考古研究所：《关山辽墓》，文物出版社，2011年）

已有学者对辽墓中驼车图像进行了深入探讨，田广林对契丹族驼车的来源、特点、用途以及车在礼制上的应用都进行了讨论[6]。张鹏在《辽墓壁画研究》一书中认为驼车是契丹民族的标志与身份的符号[7]。宋佳在其文《试析契丹驼车起源》中认为契丹之驼车源于鲜卑[8]。本文以关山萧和墓墓道北壁的驼车出行图为研究个案，在分析壁画中所隐藏的一些细节之外，进一步讨论辽墓壁画粉本中改绘或补绘的现象及深层原因。

一、关山萧和墓驼车出行图概况

关山辽墓群位于阜新蒙古族自治县大巴镇车新村北部的山洼内，“关山辽墓群共包括9座砖（石）室墓，分布在两个相邻山洼。东南的山洼名‘王坟沟’，内有3座墓葬，编号为M1～M3；西北的山洼名‘马掌洼’，内有6座墓葬，编号为M4～M9”[9]。关山萧和墓位于马掌洼西坡东南部，同时也是关山辽墓群中规模最大、出土遗物最丰富的一座，发掘报告将其编为4号墓，考古报告简称关山M4。关山萧和墓是一座砖石混筑的多室墓，由墓道、天井、墓门、甬道、左右耳室和主室六部分组成。在墓道两侧、天井两

5　冯恩学：《辽墓壁画中的车》，《青果集·吉林大学考古系建系十周年纪念文集》，知识出版社，1998年。

6　田广林：《契丹舆仗研究》，《内蒙古文物考古文集（第二辑）》，中国大百科全书出版社，1997年，第544、555页。

7　张鹏：《辽墓壁画研究》，天津人民美术出版社，2008年，第97页。

8　宋佳：《试析契丹驼车起源》，《东北史地》2012年第3期。

9　辽宁省文物考古研究所：《关山辽墓》，文物出版社，2011年，第1页。

壁、墓门正面及过洞均绘有壁画[10]。驼车出行图绘于墓道北壁，也是辽墓中现存最早的驼车出行图。

关山萧和墓墓道南壁为汉人出行图（图2），画面以门庭为背景，共绘14名身着汉服的官员和1匹白马。队伍最前面的6人在门庭之外，皆着长袍、麻鞋，前5人的头部已经脱落看不清，几人或扭头交谈，或自然前进。位于门庭前半部的4人，依次为右肩荷剑、右肩扛青伞、右肩负胡床及右手拎一长链罐。位于门庭后半部为4人1马。这组汉人出行图中的人物皆手持不同的物品，大都是生活用品。人物都是步行状态，相较于契丹人物出行图而言，汉人出行图整体上相对偏静态一点。

图2　关山M4墓道南壁线描图

（辽宁省文物考古研究所：《关山辽墓》，文物出版社，2011年，第26页）

其对面的墓道北壁绘制为契丹人马出行图（图3），背景同为门庭，绘14人、马11匹、骆驼1匹、驼车1辆。最前部为4骑，此组壁画已脱落严重，可见有身着白色长袍1人、白马2匹、黄马和红马各1匹、黄色马鞍1副。其后为5骑，正缓缓走出门庭。5匹马依次排列成一排，5人身后各背一面黄色小鼓骑马前行，皆为男性，髡发，身着圆领紧袖长袍。门庭内有2骑，二人装束、发式与前5人相似，皆髡发，身着白色圆领长袍，系白腰带。黄色和红色马各1匹。最后一组为驼车出行图，画面上为契丹装束3人，几人的发式、衣着皆与北壁前几组人物相同。另绘有骆驼1匹、驼车1辆。前面牵驼的人引驼前行，回头顾盼，圆脸，身着紧袖蓝色圆领长袍，黄色裤子，黑色靴子，左手紧握缰绳，右手持鞭立于胸前。第2人位于车辕内侧，长脸，身穿红色袍子，白色靴子，第3个人（最外侧）位于车辕中部外侧，长圆脸，脸部偏瘦，髡发，身着契丹传统的圆领青色袍子，黑色靴子，左手握住装饰在车辕上下垂的短绳，右臂自然下垂，手部看不到，藏于袖口内，此人随车前行。

仔细观察就会发现，墓道北壁驼车出行图最外侧这个人物是后画上去的，透过这个人可以清楚地看到原来壁画的样貌，补绘人物在画面中显得有些突兀。从驼车出行图里的空间遮挡关系来看，补绘人物、骆驼及车辕三者之间的部分线条为叠压关系，三种不同的物象彼此之间错乱的空间关系，明显地看出补绘人物并不在壁画的初绘粉本图式

10　辽宁省文物考古研究所：《关山辽墓》，文物出版社，2011年，第23页。

图3　关山M4墓道北壁线描图
（辽宁省文物考古研究所：《关山辽墓》，文物出版社，2011年，第27页）

之内。考古人员同样关注到关山萧和墓墓道北壁驼车出行图中存在着补绘的这个现象（图4），在考古报告中记述到："值得注意的是，画面上可以清晰看见第三人身上透映出车辕和驾辕骆驼的左后腿，推测第三人为画成后又添加的一个人物。"本文针对这一现象，以关山萧和墓驼车出行图中补绘的这个人物作为研究点，来讨论为何会补绘？何时补绘？补绘的目的又是什么？借此探究其背后的缘由。

图4　关山M4墓道北壁驼车出行图局部
（徐光冀主编：《中国出土壁画全集8·辽宁卷》，科学出版社，2012年，第64页）

二、补绘与遮羞

从关山萧和墓墓道壁画人物数量来看，北壁的契丹人出行图在补绘一个人物之后，数量正好与南壁汉人出行图的数量相等，追求画面人物数量的对称和均衡可能也是补绘人物的一个原因。但聚焦补绘人物的形象，经观察后就可以发现，人物身上不但透映出车辕和骆驼的左后腿，还可以清楚地看到公骆驼的生殖器（图5），补绘一个人物可以遮蔽掉不想展示或者不合适的壁画内容，才对原有壁画粉本进行相应的修改和调整。由此看来，这才是补绘的真正目的——遮羞[11]。但是历经千年之后，矿物颜色会发生脱落、变薄和变淡，底下原本被遮蔽的部分也就显露出来了，正如我们现在看到的这样。

关山萧和墓情况比较复杂，存在改葬和二次合葬的现象，墓主人为萧和，系出名门，为国舅萧阿古只四世孙，生前官职较低，为国舅祥稳，只是一名普通的契丹贵族，按照萧和生前的身份地位，显然与现有关山萧和墓的墓葬形制、壁画的规模是不相符的。萧和去世后数年后被追封为“侍中兼中书令”“吴越国王”“魏王”“晋国王”。在其卒后得以三次追封为王，故“推测M4不是萧和的初葬墓，而是萧和追封为王爵之后的改葬墓”[12]。

图5　关山M4墓道北壁驼车出行图补绘人物局部

（徐光冀主编：《中国出土壁画全集8·辽宁卷》，科学出版社，2012年，第64页）

萧和之所以在去世后数年还能得到追封和改葬，与以章圣皇太后为首的萧和子女发迹息息相关。太平元年（1021），萧和的次女萧耨斤被册封为元妃，其长子萧孝穆也官运亨通，凭借自身的才干与努力，得以进入辽廷的权力中心。正是他们主导了此次为父改葬，改葬是彰显孝道的一种形式，也是提升其父亲和家族身份地位的一种方式。“萧和被追封为王以后，其身份和地位亦发生了一次巨大的转变，为了凸显其身份的改变，也为彰显其家族的财力和势力，对萧和原有墓葬进行改葬，并使之与其王一级的身份相匹配，是十分自然的事情了。”[13]因萧和墓有改葬和二次葬的情况，故笔者推测补绘人物的时间有两种可能：第一，在萧和墓改葬完成之后，未通过墓葬赞助人的审核标准进行补绘；第二，萧和的夫人秦国太妃祔葬的时候补绘，萧和墓天井的门神图像存在二次重绘的情况[14]。

关山萧和墓驼车出行图的补绘情况并非特例，在辽墓中还存在改绘原有壁画粉本

11　遮羞：指掩盖感到羞耻、丑陋和不雅的东西。

12　辽宁省文物考古研究所：《关山辽墓》，文物出版社，2011年，第137页。

13　魏聪聪：《辽代后族墓葬艺术研究——以关山、库伦辽墓群为中心》，中央美术学院，2014年，第32页。

14　根据《晋国王妃秦国太妃耶律氏墓志》记载，萧和夫人秦国太妃下葬时间为重熙十四年（1045），又明确指出秦国太妃下葬时“启先王之茔合祔”。出自辽宁省文物考古研究所：《关山辽墓》，文物出版社，2010年，第81页；〔美〕巫鸿著，施杰译：《黄泉下的美术——宏观中国古代墓葬》，生活·读书·新知三联书店，2016年，第23页。“室墓的出现因此暗示了黄泉世界的一个新概念：地下世界不再完全与生人隔绝。甚至当墓室在入葬后被封闭、消失于视野之外，但是门和甬道仍然存在，并可被重新打开以接纳后死的家庭成员。”

的情况，如山西大同东风里M1西壁的壁画[15]。壁画主题为农耕图和出行图，其中出行图共为上下两组，上方为驼车出行图，下方为引马出行图。驼车出行图为辽墓中常见的1人牵驼前行，后面驼车为黑色凉棚车，厢体及凉棚边为白色。从壁画中可以清楚看到，底层原来有一个线描起的稿子，原稿应表现的是牵驼出行图，并未上色，上面可以看到是一个体型大很多的骆驼，背上驮有物品，前方有一名牵驼人（图6）。追溯到唐墓壁画中，如唐代韩休墓壁画乐舞图存在补绘和改绘壁画粉本的情况[16]。“从改绘和早绘的情况看，笔者以为早绘及改绘时间大致应在开元二十八年韩休卒时前后，因方毯人物增多，再绘时掩盖了原绘的部分。”[17]

从绘画角度来看，关山萧和墓驼车出行图是一幅反映契丹贵族出行的写实性作品，同时也反映了游牧民族的真实生活状态。在北齐娄睿墓墓道西壁第二层鞍马出行图中，我们可以看到一匹马正扬起马尾在排泄粪便（图7），这样的场面十分写实且生动有趣。马和骆驼作为北方游牧生活中常见的动物，不论是骆驼的生殖器还是正在排便的马，出现这些生理现象也是十分正常和自然的。但是墓葬壁画中的写实作品能否被营建墓葬的人（死者的家属、验收人）所接受就视情况而定了，如此说来，娄睿墓显得很幸运。

墓葬壁画是一种特别的绘画，有其特殊的含义，具有一定的礼仪性[18]和功能性，壁

图6　大同东风里辽墓西壁驼车出行图局部
（《平城文物精粹：大同市博物馆馆藏精品录》，江苏凤凰集团出版社，2016年，第170页）

图7　娄睿墓墓道西壁第二层鞍马出行图局部
（笔者拍摄于山西省博物院）

15　大同市考古研究所：《山西大同东风里辽代壁画墓发掘简报》，《文物》2013年第10期。

16　郑岩：《论唐韩休墓壁画乐舞图的语言与意象》，《古代墓葬美术研究（第四辑）》，湖南美术出版社，2017年。

17　郑岩：《试析唐代韩休墓壁画乐舞图的绘制过程》，《文物》2019年第1期。

18　马德：《敦煌古代工匠研究》，文物出版社，2018年，第 267页。“礼仪性质的艺术史类型中的另一形态，它与艺术家的艺术史类型中的画家品位的形态并行发展，它沿着自己的图式规律自律地进行。”

画绘制的内容需要服从或符合墓葬修建人（出资人）的意愿。换句话说，墓葬修建人（出资人）的审美水平在某些方面会影响墓室壁画的粉本创作[19]。同时，墓葬的尺寸、规模等诸多因素，在某些地方有可能与画师创作的初稿相冲突，需要不断地调整和修改。“与佛教或道教艺术不同，中国墓葬艺术从未发展出一个标准的图像志。其原因可能很简单：墓葬属于个人并体现了个人的意愿。”[20]也就是说在驼车出行图完成之后，如果出资营建墓葬的人（赞助人、验收人）或画师觉得画面有不妥之处，则会进行相应的修改和调整。以关山萧和墓为例，画师有可能是接收到需要修改粉本的要求，所以才补绘此人物用来遮盖认为不雅或不满意的部分图像，这可能是补绘人物的深层次原因。

三、粉本的传播与演变

《辽史》记载：“凉车，赤质，省方、罢猎用之。赤质，金涂，银装。五彩龙凤织，藤油壁，绯绦，莲座。驾以橐驼。”[21]《辽史》载统和四年（986）“九月丙寅朔，皇太妃以上纳后，进衣物、驼马，以助会亲颁赐。”[22]骆驼在贵族中作为贡品使用。“骆驼驾车，耐力非凡，是牛马所不能比拟的，但因骆驼可能不如牛马数量多，因此多在贵族中使用。”[23]可见，乘驼车出行的不是一般人，驼车作为贵族出行的一种工具，又可作为贵族地位和身份的象征，这也是此图像在墓葬中得以流行的原因。关山萧和墓这组壁画作为辽墓中现存最早的驼车出行图，此时期还没有形成固定的粉本样式，墓室壁画基本作为对契丹贵族生前真实生活的一种写实描绘，正处于创作探索的初级阶段。

驼车出行图既作为代表契丹族特色文化的符号而存在，又作为身份等级的象征出现在契丹贵族的墓葬中。主要体现在两个方面：第一，在契丹贵族墓葬中，驼车出行图可作为契丹游牧民族非常有特色的、代表性的一个符号，是契丹贵族四季捺钵文化的缩影。第二，驼车原本就是契丹贵族出行的必备品，出现在契丹贵族墓葬里，是作为身份和地位的一种体现。

但是驼车出行图粉本在墓葬壁画的绘制和传播过程中，逐渐失去了像早期关山萧和墓壁画中的生动性和写实性。时间大约在辽代中晚期以后，其所代表的意义也发生了变化。考古资料表明，尤其在辽晚期的汉人墓葬中，发现大量程式化、符号化的驼车出行图，可见其粉本的传播力和影响力[24]。如在宣化M4韩师训墓中的驼车出行图[25]，骆驼和

---

19 〔美〕巫鸿著，施杰译：《黄泉下的美术——宏观中国古代墓葬》，生活·读书·新知三联书店，2010年，第3页。“赞助者、建造者及工匠一起合作设计、建造和修饰墓室。”

20 〔美〕巫鸿著，施杰译：《黄泉下的美术——宏观中国古代墓葬》，生活·读书·新知三联书店，2010年，第35页。

21 《辽史》卷55《仪卫志一》，中华书局，2016年，第1002页。

22 《辽史》卷11《圣宗二》，中华书局，2016年，第132页。

23 张鹏：《辽墓壁画研究》，天津人民美术出版社，2008年，第97页。

24 马德：《敦煌古代工匠研究》，文物出版社，2018年，第267页。“艺术工匠在礼仪艺术类型中，是将一种时代典型的模式进行延续的主要力量，起着不可或缺的作用。”

25 河北省文物研究所：《宣化辽墓壁画》，文物出版社，2001年，第85页。

驼车没有前面的人马出行图大（图8）。在山西大同卧虎湾1号墓、2号墓[26]、5号墓和6号墓[27]内的驼车出行图都非常相似，显然来自同一粉本，很有可能是同一批墓葬画工所为。驼车和骆驼的比例被缩小了很多，骆驼的形象已经基本走形，只能通过驼峰来判断所画为一匹骆驼。

图8 宣化M4韩师训墓驼车出行图
（河北省文物研究所：《宣化辽墓壁画》，文物出版社，2001年，第85页）

驼车出行图作为墓葬壁画粉本的一种，大约在圣宗末年被借用到契丹统治地区的汉人墓葬系统中，成为最流行的粉本之一。然而，在进入辽统治地区下的汉人墓葬体系后，对驼车出行图粉本的挪用过程中，骆驼形象的特征被减弱，甚至出现了比例严重失调的情况，并且日益呈现出程式化、符号化的趋势。在此，驼车出行图不再是身份地位的象征，而是汉人被契丹化的一个表现。也充分体现了契丹文化与汉文化的互动关系，可见交流是双向的。

四、结　语

关山萧和墓驼车出行图在艺术水准上是鲜活生动、打动人的，是游牧民族日常所能见到的场景，这与晚期汉人墓葬中的符号化驼车出行图具有本质上的区别。画师创作这组驼车出行图的初衷，本身想要描绘的是游牧民族现实生活中的一幕场景，而对生活场景的真实写照总是会打动人，比如说娄睿墓壁画中绘制的正在排便的战马。当绘画生动性与绘画功能性发生冲突时，只有舍去生动写实，遮蔽艺术的真实，或者说是审美认为不雅的部分，来服从墓葬壁画的功能性，这可能是其改绘的深层次原因。

（魏聪聪　中央美术学院）

26 山西省文物管理委员会：《山西大同郊区五座辽壁画墓》，《考古》1960年第10期。
27 大同市文物陈列馆：《山西大同卧虎湾四座辽代壁画墓》，《考古》1963年第8期。

巴林左旗官太沟辽墓壁画分析

石艳军

内容提要：官太沟辽墓为圆形券顶砖砌单室墓，甬道及墓室内均绘有精美壁画，甬道两壁绘出行图；券顶绘丹凤朝阳图、驾鹤升仙图；墓室内墙壁绘起居侍女图、散乐演奏图；梁柱斗拱均施彩绘，梁枋东西绘佛光，南北绘迦陵频伽。壁画带有强烈的民族特色，通过对官太沟辽墓壁画的分析，可以更深入地了解辽代兼容并蓄的宗教信仰。

关键词：辽代　墓葬　壁画　宗教信仰

官太沟辽墓位于巴林左旗哈拉哈达镇大西沟村西南官太沟山谷中，与巴林右旗交界处（第二次全国文物普查时归属巴林左旗，第三次文物普查时划归巴林右旗）。此墓葬附近有辽代小西沟遗址、辽代盘羊沟墓葬。

一、官太沟辽墓壁画

官太沟辽墓于2000年发现，是一座早期被盗墓。此墓葬为圆形券顶砖砌单室墓，墓室直径2.5米，墓室地面到墓顶高6.8米，甬道长2.5米，宽1.5米，高2.2米。甬道及墓室内均绘有精美壁画，甬道两壁绘出行图；券顶绘丹凤朝阳图、驾鹤升仙图；墓室内墙壁绘起居侍女图、散乐演奏图；梁柱斗拱均施彩绘，梁枋东西绘佛光，南北绘迦陵频伽。壁画带有强烈的民族特色，线条流畅，斑斓绚丽，无比精美。

1. 券顶壁画

《丹凤朝阳图》（图1）原图绘于甬道穹顶中间，图由两只围绕在一轮太阳周围的彩凤组成。左侧凤凰被盗洞所残毁，因此只保留了右侧的凤凰和太阳图案。凤凰的羽毛用传统中国画的褪染法绘成，阳光用朱砂色绘成火焰状，太阳则用蓝绿色绘成太极形。火焰珠图案在彩绘石棺盖残块上也有出现。

《驾鹤升天图》（图2、图3）绘于穹顶，由八幅驾鹤升天的道教人物组成，红底，并用蓝绿两色画成边栏，下边与栏额枋相接处绘宝相花柱头图案。每条图之间用条条连贯的角形图案相隔。由于墓葬被盗多年，加上雨水冲刷，靠西北墓顶盗洞处三幅严重脱落，只临摹五幅。这五幅图上的道教人物各不相同，姿态各异。道教人物身着五彩衣，骑乘仙鹤，飞翔于流云间。仙鹤丹顶，长喙，双腿向下，展翅向上飞翔。有的道教人

图1　丹凤朝阳图

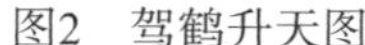

图2　驾鹤升天图

图3　驾鹤升天图

物手握长柄花卉，长柄上方为莲花；有的道教人物手执三层伞状幡，幡杆顶部为莲花瓣状，每层幡盖都装饰着流苏，幡盖下面系有较长的飘逸的绶带；有的道教人物正在吹箫演奏。

2. 梁枋斗拱壁画

仿木雕砖斗拱所绘图案有多种，但多为变形花卉。拱的一侧绘有一名舞蹈的迦陵频伽（图4）。

图4　仿木雕砖斗拱所绘图案

栏额枋（图5）绘迦陵频伽与佛光，栏额枋前后（墓门为前壁，相对为后壁）各绘飞翔的迦陵频伽三名，一名吹横笛，两名舞蹈者伴奏。三者之间用花卉间隔，栏额与穹庐顶均以朱砂为底色。东西两壁上的栏额枋绘有抽象的“M”形佛光，两组“M”形佛光头顶头相对。整体画面颜色鲜艳，饱和度高，对比强烈。

3. 墓室内壁壁画

《起居侍女图》（图6）绘于墓室东壁，表现了墓主人日常生活起居的场景。画面绘一组侍女，侍女眉清目秀，樱桃小嘴，高颧骨，脸庞丰盈，双目凝视前方，神情专注。壁画已残，只剩四名侍女胸像，上下两行分布。上排两名侍女双垂螺髻，身穿绿色窄袖长袍，白色圆领中单，执长柄宫扇，左数第二人左耳戴耳饰；下排两名侍女身着淡黄色窄袖长袍，白色圆领中单，左数第一人因残破不知所为，第二名侍女头系红色抹额，戴耳饰，抱铜镜于胸前。四名侍女脸部的设色技法沿袭了唐代人物绘画的“三白法”，两颊略染，与唐永泰公主墓壁画《宫女图》如出一辙。

《散乐演奏图》（图7）绘于墓室西壁，壁画已残，画面为一组伎乐人，只剩四名乐工胸像，也是上下两行分布。辽代散乐是对唐代散乐的沿袭、借鉴与吸收，并融合其本民族的音乐文化。四乐工长圆面庞，清秀端庄，头戴折脚幞头，幞头上插鲜花，色彩艳丽。上左数第一人吹奏觱篥，身着姜黄色圆领长袍；第二人身着红色圆领长袍，系白色腰带，双手执排箫下端吹奏，排箫为上下齐平的等管式，十五管；下右起第一人身穿姜黄色交领长袍，双手执木色鼓槌，前臂缚以黄色网状臂鞲，左手在上右手在下，做击打状；第二人身着红色圆领长袍，于胸前执两根细竹棍呈“V”字形（因图残损不知是何打击乐器）。乐工五官神色栩栩如生，诚挚恭谨的神情，仿佛陶醉于自己演奏的音乐中。

官太沟辽墓还出土了彩绘石棺残壁及残盖花卉图案（图8），残壁只有左侧上前角绘有花卉图案，残盖前后浮雕花卉后进行彩绘，盖顶两侧面绘画十二生肖人物各六位，人物为文官，典型的契丹人形象，面庞丰圆，细目，大耳，头顶黑色生肖冠，手持笏板于胸前，身着彩色长袍，表情肃穆。正顶绘缠枝牡丹。辽代墓志上出现的十二生肖纹

图5　栏额枋

图6　起居侍女图

图7　散乐演奏图

饰屡见不鲜，头顶生肖冠的类型数量最多，分布最广。辽圣宗、兴宗、道宗及皇后哀册皆属此类。

二、兼收并蓄的宗教信仰

辽代的契丹贵族风行厚葬，墓主生前的生活享受和习俗都要带到阴间世界里去，墓室壁画是墓葬的重要组成部分，有着丰富的社会文化生活的内涵，承载着浓郁的生死观念和意识[1]。因此，通过墓葬壁画我们可以更深入了解契丹人的宗教信仰。

图8　彩绘石棺残块

《丹凤朝阳图》《驾鹤升天图》与巴林左旗前进村辽墓壁画的《出行图》《仪卫图》，以及巴林左旗韩匡嗣墓穹庐顶《祥云瑞鹤莲花蟠龙图》壁画中的飞鹤、流云、火焰珠、莲花寄托了墓主人长生、升仙的愿望，体现了道教信仰。辽代道教盛行，当时的五京都有道观，上京的天长观、中京的通天观比较著名。据《契丹国志》记载："四月八日，京府及诸州，各用木雕悉达太子一尊，城上舁行，放僧尼，道士、庶民行城一日为乐。"[2]根据上述记载，不仅五京普遍建有道观，而且诸州也有道观和道士。辽代统治者上层不乏崇道之人。辽景宗第三子齐国王耶律隆裕，"自少时慕道，见道士则喜，后为东京留守，崇建宫观，备极辉丽，东西两廊，中建正殿，接连数百间。又别置道

1　李清泉：《宣化辽墓——墓葬艺术与辽代社会》，文物出版社，2008年。

2　（宋）叶隆礼撰，贾敬颜、林荣贵点校：《契丹国志·岁时杂记》，中华书局，2014年。

院，延接道流，诵经宣醮，用素馔荐献，中京往往化之”[3]。辽圣宗命“道士冯若谷加太子中允”[4]，冯若谷以道士身份出任东宫要职，辅佐太子。辽兴宗“常夜宴，与刘四端兄弟、王纲入伶人乐队，命后妃易衣为女道士”[5]……统治者对道教的提倡，对辽代道教的发展产生了积极的影响。

佛光、迦陵频伽表现的是佛教信仰，巴林左旗帐房山辽墓穹庐顶壁画《佛光普照图》也有佛光、迦陵频伽等佛教元素。佛教在辽代得到了蓬勃发展。902年耶律阿保机建成开教寺成为创建寺庙的开端，景宗保宁六年（974）“以沙门昭敏为三京诸道僧尼都总管，加兼侍中”[6]，景宗首创辽代设置僧官的先河。圣宗、兴宗、道宗三朝是辽代佛教的百年兴盛时期，佛教达到登峰造极以至泛滥成灾，由“信佛”发展为“佞佛”。辽代建立了数以千计的寺院，遍布五京各地。在辽上京临潢府故址及其附近，负有盛名的寺院就有二十多处，包括天雄寺、弘法寺、弘福寺、开化寺等。

为适应多民族统治的要求，辽朝制定“因俗而治，各得其宜”的国策，辽朝统治者采取了兼容并蓄的宗教政策，极大地促进了相关信仰的传播与伴随而来的文化发展。辽太祖采取“儒释道三教并行”之策，《辽史·太祖纪》中记载：神册三年“五月乙亥，诏建孔子庙、佛寺、道观”[7]。四年“秋八月丁酉，谒孔子庙，命皇后、皇太子分谒寺观”[8]。儒、释、道三教中，以儒为先，以佛为最，道教次之。

三、壁画人物形象分析

1）《起居侍女图》中上排两名侍女，除额前刘海及两耳旁的垂发，其余全部髡去，将耳前垂下的长发挽起梳成双垂螺髻，这是契丹女子独有的发式。

2）《散乐演奏图》四乐工头戴折脚幞头，幞头上插鲜花。契丹人在头、衣上饰以金花、珠玉翠毛、鲜花等物。这在宣化墓葬区的散乐人形象中均有反映。这些散乐人无论男女，或者在头、衣上插海棠花，或者插茉莉花，争奇斗艳，具有游牧民族服饰热烈奔放的特色。其中两名乐工身穿红色圆领长袍，系白色腰带。沈从文先生在《中国古代服饰研究》中指出，辽代乐工之所以穿这种服饰，是一种政治羞辱，“惟乐人多著宋代红绿正规圆领官服，……不是差使所能穿，也非伶官所能备。应是有意用宋代被俘虏或投降宋官所充当”[9]。王青煜先生在文章《契丹传统袍服及辽朝乐舞人物服饰浅探》中论述，《辽史·乐志》所记叙的辽朝散乐队是由五代后晋传来，即“晋高祖使冯道，刘昫册应天太后，太宗皇帝，其声器、工官与法驾，同归于辽”[10]。因此辽朝的散乐队的

3 （宋）叶隆礼撰，贾敬颜、林荣贵点校：《契丹国志·诸王传》，中华书局，2014年。
4 《辽史·圣宗纪》，中华书局，1974年。
5 （宋）叶隆礼撰，贾敬颜、林荣贵点校：《契丹国志》，中华书局，2014年。
6 《辽史·景宗纪》，中华书局，1974年。
7 《辽史·太祖纪上》，中华书局，1974年。
8 《辽史·太祖纪下》，中华书局，1974年。
9 沈从文：《中国古代服饰研究》，上海书店出版社，2002年。
10 《辽史·乐志》，中华书局，1974年。

乐器和演出服饰皆因晋的遗制。所以伶官皆着幞头，圆领袍服，络缝靴。虽然北宋的官服也因袭唐五代之遗制，但此壁画的散乐队伶官服饰并非北宋官服之形制。由此可见，壁画中侍女、散乐乐工发式、服饰都具有典型的契丹民族特色。

（石艳军　辽上京博物馆）

建平博物馆藏辽代鸡冠壶

张　徽

内容提要：在建平博物馆收藏的大量辽代陶瓷器中，尤以鸡冠壶独具特色，不仅数量有40余件，并且品类齐全，有单孔鸡冠壶、双孔鸡冠壶、提梁式鸡冠壶等。釉色不仅有白釉、绿釉、黄釉，更有三彩划花鸡冠壶，本文从中遴选出31件精品简述，以供研究辽瓷的同人参考利用。

关键词：建平　博物馆　辽代　鸡冠壶

建平博物馆藏的辽代鸡冠壶不仅数量多，而且品类齐全，有单孔、双孔、提梁式鸡冠壶，釉色不仅有白釉、绿釉、黄釉，更有三彩划花鸡冠壶，本文从中遴选出31件精品简述，以供研究辽瓷的同人参考利用。

一、辽墓出土的鸡冠壶

1. 黄釉提梁鸡冠壶[1]

1976年建平县向阳公社前进大队辽墓出土。灰白胎质，挂白粉衣，通体施黄釉，釉色均匀，腹下部及底部未施釉，显露灰白胎。管状口，鸡冠状提梁，长弧腹，圈足外撇，颈下泥条盘筑附加堆纹一道。口径2.9、腹径13、高34.8、底径7厘米（图1）。

图1　黄釉提梁鸡冠壶

2. 黄釉提梁鸡冠壶

1982年10月建平县陶土矿辽墓出土。灰白胎质，挂白粉衣，通体施黄釉，釉色不匀，有脱釉痕，腹下部及底部未施釉，显露灰白胎。管状口鸡冠形提梁，长弧腹，圈足外撇，颈下有泥盘盘筑附加堆纹一道。口径2.7、腹径12.3、高31、底径7.7厘米（图2）。

1　北京辽金城垣博物馆编：《碧彩云天——辽代陶瓷》，北京燕山出版社，2013年，第36页。

3. 绿釉单孔鸡冠壶

1983年建平县古山子乡下窑沟辽墓出土。灰白胎，挂白粉衣，通体施绿釉，釉色不匀，有流釉痕，腹下部近底处及底部未施釉露灰白胎。管状口，口下部有一周附堆纹。舌状单孔，上腹扁平，下腹鼓胀，具有皮囊的形态。圈足外撇。口径3.6、高24.3、底径10.9厘米（图3）。

图2　黄釉提梁鸡冠壶

图3　绿釉单孔鸡冠壶

4. 墨绿釉提梁鸡冠壶

1983年建平县深井乡出土。褐红胎，通体施墨绿釉，釉色均匀，有脱釉露胎痕。管状口，绳索式高提梁，长弧腹，圈足外撇，颈部有二周附加纹，腹部两侧中部各饰一道竖附加堆纹。口径3.6、高31.4、底径7.6厘米（图4）。

5. 绿釉提梁鸡冠壶

1994年11月建平县古山子乡辽墓出土。灰白胎，挂白粉衣，通体施绿釉，釉色均匀，腹下部及底部未施釉，显露灰白胎和白化妆土痕迹。管状，绳索式高提梁，长弧腹，圈足外撇。颈部饰二周附加堆纹。腹部两侧中部各饰一道竖附加堆纹。口径2.9、高13.5、底径6.4厘米（图5）。

图4　墨绿釉提梁鸡冠壶

图5　绿釉提梁鸡冠壶

6. 黑陶单孔鸡冠壶

1997年建平县青峰山辽墓出土，两件形制大小相同。泥质黑陶，粗磨光，管状口，舌形单孔，扁平腹，平底，腹上部两侧各饰一鸡冠状横耳。口径7.3、高33.5、底径14.5厘米（图6）。这两件黑陶单孔鸡冠壶，是辽代早期鸡冠壶的形式，其陶质与器形均与赤峰博物馆藏的一件磨光黑陶鸡冠壶[2]、朝阳博物馆藏的一件灰陶鸡冠壶大致相同[3]。并有明确的出土时间与地点，是很有价值的考古资料。

7. 绿釉提梁鸡冠壶

2009年11月建平县北山公园门前辽墓出土，两件形制、大小均同。灰白胎，挂白粉衣，胎上有明显的拉坯弦纹痕迹。通体施绿釉，釉色均匀，腹下部及底部未施釉，有露胎及白化妆土痕。管状口，绳索式高提梁，长弧腹，圈足外撇。口径7.5、高32.7、底径10.9厘米（图7）。

图6 黑陶单孔鸡冠壶

图7 绿釉提梁鸡冠壶

图8 白釉提梁鸡冠壶

8. 白釉提梁鸡冠壶[4]

建平县老官地乡噶吉哈达村辽墓出土，时间不详。两件形制、大小相同。灰白胎，挂白粉衣，通体施白釉，釉色均匀。腹下部及底部未施釉，显露白粉衣痕。管状口，高鸡冠形提梁，拱形穿孔。上腹扁平，下腹鼓胀，圈足外撇，平底外凸，冠耳上饰七只乳钉纹口沿至腹下双面各饰“流苏状”条纹，一侧饰“猎叉形”纹饰。腹径14.7、高32.8、底径9.8厘米（图8）。

2 刘冰：《赤峰博物馆文物典藏》，远方出版社，2007年，第164页。

3 周颖：《辽西博物馆藏辽代鸡冠壶》，《辽金历史与考古（第一辑）》，辽宁教育出版社，2009年，第353页，图1。

4 北京辽金城垣博物馆编：《碧形云天——辽代陶瓷》，北京燕山出版社，2013年，第23页。

二、征集入藏的鸡冠壶

1. 绿釉提梁鸡冠壶

1983年征集入藏，出土时间与地点不详。灰白胎，挂白粉衣，通体施绿釉，釉色均匀，有流釉痕。底部未施釉，显露灰白胎。管状口，鸡冠形高提梁，管状口下部有周堆纹，上腹扁平，下腹圆鼓。圈足外撇，腹及底部均有裂痕。腹径13.5、高27、底径8.3厘米（图9）。

2. 白釉提梁鸡冠壶

1984年3月征集入藏，出土地点不详。褐白胎，挂白粉衣，通体施白釉泛绿，釉色不匀，有堆釉和流釉痕，底部未施釉露胎。管状口，横提梁，上腹扁平，下腹鼓胀，呈皮囊状。在管状口的基部绕一匝棱线，由此引起一根凸棱线，分别在器腹两侧呈皮条形装饰，连接到弓形横梁的末端。口径3.1、高25.4、底径8厘米（图10）。

图9　绿釉提梁鸡冠壶

图10　白釉提梁鸡冠壶

3. 白釉提梁鸡冠壶

1985年10月在建平县万寿乡征集入藏，出土地点不详。两件形制、大小相同。灰褐胎，挂白粉衣，胎上有数周拉环弦纹痕。通体施白釉泛绿，釉色不匀，有脱釉和流釉痕。圈足底未施釉露胎。管状口，其中一件管状口底部有一周堆纹，鸡冠形高提梁，上腹扁平，下腹鼓胀，圈足底。口径3、高26.4、底径7.8厘米（图11）。

4. 三彩划花鸡冠壶[5]

1991年9月由建平县铁路派出所移交给建平博物馆入藏，出土时间与地点不详。红褐胎，挂白粉衣，通体施白釉，釉色均匀，有脱釉和流釉痕。底部未施釉露胎。管状口，高提梁，长弧腹，圈足外撇。颈下饰泥条盘筑一条，上饰三乳钉。竖直下垂的泥条颈下划花一朵，一侧腹部划莲花一朵，大莲花上方两侧各划一朵小花，划花处均施黄、绿二色釉。口径4.4、高33.4、底径7.4厘米（图12）。

5　北京辽金城垣博物馆编：《碧彩云天——辽代陶瓷》，北京燕山出版社，2013年，第30、31页。

图11　白釉提梁鸡冠壶

图12　三彩划花鸡冠壶

5. 绿釉单孔鸡冠壶

2005年7月征集入藏，出土时间与地点不详。灰白胎，挂白粉衣，通体施绿釉，釉色不匀，有堆釉和流釉痕。底部未施釉露胎，管状口，鸡冠形单孔。上腹扁平，下腹圆鼓，圈足外撇，在两个侧面从上至下有一条棱纹。口径4.4、高26.5、底径10.6厘米（图13）。

6. 绿釉单孔鸡冠壶

2006年7月征集入藏，出土时间与地点不详。红褐胎，挂白粉衣，通体施绿釉，釉色均匀润泽。底部未施釉露胎。管状口，鸡冠形单孔，颈下一周凸棱线在侧面有一竖直棱线，至近底部分为两条分别环绕两腹下部至鸡冠耳一侧，腹部两面均满划牡丹花卉。圈足底。口径3.8、高21、底径8.1厘米（图14）。

图13　绿釉单孔鸡冠壶

图14　绿釉单孔鸡冠壶

7. 绿釉提梁鸡冠壶

2006年7月征集入藏，出土时间与地点不详。两件形同，大小略有不同。灰白胎，挂白粉衣，通体施绿釉，釉色较匀，腹下部及底部未施釉，显胎，管状口，颈下一周堆纹，高提梁，圈足外撇。其中较大的一件口径2.2、高22.7、底径10.7厘米（图15右）；较小的一件口径2.1、高21.6、底径10.7厘米（图15左）。

8. 酱釉单孔穿带鸡冠壶

2007年12月征集入藏，出土时间与地点不详，灰褐胎，通体施酱釉，釉色不匀，有脱釉和流釉痕，腹下部及底部未施釉露胎。管状口，鸡冠形单孔，在管状口侧面有一竖直棱线，至近底部分为两条分别环绕至两侧腹下部再上溯至鸡冠耳一侧。两腹部中间上部饰一横桥状耳，下部为平行两个横桥状耳，圈底。口径3.5、高20.7、底径9.6厘米（图16）。

图15　绿釉提梁鸡冠壶

图16　酱釉单孔穿带鸡冠壶

9. 黄釉提梁鸡冠壶

2008年10月征集入藏，出土时间与地点不详。灰白胎，挂白粉衣。通体施黄釉，釉色均匀。腹下部及底部未施釉露胎。管状口，颈下有一匝棱线捏塑高提梁长弧腹，圈足外撇。口径3、高29、底径8厘米（图17）。

10. 绿釉提梁鸡冠壶

2009年10月建平县黑水镇派出所移交给建平博物馆入藏。出土时间与地点不详。灰白胎，挂白粉衣，通体施绿釉，釉色不匀，脱釉剥落严重，腹下部及底部未施釉露胎。管状口，高提梁，颈下有二周弦纹。上腹扁平，下腹鼓胀，圈足外撇。口径3.4、高25.4、底径6.1厘米（图18）。

11. 酱釉提梁鸡冠壶

2010年4月征集入藏，出土时间与地点不详。灰白胎，挂白粉衣，通体施酱釉，釉色均匀，有流釉痕。底部未施釉露胎。管状口，鸡冠形高提梁，上腹扁平，下腹鼓胀，圈足外撇。口径2.5、高27.8、底径8.2厘米（图19）。

12. 绿釉提梁鸡冠壶

2010年4月征集入藏，出土时间与地点不详。两件形制、大小均同。灰白胎，挂

图17 黄釉提梁鸡冠壶

图18 绿釉提梁鸡冠壶

白粉衣，通体施绿釉，釉色均匀，有流釉痕，腹下部及底部未施釉，显露灰白胎和白化妆土痕迹。管状口，捏塑高提梁，颈下有一周棱线，长弧腹，圈足外撇。口径3、高31.4、底径8.2厘米（图20）。

图19 酱釉提梁鸡冠壶

图20 绿釉提梁鸡冠壶

13. 黄釉双孔鸡冠壶

2010年5月征集入藏，出土时间与地点不详。红褐胎，挂白粉衣，通体施黄釉，釉色均匀，有脱釉剥落痕。腹下部及底部未施釉，显露红褐胎。管状口，双孔，颈下绕腹上部饰一周圆点组成的附加堆纹，管口一侧颈部从上至下饰两条棱线环绕腹下部绕至双孔的侧面。腹上部中间饰“人”字形，双凹弦内加点纹。上腹扁平，下腹鼓胀，平底内凹。口径5.9、高23.7、底径7厘米（图21）。

14. 白釉提梁鸡冠壶

2010年6月征集入藏，出土时间与地点不详。灰白胎，挂白粉衣，通体施白釉，釉色均匀，腹下部及底部未施釉，显露，白粉衣痕。管状口，鸡冠形高提梁，拱形穿孔。上腹扁平，下腹鼓胀，圈足外撇。鸡冠耳上五只乳钉，口沿及腹下双面饰“流苏状”条纹，一侧饰“猎叉形”纹饰。口径4.2、高38、底径10.8厘米（图22）。

图21　黄釉双孔鸡冠壶

图22　白釉提梁鸡冠壶

15. 绿釉单孔鸡冠壶

2010年6月征集入藏，出土时间与地点不详。两件形制、大小相同。灰白胎，挂白粉衣，两件均有裂痕。通体施绿釉，釉色不匀，有流釉痕，腹下部及底部未施釉，露胎。管状口，鸡冠形单孔，上腹扁平，下腹鼓胀，圈足外撇。管状口颈下侧从上至下饰一道棱线。口径4.6、高29.5、底径11厘米（图23）。

16. 绿釉双孔鸡冠壶

建平博物馆藏，入藏时间与出土地点不详。红褐胎，挂白粉衣。通体施绿釉，釉色不匀。有脱釉及流釉痕。腹下部及底部未施釉露胎和白化妆土。管状口，双孔，在管状口颈下两侧各饰一道竖直的棱线环绕至腹下部再绕至另一侧双孔的外侧，呈双弧线形，腹部满刻划卷草纹，小平底。口径4.7、高22.9、底径8.7～10.5厘米（图24）。

图23　绿釉单孔鸡冠壶

图24　绿釉双孔鸡冠壶

鸡冠壶作为辽代陶瓷中的典型器物，一般多将其作为判断辽墓族属和断代的主要依据。辽代契丹人称鸡冠壶这种器物什么名字呢？辽代史籍无明文记载，宋人笔记及宋人使辽行程录里也未见提及。早在1908年，日本学者鸟居龙藏在内蒙古赤峰市林西县的西拉木伦河畔就采集到一件黄釉鸡冠壶，但他称之为萨珊式胡瓶[6]。最早称这种器物为鸡冠壶的是日本学者岛田贞彦[7]。1939年在辽宁建平县叶柏寿火车站的辽墓出土了第一件有明确出土地点的鸡冠壶[8]。由于历史原因，当年日本学者在我国东北地区所做的调查工作开展较早，但他们仅限于零星的调查与报道，并未进行系统的研究。

应当指出，迄今为止，最早将鸡冠壶做较有见地系统研究的中外学者中，当首推李文信先生，他将鸡冠壶分为五种形式，为开展鸡冠壶的专门研究奠定了初步基础[9]。20世纪80年代以后，随着辽墓出土的鸡冠壶日益增多，一些学者开始对鸡冠壶进行专题研究[10]，其中以李宇峰先生的《辽代鸡冠壶初步研究》较有深度[11]，观点新颖。他将鸡冠壶分为两个序列，即单孔至双孔式为一个序列，提梁式为另一个序列，并详述其发展演变及时代早晚，其观点渐为学术界所认同。建平博物馆藏鸡冠壶数量多，品类齐全，我们将这些基础资料全部发表，以期推动有关鸡冠壶的进一步深入研究。

（张　微　建平博物馆）

6 〔日〕鸟居龙藏：《石面雕刻之渤海人风俗与萨珊式胡瓶》，《燕京学报》1946年第30期，第55页及注11。

7 〔日〕岛田贞彦：《论“满洲国”出土的鸡冠壶》，《考古学》1937年第1期。

8 彭善国：《辽代陶瓷的考古学研究》，吉林大学出版社，2003年，第79页。

9 李文信：《辽瓷简述》，《文物参考资料》1958年第2期。

10 梁淑琴：《辽代鸡冠真壶的类型、编年及演变》，《辽宁省考古博物馆学会成立大会会刊》，内部刊物，1981年；杨晶：《略论鸡冠壶》，《考古》1995年第7期；冯恩学：《辽代鸡冠壶类型学探索》，《北方文物》1996年第4期；张松柏：《关于鸡冠壶研究中的几个问题》，《内蒙古文物考古文集（第二辑）》，中国大百科全书出版社，1997年；马沙：《论辽代鸡冠壶的分期演变及相关问题》，《北方文物》2001年第1期；王纯婧：《辽代鸡冠壶研究综述》，《辽宁省博物馆馆刊（第3辑）》，辽海出版社，2008年。

11 李宇峰：《辽代鸡冠壶初步研究》，《辽海文物学刊》1989年第1期。

北票市博物馆藏辽金时期铜镜简述

裴 莹 王永兰

内容摘要：“以铜为镜，可以正衣冠。”铜镜历史悠久，是中国古代青铜艺术文化遗产中的瑰宝。铜镜正面可用来照容，反面可用来欣赏，与人们的生活有着密切的关系，古人巧妙地将生活实用性和艺术欣赏性融入铜镜之中。30多年来，北票市博物馆通过发掘、征集等方式先后收藏辽金时期铜镜48面，具有鲜明的时代风格和工艺特点。本文选取有代表性的铜镜12面进行简单介绍，以期能对辽金时期铜镜的研究提供重要的参考价值。

关键词：北票 辽金时期 铜镜

一

铜镜，又称青铜镜，就是古代用铜做的镜子，由镜面、镜背、镜纹、镜纽、纽座、镜铭以及缘等不同部分组成。我国古代铜镜镜艺精湛，绚丽多彩，不仅造型、纹饰、工艺技法独特，而且上好的铜镜纹饰题材丰富，寓意深邃，因此其不仅是人们梳妆照容的日常生活用品，也是价值极高的艺术品，或作为向百官的献礼、贺喜之用，或作为对下属官员的赏赐之用，或作为陪葬品随葬墓中。铜镜虽小，但其造型、纹饰、铭文等均无与伦比，是中华民族青铜器中自成体系的一个门类。

据考古资料记载，铜镜最早始造于齐家文化时期，一直延续到清代，历代铜镜在形状和纹饰上都各具特色。齐家文化到商周时期的铜镜，镜形皆为圆形，外表朴素，花纹简单，纹饰一般以几何纹为主，大多为没有纹饰的素面镜；春秋战国时期是我国铸镜技术发展期，不仅数量大、种类繁多，而且镜形新颖，制作精细，出现方形镜，镜纽形式多样，以弦纹纽为主，纹饰由单纯素地或几何纹样发展到多种式样，纹饰构建上也由纯地纹发展到有主纹与地纹之别的多层纹饰构成；汉镜逐渐变厚，纹饰精美；隋唐时期的铜镜为高度发展时期，镜体更厚重，造型除沿用圆、方镜形外，还创新了菱形、葵花形、“亚”字形，纹饰更加精美，种类繁多，由空想神话的故事题材逐渐发展为花鸟、植物的写实纹饰；宋朝时期铜镜出现六边弧形、六边菱形、长柄镜、长方形镜等，纹饰风格以写实的鸟纹为主，成双成对、清新秀美；元代铜镜较少，基本都是仿宋镜，且纹饰已趋于粗略简陋，不工整；明代铜镜日渐衰落，仿汉镜和仿唐镜很多，但是工艺粗糙，器形较小，纹饰少且模糊不清，很多只有纪年铭文。清代随着玻璃镜的出现，铜镜结束了它几千年的历史使命[1]。

按照年代来分，中国铜镜的发展分为五个阶段：第一个阶段是早期铜镜，从齐家文化到春秋初期；第二个阶段是春秋战国时期；第三个阶段是秦汉、魏晋南北朝时期；第四个阶段是隋唐五代时期；第五个阶段是宋辽金元明清时期。

铜镜早期作为供器、法器和礼器，只有皇室及达官贵族才能享用。到了西汉末年铜镜才走向民间，贴近人们的生活，成为人民大众照面饰容的生活必需品。

在中国历史上，辽（907～1125）与北宋对峙，金（1115～1234）与南宋对峙。辽、金分别是由契丹族和女真族建立的政权。宋辽金时期，南北文化交融得到了空前发展，契丹族、女真族在铜镜铸造方面，除了吸收汉族工匠的先进做法外，也保留着自己的民族特色。辽金时期的铜镜，主体纹饰十分丰富，仿汉、唐、宋各代的铜镜相继出现，图案内容取材写实，人们喜闻乐见的各种人物故事、鱼纹、龙纹等都成为铜镜的题材，进入寻常百姓家，具有浓厚的生活气息。

二

北票市博物馆收藏辽金时期铜镜48面，来源为北票地区出土或北票境内征集。按照镜背纹饰大致可分为花鸟纹镜类、双鱼纹镜类、禽兽纹镜类、神仙人物故事纹镜类、海舶纹镜类等。这些铜镜多为圆形，镜纽以圆纽为主，还有桥形纽和兽纽，纽顶面平素，造型美观，制作精美，纹饰丰富，具有重要的历史、艺术、科学价值。因不能一一列举和描述，故选取了有代表性的12面铜镜进行简单介绍。

（一）花鸟纹镜类

辽金时期的花鸟纹镜有“亚”字形、圆形等多种，镜背主纹为花卉纹和鸟纹。馆藏花鸟纹铜镜共13面，有连珠花卉纹铜镜、六蝶纹铜镜、花叶纹铜镜、湖石芭蕉仙鹤纹铜镜、卷草纹铜镜等。

辽连珠花卉纹“亚”字形铜镜 编号0217铜0081。长13.2、宽13.1、缘厚0.3厘米。重190克。二级文物。铜质，铸制。小桥形纽。纽四周饰四枝花卉，两两相对，形制相同：左右两花造型略长，枝叶柔蔓纤细，曲卷流畅，呈弧形将花朵包围，错向相背开放，花朵朝向镜缘；上下两花不见柔蔓枝条，由层叠花叶衬托，相向开放，花朵朝向镜纽。四花清新秀雅，椭圆状凸点以饰盛开的花瓣，十分醒目，其外饰双线勾画的细弦纹和连珠纹各一周，弦纹八弧曲，连珠纹呈小圆球状。缘刻款“北京验记官”及花押。该镜制作年代为辽代，至金时经检验刻款。宽平缘。镜体扁薄，局部有红斑。保存完整（图1）。

连珠纹又称联珠纹、连珠、圈带纹，是中国传统文化中的一种几何图形的纹饰，由一串彼此相连的圆形或球形组成，有的“珠”为实心圆，有的为空心圆，还有的是同心

1 管维良：《中国铜镜史》，重庆出版社，2006年。

圆。连珠纹的圆形表示太阳。

金代因为战争，导致铜严重缺乏，所以政府严格控制铜的使用，多次发布私铸铜镜的禁令，因此铜镜在未流通之前必须要由政府的验记官刻押以示审验。

图1 辽连珠花卉纹“亚”字形铜镜

辽六蝶纹铜镜 编号0563考0110。直径9.9、缘厚0.2厘米。重79克。1993年11月北票市南八家乡红石村下瓦房屯辽墓出土。二级文物。铜质，铸制。圆形，小桥形纽，花式纽座。花瓣边缘有一层凸起的棱边，颇具立体感。纽外饰六只蝴蝶展翅飞翔，整体呈倒置的三角形：其中三只头向纽，另三只头向缘，均交错排列。蝴蝶采用浅浮雕和线雕技法，造型优美一致：双目圆凸；触角细长如丝，向两侧平行分张，末端内卷呈圆圈状；蛹状鼓腹；双翅左右对称，平展舒张，边缘弧曲，翅上装饰横向短斜线以饰条纹；尾部漫圆。六蝶活灵活现，栩栩如生。平素缘。残断已粘复（图2）。

图2 辽六蝶纹铜镜

蝴蝶纹最早出现在唐镜上，常与朵云、蜻蜓或蜜蜂等组合使用，作为镜背外缘的一种辅助纹饰，在画面中所占的比例较小；至宋辽时期，蝴蝶纹在铜镜中开始作为主题纹饰出现，不但在画面中所占的比例较大，而且刻划更趋于写实。蝴蝶是幸福、爱情的象征，它能给人以鼓舞、陶醉和向往。用蝴蝶纹装饰镜背，表达了人们对甜美爱情和美满婚姻的向往以及对自由生活的追求；同时又因“蝴”与“福”谐音，“蝶”与“叠”谐音，因此蝴蝶纹又寓意福禄吉祥、富贵长寿。

辽花叶纹铜镜 编号0218铜0082。直径13.1、缘厚0.2厘米。重130克。三级文物。铜质，铸制。圆形，圆纽平顶。纽外饰花叶纹，似为两枝牡丹，花朵椭圆状，花叶边缘多弧曲。整个画面布局疏朗有致，优雅大方。镜体极薄，铜质略黄。纹饰模糊不清（图3）。

花叶纹镜是辽镜中出现较多的一个镜类，常以荷花、菊花、牡丹等为题材。这类铜镜纹饰多不清晰，可能是因为此类镜纹饰较浅或古人在使用过程中的磨损所致。花叶纹表现了契丹民族对大自然的热爱。

金湖石芭蕉仙鹤纹铜镜 编号0197-2铜0061-2。直径19.7、缘厚0.4厘米。重1140克。三级文物。铜质，铸制。圆形，圆纽平顶。纽右侧有一株高大的芭蕉树，宽枝大叶，筋脉清晰，舒展自如，十分茂盛。纽下湖石，纽左侧花草。树下及湖石间共四只仙鹤，均合翅站立，姿态优雅，情态各异：其一单脚着地，另一脚曲缩于腹下，翘首远望；其二双腿呈并列站立姿势，喙扁如鸭，引颈回望；其三曲颈前伸，头略低，似欲饮水；其四双腿交叉站立，曲颈凝视，似在觅食。纽上方天空中有两只仙鹤，一前一后：前者向下俯冲，曲颈回望；后者目视远方，头颈平伸；仙鹤周围有祥云朵朵。芭蕉的叶脉、仙鹤的双翅均由细密斜直的短阴刻线作点缀，惟妙惟肖。宽素缘。保存完整（图4）。

图3 辽花叶纹铜镜

图4 金湖石芭蕉仙鹤纹铜镜

芭蕉“叶大”谐音“业大”，寓意事业发达，家族像芭蕉叶一样茂盛兴旺；芭蕉高直，还寓意德行高尚，叶大成荫又有庇护众生等意；芭蕉果实长在同一根圆茎上，一挂挂地紧挨在一起，因此又是团结、友谊的象征。仙鹤在古代是最高贵的一种鸟，是“一鸟之下，万鸟之上”、仅次于凤凰的“一品鸟”，寓意第一，传说它有几千年的寿命，代表长寿、富贵。

图5 金卷草纹铜镜

金卷草纹铜镜 编号0199铜0063。直径25.9、缘厚1.5厘米。重2140克。三级文物。铜质，铸制。圆形，圆纽平顶。镜背以高圈带弦纹分为内外两区，均饰卷草纹，线条流畅，优美卷曲。内区纹饰图案较丰满圆润，共四朵，其中三朵形制相同，以单片花叶和三片花叶的组合排列在主干两侧，三片花叶又呈“品”字形，另一朵似如意云纹；外区纹饰曲转绵长，主干呈“S”形。窄斜缘。保存完整（图5）。

卷草纹是中国传统图案之一。多取忍冬、荷花、兰花等花草，经处理后作“S”形波状曲线排列，构成二方连续图案，花草造型多卷曲圆润。卷草纹象征生生不息、万代绵长的美好寓意。

（二）双鱼纹镜类

双鱼纹铜镜是金代新出现的铜镜类型，代表了金代铜镜铸造的艺术水平。纹饰布局基本相同，均为二鲤鱼绕纽追逐，衬以水波纹，鱼身或修长，或肥腴，活灵活现，极富感染力。馆藏双鱼纹铜镜共6面。

金双鱼纹铜镜 编号0208铜0072。直径19.5、缘厚1.6厘米。重1600克。二级文物。铜质，铸制。圆形，圆纽平顶。纽外采用浅浮雕技法饰首尾相接、绕纽追逐的两条鲤鱼，均展鳍摆尾，曲身腾跃，圆目微凸，体态丰腴，侧身嬉戏于海水中：纽上方鱼目视前方，口衔水草，鱼尾下摆；纽下方鱼口微张，圆唇微翘，鱼尾上扬。鱼身满饰网格状鳞，三角形鳍，尾部呈“丫”形分叉，鱼中间有激起的朵朵浪花，腮、鳍、尾、海水等处均刻划细密的短斜线作装饰，整个图案栩栩如生，极富感染力，具有浓郁的游牧民族气息和生活情趣。宽平缘。保存完整（图6）。

图6 金双鱼纹铜镜

金朝崛起于我国东北边陲，初兴时，因生产力极低，渔猎是族人重要的生活方式。女真族人对鱼有特别的情感，寄托着对天地大自然万事万物的虔诚信仰和崇拜。双鱼纹应用在铜镜上，表达了女真族人对渔猎习俗的执着、对美好生活和甜蜜爱情的追求；借助鱼类繁殖力强的物种特点，表达子孙满堂、生活富裕的愿望。同时，鱼纹镜也是借用“鲤鱼跃龙门”之意表达人们祈求升官登仕的愿望[2]。

（三）禽兽纹镜类

辽金时期的禽兽纹镜以龙纹（单龙纹、双龙纹）、瑞兽等为主题纹饰。馆藏禽兽纹铜镜18面。

金刻款盘龙纹铜镜 编号0215铜0079。直径14.3、缘厚0.7厘米。重320克。二级文物。铜质，铸制。圆形，圆纽平顶。纽外铸一侧身之龙屈身飞舞，利用龙本身的动态，首尾呼应。龙口大张，曲颈，双角向后侧立，鬣毛飘动，前两肢张舞，爪劲健犀利，后一肢与尾部缠绕在一起。龙身上有若干不规则点状阴工以饰鳞片。整条龙矫健威猛，生动逼真，具有较强的立体感。龙身周围点缀朵朵流云。此镜质地银亮，纹饰略有模糊，疑系翻模。边缘有刻款，不甚清晰（图7）。

图7 金刻款盘龙纹铜镜

2 张丽萍：《金代铜镜略考》，《春草集——吉林省博物馆协会第一届学术研讨会论文集》，吉林人民出版社，2011年。

龙纹镜是金代颇为流行的镜种之一。北宋美术理论家郭若虚指出：龙有九似。龙的头似驼代表智慧，角似鹿代表社稷和长寿，耳似牛寓意名列魁首，眼似虎表示威严，爪似鹰表示勇猛，眉似剑表示英武，鼻似狮象征宝贵，尾似金鱼象征灵活，齿似马象征勤劳和善良。因此，龙本身就是融合的结晶。金代龙纹镜的流行，具有激励民族情感发展、促进民族情感融合的意义[3]。

图8　金瑞兽葡萄纹铜镜

金瑞兽葡萄纹铜镜　编号0195-1铜0051-1。直径13.1、缘厚1.0厘米。重450克。三级文物。铜质，铸制。圆形，伏兽纽平顶。镜背以一周凸棱分为内外两区。内区以纽为中心，饰六只瑞兽，造型生动，形态各异，或曲颈凝望，或匍匐潜行，或绕纽腾跃，或顾盼搔首，间饰葡萄纹；外区满饰叶果累累的葡萄枝蔓和灵动生气的鸟雀，葡萄藤蔓蜿蜒缠绕，鸟雀或飞或栖。镜缘处有一周流云。斜立缘。此镜纹饰繁缛，细腻生动。保存完整（图8）。

瑞兽葡萄镜出现于初唐，主要流行于唐高宗、武则天时期。据《汉书·西域传》和《尔雅·注疏》记载，镜中“瑞兽”就是狮子，张骞出使西域以后，狮子作为珍贵的贡品输入中原。而葡萄是张骞出使西域时带回中原引种成功的。唐代工匠把汉代铜镜流行的瑞兽纹与葡萄纹巧妙地结合在一起，是接纳西域文化的实物例证。镜中的瑞兽象征着刚毅与坚强，鸟雀等象征着敏捷与美好，葡萄枝蔓和果实象征着“富贵长寿”“多子多福”[4]。

金四神纹铜镜　编号0198-2铜0061-2。直径13.7、缘厚0.7厘米。重540克。三级文物。铜质，铸制。圆形，平顶圆纽，圆形纽座。纽外为四只形态各异的瑞兽绕纽奔跑，分别为青龙、白虎、朱雀、玄武，造型各异，神态飞扬：青龙和白虎居上，张口龇牙，咆哮对视：青龙昂首吐舌，威猛矫健，身躯呈弧形弯曲；白虎双目圆凸，面部狰狞，厚唇大口，躬身腾跃，长尾高翘。四神脊背均饰椭圆状凸点纹，十分形象。其外饰三道弦纹，间饰直线纹、三角锯齿纹和水波纹。平缘。保存完整（图9）。

图9　金四神纹铜镜

3　张丽萍：《金代铜镜略考》，《春草集——吉林省博物馆协会第一届学术研讨会论文集》，吉林人民出版社，2011年。

4　高建锋：《唐瑞兽葡萄纹铜镜》，《文博人讲文物故事》2021年2月21日。

四神在中国古代即守卫四方的神灵。青龙为东方之神，白虎为西方之神，朱雀为南方之神，玄武为北方之神。古代以四神来表示天象，是祖先图腾信誉下的产物，同时也是生活空间地域的方位概念。四神纹应用在铜镜上，不仅是祥瑞符号的象征，还有驱邪避凶、理顺阴阳的用意，表达了人们避除不祥和对富贵安康的祈盼。

（四）神仙人物故事纹镜类

辽金时期的人物故事镜以神仙、童子、花枝等为题材，有仙人龟鹤纹铜镜、大定通宝婴戏纹铜镜等。馆藏神仙人物故事镜6面。

金仙人龟鹤纹铜镜 编号0190铜0054。直径13.6、缘厚1厘米。重650克。三级文物。铜质，铸制。圆形，圆纽平顶。主题纹饰是在纽上方近缘处有一株枝繁叶茂的大树，树枝向纽左侧伸展，树下一老者端坐在岩石上，头挽高髻，一绺长须随风飘动，宽衣大袖，双腿一屈一躬，双手平伸抚于膝上；前方站立一童子，头朝向老者，双手屈于胸前，右手指向前方，似在领悟老者的旨意。纽上方有一仙鹤展翅低旋，下有一神龟延首伸颈，仙鹤、神龟似听到老者召唤，正在向老者奔去。纽左侧为一童子立于瀑布之前，侧身躬背，双手抚于瀑面戏水，桥下浪花滚滚。宽平缘。保存完整（图10）。

仙人龟鹤纹镜在宋辽金时期较为流行。整个镜面老者、仙鹤、神龟，皆含有祈祷长寿之意。

金大定通宝婴戏纹铜镜 编号0212铜0076。直径12.5、缘厚0.8厘米。重320克。三级文物。铜质，铸制。圆形，平顶圆纽。纽外环列五枚“大定通宝”钱纹，造型简练，形貌大方，字仿“瘦金”；其外五个大头伏娃，昂首跷腿，手举花枝，憨态可掬，背上各有一枚“大定通宝”钱。斜立缘。保存完整（图11）。

图10　金仙人龟鹤纹铜镜

图11　金大定通宝婴戏纹铜镜

“大定通宝”钱是金世宗完颜雍大定十八年至二十九年（1178～1189）铸造的，是金朝兴盛时期的钱币。钱文装饰在镜背上，象征着财富和吉祥，展示了金代国力强盛、百姓安康的生活画面，也为铜镜的断代提供了重要依据。

图12　金“天下安昌”铭海舶纹菱花形铜镜

（五）海舶纹镜类

海舶镜即以航海征途为题材的镜子。馆藏海舶镜1面。

金“天下安昌”铭海舶纹菱花形铜镜　编号0189铜0053。直径20.7、缘厚0.5厘米。重850克。三级文物。铜质，铸制。圆形，圆纽平顶，八出菱花缘。纽周围为波涛汹涌的大海，上有一船落帆前行，桅杆高耸，船头三人，船尾二人，人物形象生动；海上浪花朵朵，四面涌至，颇有惊天动地之感；海面上点缀一些水藻和落花。纽上端有两行铭文“天下安昌”，书体近似蝌蚪文的变体。边缘饰六朵形制相同的卷云纹。窄平缘。镜缘有裂纹两道（图12）。

海舶镜是金代新出现的一种纹样铜镜，极富特色。通过精妙的画面构图，证明了金代航海业的发达，也是当时生活的写照，表现了女真人不畏艰险、搏击风浪、勇往直前的精神。

三

北票市博物馆收藏的辽金时期铜镜，造型美观，制作精良，纹饰丰富，寓意深刻，代表了契丹、女真族制镜的较高水平。它凝结了时代精神，体现了民族融合，展示了当时人们的聪明智慧和卓越才能，是我国古代文化遗产中的瑰宝。人们朴素的“天圆地方”观念、长生不老祈愿、美好生活追求、积极进取的精神以及热爱大自然的情趣、感恩大自然的思想等，都融入一面面小小的铜镜当中，不仅折射着古代人们的审美意识，也反映着当时的政治、经济、文化艺术特征和社会风尚。其形制和背面的纹饰、铭文积淀了厚重的文化艺术，给我们留下了十分珍贵的文化遗产，至今仍然值得我们学习、借鉴和传承。

（裴　莹　王永兰　北票市博物馆）

陇县原子头M56金代大定二十四年买地券校释

黄文姣

内容提要：陇县原子头M56出土的金代大定二十四年买地券基本完整，可作为金代买地券的一个经典范本。本文对该券券文内容进行校补整理，勘正了原释文中的一些纰误，并在此基础上对该券涉及的时间、地望、墓主等相关问题予以考释，以便学界研究者能够更好地利用这份珍贵的买地券文书材料。

关键词：大定二十四年　金代墓葬　买地券

陇县原子头M56出土的金代大定二十四年买地券，是目前陕西宝鸡地区发现为数不多的宋金时期买地券之一，亦是一份研究当时社会历史、丧葬习俗、宗教信仰等的珍贵材料。该券券文所呈“前半部正刻、后半部倒刻”的特点鲜明且罕见，相关资料已在宝鸡市考古工作队、陕西省考古研究所编著的《陇县原子头》发掘报告中正式公布[1]。然而，材料信息已刊布十几年之久，其似乎并未引起学界的足够重视，甚至新近出版的对中国古代买地券材料梳理最为系统、辑录最为全面的《中国古代买地券研究》[2]一书亦将其遗漏，不得不说是一种遗憾。

笔者在翻检《陇县原子头》发掘报告之际，重新拾获该券相关资料并对其进行谛审研读。在将买地券原释文与所附拓片比对验视时，发现原释文存在若干误释、漏释之处，多处句读、标点亦有不妥。此外，原释文在移录后5行倒刻券文内容的过程中，采取了遵照正书习惯的行文方式对其逐字罗列，尽管特别标注“此行以下倒刻”，但仍给券文内容的整体通读造成一定不便。本文在检视拓片图版的基础上，参考发掘报告原释文成果，重新对该券券文做校补整理，并对券文涉及的部分相关问题加以考释，以期能为以后的学术研究提供一份更为科学完善的文书材料。

一、买地券概况及校补

据发掘报告介绍，该买地券为青灰砖质，近方形，长29、宽28.5、厚6厘米，正面镌刻买地券文书，内填以朱砂，券文凡12行，行之间界以浅竖线分栏，前7行为竖行正

1　宝鸡市考古工作队、陕西省考古研究所：《陇县原子头》，文物出版社，2005年，第257、258页。

2　鲁西奇：《中国古代买地券研究》，厦门大学出版社，2014年。

刻，后5行系倒刻之，足行21字，计204字（注：实刻207字）。券面泐蚀致使券文局部漫漶，但基本不影响通券识读（图1）。为方便考释，现将《陇县原子头》发掘报告对该券的原释文照录如下：

维大金大定二十四年，甲辰岁二月庚申朔，有陇州
千源县善化乡西瓦窑社亡过马宅杨氏，亡过马
狗＝，于临千乡西菜菌社张家有，善化乡
温水店社地内安厝宅兆，今用钱九万九千
九百九十九贯文足，就皇天后土，十二社稷边
买得地一段，东西一十七步，南北一十七步，具四至
如后：东至青龙，西至白虎，（此行以下倒刻）
　　武玄至北，雀朱至南
李、陆张人保正，敕齐军将路道掌分，陈勾外内
金人契读，曹功名人契书，母王西，公王东人见知，度定
急急，里千避永，者居有先，怪仵得不精邪，簿主
掌＝狗马，氏杨宅马葬安，申甲日五十二月二，敕，令律如

图1　陇县原子头M56金代大定二十四年买地券拓片

细审陇县原子头M56金代大定二十四年买地券的拓片图版，参考《地理新书》所荐买地券范本样式以及近年来各地出土的买地券文本，现对原释文中的几处待说明、纰误和遗漏处做如下校补：

1）第2行“千源县善化乡”之“千”字，券文原作“汧”，即指“汧水（河）”，系今“千河”水系的古称，依今简化习惯作“千”；第3行“临千乡”情况类似，不再赘述。

2）第2、3行“亡过马狗＝”之重文符“＝”，按今之行文惯例宜作“々”。末尾行“马狗＝”亦同此。

3）第3行“临千乡西菜菌社张家”句涉及社名“西菜菌社”，晦涩不通，“菌”字所释不确。检视拓片，该字上部为“艹”，下部“囗”内并非“禾”，笔迹实为“袁”字，应释作“薗”。“薗”即同“园”，将社名释作“西菜园社”较为符合实际。

4）第9行从右至左“内外勾陈，分掌道路将军齐敕，正保人张陆”句，原释文将“敕”与“正”拆开释读并不妥切，视该字整体轮廓宜释作“整”字，联系上字合并为“齐整”一词。临近的千阳县冉家沟所出大金明昌四年（1193）买地券有“道（路）将军，齐整阡陌”句[3]，可与之对照。此外，该句券文于制券术士镌刻朱书买地券之时出现漏词现象，《地理新书》所荐买地券范本对此句完整陈述为：“内外勾陈，分掌四域；丘丞墓伯，封部界畔；道路将军，齐整阡陌。”[4]该券文本明显存在被简省处理的痕迹，或是制券术士对买地券底本内容不甚熟稔之缘故。在遵照该券文本大意不变的前提下，依上将该句校释为“内外勾陈，分掌（四域）；道路将军，齐整（阡陌）”。

5）第10行由右至左原释文“书契人名功曹，读契人金主簿”，“名”系“石”字之误释，且“石功曹”与“金主簿”可对称，故应校释为“书契人石功曹”。后蜀广政二十五年（962）李才买地券的“书契人石功曹，读契人金主簿”[5]，南宋绍兴九年（1139）朱近买地券的“书契人石功曹，读契人金主簿”[6]等，皆可资参照。

6）第11行从右至左原释文“邪精不得仵怪”句，“仵怪”之义艰涩难解，核视拓片字样当是“忓恡”。“忓恡”，义同“干犯”或“忓犯”，表示干扰触犯的意思[7]。“忓恡”一词频繁出现于买地券文书材料中，如《地理新书》所荐买地券范本即作“故气邪精，不得忓恡”[8]，后蜀广政十一年（948）张虔钊买地券“故气邪精，不得忓恡”[9]，宋靖康元年（1126）杜氏一娘买地券“故气邪精，不得忓恡”[10]，等等。

7）第12行券尾自右至左原释文“马宅杨氏，马狗＝掌”句，尽管券文漫漶，但“掌”前一字漏释无疑。细审漏字左部为“丩”，判断其字为“收”。结合起来，券尾

3 宝鸡市考古队、千阳县文化馆：《陕西千阳县发现金明昌四年雕砖画墓》，《文博》1994年第5期。

4 （宋）王洙：《重校正地理新书》，《续修四库全书》1054册，上海古籍出版社，2002年，第113页。

5 龙腾、李平：《蒲江发现后蜀李才和北宋魏训买地券》，《四川文物》1990年第2期。

6 罗振玉：《地券征存》，《罗雪堂先生全集（五编）》，台湾大通书局，1973年，第1308、1309页。

7 毛远明：《释“忓恡”》，《中国语文》2008年第4期。

8 （宋）王洙：《重校正地理新书》，《续修四库全书》1054册，上海古籍出版社，2002年，第113页。

9 成都市文物管理处：《成都市东郊后蜀张虔钊墓》，《文物》1982年第3期。

10 孝感市文化馆：《湖北孝感大湾吉北宋墓》，《文物》1989年第5期。

即为“收掌”一词。“收掌”表收存掌管之义，在他处买地券中又作“收执”，如南宋端平三年（1236）邓荣仲买地券券尾：“地券给付亡人邓荣仲收执。”[11]宋宝庆元年（1225）陈氏中娘买地券：“铁券亡人陈氏收执照用。”[12]对比可知，亡过马宅杨氏及马狗狗所“收掌”之物当为买地券合同无疑。

结合以上校补结果，同时梳理该券后半部倒刻文字的语序逻辑，并对券文通篇作句读、标点，兹将重新校释后的金代大定二十四年买地券释文整理、移录如次：

> 维大金大定二十四年甲辰岁二月庚申朔，有陇州
> 千源县善化乡西瓦窑社亡过马宅杨氏、亡过马
> 狗々，于临千乡西菜园社张家有善化乡
> 温水店社地内安厝宅兆。今用钱九万九千
> 九百九十九贯文足，就皇天后土、十二社稷边
> 买得地一段。东西一十七步，南北一十七步，具四至
> 如后：东至青龙，西至白虎；
> 　　　南至朱雀，北至玄武。
> 内外勾陈，分掌（四域）；道路将军，齐整（阡陌）。保人：张陆、李
> 定度；知见人：东王公、西王母。书契人：石功曹；读契人：金
> 主簿。邪精不得忏㤓，先有居者，永避千里，急急
> 如律令，敕！二月二十五日甲申安葬，马宅杨氏、马狗々收掌。

二、买地券券文考释

陇县原子头M56所出该件买地券材料，记述了金代大定二十四年祭主为殁故亡人“马宅杨氏及马狗狗”置买坟地安厝宅兆并订立阴契地券一事。经过前文的校补，其券文通畅，内容清晰，下面就该券涉及的立券时间、所涉地望、墓主情况等相关问题择要予以考释。

（一）立券时间：“维大金大定二十四年甲辰岁二月庚申朔”与“二月二十五日甲申安葬”

上述时间分别出现于券文首、尾两处，前者系“安厝宅兆”时间，后者为“安葬”时间。“安厝宅兆”即指安坟下葬，“安葬”则与之同义。据此，可将立券安葬时间整合为“大金大定二十四年甲辰岁二月庚申朔二十五日甲申”，此日应系堪舆风水术士为丧葬仪式选择的吉日。该券纪时方法采用帝王年号纪年法，纪时款式按国号、帝王年号、年序、年份干支、月份、朔日干支、日辰、日序干支的逻辑依次排列。这种诸

11　方建国：《简阳县发现南宋纪年墓》，《四川文物》1987年第3期。

12　莫洪贵：《仁寿县古佛乡宋墓清理简报》，《四川文物》1992年第5期。

要素齐全的纪时款式在宋金时期的买地券中比较流行，类似者如宋嘉泰四年（1204）周必大买地券“维皇宋嘉泰四年岁在甲子十一月己未朔十四日壬申吉”[13]，金明昌二年（1191）潘志为亡父母买地券“维大金明昌二年岁次壬子正月乙己朔二十六日庚午”[14]，等等。

翻检方诗铭《中国历史纪年表》，金代“大定”年号为金世宗完颜雍之年号，其间共使用29年（1161～1189）[15]。大定二十四年，同南宋孝宗淳熙十一年，为1184年；甲辰岁，在他处买地券又习惯书作“岁次甲辰”或“岁在甲辰”，“甲辰”系大定二十四年年份之干支；二月庚申朔，“庚申”是二月朔日的干支；二十五日甲申，“甲申”是二十五日的干支。逐一核对朔闰干支对照表，大金大定二十四年的干支确是“甲辰”无疑，当年二月的朔日干支是“庚申”准确，该月二十五日的干支系“甲申”亦无纰误。

（二）所涉地望：“陇州千源县善化乡西瓦窑社”及“临千乡西菜园社张家有善化乡温水店社地”

买地券券主籍贯系陇州千源县，地望位于今宝鸡陇县，地处陇山东坂、千河北岸。陇州历史沿革在《陕西通志》载云：“陇州，周为岐陇地，春秋战国时属秦。秦属内史地，始皇尝表此为秦置西门。汉为千县，属右扶风，东汉因之。晋因之，属扶风郡。南北朝后魏于千源县界置陇东郡，后改东秦州。西魏改为陇州。山高而长曰陇，陇山、天井、金门、秦岭诸山皆在是地，故名。后周省入岐州，寻复置。隋初，郡废，而陇州如故。炀帝初，州废，以其地入扶风郡。唐复置陇州千阳郡，领县三，曰千源、千阳、吴山。宋为陇州千阳郡，领县四，曰千源、千阳、吴山、陇安，属秦凤路。金仍为陇州，海陵时属熙秦路，大定二十七年，属凤翔路，领县三，曰千阳、千源、陇安。元为陇州，属巩昌路。至元七年，省吴山、陇安入千源。十三年，罢防御使为散郡，领县二，曰千源、千阳。皇明洪武二年，仍为陇州，省千源入焉，隶凤翔府。”[16]据文献可知，“陇州”之名始于西魏，因山而得名。“陇州”之称初有废复，但在唐代确立并基本沿用，其辖地在历史上亦有扩敛。千源县之沿革在《读史方舆纪要》见载：“千源废县，在州治东南。秦置千县，汉因之，属右扶风。……晋仍属扶风郡，……后魏曰千城县，……西魏曰千阴县，为陇东郡治。后又改曰杜阳。后周复曰千阴。开皇三年郡废，五年改县曰千源，属陇州。大业三年州废，仍属扶风郡。唐为陇州治。……宋仍为陇州治。明初省。”[17]可见“千源县”始名于隋代，此后“千源县”之名断续沿用。唐宋之时，千源县均为陇州州治所在。据《金史·地理志》记载，陇州系金时防御州，领千阳、千源、陇安三县，州治移至千阳。其中，千源县条注曰：“有吴岳山、白环水。镇

---

13 陈柏泉：《江西出土墓志选编》，江西教育出版社，1991年，第566、567页。

14 倪志俊、韩国河、程林泉：《西安市北郊金代墓葬发掘简报》，《考古与文物》1991年第6期。

15 方诗铭：《中国历史纪年表》，上海辞书出版社，1980年，第120、121页。

16 （明）赵廷瑞修，马理、吕楠纂，董健桥校点：《陕西通志》卷8，三秦出版社，2006年，第319、320页。

17 （清）顾祖禹撰，贺次君、施和金点校：《读史方舆纪要》卷55，中华书局，2005年，第2654页。

三：吴山、定戎、陇西。”[18]说明千源县在金代确是隶属于陇州，其时最大变迁是陇州移治千阳县，作为唐宋时陇州旧治的千源县此时降为一般县，仅系陇州辖下三县之一。通过梳理文献基本明确，金代陇州千源县地望即今之陕西陇县。

依买地券所述，“善化乡”与“临千乡”是金代陇州千源县治下所辖行政乡，现难以确考。不过，陇州西北存有“临千故城”，《乾隆陇州续志》载：“临千故城，州西北本唐千阳县地，太和初筑，寻废。”[19]金代陇州临千乡是否与唐时“临千故城”之间存有沿革关系，仍待考证。善化乡，参考下文考实的温水店社位置，蠡测该乡或位于千源县（今陇县）城西近郊。

券文提及社名有三：西瓦窑社、西菜园社、温水店社。“社”在金代已演变为“乡”之下的地方基层组织，其性质大致相当于自然村落[20]。温水店社，即今陇县西郊城关镇店子村，当地人将店子村叫作温水店子[21]。该村处于温水河西岸二级台地的前缘，1991～1993年抢救发掘的陇县店子秦墓[22]墓地即在该处。券文指出“宅兆安厝”之处为千源县温水店社地（今店子村），而墓葬及买地券则是在陇县原子头村境内发现，前后两地点仅距1千多米，则知今原子头地块在金代或属于温水店社所有。“西瓦窑”和“西菜园”两社具体位置已失考，按两社皆含具有方位指示的“西”字分析，再结合“安厝宅兆”的温水店社在千源县（今陇县）西郊，判断该两社抑或同在西近郊，且两社应当分别具有烧瓦窑、种蔬菜的职能。

（三）墓主情况：“亡过马宅杨氏、亡过马狗々”

由于买地券出土单位原子头M56惨遭破坏，故该墓葬基本状况不甚清楚。所幸，劫余的买地券在一定程度上为认识墓葬性质及墓主部分情况提供了可能。

论及原子头M56的墓主问题，该墓所出买地券实际已有明确交代。买地券券文云：“有陇州千源县善化乡西瓦窑社亡过马宅杨氏、亡过马狗々，于临千乡西菜园社张家有善化乡温水店社地内安厝宅兆。”显而易见，M56的墓主系“马宅杨氏及马狗狗”，该墓的性质为合葬墓也是毋庸置疑的。至于两墓主之间的关系，就券文对墓主称谓的情况来判断，墓主极可能为夫妻关系。需要注意的是，买地券在书写墓主次序时，将女性墓主杨氏置于男性墓主马狗狗之前，这种现象较为特殊，或是由于制券术士在书券时按照墓主死亡时间顺序安排先后次序所致。

“马狗狗”系墓主之一，其名粗鄙质朴，取名全然不避丑恶之字。古代买地券材料中类似的名字又见于甘肃武威西关所出西夏乾祐十六年（1185）木质券，其券主名曰

18 《金史》卷26《地理志下》，中华书局，1975年，第647页。

19 （清）罗彰彝纂修：《乾隆陇州续志》，《中国地方志集成·陕西府县志辑》第37册，凤凰出版社，2007年，第26页。

20 鲁西奇：《中国古代买地券研究》，厦门大学出版社，2014年，第527～533页。

21 参见张积玉：《张仲实的青年时代》，《宝鸡古今》1989年第1期；又见《陇县文史资料选辑（第4辑）》载：民国二十三年（1934），为清乡整顿保甲将陇县设六区，第四区辖“今城关乡赵家坡、北坡、原子头、温水店子村……”其中温水店子村，即店子村，因临温水河，故名之。

22 陕西省考古研究所：《陇县店子秦墓》，三秦出版社，1998年。

“曹铁驴”[23]。实质上，中国古代以动物、牲畜名作为人名的现象并不鲜见，尤其以河西走廊敦煌地区较为普遍。以敦煌文书所见人名为例，典型者如“465窟的米狗义，387窟的苟子、苟住（注：“苟”通“狗”，以下皆同），263窟的索苟住，S.0542的安苟苟、翟苟儿，P.3946的苟子，S.0514的金苟，S.2703的李玉苟，P.3354的王苟仁，P.3555的刘狗奴，S.2041的马苟子、宋苟子，P.3249的卫苟子、阴苟子，S.4643的宋苟奴，S.4472的梁苟奴”[24]等等。原子头M56男性墓主“马狗狗”的名字可能受到了河西地区这种“贱名”文化习俗的影响，墓主之所以起“马狗狗”这样的贱名，应当与其处于社会下层、身份贫贱有关，也是中国古代“贱名好养”的心理观念及风俗传统直接作用的结果[25]。

（四）地价问题：“今用钱九万九千九百九十九贯文足”

买地用钱“九万九千九百九十九贯文”，该项地价显然是虚数，钱额交割数目或是以冥币的形式呈现，绝非当时实际流通中的真实货币。宋人周密即已注意到这一现象，并在《癸辛杂识·别集》记述：“今人造墓，必用买地券，以梓木为之，朱书云：‘用钱九万九千九百九十九文，买到某地’云云，此村巫风俗如此，殊为可笑。”[26]那么，买地券文书多使用“九万九千九百九十九”定例数目之缘由，学界已有深入研究，韩森先生指出，“九”在古时代表着“阳”气，其力量可以抵消阴间的黑暗[27]；黄景春先生则认为“用‘九九之数’表地价，至少蕴含用钱极多、以阳抑阴、祈求生命长久等三层意思”[28]。黄景春的认识较之韩森观点则更为全面深刻，此说可从信之。

值得关注的是，该券的地价交割钱目“九九之数”后特别强调“贯文足”，这种行文表述鲜见于同时期的他处券文。究其原因，应当与金代出现货币“短陌”[29]的社会背景相关。由于金国境内铜源匮乏铸币难行，造成市场流通货币的不足而引发“钱荒”，为能使较少的货币量实现更大价格的商品交易，因而在货币流通领域产生“短陌”现象[30]。金代的“短陌”处于不稳定状态，经历了“陌以六十”[31]“七十为陌”[32]“八十为

---

23 武威地区博物馆：《武威西关西夏墓清理简报》，《陇右文博》2001年第2期。

24 高启安：《唐宋时期敦煌人名探析》，《敦煌研究》1997年第4期。

25 佟建荣、蔡莉：《有关西夏姓名若干问题的再探讨》，《西夏研究》2017年第2期；高启安：《唐宋时期敦煌人名探析》，《敦煌研究》1997年第4期。

26 （宋）周密：《癸辛杂识》，中华书局，1988年，第277页。

27 韩森：《传统中国日常生活中的协商：中古契约研究》，凤凰出版传媒集团、江苏人民出版社，2008年，第157页。

28 黄景春：《作为买地券地价的“九九之数”》，《中国典籍与文化》2016年第3期。

29 “短陌”，又称“短钱”，是指以不足百数之钱而当百钱使用的货币现象；下文“足陌”，亦称“足钱”，指每贯钱十足支付一千文，即实足支付之意。

30 裴铁军：《论金代的短陌》，《天津大学学报（社会科学版）》2016年第2期。

31 （清）鲍廷博：《知不足斋丛书》，（株式会社）中文出版社，1980年，第6135页。

32 （宋）范成大撰，孔凡礼点校：《范成大笔记六种》，中华书局，2002年，第12页；乔幼梅：《宋辽夏金经济史研究》，齐鲁书社，1995年，第129页。

陌”[33]等阶段。金世宗大定二十年（1180），诏令“官私所用钱皆当以八十为陌”[34]，遂为定制。陇县原子头M56安葬时间为金大定二十四年（1184），系金世宗颁布“八十为陌”法令之后不久，当时民间社会的商品交易应当普遍执行“以八十为陌”的货币制度。以上即是丧葬仪式上术士书写买地券的社会背景，券文之所以强调交割钱额“贯文足”，显然是针对当时社会上普遍的“短陌”现象而言的。尽管券文中的地价是虚拟的，如是按照社会上通行“以八十为陌”的交易习惯，祭主为“马宅杨氏及马狗狗”置地的地价“九九之数”在虚拟交易操作中则会严重缩水。鉴于此种情况，券文在书写时特别强调贯文“足陌”，主要是为了确保“九九之数”的完整性，同时也是向神祇表达此次买地活动的极大诚意。

三、结　　语

随着近年考古工作的不断深入，各时期的买地券实物在全国范围时有出土，这些珍贵的古代文书材料所涵盖的信息量极为丰富，为我们研究古人的社会生活、生死观念和丧葬习俗提供了鲜活的第一手资料。据相关研究显示，目前出土的金代买地券计30余件[35]，其数量并不丰富。遗憾的是，陇县原子头M56出土的金代大定二十四年买地券，其报告资料自初次公布以来一直为学界所忽视。笔者对此件珍贵的买地券展开探讨研究，校补勘正了原释文中存在的不足，并梳理出一份更为科学严谨的文书材料。此外，本文对券文中涉及的时间、地望、墓主等相关问题择要考释，为研究者重新认识这份文书材料的内涵价值有所助益。总体来看，陇县原子头M56出土的金代大定二十四年买地券内容完整、表意清晰，可视作金代买地券的一个经典范本。该券具有一定的研究价值，它的发现对于相对匮乏的金代买地券材料是一个有效的补充，因此值得学术界予以足够重视。

（黄文姣　成都文物考古研究院）

33　《金史》卷48《食货志》，中华书局，1975年，第1071页。

34　《金史》卷48《食货志》，中华书局，1975年，第1072页。

35　宋德金：《金代买地券考述》，《北方文物》2017年第1期。

辽金历史与考古·第十二辑

碑志研究

浅谈契丹小字石刻资料引用的汉文经典

都兴智

内容提要： 建立辽朝的契丹族曾创制了本民族的文字——契丹字。契丹字有两种，即契丹大字和契丹小字。契丹字至金章宗之后即已失传，属于中国历史上消亡的少数民族文字。百年前，在内蒙古林西县辽庆陵旧址中发现了辽代帝后的哀册，使失传已久的契丹文字又重新出现在世人面前。之后又陆续发现许多契丹文的贵族墓志及其他遗物。经过中外契丹文字专家学者的不懈努力，如今对契丹文字的解读水平大大提高，取得了许多研究成果。本文主要论述迄今为止发现的契丹小字石刻文字资料中引用的汉文经典、历史典故及历史名人等实例，从而分析辽代契丹文化与汉文化不可分割的血肉关系。契丹文字从造字原理和字形来看，无疑与汉字有着密切关系。在契丹文石刻资料中隐含许多汉文经典和历史典故，说明契丹人在文化方面受到了汉文化的深刻影响。同时，民族间的文化影响是相互的，文献记载北宋的文臣出使辽朝，有的能够用契丹文赋诗。这些都是那个特定的历史时代中国境内民族间文化融合的真实写照。

关键词： 契丹文字　汉文经典　四书五经　历史典故　文化融合

近年来，随着有关专家和学者对契丹文字研究解读水平的不断提高，尤其是对契丹小字的研究。人们不难发现，在出土的契丹小字石刻资料中，经常有引用汉文经典的内容。这一事实证明，契丹文化根源于中原传统的汉文化，契丹民族文化与中原华夏民族传统文化有着不可分割的密切关系。

一、契丹文资料中引用《五经》的内容

迄今为止出土的契丹小字石刻资料，主要以契丹贵族墓志和辽代帝、后的哀册为主。除几方金代墓志外，其余绝大多数都刻于辽代。在这些资料中，引用汉文经典又主要以《五经》的内容为多，另有《四书》及其他古籍的内容，也包括历史名人、历史典故等。

《五经》《四书》的概念虽然形成时间晚于辽代，但作为汉文典籍却早在辽代之前就有了。本文为了使读者加深对古代经典的了解，所以使用了经、书的说法。引用《五经》的墓志，以《耶律奴墓志》最有代表性，该墓志第33～35行：**兆矢　今勺　令中由**

[illegible]。

可解为（引文中暂时无解的字以□代之，下同）“诗曰：□□君子，□福□□兮。书曰：皇天亲无，惟是德辅兮。易曰：善积之家，必有余福（庆）；恶积之家，必有余殃兮。此即圣人□铭万代无穷大□□□五经百家之言祸福□□□兮”[1]。这里所说的诗，即指《五经》当中的《诗经》，但所引具体内容尚不能全解，所以也不知究竟引自《诗经》的哪一篇。契丹文在引用汉文经典时，在句末加一语气助词“兮”，似为惯例，在其他引用汉文经典处皆然。书，指《五经》中的《尚书》。契丹语属于阿尔泰语系，宾语提前，以上是根据契丹语序直译的，如果按汉语语序和《尚书》原文，“皇天亲无，惟是德辅”句应意译为“皇天无亲，惟德是辅”。意指上天公正无私，总是帮助品德高尚的人。语出《尚书·周书·蔡仲之命》。易，指《五经》中的《易经》。上解《易经》的名句也是按契丹语序直译的，其中的前两句经书中的原文是“积善之家必有余庆，积不善之家必有余殃”，意为修善行的人家，必然多吉庆，作恶的人家，必多祸殃。语出《易经·坤卦·文言》。

契丹小字《耶律副部署墓志铭》第31、32行也引用了《尚书·蔡仲之命》的经典词句，可解为：“《尚书》曰：‘皇天无亲，惟德是辅。又曰，祸福无常，□惟□兮。’”第35行引《易经》词句，可解为：“《周易》曰“‘积善之家必有余庆，积不善之家必有余殃。’”[2]《耶律贵安·迪里姑墓志》第21行亦引用了《尚书》和《易经》相同的内容，但只引了《易经》前一句。契丹字原文：[illegible]

可直译作“周易曰：善积之家必有余福（庆）兮。尚书曰：皇天亲无，德惟辅兮”[3]。《耶律迪烈墓志》第3行和第28行，同一篇志文中两次引用“积善之家必有余

1 《耶律奴墓志》的资料最早发表在石金民、于泽民《契丹小字〈耶律奴墓志铭〉考释》一文，刊于《民族语文》2001年第2期。该文后附有刘凤翥先生的释文摹本。本文所有的解读参考了刘凤翥、即实、乌拉熙春等诸位先生的相关研究新成果。

2 刘凤翥：《契丹文字研究类编》第三册下，中华书局，2014年，第912、913页。

3 墓志原文参见刘凤翥、唐彩兰、青格勒：《辽上京地区出土的辽代碑刻汇辑》，社会科学文献出版社，2009年，第111页；刘浦江、康鹏：《契丹小字词汇索引》，中华书局，2014年，第249页。

庆”一句，其契丹小字的原文是[契丹小字]。刻于金代的《萧仲恭墓志》（《越国王墓志》）第4行、《萧居士墓志》（《尚食局使墓志》）第20行，也分别引用了《易经》的这一句话。后者第28行还同时引用了《尚书》中“皇天无亲，惟德是辅”句。引人注目的是，在不同墓志中所引用的同一句经典，使用的契丹小字略有小异，如“善”字相对应的小字就有[契丹小字]、[契丹小字]、[契丹小字]等几种写法；“家”字则有[契丹小字]、[契丹小字]两种写法；“惟”字有[契丹小字]、[契丹小字]、[契丹小字]、[契丹小字]等写法。后者的四个契丹小字最末一个不知其发音，前三个字的两个原字发音区别很大，可能是取其字义相似而已，这说明契丹小字在实际中的使用并不是十分规范严格的。因契丹小字是拼音字，经常使用发音相同或相近的原字相拼，或取其字义相同，所以有的字就会在字形上出现差异，这在墓志中是常见的现象。

《兴宗哀册》第6行：[契丹小字]，可译为“□□皇天，皇天德辅”，其后一句即“皇天无亲，惟德是辅”的简缩。《道宗哀册》第13行：[契丹小字]，可译为“景宗□□，善行福积”。后一句按汉语语序应解为“行善积福”，无疑是“积善之家必有余庆”的简缩。在《宣懿皇后哀册》中第11行：[契丹小字]可解读为“积善得福”。《耶律宗教墓志》第19行：[契丹小字]，可解为“毛诗曰：‘恺悌君子，民之父母兮’”。这是引用《五经》当中《诗经》的名句，语出《诗经·大雅·泂酌》。意为品德高尚，平易近人的君子，百姓把他视为父母。恺悌，经书上亦作“岂弟”。

二、引用《论语》及其他汉文典籍中的内容

在《欧懒太山与永清郡主墓志铭》中，引用了《论语》中的内容。《论语》是古代经典《四书》中的一部代表作。志文第25、26行：[契丹小字]。刘凤翥先生对该段志文直译为：“论语于曰：三年之内父之道如果说没有改变，可以孝谓矣。”[4]按照汉语语序和经书原句应解读为“三年无改于父之道，可谓孝矣”。语出《论语·学而篇》。原文完整的一段是“子曰：父在，观其志。父没，观其行。三年无改于父之道，可谓孝矣”。这里只引用了后面的名句。

《萧特每·阔哥驸马第二夫人韩氏墓志铭》第18行赞誉墓主人韩氏：[契丹小字]

4 刘凤翥、唐彩兰、青格勒：《辽上京地区出土的辽代碑刻汇集》，社会科学文献出版社，2009年，第83页。

[illegible] [illegible] [illegible] [illegible] [illegible]，可解为“四德夫人，三从四德”[5]。三从四德，是中国古代妇女应有的品德，三从是未嫁从（听从）父、既嫁从（辅助）夫、夫死从（抚养）子；四德指妇德、妇言、妇容、妇工（妇女的品德、辞令、仪态、女工）。三从四德是古时候为妇女设立的道德标准，也是男性选择妻子的标准。“三从”，语出《仪礼・丧服・子夏传》：“妇人有三从之义，无专用之道。故未嫁从父，既嫁从夫，夫死从子。”四德，语出《周礼・天官・九嫔》：“九嫔掌妇学之法，以九教御：妇德、妇言、妇容、妇功。”

《海棠山墓志》（残石）志文第11行铭文中有四句曰[illegible] [illegible] [illegible] [illegible] [illegible] [illegible] [illegible] [illegible] [illegible] [illegible] [illegible] [illegible] [illegible] [illegible] [illegible] [illegible]，可解为“横帐□□，仲父（房）贤者。官显□□，荆山（之）□玉”[6]。荆山之玉的典故出自《韩非子・和氏》，原文是：“楚人和氏得玉璞楚山中，奉而献之厉王，厉王使玉人相之，玉人曰：‘石也。’王以和为诳，而刖其左足。及厉王薨，武王即位，和又奉其璞而献之武王，武王使玉人相之，又曰‘石也。’王又以和为诳，而刖其右足。武王薨，文王即位，和乃抱其璞而哭于楚山之下，三日三夜，泣尽而继之以血。王闻之，使人问其故，曰：‘天下之刖者多矣，子奚哭之悲也？’和曰：‘吾非悲刖也，悲夫宝玉而题之以石，贞士而名之以诳，此吾所以悲也。’王乃使玉人理其璞而得宝焉，遂命曰：‘和氏之璧。’”《海棠山墓志》残缺不全，但根据这几句铭文基本可以推定，墓志主人姓耶律氏，出自辽宗室三父房中的仲父房，即蜀国王释鲁之裔。因为和氏璧是传说中的国之奇宝，撰墓志者用以比喻墓主人，故墓主人应该是辽朝某位重臣。

在契丹小字墓志中经常出现中国古代名人和相关的历史典故，如《耶律智先墓志铭》（以下简称《智志》）第3行：[illegible] [illegible] [illegible] [illegible] [illegible] [illegible] [illegible] [illegible]。解为“尧舜□日，巢许□□”。即实先生意解为：“尧舜风化之日，巢许辞让而名盛。”[7]是否准确，还有待于其他旁证资料的验证。下文：“[illegible] [illegible] [illegible] [illegible] [illegible] [illegible] [illegible] [illegible] [illegible] [illegible] [illegible] [illegible] [illegible] [illegible] [illegible] [illegible]，解为“五帝之官，文武□□。夷齐仁□□□□三王之民”。五帝、三王在中国古代典籍中经常并列出现。五帝指上古时代中国传说中的五位部落首领，主要有三种说法：一说是黄帝、颛顼、帝喾、尧、舜；二说是伏羲、炎帝、黄帝、少昊、颛顼；三说是少昊、颛顼、帝喾、尧、舜。三王则指夏禹、商汤和周武王。这段志文虽然不能全解，但其涉及的几位上古和三代的历史名人则是无可置疑的。解相关小字为尧、舜、巢、许这四位上古时期的名人应该是可信的。即实先生同时认为“夷齐”就是指商朝灭亡后誓不食周粟而双双饿死在首阳山下的商代孤竹国王子伯夷、叔齐兄弟。尧、舜之名亦见于《道宗哀册》第23行，原

5　刘凤翥、唐彩兰、青格勒：《辽上京地区出土的辽代碑刻汇集》，社会科学文献出版社，2009年，第47页。

6　清格尔泰：《契丹小字释读问题》，日本东京国立亚非语言文化研究所，2002年，第191页。

7　即实：《谜田耕耘——契丹小字解读续》，《格勒本墓志译读》，辽宁民族出版社，2012年，第68页。

文[illegible] [illegible] [illegible]可直译为“尧之大，舜之孝”，即实先生解为“尧尊舜孝”[8]。尧、舜是传说中的上古君主，无须解释，而所谓巢、许，就是指尧舜时期的古贤者巢父和许由。传说尧晚年欲让位于巢父，巢父不受；又让之许由，许由亦不受，并认为自己听到让位的话有污其耳，于是到颍水洗耳。《智志》第18行[illegible] [illegible] [illegible] [illegible]，即指巢、许、夷、齐四名人。《智志》第23行、24行：[illegible] [illegible] [illegible] [illegible] [illegible] [illegible] [illegible] [illegible] [illegible] [illegible]，可解为“志曰：巢、许之□□；夷、齐之□□”。《智志》第17行：[illegible] [illegible] [illegible] [illegible] [illegible]，可直译为“孝百□首善”，意译应为古代经典俗语“百善孝为先”。《耶律副枢墓志铭》第45行铭文有两句，为[illegible] [illegible] [illegible] [illegible] [illegible] [illegible] [illegible] [illegible]，即实先生解为“子舆岂独，盗跖道显”[9]。子舆，即曾参，孔子的学生，字子舆。其事迹见于《论语》、《战国策》和《史记》；盗跖，传说中古代的江洋大盗，事迹见《庄子·杂篇·盗跖》。

在《耶律仁先墓志铭》中，曾引用了唐代的人物，并与当代的几位著名契丹杰出人物相提并论。该志文第16行：[illegible] [illegible] [illegible] [illegible] [illegible] [illegible]，[illegible] [illegible] [illegible] [illegible] [illegible] [illegible]，乌拉熙春教授解为“汉儿中的房、杜、魏”，胡里只（按：[illegible]字刘凤翥先生译为“辽”）契丹空宁·曷鲁、信宁·鲁不古。[10]所谓房、杜、魏，是指唐太宗时期的三位名相房玄龄、杜如晦和魏徵。空宁·曷鲁、信宁·鲁不古是指《辽史》有传的耶律曷鲁和耶律鲁不古。《辽史》本传记曷鲁字控温，一字洪隐。控温、洪隐与空宁是同一契丹语的汉字异译。曷鲁是宗室贵族匣马葛之孙，简宪皇帝兄帖剌之裔，父偶思。曷鲁是太祖时期的重臣，太祖即位，曷鲁为于越，总军国事。鲁不古为太祖从侄，世宗时拜于越，曾与突吕不共同创制契丹大字。曷鲁、鲁不古二人皆有匡辅社稷的大功，所以《紏邻王墓志铭》的撰写者将他们与唐初的三位政治家相提并论，同时赞誉耶律仁先为社稷重臣。在汉字《耶律仁先墓志铭》中有着相似的内容：“兴宗皇帝亲宣制曰：‘唐室之玄龄、如晦，忠节仅同；我朝之信你、室宁，壮猷宜此’。”[11]所谓我朝之信你，即指耶律鲁不古，“信你”和“信宁”为同音异译；室宁，应为“空宁”之误，指耶律曷鲁。

三、结　　语

契丹族源出东北地区古老的土著民族——东胡，是东胡的分支鲜卑的后裔。契丹

8　即实：《谜林问径——契丹小字解读新程》，《哀册拾读·道宗哀册》，辽宁民族出版社，1996年，第38页。

9　即实：《谜田耕耘——契丹小字解读续》，《斡特莞墓志译读》，辽宁民族出版社，2012年，第289页。

10　爱新觉罗·乌拉熙春：《爱新觉罗乌拉熙春女真契丹学研究》，（日本）松香堂书店，2009年，第211页。

11　陈述：《全辽文》卷8，《耶律仁先墓志铭》，中华书局，1982年，第197页。

崛起于西辽河之源的松漠草原地区，是一个居无定处、随水草迁徙的游牧民族，崇尚勇武是契丹民族的光荣传统。契丹建立辽王朝之后，虽然也效仿中原王朝实行科举考试制度，但在辽代中前期，参加科举考试者均为汉人和渤海人。辽代的契丹统治者担心科举制度会影响本民族的传统尚武精神，所以在很长一段时间内是禁止契丹人参加科举考试的。但《辽史》记载，到了天祚帝时期，耶律大石中进士，说明至辽代晚期，这项规定已经弛禁，这是与契丹族长期受汉文化深刻影响分不开的。

契丹族建立政权之初，即有大批汉族知识分子参与其中，所以契丹人自然而然地受到中原传统汉文化的影响。这从辽太祖改汉姓为刘，耶律宗室以漆水、外戚萧氏以兰陵为郡望就可以得到证明。辽代的契丹人也认为自己是中华民族。从辽初开始，契丹宗室贵族子弟就接受汉文化传统教育，学习汉文经典。如太祖长子耶律倍，“工辽汉文章”[12]，向太祖建议国家要首尊孔教，曾以“蹊田夺牛”的典故责难后晋的使者。契丹人虽然创制了本民族的文字，但就其造字基础来说，还是离不开汉字。不管是突吕不和鲁不古创制的契丹大字，还是太祖弟迭剌创制的契丹小字，都是利用汉字楷书偏旁进行损益或直接借用汉字作为原字，只是读音和字形结构、语法结构与汉字、汉语不同而已。契丹文字是契丹语言的表达符号，但契丹人如果想真正掌握本民族的文字和语言，就必须同时学习汉字和汉语，这就决定了契丹文化与汉文化一开始便有着不可分割的血肉关系。

科举制度的实行，促进了教育的发展，契丹知识分子与汉族知识分子一样，平时学习的文化内容就是中原传统的汉文经典，主要是《四书》、《五经》、诸子百家和十七史。他们一般都精通汉文经史。如辽末契丹文大家耶律固，出身横帐少父房，其祖蒲鲁宁也是一位契丹文名家。迄今发现的几十件辽代契丹小字墓志和哀册，四分之一以上出自耶律固之手。辽亡，耶律固降金，任广宁府尹，金太宗时又奉命译汉文经书，金熙宗时主修《辽史》。这充分说明他是当时一位精通汉文和契丹文的著名学者。契丹文墓志和汉文墓志虽然在文体方面基本一致，但二者也有明显区别。如辽代契丹贵族男性每人都有两个契丹名：一个是“孩子名”，另一个是“第二个名”（在《辽史》中称为“字”）。同时又有汉名和字号。契丹文墓志中只记墓主人的契丹名，而极少出现汉名及其字号。但墓志中所引用的典故却都出自汉文古籍。契丹人长期学习汉文经典，受汉文化的影响，所以全面接受了中原传统的儒家学说。从契丹文墓志中所引用的汉文经典的具体内容来看，当时的契丹人已经全盘接受儒家学说中忠孝节义等道德观、价值观和人生观，契丹妇女也接受和遵守传统的汉族妇女道德规范。契丹人除了保留某些本民族的风俗习惯之外，几乎与汉人没有什么区别了，古老的契丹文化已经完全融入了传统的汉文化之中。所不同者就是契丹文墓志中引用汉文经典使用契丹字和契丹语，而汉文墓志则使用汉字和汉语。

附记：本文的契丹小字由中国社会科学院民族所契丹语言文字专家刘凤翥先生修改补正，在此谨致敬谢之意。

（都兴智　辽宁师范大学）

12 《辽史》卷72《义宗倍传》，中华书局，1974年。

辽耶律公迪墓志考

刘宪桐　葛华廷　王玉亭　王青煜　王未想

内容提要：辽代耶律公迪墓志记述了辽皇族耶律公迪的世系和历官等情况。经对墓志的释读，本文认为志主为耶律阿保机弟耶律苏之后，对其所历官进行了考释，对墓志所涉辽黑河州今地做了探索。

关键词：辽代　耶律公迪　墓志　耶律苏后裔　黑河州

巴林左旗契丹博物馆于2018年受赠入藏一方辽代墓志，志主为耶律公迪。现对墓志作以考证。

一、墓志简介

入藏的此方辽代墓志，汉文，白石质，志盖已失。志石正方形，边长90、厚约25.5厘米，已断为两半，但志文文意基本贯通。志文前题“故大横帐小父将军耶律公墓志铭并序”16字。志文书体为楷体，近欧体，书写工整，已辨认出457字，有3字残缺。与同等大小的辽代墓志相比，此志石的厚度异常（一般墓志厚约20厘米），且四立面与背面均未经细致整修、打磨，显得十分粗糙。此志石的正面还零星存有十余刻字，与完整志文同时存在，方向与志文呈90°竖行排列。此迹象表明，此志石原有刻字，现墓志文是在磨去原有文字之后重新刻制的。由于打磨不彻底，故有原刻文字的残留。此情形是因刻写出现失误而磨掉重刻，还是利用废旧志石，则难以断定。志文中“明”“賢”等字缺笔（“明”，缺末两笔，“賢”，缺末两笔），明显是避辽景宗（耶律贤，小字明扆）讳。

二、墓志录文

故大横帳小父將軍耶律公墓誌銘并序

夫公姓大横帳耶律，諱公迪，字特里得。非因官而封，族本皇朝苗裔□。曾皇諱寅都姑，素，是大聖皇帝弟，時拜南宰相。祖皇□控隗蒲姑，曾任惕隐。父皇諱斡都亶烏魯，曾任统军。咸萃餘悉帰令□嗣。蕃衍四子，公次男。高格遠量，秀氣茂姿。大康六年解褐以廕處郎君之位，知宣册之任。次升護衛巡員。再命知宣册及行遣房首領。壽昌元年，改授牌印天使，當年又授大横帳小父將軍。任處三年，衆推至仁。於壽昌三年十二月八日疾，當月十五日薨於青牛山，享年四十二。明年四月七日葬於黑河州松山前。娘子，大国舅小公帳胡都姑太师第四女。已傾誓。有男三人，皆為人風雅，禀性端貞。長男不得哥郎君；次男賢聖郎君；第三韓家奴。長男從軍西征，为翰中国。女一，名蒲鉥娘子。見娘子涅里帳涅里留守六斤娘子。有女一，名南薩娘子；兒一，名斡里野，始生。公專良忠肃，宣慈惠知。德行則颜閔不足比肩；輔弼則皐夔焉能接武。實録幽礎，庶昭万祺。銘曰：

磊磊仁公　秉義懷忠
竭誠佐国　克紹祖風
樹為國翰　坐謀万難
執心不回　臨事果断
茂有才能　振其威稜
没而何恨　名兮可稱
爰有封樹　松山之下 音户
黑河□□　乃公之墓

三、墓志文考释

墓志文称志主“姓大横帐耶律，讳公迪，字特里得。非因官而封，族本皇朝苗裔”。志主的姓、名、字已一目了然。耶律氏为辽皇族姓氏，而“大横帐”又为皇族中最尊贵者。志主姓耶律氏，并非因官或因功而赐姓，而是其家族即属辽朝皇室。

墓志文谓志主“曾祖讳寅都姑，素，是大圣皇帝弟，时拜南宰相”，并叙述了其祖、父两代先祖，其家族脉络已十分清晰，但《辽史》并无他们的传略。志主公迪的“讳寅都姑，素”的曾祖父，无疑即辽太祖耶律阿保机之弟，且在太祖时拜南府宰相的耶律苏。《辽史》卷2《太祖纪下》载：神册“六年春正月丙午，以皇弟苏为南府宰相”[1]。《辽史》卷64《皇子表》载：德祖六子，“苏，字云独昆。第六”[2]。墓志文所载与《辽史》所载基本符合，只是辽太祖幼弟的名与字，在两处的记载中有差异。《辽史·皇子表》谓辽太祖幼弟名“苏，字云独昆”，而公迪墓志称其曾祖“讳寅都姑”，则“素”字无疑即应视为字。“素”“苏”两字音相近，为音译的不同。那么太祖幼弟的名与字，到底以何为准呢？

从《辽史》中人物称呼的一般规律看，基本都是先称名，而后称字，《皇子表》亦是如此。如太祖二弟“剌葛，字率懒”、四弟“寅底石，字阿辛”。由此看，“苏（素）”应是太祖幼弟之名，公迪墓志文所载的志主曾祖“讳寅都姑”，当有误。“寅

1 《辽史》卷2《太祖纪下》，中华书局，1974年，第16页。

2 《辽史》卷64《皇子表》，中华书局，1974年，第970页。

都姑”应为字而非名。而《辽史·皇子表》则载苏的字作“云独昆”，二者无疑都是契丹语的音译，且二者音相近。那么又是哪一音译更为准确呢？《辽史·皇子表》载，德祖六子的三子“迭剌，字云独昆”。如是，则迭剌的字与苏的字相同。而从一般情况看，兄弟二人的字，总是要有所区别的。如是，耶律苏的字，当以公迪墓志所载的“寅都姑”为准。《辽史》卷110《奸臣传上·耶律燕哥传》载：“耶律燕哥，字善宁，季父房之后。四世祖铎稳，太祖异母弟。”[3]太祖异母弟，无疑是指耶律苏。如果《耶律燕哥传》所载无误，在太祖异母弟的名、字已清楚的情况下，铎稳即当为耶律苏的小字。如《辽史》卷96《耶律仁先传》即谓：“耶律仁先，字糺鄰，小字查剌。”[4]耶律苏有小字，也是有可能的。

公迪墓志载：“祖皇囗控隗蒲姑，曾任惕隐。父皇讳斡都亶乌鲁，曾任统军。咸萃余悉归令囗嗣。”志主公迪的祖父曾经任职的惕隐，是辽朝时期十分重要的官职。《辽史》卷45《百官志一》：“北面皇族帐官”条载：“大内惕隐司。掌皇族四帐之政教。”[5]大内惕隐司的长官即大内惕隐。大内惕隐司即大剔隐司，大内惕隐即大惕隐。“大”在这里表示尊贵。志主公迪之祖所任之惕隐即此，是掌皇族四帐——太祖御帐及孟父、仲父、季父等四帐皇族政教之官，应是十分显赫之职。志主的曾祖、祖及其父，虽皆为辽朝高官，但《辽史》却没有为他们立传。耶律公迪墓志的出土，使我们对耶律苏一支的世系有了更进一步的了解，亦可稍补史记之缺。

公迪墓志叙述了其历官任职情况，其任“宣册”“护卫巡员”“知宣册”“行遣房首领”“牌印天使”等职官，《辽史·百官志》皆不载。“宣册”“知宣册”当是宣达皇帝诏令等文书之类的御前承应官，应属于北面御帐官的近侍局或近侍详稳司；其所任的“护卫巡员”当是属于北（南）护卫府的小吏；其所任的“牌印天使”，应属于北面著帐官，隶于牌印局[6]。

志主耶律公迪死于“大横帐小父将军”任上，此“横帐小父”，应是说横帐内又分为“大父帐”“小父帐”。这在《辽史》中可见相关记载：统和元年三月“辛酉，以大父帐太尉耶律曷鲁宁为惕隐”[7]。这里的“大父帐”即为横帐中的一族帐，与公迪墓志文中的“大横帐小父（帐）”是对应的。《辽史》所载的“国舅拔里大父帐”与“国舅拔里少父帐”亦是相对应的。看来，辽朝横帐皇族同国舅帐都有“大父”“小（少）父”这一类契丹帐族设置。

墓志文谓志主“专良忠肃，宣慈惠知。德行则颜闵不足比肩；辅弼则皋夔焉能接武”。此为公迪墓志文唯一用典，以彰显志主公迪之德、才。“颜闵”是指颜回、闵

3 《辽史》卷110《奸臣传上·耶律燕哥传》，中华书局，1974年，第1487、1488页。

4 《辽史》卷96《耶律仁先传》，中华书局，1974年，第1395页。

5 《辽史》卷45《百官志一》，中华书局，1974年，第707页。

6 《辽史》卷45《百官志一》，中华书局，1974年，第704页。

7 《辽史》卷10《圣宗纪一》，中华书局，1974年，第109页。

损。此处借典以喻志主之德；“皋夔”，即皋陶和夔。此处借典以喻志主之才[8]。

据志文耶律公迪妻为：大国舅小公帐胡都姑太师第四女。已倾誓。”推断公迪妻可能先于公迪离世。二人育有四男一女。一女，为涅里帐涅里留守六斤之妻。

四、黑河州的问题

公迪墓志文谓志主寿昌三年十二月十五日“薨于青牛山”，“明年四月七日葬于黑河州松山前”。墓志铭亦谓“黑河口口，乃公之墓”。志主死于青牛山，此山所在何处，难以考证。而其葬地隶属的黑河州，《辽史》失载。

《辽史·地理志一》虽然没有正面记述黑河州的存在，但在“庆州”条下却提及该州：“庆州，玄宁军，上，节度。本太保山黑河之地，岩谷险峻。穆宗建城，号黑河州，每岁来幸，射虎障鹰……以地苦寒，统和八年，州废。圣宗秋畋，爱其奇秀，建号庆州。”[9]《辽史》此段文字表述不准确，兴宗皇帝在葬圣宗于庆陵之际才建庆州城。穆宗所建的黑河州，如在圣宗统和八年黑河州废，那么，因圣宗经常在黑山、赤山一带秋猎，圣宗皇帝后来重建黑河州也是有可能的。但《辽史·地理志》“庆州”条所及的黑河州的地貌“岩谷险峻”，气候特征“苦寒”，明显是辽时庆州一带（即今巴林右旗北部）的地貌和气候特征，与当年沈括使辽时于今巴林右旗南部经过的黑河州的情况不符，当另有所指。

北宋沈括在熙宁八年（1075）使辽时曾路过黑河州，其行程录《熙宁使虏图抄》记载：过潢河，至“保和馆，西南至咸熙毡帐九十里。自馆北行数里，有路北出走上京。稍西，又数里济黑水，水广百余步。绝水，有百余家，墁瓦屋相半筑垣周之，曰黑河州”[10]。对沈括使辽途中路过之黑河州，冯永谦、姜思念二位先生经过调查考证，确定“辽代黑河州为今内蒙古自治区巴林右旗白音汉乡（苏木）前进村古城址”[11]。韩仁信先生则认为，今巴林右旗都希苏木友爱村的古遗址，即当年沈括使辽时“所见的，用城墙围起来的，辽代州城黑河州的州城遗址所在”[12]。冯永谦、韩仁信两先生关于辽代黑河州所在的探讨，差距不大。前进村与友爱村虽分属巴林右旗白音汉苏木和都希苏木，但两苏木相邻，两村相距约12千米，且分别位于今查干木伦河（辽之黑河）西、东。据冯永谦、姜思念二位先生的调查，前进村遗址尚有城墙残存。韩仁信所持的友爱村遗址为辽黑河州址之说，虽然该遗址辽代遗物很多，但没发现城墙遗迹，判断为聚落址。似

8 皋即皋陶，传说中东夷族首领，曾被舜任为管刑法的官。见孔颖达注疏：《十三经注疏》之《尚书正义》卷4，中华书局，1980年，第138页。夔、后夔，舜时管音乐的官。《吕氏春秋》卷22《察传》载：“鲁哀公问孔子曰：‘乐正夔一足，信乎？’孔子曰：‘……若夔者一而足矣，故曰夔一足非一足也’。”黄碧燕译注：《吕氏春秋》，广州出版社，2001年，第246、247页。

9 《辽史》卷37《地理志一》，中华书局，1974年，第444页。

10 （宋）沈括：《熙宁使虏图抄》，《奉使辽金行程录（增订本）》，商务印书馆，2017年，第101页。

11 孙进己、冯永谦总纂：《东北历史地理（下）》，黑龙江人民出版社，2013年，第265页。

12 韩仁信著：《辽代城址探源》，远方出版社，2003年，第23页。

是以前进村遗址为辽黑河州遗址较为妥当。耶律公迪墓志的出土，为确定辽黑河州所在提供了确证。经初步了解，耶律公迪墓志出土地点约在巴林右旗大板镇以南。与冯永谦、韩仁信考证的辽代黑河州所在大致相吻合。

耶律公迪墓志铭文最后几字称“黑河口口　乃公之墓”，所缺二字，前面一字当为“之”字；后面一字下部残存“凵”字形边框，内部笔画不清。从文义看，残缺的二字无疑是表示墓地所在，并且是与黑河有关。据此推断，残缺的二字当为“之西”或“之曲”。

（刘宪桐　北京联合大学应用文理学院历史系　　葛华廷　赤峰市巴林左旗公安局
王玉亭　赤峰市巴林左旗政协　　王青煜　王未想　辽上京博物馆）

《故太师铭石记》纪年小考

尹　珑

内容提要： 契丹大字石刻《故太师铭石记》是研究契丹文字的重要资料，其中的纪年部分作叁汎廿五岀来十月廿二日。关于刻碑时间的解读，学界尚未形成统一的意见，主要有"重熙二十五年说""清宁二年说"等。笔者从契丹大字的性质与契丹民族的纪年习惯两方面入手，认为纪年部分的五非数目字五，而是与后一个大字岀拼成释义为"兔"的单词五岀，整句应释为"重熙二十兔年十月廿二日"，刻碑时间应为重熙二十年（1051）。

关键词： 契丹大字　纪年　生肖

1939年9月27日的沈阳《盛京时报》和长春的《大同报》等报纸都发表了伪满建国大学稻叶君山教授的谈话。透露出奉天（今沈阳市）某氏收藏的契丹大字《故太师铭石记》已制成拓本。当时都认为庆陵哀册式的契丹文字是契丹大字，稻叶君山把《故太师铭石记》说成是契丹小字，认为是研究契丹文字的重要资料。

李文信写的《契丹小字〈故太师铭石记〉之研究》发表在1942年2月刊行的伪满《国立中央博物馆论丛》第3号上（现收入《李文信考古文集》，辽宁人民出版社，2009年）。文章认为该碑刻是赝品。文章的贡献是发表了3张《故太师铭石记》拓本照片。

1957年第2期《考古学报》上发表了阎万章的《锦西西孤山出土契丹文墓志研究》（现收入《阎万章文集》，辽海出版社，2009年），文章考释了契丹大字《萧孝忠墓志铭》，也讨论了《故太师铭石记》。文后附有金光平、曾毅公关于《萧孝忠墓志铭》是契丹大字的意见，逐步被学界接受。

关于《故太师铭石记》纪年问题，尚存在勘误的必要。

《故太师铭石记》的纪年部分作叁汎廿五岀来十月廿二日，李文信先生将叁汎释为年号"统和"[1]。阎万章先生把叁汎释为辽兴宗年号"重熙"[2]。进而将纪年全句译作"重熙廿五□年十月廿二日"。清格尔泰、吴英喆、吉如何著《契丹小字再研究》说："《故太师铭石记》刻于清宁二年（公元1056年）。"[3]

1　李文信：《契丹小字〈故太师铭石记〉之研究》，《国立中央博物馆论丛》第3号，1942年，第67～74页。

2　阎万章：《锦西西孤山出土契丹文墓志研究》，《考古学报》1957年第2期，第70～82页。

3　清格尔泰、吴英喆、吉如何：《契丹小字再研究》，内蒙古大学出版社，2017年，第6页。

这些说法都值得商榷。据《辽史》记载，“重熙”是辽兴宗的年号。重熙只有24年，“二十四年八月己丑，兴宗崩，（道宗）即皇帝位于柩前……”当月“辛丑，改元清宁”[4]。因此并不存在“重熙廿五年”。对此阎万章也颇为疑惑，他在论文中试着提出两种解释：一为刻碑者“不知改元之事”，二为“重熙二十四年的误书”。《契丹小字再研究》将“重熙廿五年”改写为“清宁二年”，就是因袭了“刻碑者不知改元”的说法，将重熙二十五年“换算”成了清宁二年，实际上依旧认为此纪年指的是1056年。但这两种说法显然都比较勉强，同时也缺乏有力的证据。《故太师铭石记》撰者应当是高级知识分子，如果在清宁改元一年零两个月之后还不知改元是不可能的事。古人讲究“奉正朔”，把清宁二年说成重熙二十五年不仅是错误，更是犯罪，因而是不可能的事。

既然上述说法不能让人信服，就应当另辟蹊径深入研究。应从对契丹大字的性质入手。刘凤翥先生首先提出：“契丹大字除了表意文字之外，还有一部分表音文字，这类文字只是一个声符，没有意义，与其他文字拼成一个单词之后才有意义。”[5]契丹小字“五”为[契丹字]，读tao，它还与分别读li和a的原字[契丹字]、[契丹字]拼成释义为“兔”的单词[契丹字]读作taolia。契丹大字五也应与契丹小字[契丹字]一样，除了为单词“五”之外，还可以与其他契丹大字拼成另外的单词。《故太师铭石记》中纪年部分的五不是数字“五”，它作为一个拼音符号与它下面的[契丹字]拼成一个单词五[契丹字]。单词五[契丹字]出现在契丹大字《耶律昌允墓志铭》第21行，作五[契丹字][契丹字]，被释为“卯时”[6]。实际是“兔时”。《故太师铭石记》中的纪年[契丹字][契丹字]廿五[契丹字][契丹字]十月廿二日应释为“重熙二十兔年十月廿二日”。检陈垣《二十史朔闰表》[7]，重熙二十年（1051）正是辛卯年。五[契丹字]是一个于义为“兔”的单词，其读音为taolia。

契丹大字和契丹小字是用五个字表示天干，即“甲”“乙”同用一个字，“丙”“丁”同用一个字，“戊”“己”同用一个字，“庚”“辛”同用一个字，“壬”“癸”同用一个字，经即实先生和陈晓伟先生反复论证，契丹文字是用五色表示天干，已经逐步得到学界认同。用十二生肖表示地支是学界早已公认的事。

契丹大字除了用五色和十二生肖纪年如《耶律昌允墓志铭》第17行和第18行的[契丹字]正[契丹字][契丹字][契丹字][契丹字][契丹字]（清宁七白牛年）[8]之外，也有如同《故太师铭石记》“蛇年”表示的那样，仅用十二生肖纪年的情况。例如，契丹大字《北大王墓志铭》第19行的[契丹字][契丹字]十[契丹字][契丹字]（重熙十蛇年）[9]，又如契丹大字《萧孝忠墓志》第4行的[契丹字][契丹字]廿三[契丹字][契丹字]（重熙

4 《辽史》卷20《道宗本纪一》，中华书局，2016年，第285、286页。

5 刘凤翥：《若干契丹大字的解读及其它》，《汉学研究》1993年第11卷第1期，第396页。

6 刘凤翥、王云龙：《契丹大字〈耶律昌允墓志铭〉之研究》，《燕京学报》2004年新第17期，第92页。

7 陈垣：《二十史朔闰表》，古籍出版社，1956年，第127页。

8 刘凤翥、王云龙：《契丹大字〈耶律昌允墓志铭〉之研究》，《燕京学报》2004年新第17期，第92页。

9 刘凤翥、马俊山：《契丹大字〈北大王墓志〉考释》，《文物》1983年第9期，第28页。

二十三马年）和第8行与第9行的乑马三徉非（大康三蛇年）等[10]。

综上所述，笔者认为《故太师铭石记》的纪年部分应释为“重熙廿兔年十月廿二日”，刻碑时间为重熙二十年，即1051年，不是清宁二年（1056）。

（尹　珑　北京师范大学历史学院）

10　刘凤翥：《契丹大字〈萧孝忠墓志铭〉考释》，《中国平原·首届契丹文化研讨会论文集》，吉林大学出版社，2010年，第36、38页。

朝阳千佛洞发现辽代经幢与石函考

刘志勇　齐　伟　李琼璟

内容提要：在朝阳县千佛洞石窟附近发现的3座石经幢和6合石函，经考证均为辽代遗物，经幢为寺僧坐化以后所用的塔幢，石函有盝顶式和庑殿顶式两种。经幢和石函集中出土较为罕见，说明此墓葬为寺僧圆寂专用的墓地，为研究辽代佛教提供了重要的实物资料。

关键词：千佛洞　辽代　塔幢　石函

一、发现经过与石刻概况

千佛洞石窟位于辽宁省朝阳市朝阳县南双庙乡山后村西2000米的千佛山中部，北纬41°46′45.7″，东经120°20′34.4″，海拔400.1米。千佛洞于1985年文物普查中被发现，1996年被公布为县级文物保护单位。作为天然形成的洞穴，千佛洞分为三个洞，一字排列，东、西两洞较浅，中间洞较深，洞长87、高7、进深25米，面积约2175平方米。洞内石壁上雕刻有佛龛，原有千尊石佛像供奉在此洞内，清哈达清格撰《塔子沟纪略》中记载："旧有石佛千尊，已损大半，尚存大小佛七八十尊。洞前有断碑一块，字迹不全，中有'统和二十三年'数字，知辽圣宗时候所制中洞。"[1]现洞前有三棵古柏和两棵古槐，洞内发现石雕佛坐像若干尊。依据上述断碑残字和现存佛像造型风格可知，该洞应建于辽圣宗统和二十三年（1005）前后。

2010年，在修建通往千佛洞石窟公路过程中发现了辽代墓葬群，该墓葬群位于千佛洞石窟西南300米的半山腰处，朝阳县文物管理所随即组织陈绍祥、张天顺等专业人员对该墓群进行了抢救性发掘，经勘察，该墓葬群早期已遭盗掘，破坏严重，仅出土3座经幢和6合石函。

辽代经幢和石函多有发现，但经幢和石函同时发现且数量较多，却不多见。现将发现的3座经幢和6合石函的具体情况介绍如下，以供学界同人参考利用。

1　（清）哈达清格：《塔子沟纪略》卷6《古迹・千佛洞》，《辽海丛书（第二册）》，辽沈书社，1985年。

图1　经幢一

1. 经幢概况

经幢一，该幢为青砂岩石质，通高140厘米。由幢座、幢身、幢盖、幢顶四部分构成（图1）。幢座为石雕八角形须弥座，须弥座立面高8、每面宽33厘米，八个立面由莲花图案和麒麟图案搭配组成，刻雕平面布局为三层，第一层平面由八组莲花图案组成；第二层边长24、高6厘米，素面；第三层边长18、高2.5厘米，素面。须弥座中部刻有椭圆形穿。幢身为八面棱柱体，每面刻有汉字，前经后记，所刻经文为“大悲心陀罗尼经”，记为“大康九年十一月廿二日为亡师首座讳智永造门资，去言、去口，讲经沙门……”（图2），可知该幢为辽大康九年（1083）所立。其中有三面因幢柱风化而脱落。幢柱上部为圆锥体。幢盖坐落于圆锥体上，为八角形仰莲座，上承宝珠座幢顶。

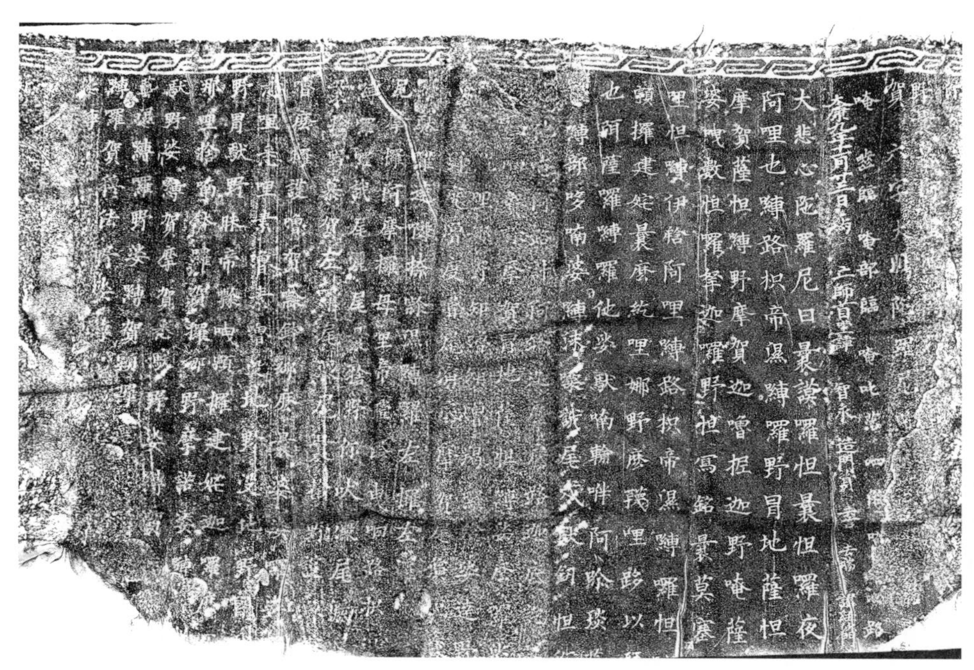

图2　经幢一拓片

经幢二，与经幢一相似，幢身每面刻有梵文经文，青砂岩石质，呈八面柱体。幢通高134厘米，由幢座、幢身、幢盖、幢顶四部分构成。幢座为石雕八角形须弥座，共三层，第一层须弥座立面高19、每面宽35厘米，八个立面由四组莲花图案和四组麒麟图案搭配组成（图3），八个平面均为莲花图案。第二层高3、边长25厘米，素面。第三层已残，素面。须弥座中部刻有椭圆形穿，幢身固定于椭圆形穿上，幢身为八面柱体，高74厘米，八角形柱体每个面边长15厘米。幢身八面刻有梵文经文，其中三面已残缺。幢身上部为圆锥体，幢盖坐落于圆锥体上，幢盖呈八角形伞状幢盖，素面，高9、中间直径22厘米。幢盖上有一圆形仰莲座，仰莲座高13、中间直径14.5厘米，其上承托一火珠式宝顶，幢顶高12、底部直径13厘米。

图3　经幢二第一层须弥座纹饰

经幢三，该幢为青砂岩石质。通高50厘米，由幢座、幢身、幢盖、幢顶四部分构成（幢盖、幢顶已不存）。幢座为石雕八角形须弥座，须弥座立面高16、每面边长29、对角长75厘米，八个立面为仰莲莲花图案，须弥座中部刻有椭圆形穿。幢身为八面体，每面刻有汉字经文，其中有部分经文因幢柱残缺、风化而脱落。幢柱上部为圆锥体用以连接幢盖。

2. 石函概况

石函一，石函为庑殿顶式，青砂岩石质，表面粗糙，未经磨光。分函身、函盖两部分。函身长50、宽32、高20、厚5.5厘米，函身直腹，底厚5厘米。函身口部内侧凸起一周榫（字母口），榫宽30、高3厘米。函盖为庑殿顶，正脊长50、宽6厘米，四条垂脊分别长23厘米，前后刻瓦垄纹13条，两山雕瓦垄纹9条。石函身正面绘有两扇门，门上刻有门环；门左侧刻有窗户，门右侧刻一人物图案，人物身着长袍，左手叉腰，右手持刀，有守护之意（图4）。石函两侧刻有花卉图案。

图4　石函正面所刻纹饰

石函二，盝顶式石函一合，表面素平无饰。函呈长方形，长81、宽60、高30、厚5厘米。由函身和函盖两部分组成，函身为整块石雕凿而成，高直腹，深75、壁厚5、平底厚5厘米，沿内侧有一周凸起的榫，厚4、高5厘米。函盖为盝顶式，长88、宽64、高12厘米，顶部四边收刹成顶，前后斜坡收刹12、左右收刹12厘米，壁顶厚5厘米。

图5　兽首

石函三，与石函二相似，为盝顶式石函，青砂岩石质，表面粗糙，未经磨光。石函由函身和函盖两部分组成，函身为整块石雕凿而成，石函身长46、宽33、高22、厚5.5厘米，沿内侧有一周凸起的榫，厚3、高3厘米。函盖为盝顶，石函盖长58、宽48、高12、厚5厘米，顶部四边收刹成顶，前后斜坡收刹15、左右收刹15厘米，壁顶厚5厘米。石函前面有门，门上刻有门环2个，门两侧刻有竖线纹数道。

石函四，为庑殿顶式石函，石函长55、宽44、高30厘米，石函壁厚7厘米，函身口部内侧凸起一周榫（字母口），榫宽40、高3厘米。石函盖长67、宽57、高20厘米，石函盖厚8厘米，正脊长68、宽9厘米，侧脊长25、宽6厘米，四条垂脊平行下垂。正脊和侧脊雕刻有兽首（图5）。

石函五，石函为庑殿顶石函一合。青砂岩石质，表面粗糙，未经磨光。分函身、函盖两部分。函身长70、宽32、厚6厘米，函身直腹，底厚5厘米。函身口部内侧凸起一周榫（字母口），榫宽41、高3厘米。函盖为庑殿顶，石函盖长71、宽55、高12、厚5厘米，石函正脊长56.5、宽7厘米，四条垂脊分别长28、宽7厘米，前后刻瓦垄纹22条，两山雕瓦垄纹15条。四条垂脊刻有兽首。

石函六（图6），与石函一形制基本相同。庑殿顶式，青砂岩石质。表面粗糙，未经磨光。分函身、函盖两部分。函身长52.5、宽37、高18.5、厚7厘米，函身直腹，底厚5厘米。函身口部内侧凸起一周榫（字母口），榫宽32、高3厘米。函盖为庑殿顶，石函盖长61、宽47、高14、厚6厘米，正脊长42、宽6厘米，四条垂脊分别长24、宽5.5厘米，前后刻瓦垄纹17条，两山雕瓦垄纹15条。石函身正面绘有两扇门，门上刻有门环，左右两侧各有一扇窗户。

图6　石函六

6合石函形制分别为庑殿顶式和盝顶式，庑殿顶式都是字母口。6合石函均未经磨光，表面粗糙，石函所刻纹饰简略，多数无纹饰，体积大小不等。

二、对经幢和石函相关问题浅析

根据立幢人的目的、所设地点和功能，经幢的种类可以分为寺幢、塔幢、墓幢、坟幢、记事幢、灯幢和香幢等[2]，在已发表的辽代石刻资料中，经幢占有绝大比例，有学者根据向南先生所编《辽代石刻文编》和盖之庸先生编著的《内蒙古辽代石刻文编》，统计辽代各类经幢多达98座[3]。而进入21世纪，全国范围内有很多辽代经幢资料被相继发现并发表，据笔者不完全统计，除上面提到的98座经幢之外，新发表的经幢资料至少还有30多座。在这些新发表的经幢当中，类别不一。有寺幢，如太平二年（1022）凤翔寺经幢、咸雍六年（1070）岐沟天王院经幢[4]、咸雍年间开龙寺石经幢[5]、乾统十年（1110）云门寺经幢[6]等；也有塔幢，重熙年间的王青□经幢[7]、重熙十三年（1044）朝阳北塔地宫石经幢[8]、大安二年（1086）行法师塔幢[9]等；还有墓幢，如大康二年（1076）关山八号辽墓经幢记[10]、乾统四年（1104）龚祥墓经幢[11]、大安八年（1092）刘氏家族墓地经幢记[12]等；同样也有香幢，比如咸雍二年（1066）《新赎大藏经建立香幢记》[13]、咸雍四年（1068）新赎大藏经香幢[14]；功德幢如咸雍十年（1074）大羊圈子村经幢[15]、天庆八年（1118）朔州经幢记[16]等；为去世亲人立幢，如天庆元年（1111）石

---

2 刘淑芬：《灭罪与度亡：佛顶尊胜陀罗尼经幢之研究》，上海古籍出版社，2008年；张国庆：《辽代经幢及其宗教功能——以石刻资料为中心》，《北方文物》2011年第2期；朱满良：《辽代经幢的类型、内容及其对人生的终极关怀》，《西夏研究》2016年第4期。

3 黄夏年：《从辽代石刻经幢考察佛教经幢的历史渊源及发展》，《佛学研究》2015年总第24期。

4 杨卫东：《古涿州佛教刻石》，河北教育出版社，2007年，第93页。

5 曹建华、金永田主编：《临潢史迹》，内蒙古人民出版社，1999年，第82页。

6 王未想：《对“乾统十年云门寺经幢记”和“平顶山云门寺石窟群”考证的补充意见》，《首届辽上京契丹·辽文化学术研讨会论文集》，内蒙古文化出版社，2009年，第198页。

7 齐伟、姜洪军：《北票市博物馆藏两经幢简介》，《辽金历史与考古（第九辑）》，科学出版社，2018年，第289页。

8 辽宁省文物考古研究所、朝阳市北塔博物馆编：《朝阳北塔——考古发掘与维修工程报告》，文物出版社，2007年，第85页。

9 杨卫东：《古涿州佛教刻石》，河北教育出版社，2007年，第105页。

10 辽宁省文物考古研究所：《关山辽墓》，文物出版社，2011年，第63页。

11 尚晓波：《辽宁省朝阳市发现辽代龚祥墓》，《北方文物》1989年第4期。

12 李俊义、庞昊：《辽上京松山州刘氏家族墓地经幢残文考释》，《北方文物》2010年第3期。

13 向南著，张国庆、李宇峰辑校：《辽代石刻文续编》，辽宁人民出版社，2010年，第123页。

14 杨卫东：《古涿州佛教刻石》，河北教育出版社，2007年，第90页。

15 梁姝丹：《阜新地区辽代石经幢及其相关问题的研究》，《辽金历史与考古（第三辑）》，辽宁教育出版社，2011年，第264、265页。

16 陈晓伟、翟禹：《辽代晋北地区佛教的传播与影响——以朔州新见经幢为中心的考察》，《白沙历史地理学报（第七期）》，彰化师范大学历史学研究所发行，2009年。.

佛沟佛顶尊胜陀罗尼经幢[17]等。

按照发现的位置，此次新发现的3座经幢应该为坟幢或塔幢，即寺院僧人死后所立石幢。据辽道宗咸雍元年（1065）《运琼等为本师建幢记》：“皇朝纪号咸雍元年乙巳岁四月一日庚寅朔十四日癸卯乙时，广严寺门徒等为本师摄持大师特于坟所建石幢子一座三级记。弟子沙门运琼、运善”等[18]，此次墓葬群集中出土的坟幢和石函数量较多，说明该地是寺僧圆寂的集中墓地。据相关考古工作人员介绍，该景区发现北魏到民国时期的石刻造像有140余尊，进一步证明千佛洞香火旺盛，才会有造“千佛”的功德，寺僧死后按照佛教仪式应行荼毗之礼，也不断有后人为已经去世的寺僧建幢。据《塔子沟纪略》记载，时为统和年间，看来辽中期，该地立碑造像就已经很流行了。

附记：本文系2017年国家社会科学基金项目“辽代佛教研究”（17BZJ016）阶段性成果。

（刘志勇　朝阳县文物管理所　通讯作者　齐伟　辽宁大学历史学院
李琼璟　辽宁省博物馆）

17　梁姝丹：《阜新地区辽代石经幢及其相关问题的研究》，《辽金历史与考古（第三辑）》，辽宁教育出版社，2011年，第264页。

18　向南著，张国庆、李宇峰辑校：《辽代石刻文续编》，辽宁人民出版社，2010年，第122页。

五代墓志所见辽代史料考

李浩楠

内容提要：周阿根编纂《五代墓志汇考》中，有26方墓志涉及契丹辽朝，包括辽朝职官、辽与五代诸政权的战争、五代政权对辽朝的御边措施、辽朝与五代之间的人员流动与精神创伤、五代人的契丹观等信息，与传统史料互有异同，具有一定的史料价值。

关键词：五代墓志汇考　辽代　史料

五代史研究与辽史研究的一个共同趋势是高度重视新出石刻的史料价值，辽史学者尤甚，但对与辽朝并立的五代墓志，却关注不够[1]。笔者翻阅周阿根先生所编《五代墓志汇考》，发现有26方墓志记载与契丹辽朝相关史事[2]。现将其内容分为5类，探讨其史料价值。

一、辽朝职官

赵凤在后晋高祖天福（936～942）时投奔辽朝，“起家银青光禄大夫、检校尚书右仆射兼御史大夫、柱国，充幽州关南巡检都指挥使”，在任内“因警巡有功，转招收都指挥使，则有索铁伸钩之士，搏虎拽牛之□，诱掖多方，自远咸至，遂致国之多兵也。又加金紫光禄大夫、检校司徒，余如故。改充右羽林都指挥使，既遣管军”，辽太宗南征“为东都部署使”[3]。银青光禄大夫、金紫光禄大夫系阶官，检校尚书右仆射、检校司徒系检校官，御史大夫系宪衔，柱国系勋官[4]。

“幽州关南巡检都指挥使”，辽朝仿五代制度，设有巡检。林鹄、张国庆先生钩稽《辽史》与辽代石刻，考订最早见于记载的“巡检”，系景宗保宁五年（973）的耶

1　武文君、辛时代：《五代〈赵凤墓志〉考释——兼议契丹南下与“南北朝”问题》，《宋史研究论丛（第23辑）》，科学出版社，2018年，第193～205页。

2　按，26方墓志不包括该书所引徐铉文集中的墓志。

3　刘德润：《赵凤墓志》，《五代墓志汇考》，黄山书社，2012年，第547页。

4　王曾瑜：《辽朝官员的实职和虚衔初探》，《凝意斋集》，兰州大学出版社，2003年，第84～129页。

律琮（耶律合住）[5]。《赵凤墓志》则将辽朝“巡检”之设推至辽太宗时，赵凤在任内“警巡有功”，说明“巡检”系边防官，负责幽州关南一带的边防与治安。

“招收都指挥使”及“诱掖多方，自远咸至，遂致国之多兵也”的政绩说明该职系招募士兵，“自远咸至”从字面上理解，似不应是从辽朝腹地招兵，而是设法从与辽朝对峙的后晋境内招募。英国学者史怀梅提出，辽晋同盟规定了双方各自的人地管辖权，相互拒绝彼此的挑战者[6]。但从《赵凤墓志》来看，一些地区并不严格遵从这个规定，明目张胆“招徕”远人。赵宇先生认为，辽朝侍卫亲军长期沿用着五代禁军番号[7]。“招收都指挥使”并非侍卫亲军，但后唐庄宗同光元年（923），“康延孝为招收指挥使”[8]。军号无疑袭自五代，但辽朝“招收都指挥使”设置早于五代，后周广顺（951～953）初年，后周始有“忻、代一路招收都指挥使”秦珣[9]。

“右羽林都指挥使”，羽林军系辽朝燕京汉军番号。辽朝羽林军最早见于史籍者，系后周广顺二年（辽应历二年、952）四月，辽羽林都署辛霸卿投奔后周事[10]。《赵凤墓志》亦将辽羽林军设立，且分左右两军，上溯至辽太宗时。

“东都部署使”，有两解：一系“东”都部署使，系统军将官；一系“东都”部署使，系处理后晋汴京善后事宜。

二、辽朝与五代的战争

后唐明宗天成三年（辽天显三年、928），定州王都叛后唐，引契丹为援。后唐王晏球率军征讨，大败契丹军，攻克定州。匡卫步军都指挥使李重吉率本部参战，其墓志载：“杀戮契丹告捷，中朝特降敕书制诏及颁赉银器、缯帛等，仍宣赐青毡帐、红锦战袍，旋命捧圣军使曹晟沿路奖谕，赐铁甲一副，御马半驷，橐驼二头及羊酒、汤药等。”[11]是役，契丹军完败，但林鹄先生指出，“中原文献对此战的影响有所夸大”[12]。笔者无意辨析是役双方史料之异同，仅从赏赐的角度谈及此战，后唐明宗得知

---

5 林鹄：《辽史百官志考订》，中华书局，2015年，第134、312页；张国庆：《辽朝警巡、军巡与巡检制度考略》，《辽宁大学学报（哲学社会科学版）》2015年第2期。

6 〔英〕史怀梅著，曹流译：《忠贞不贰？——辽代的越境之举》，江苏人民出版社，2015年，第99～101页。

7 赵宇：《辽朝侍卫亲军体制新探——兼析〈辽史·百官志〉“黄龙府侍卫亲军”诸问题》，《宋史研究论丛（第17辑）》，河北大学出版社，2015年，第573～575页。

8 （宋）王钦若等编纂，周勋初等校订：《册府元龟》（第5册）卷360《将帅部·立功第十三》，凤凰出版社，2006年，第4065页。

9 （宋）王钦若等编纂，周勋初等校订：《册府元龟》（第2册）卷128《帝王部·明赏第二》，凤凰出版社，2006年，第1407页。

10 王曾瑜：《辽金军制》，河北大学出版社，2011年，第81页；林鹄：《辽史百官志考订》，中华书局，2015年，第246页。

11 李慎仪：《李重吉墓志》，《五代墓志汇考》，黄山书社，2012年，第258页。

12 林鹄：《南望——辽前期政治史》，生活·读书·新知三联书店，2018年，第68页。

唐军克定州，举酒赐群臣，“喜除腹心之疾，赐教坊绢五百疋”[13]。明宗接见王晏球，曰：“中山悖逆，劳卿攻讨，今已扫荡，兼败鲜卑，中兴已来，未有立功如卿者。”[14]从《李重吉墓志》来看，志主加官晋爵，赏赐无算，唯有此战，物质赏赐最丰富。即使明宗临终，志主禁卫有功，赏赐不过御衣一对、玉带一条。是役对于后唐的意义，不可过于低估。

清泰（934～936）时，张明任西北面步军指挥使，墓志称“桑干河畔，□□□□，□□山前，高张大□，遇胡兵之□□□□□□□□中□齐驱，乌鸢已殄，熊□既举，豺豕争奔，自此一扫狼烟”，志主擢代州刺史兼□□□步军□□侯[15]。“桑干河”“代州”皆将此战指向代北地区。清泰元年（辽天显九年、934），“云州（山西大同）奏契丹入寇”，石敬瑭率军御之，振武（朔州）节度使杨檀亦“击契丹于境上”[16]。清泰初“契丹寇雁门”，安叔千与石敬瑭迎战，败之[17]。张明系参与此战，且有战功。

后晋开运三年（辽会同九年、946），后晋少帝以杜重威为主帅，率军北征，宋彦筠时为北面行营诸道步军都指挥使，与契丹夹滹沱河对峙。关于杜重威之降，陈尚君先生注释甚详[18]。五代史料强调杜重威降因即辽军重围，军粮食尽，且降契丹之谋，系杜重威与李守贞、宋彦筠主之。而《宋彦筠墓志》则云，墓主与杜重威率军“拒戎王于滹川。时戎马控弦机者数十万，滹水泛滥，王师不得渡，粮运俱绝，元帅已降，公（宋彦筠）犹力战”[19]。该志同样强调辽朝兵力的强大和军粮不继，但“滹水氾滥”不见于他书，弥足珍贵。“公犹力战”显属曲笔，宋彦筠葬于显德五年（958），杜重威被戮于乾祐元年（948），李守贞自戕于乾祐二年（949），三位主降者已亡其二，故撰志者敢公然为宋彦筠开脱，强调客观因素，且将罪责推给杜重威。

三、五代对契丹的防御

张居翰，《旧五代史》有传，墓志载刘仁恭“请公（张居翰）知军府事，兼筑羊马城。公劝将卒，不月而毕事。南枝勍敌，北御乌桓”[20]。时间在刘仁恭与李克用光化

---

13 （宋）王钦若等编纂，周勋初等校订：《册府元龟》（第1册）卷81《帝王部·庆赐第三》，凤凰出版社，2006年，第888页。

14 （宋）王钦若等编纂，周勋初等校订：《册府元龟》（第2册）卷133《帝王部·褒功第二》，凤凰出版社，2006年，第1474页。

15 丁拙：《张明墓志》，《五代墓志汇考》，黄山书社，2012年，第378页。

16 （宋）司马光编著：《资治通鉴》卷279《后唐纪八》“清泰元年九月己未、辛酉”，中华书局，1956年，第9124页。

17 陈尚君辑纂：《旧五代史新辑会证》（第10册）卷123《安叔千传》，复旦大学出版社，2005年，第3791页。

18 陈尚君辑纂：《旧五代史新辑会证》（第9册）卷109《杜重威传》，复旦大学出版社，2005年，第3289～3291页。

19 高弼：《宋彦筠墓志》，《五代墓志汇考》，黄山书社，2012年，第612页。

20 杨希俭：《张居翰墓志》，《五代墓志汇考》，黄山书社，2012年，第189页。

三年（900）第二次结盟之前，“羊马城”系城墙外别筑的短墙[21]。刘仁恭于乾宁元年（894）任幽州节度使，屡与契丹战，颇有战绩[22]。“乌桓”指契丹。耶律阿保机于天复元年（901）任迭剌部夷离堇，一改契丹南下受阻于刘仁恭的局面，率军频繁深入燕云地区[23]。从《张居翰墓志》来看，刘仁恭筑幽州羊马城，北御契丹，已有消极防御之相，在与契丹的交手中渐落下风。

商在吉，墓志称其系蓟门人，祖商咸任涿州马步使，父商元建任幽州府节度押衙。墓志叙述商在吉“北安紫塞，静胡尘而久镇沙场”[24]。追随后唐庄宗。从其籍贯及父、祖任职来看，“胡尘”无疑指契丹。

周令武，其墓志载“天成元年（926），除蔚州刺史，地控边陲，境联藩籍，妙得和戎之策，深明抚士之方”。次年任复州刺史。后晋“天福二年（937），有敕除新澶州，截牵牛之渚，建杜预之桥，不日而成”，晋高祖奖酬之[25]。天成二年（927），蔚州刺史周令武归阙，后唐明宗问以边事，周令武奏：“山北甚安，诸蕃不相侵扰。雁门已北，东西数千里，斗粟不过十钱。”[26]林鹄先生认为，后唐、辽朝一度紧张的局势，由于辽太祖的去世暂时得到缓解，周令武所奏，“正是这一和平局面的反映”[27]，评价公允。从其墓志来看，其任蔚州刺史不过一年有余，远不及“久任”，其御边之功更多归于客观因素而非主观努力因素。后晋立，周令武受诏建新澶州城，墓志用西晋杜预建富平津浮桥之典，揭示新澶州之建亦有配套的浮桥，符海朝先生认为，石敬瑭不甘于久当“儿皇帝”，在割让幽云十六州后，也采取了一些补救措施，如天福三年（938）将澶州治所由顿丘县迁往跨黄河的德胜津[28]。周令武墓志撰于天福七年（942），所言天福二年（937）筑新澶州之事，当为可信。天福三年（938）应为完工及迁治之期。

史匡翰，《旧五代史》有传，其墓志载同光（923～926）时“将宁边徼，特委警巡，以九府都督充岚、宪、朔等州都游弈使”[29]。“都游弈使”，本传作“都游奕使”。“边徼”说明是职有备边性质，朔州为“幽云十六州”之一，契丹觊觎已久，史匡翰备边对象，显系契丹。

张虔钊，《旧五代史》有传，其墓志载后唐明宗继位初“以北面多虞，委公（张虔钊）传命。凡该利病，□请施行，克合人情，□符上旨”，天成三年（928）为北面行

---

21 刘闯：《唐末五代增废州县与修筑城池之地理分布研究》，陕西师范大学博士学位论文，2018年，第48、83页。

22 陈尚君辑纂：《旧五代史新辑会证》（第11册）卷137《契丹传》，复旦大学出版社，2005年，第4272页。

23 林鹄：《南望——辽前期政治史》，生活·读书·新知三联书店，2018年，第24～26页。

24 佚名：《商在吉墓志》，《五代墓志汇考》，黄山书社，2012年，第261页。

25 张廷胤：《周令武墓志》，《五代墓志汇考》，黄山书社，2012年，第343页。

26 陈尚君辑纂：《旧五代史新辑会证》（第4册）卷38《唐明宗纪四》，复旦大学出版社，2005年，第1152页。

27 林鹄：《南望——辽前期政治史》，生活·读书·新知三联书店，2018年，第66页。

28 符海朝：《辽金元时期北方汉人上层民族心理研究》，中国社会科学出版社。2016年，第53页。

29 佚名：《史匡翰墓志》，《五代墓志汇考》，黄山书社，2012年，第354页。

营兵马都监，于定州大破契丹[30]。北边传命事本传不载，可补史籍之阙。后唐明宗忧心“北面多虞”，始终把契丹作为劲敌对待。

萧处仁，后晋时参与平定安重荣、安从进，约在天福七年（942）左右，“后以疆场未宁，猃狁多故，公监临步骑，固护边陲，至于太原，出于大漠，东西千里，首尾十年”，约在后汉末任坊州刺史[31]。“猃狁”指契丹，天福九年（944），晋少帝令晋军备御契丹，选将有“合门使萧处仁”[32]。又载“（萧）处仁晋、汉之间由通事舍人历阁门客省之职而升于环卫，继护兵于外，颇有声望”[33]。萧处仁历任多为内诸司使[34]，监护诸军，参与对契丹的防御，“太原”如非用典，系实指的话，萧处仁可能投奔于刘知远帐下，其治下河东地区尚属安静，躲避晋、辽的交替，并由内诸司使转为坊州刺史。

索万进，其墓志载后晋时参与平定安从进、杨光远，提及“滹沱”，并称“北杜飞狐，自得九天之理”，汉末周初，“部领兵师，方敌猃狁”[35]。后晋时，索万进参与对辽军的作战。贺玉萍先生考证，后汉乾祐二年（辽天禄三年、949），辽军南下，索万进时为护圣都指挥使，同深州刺史史万山御之，索万进“勒兵”拒绝支援出击遇伏的史万山，致史氏战死，时论罪之。但由于索氏在郭威代汉过程中充当“秘密杀手锏”的角色，反而升任兖州防御使[36]。墓志所叙，显系曲笔，但并未颠倒黑白，讳败为胜，可谓良心尚存。

宋彦筠，《旧五代史》有传，墓志云天成二年（927）“改授武州刺史，御北狄也”。清泰初掌禁军，开运元年（944）“又遣御戎，遂命衔镇于沧、贝、邢州，巡检至漳河，拒回契丹”[37]。两事本传不载，可补史籍之阙。宋彦筠任武州刺史，七年左右，可谓久任，但墓志并未过度铺陈，可知备边功绩乏善可陈。晋少帝时，宋彦筠“巡检”迎击契丹，后因少帝召回任邓州节度使，亦无战绩。后随杜重威降辽。宋彦筠系梁朝旧将，历后唐、后晋，与契丹作战并无显赫战功，且有降敌行为，与同系梁将出身的王晏球形成鲜明对比。

四、南北人员流动与精神创伤

辽代与五代政权的人员流动一直为学术界所瞩目，成果众多[38]。五代墓志对此事的

30 王文祐：《张虔钊墓志》，《五代墓志汇考》，黄山书社，2012年，第444页。

31 萧士明：《萧处仁墓志》，《五代墓志汇考》，黄山书社，2012年，第585页。

32 （宋）王钦若等编纂，周勋初等校订：《册府元龟》（第2册）卷118《帝王部·亲征第三》，凤凰出版社，2006年，第1287页。

33 （宋）王钦若等编纂，周勋初等校订：《册府元龟》（第2册）卷140《帝王部·旌表第四》，凤凰出版社，2006年，第1569页。

34 李军：《论五代内诸司使的变化》，《陕西师范大学继续教育学报》2002年第4期。

35 崔去非：《索万进墓志》，《五代墓志汇考》，黄山书社，2012年，第606页。

36 贺玉萍：《后周索万进墓志考释》，《洛阳师范学院学报》2007年第6期。

37 高弼：《宋彦筠墓志》，《五代墓志汇考》，黄山书社，2012年，第612页。

38 如吴松弟：《中国移民史》第四卷，福建人民出版社，1997年，第21～24、59～69页；韩茂莉：《辽金农业地理》，社会科学文献出版社，1999年，第16～23页；〔英〕史怀梅著，曹流译：《忠贞不贰？——辽代的越境之举》，江苏人民出版社，2015年，第223～250页。

记载，有个案补充之功，且对相关人员的精神创伤和痛苦略有提及。

主动迁移者：王郁，《辽史》有传，其人于神册六年（921）叛入契丹。投降时的官衔，《辽史》为“新州防御使”[39]，《旧五代史》为“新州刺史”[40]，《资治通鉴》作“新州团练使”[41]。葬于天祐二十一年（924）的王处直，墓志称其长子为王郁，官衔为“新州团练使、特进、检校太保”[42]。时间距王郁附契丹最近，当以“新州团练使”为正。

罗周辅，晚年定居洛阳，葬于伊川县。其墓志称天福十二年（947）患病，“至其年五月九日，因避猃狁之患，终于南禅玄理精舍”[43]。避“猃狁”，无疑指后晋灭亡，辽太宗以刘晞为西京留守，在洛阳与中原反抗势力交锋之事[44]。辽军的军事占领，引发部分洛阳百姓的惊惧，或有逃亡者，罗周辅亦因惊惧而去世。

赵凤，《旧五代史》有传。其墓志称，“有晋辟统之年，去事镇州节度使安铁胡。公早蕴沉机，未蒙录用，无以申其志，无以立其功，遂潜奔投北朝皇帝”[45]。据武文君、辛时代先生考证，赵凤实因触犯军法，越狱逃脱，聚众为盗，后随赵延寿入契丹。赵凤后随辽太宗南下，逗留中原，后因在单州任上激起民愤且有赵氏为天子的谶语，一说被赐自尽，一说被周太祖所诛[46]。即使在武夫当政的五代，赵凤亦属于反面人物，但其墓志不但多为曲笔，且毫不避忌赵凤投奔辽朝，在北朝建功立业的历史，大书特书。与冯道所撰《长乐老自叙》署其在契丹所历官职如出一辙。中国古代气节观在北宋中期发生了重大转变，由“从道不从君”变为“死事一主”，而宋初气节观，颇有五代遗风[47]。《赵凤墓志》所叙，亦可如是观。

被动迁移者。五代时，辽军多南下掳掠，造成百姓伤亡，掳掠人口无数，不少人因战争原因与家人、亲属南北两隔，永不再见。刘光赞，有子一人任古城尉，“晋祚既衰，鬼方恣盛，上国乃胡笳之地，中原为戎马之郊。郡城有蹂践之忧，士庶负涂炭之苦，乃陷塞外，莫遂生还”[48]。无后为大为古人大忌，刘光赞临终而不得见独子一面，

---

39 《辽史》卷2《太祖纪下》，中华书局，2016年，第19页；《辽史》卷75《王郁传》，中华书局，2016年，第1369页。

40 陈尚君辑纂：《旧五代史新辑会证》（第5册）卷50《李嗣肱传》，复旦大学出版社，2005年，第1670页。

41 （宋）司马光编著：《资治通鉴》卷271《后梁纪六》，龙德元年十月己未，中华书局，1956年，第8868页。

42 和少微：《王处直墓志》，《五代墓志汇考》，黄山书社，2012年，第155页。

43 俞鑁：《罗周辅墓志》，《五代墓志汇考》，黄山书社，2012年，第441页。

44 林鹄：《南望——辽前期政治史》，生活·读书·新知三联书店，2018年，第101、107页。

45 刘德润：《赵凤墓志》，《五代墓志汇考》，黄山书社，2012年，第547页。

46 武文君、辛时代：《五代〈赵凤墓志〉考释——兼议契丹南下与“南北朝”问题》，《宋史研究论丛》第23辑，科学出版社，2018年，第198～201页。

47 路育松：《从对冯道的评价看宋代气节观念的嬗变》，《中国史研究》2004年第1期；熊鸣琴：《论宋太祖推服桑维翰：兼谈宋代“民族主义”之特质》，《江西社会科学》2012年第12期。

48 郭玘：《刘光赞墓志》，《五代墓志汇考》，黄山书社，2012年，第536页。

无疑是终身遗憾。广顺二年（952）葬于洛阳的幽州归义县人关钦裕、次子关彬、妻张氏“当胡马南牧之时，仅同怀土；洎越鸟营巢之处，不得同飞”[49]。志文使用“越鸟巢南枝”典故，“怀土”可能为“抔土”，又云五子关通“与三长兄早即世”，代指契丹人南下之时，夫妻二人因战乱身亡[50]。六子中，四子早逝，精神痛苦可知。“燕中”人曲询，天福六年（941）去世，显德元年（954）葬于洛阳，有女二人，“长适王氏，陷虏不还”[51]。

五代与辽朝的关系，幽云十六州的割让系重大事件。这一事件不仅造成边防、民族关系的恶劣后果，对于部分中原汉人来说，一是造成了亲人分居两朝，饱受骨肉分离之苦。乾祐元年（948）葬于洛阳的洺州人庞令图，其次女“适张氏，早驱鸡于易水，今隔寇于胡尘”[52]。用“易水”典故指代幽燕之地，指其次女已为辽朝子民，不得相见。还有一些人虽然离开家乡，但有桑梓之情，叶落归根之志。但因幽云十六州的割让，“故乡”已为“他乡”，带着终身遗憾离开人世，不得不“狐死首丘”。“燕人”刘彦融，“旋属乡国缠灾，番胡肆丑，人子废诗书之训，诸侯擅征伐之权”而离乡，显德元年（954）去世，撰志者有“望桑水之乡园，难追往事；卜邙山之宅□，永闭贞魂”之句[53]。志主去世前，苦苦思念故乡而不得归。“朔州神武川上方城人”石金俊，后唐时致仕，理由为“愿复丘岗，守先人坟垄为乐矣”。石金俊于清泰三年（936）去世，后晋时，因朔州被割让与辽朝，其子石仁赟“以天福三年（938）十一月七日卜迁于西京河南县平乐乡朱阳里”[54]。父亲生前欲与先人同葬，子欲尽孝而不得，回天乏术，痛楚可知。后晋某年葬于洛阳的吐浑人白万金，“本岱川北鲜卑山之阳，居其族”，其铭有“家乡北狄，罔知所迁”之句[55]。据周伟洲先生研究，五代时吐谷浑人有活动于河东、代北者，其中人数较众的有白承福部，后唐时族帐活动于蔚州、代州等地。后晋时，代北吐浑部族大部隶属契丹，由于不堪剥削，白承福率部南下投奔安重荣，引起辽、晋关系的紧张[56]。白万金临终前，亦有不得归葬故乡之憾。

这类因为五代与辽朝之间的战争、割地，而导致的亲人丧命、天各一方，思乡不得归的现象，无疑属于精神创伤，但由于传统文化的内敛性特征，“传统文献中缺乏对个体心理创伤的相关记载”，导致后世学者阅读文献时较难注意到之一点[57]。五代墓志则揭露了这类精神创伤，使我们“同情之理解”志主的内心世界，弥足珍贵。

---

49 张濯：《关钦裕墓志》，《五代墓志汇考》，黄山书社，2012年，第500页。

50 该段文字的释读得到陕西师范大学胡耀飞老师的指教，谨表谢忱。

51 佚名：《曲询墓志》，《五代墓志汇考》，黄山书社，2012年，第542页。

52 纥干德覃：《庞令图墓志》，《五代墓志汇考》，黄山书社，2012年，第427页。

53 王德成：《刘彦融墓志》，《五代墓志汇考》，黄山书社，2012年，第519、520页。

54 赵逢：《石金俊及妻元氏合祔墓志》，《五代墓志汇考》，黄山书社，2012年，第552、553页。

55 佚名：《白万金墓志》，《五代墓志汇考》，黄山书社，2012年，第636、637页。

56 周伟洲：《吐谷浑史》，广西师范大学出版社，2006年，第192～197页。

57 路伟东：《同治西北战争的一个侧面：战争波及人群的心理创伤及长远影响》，《北方民族大学学报（哲学社会科学版）》2018年第2期。

五、五代墓志的契丹辽朝形象

在中国古代文学史上，五代处于唐代中期“古文运动”失败之后，传统的骈文大行其道。由骈文撰写的墓志特别强调用典，正如胡鸿先生所论，典故“通常将一段历史故事或言论压缩为一个词语，通过提到这一事件而提示其背后暗含的价值判断，并且使当下的对象与历史对象之间产生关联”[58]。前引五代墓志对契丹辽朝称呼，中性的有契丹、北朝，用历史上的北族指代的有胡、戎、乌桓、猃狁、北狄、鬼方等。贬义词语则有番胡、虏等，特别是“虏”字相关词语，如“黠虏”“丑虏”等[59]。笔者将五代墓志涉及契丹辽朝者，依“暗含的价值判断”，将其分为两类。

第一类是夸耀契丹强盛，以为铺陈，赞扬志主功业者。如葬于天福二年（937）的宋廷浩，其墓志云：“昨虏陵解印，梁苑朝天。值郸寇以倡狂，方剪除于猃狁。圣上深思委用，付以检巡。”[60]“郸寇”“猃狁”指范延光、张从宾反晋，云州吴峦不附契丹遭辽军围攻事。志主受命巡检汜水关，保卫开封[61]。撰志者极力铺陈志主事迹，多有曲笔。云州系后晋割让辽朝，州人不服反抗求援，以石敬瑭向契丹妥协，召回吴峦而告终。志云宋廷浩“方剪除于猃狁”颇有牵强之处。开运元年（944）去世，葬于乾祐元年（948）的杨敬千，墓志称其在后唐庄宗时“时值契丹集丑，频以为妖，向中原之作孽”，庄宗任用志主，“聚四方之虎将，大灭腥膻”，撰者感叹志主亡不其时，为何“天不福善，歼我良人，殄灭我国家，倾覆我宗社”，其铭有“狂狄作扰，公往盟师。和会传命，掩戮寻时。渠魁献馘，叛众倾旗。制彼妖氛，长戈一麾”[62]。下葬之年的上一年，辽朝灭后晋后北归，撰志者大力渲染志主后唐时击败契丹功绩，长中原政权之气，泄契丹灭晋之愤。认为杨敬千多活数载，后晋断不至亡国破家，亦有无奈之处。后汉仅存三年，葬于乾祐二年（949）的田氏，墓志盛赞其子王守恩，在“俄属中朝失御，贼虏乱华，拘天子于龙堆，噬生灵于虎口”之时，归顺刘知远的功业[63]。葬于显德二年（955）的后汉重臣苏逢吉，墓志称赞其早年在河东追随刘知远，因契丹“入寇隈封”，志主“折冲千里”的功绩。“其后以奸臣内构，丑虏复兴，腥膻盈赵魏之郊，毡毳满康逵之内”，苏逢吉辅佐刘知远建立后汉，不亚萧何[64]。显德三年（956）下葬的袁彦进，“又至晋少帝，胡尘竞起，华夏未宁，常领禁师，以静边陲，每于阵所，无不

58 胡鸿：《纸笔驯铁骑——当草原征服者遇上书面语》，《能夏则大与渐慕华风——政治体视角下的华夏与华夏化》，北京师范大学出版社，2017年，第297页。

59 苏畋：《王廷胤墓志》，《五代墓志汇考》，黄山书社，2012年，第391、392页。

60 王文秀：《宋廷浩墓志》，《五代墓志汇考》，黄山书社，2012年，第291页。

61 赵振华：《五代宋廷浩墓志考》，《华夏考古》2003年第4期；胡坤：《“近代贵盛，鲜有其比”——三代外戚武将宋偓事迹考论》，《宋史研究论丛（第12辑）》，河北大学出版社，2011年，第157、158页。

62 佚名：《杨敬千及妻李氏合葬墓志》，《五代墓志汇考》，黄山书社，2012年，第432、434、435页。

63 王鹏□：《王建立妻田氏墓志》，《五代墓志汇考》，黄山书社，2012年，第460页。

64 王昭懿：《苏逢吉墓志》，《五代墓志汇考》，黄山书社，2012年，第562页。

成功”[65]。无论是后晋的抵抗还是后汉的建立，都未能扭转契丹国势渐强，中原政权处于下风的局面，以上墓志虽然铺陈典故，渲染功绩，但与历史事实对照，文字中底气不足的一面凸显出来。

第二类是直叙契丹强盛，表示悲观情绪者。王廷胤的墓志，叙其在后晋时任幽州道行营右厢都指挥使、北面行营步军左右厢都指挥使，然而“猃狁奔冲，青丘接援，虔刘我生聚，侵毁我疆封”，志主虽竭尽全力，但“煞犬戎之人马，数目何知；夺车帐于川原，纵横□间”，开运元年（944）去世前，对诸子云，所忧心者为“丑虏□□，淮夷尚炽”，而己身已不能尽忠报国，深以为恨[66]。颇有无可奈何之意。说明过去形成的“中原”对“北虏”的强势心理已发生局部的逆转。

无论是表示乐观还是悲观情绪的五代墓志，都不得不承认一个现实：经历割让幽云十六州、灭亡后晋、一度入主中原的契丹辽朝，无论如何都是强劲的对手，绝不可等闲视之。

（李浩楠　赤峰学院历史文化学院）

65　韩桂：《袁彦进墓志》，《五代墓志汇考》，黄山书社，2012年，第581页。
66　苏畋：《王廷胤墓志》，《五代墓志汇考》，黄山书社，2012年，第391、392页。

金代张楠墓志考释

周　峰

内容提要：金代张楠墓志虽然字数很少，张楠生平也较为简单，但根据考释，他是《金史》有传的金代户部尚书张奕之子，为我们研究金史提供了新的史料。

关键词：金代　张楠墓志　张奕

金代张楠墓志一合，见载于何新所编《新出宋代墓志碑刻辑录（南宋卷）》[1]。笔者也藏有该墓志的拓本。志盖长33.5、宽30厘米。篆书二行：故忠武张公墓志铭。志石长40、宽35厘米。正书16行，满行26字。墓志记载了金代忠武校尉张楠的生平，张楠本人荫补出身，只当过管理盐务的低级监当官，生平不显。但张楠的父亲张奕曾任户部尚书，名列《金史·循吏传》。兹据笔者所藏拓片，并参考何氏所刊拓片及录文，对墓志先予录文，再进行简略考释（图1、图2）。

图1　张楠墓志志盖拓本

1　拓片载何新所：《新出宋代墓志碑刻辑录（南宋卷）》第二册，文物出版社，2020年，第99页。录文见同书第七册，第45页。

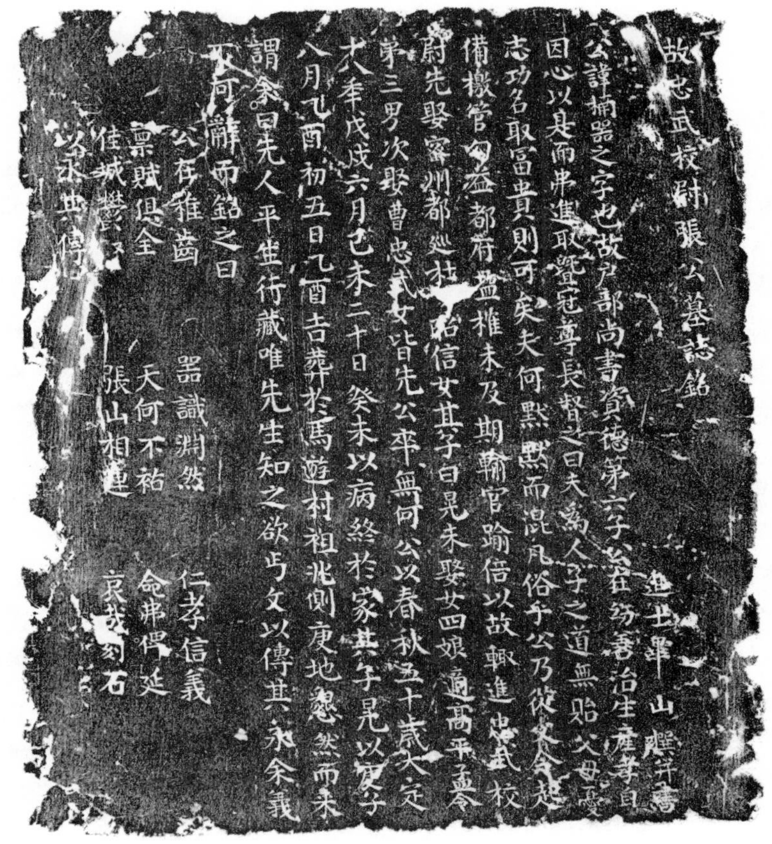

图2　张楠墓志拓本

一、墓 志 录 文

故忠武校尉張公墓誌銘/

進士畢山撰并書。/

公諱楠，器之，字也，故户部尚書資德第六子。公在幼，善治生产，孝自/因心，以是而弗進取。暨冠，尊長督之曰：“夫為人子之道，無貽父母憂。/志功名，取冨貴，則可矣，何默默而混凡俗乎？”公乃從父令，起/備檄管勾益都府鹽榷。未及期，輸官踰倍，以故輙進忠武校/尉。先娶寗州都巡杜□昭信女，其子曰晃，未娶。女四娘，適高平孟令/第三男。次娶曹忠武女，皆先公卒。無何，公以春秋五十，歲大定/十八季戊戌六月己未二十日癸未，以病終於家。其子晃以庚子/八月乙酉初五日乙酉吉，葬於馬遊村祖兆側庚地。懇然而来/謂余曰：“先人平生行藏，唯先生知之，欲丐文以傳其永。”余義/不可辭，而銘之曰：/

公在稚齒，器識淵然。仁孝信義，/禀賦俱全。天何不祐，命弗俾延。/佳城鬱鬱，張山相連。哀哉刻石，/以永其傳。

二、张楠的父亲张奕

墓志载张楠是“故户部尚书资德第六子”。这里的“资德”不是人名，而是金代文散官正三品上阶的“资德大夫”[2]，这与户部尚书为正三品是一致的[3]。这也与这篇墓志中几处以文武散官名代替人名是一致的，如志盖以“忠武张公”代称张楠，“忠武”就是武散官从七品上阶的忠武校尉[4]。同样，志文中称张楠的第二位夫人为“曹忠武女”，“曹忠武”即曹姓忠武校尉。志文中称张楠的第一任夫人为“密州都巡杜□昭信女”，则“杜□”的武散官为正七品下阶的昭信校尉，其实际官职则为密州（今山东省诸城市）都巡检使，其散官品阶与“诸州都巡检使各一员，正七品”是相称的[5]。

墓志载张楠卒于金世宗大定十八年（1178），享年五十岁，按古人虚一岁计，则张楠生于金太宗天会七年（1129）。因为张楠的父亲是“故户部尚书”，所以其父最终及最高官职应该是户部尚书，且已先于张楠去世。翻检史料，金代张姓户部尚书有张浩、张玄素、张仲愈、张亨、张翰、张行信、张奕等人。张浩是渤海人，本姓高，在世宗时任太师、尚书令[6]，其地位远高于户部尚书，他不可能是张楠的父亲。张玄素是张浩的堂兄弟，最后在定武军节度使任上致仕[7]，也不可能是张楠的父亲。张仲愈在大定二十三年（1183）由户部尚书升任参知政事[8]，此时张楠已经去世，张仲愈也不可能是张楠的父亲。张亨泰和二年（1202）卒，享年78岁[9]，只年长张楠6岁，不可能是其父。张翰大定二十八年（1188）才中进士，且在宣宗迁汴之后死于户部尚书任上[10]，他不可能是张楠的父亲。张行信也是大定二十八年（1188）才中进士，卒于正大八年（1231）[11]，他也不可能是张楠的父亲。

“张奕字彦微，其先泽州高平人。”[12]墓志载，张楠“葬于马游村祖兆侧庚地”，今山西省高平市原村镇有下马游村[13]。可见，张奕与张楠的家乡是一地。另外，张奕“大定二年，征为户部尚书，甫视事，得疾卒”[14]。可见，张奕的最终任职是户部尚书。张奕的生年虽不详，但他是在伪齐时期（1130～1137年）因荫补而走上仕途的，张

---

2 《金史》卷55《百官志一》，中华书局，2020年，第1303页。

3 《金史》卷55《百官志一》，中华书局，2020年，第1315页。

4 《金史》卷55《百官志一》，中华书局，2020年，第1305页。

5 《金史》卷57《百官志三》，中华书局，2020年，第1412页。

6 《金史》卷83《张浩传》，中华书局，2020年，第1982页。

7 《金史》卷83《张玄素传》，中华书局，2020年，第1987页。

8 《金史》卷8《世宗纪下》，中华书局，2020年，第202页。

9 《金史》卷107《张行信传》，中华书局，2020年，第2276页。

10 《金史》卷105《张翰传》，中华书局，2020年，第2459页。

11 《金史》卷107《张行信传》，中华书局，2020年，第2509页。

12 《金史》卷128《循吏·张奕传》，中华书局，2020年，第2913页。张奕事迹还见于乾隆三十九《高平县志》卷13《人物》，第5b～6a页，文字来源于《金史》。

13 杜秀荣主编：《山西省地图册》，中国地图出版社，2001年，第37页。

14 《金史》卷128《循吏·张奕传》，中华书局，2020年，第2914页。

奕此时应为20～30岁。因此，张奕大致出生在12世纪初也就是1100年前后，大张楠30岁左右。综上所述，张楠应该就是张奕的第六子。

三、张楠生平

张楠，字器之，是张奕的第六子。墓志称张楠年幼时“善治生产，孝自因心，以是而弗进取”。这无疑是对他的溢美之词，更大的可能是出身于官宦人家，衣食无忧，不想苦读走科举的道路。金代的官员可以荫补子弟为官，“凡门荫之制，天眷中，一品至八品皆不限所荫之人。贞元二年，定荫叙法，一品至七品皆限以数，而削八品用荫之制”[15]。张楠在20岁时，也就是海陵王天德元年（1149）时，其父任从四品的同知归德尹，他因荫补被任命为“管勾益都府盐榷”，也就是益都府盐使司的具体办事官员——管勾。金代前期，“益都、滨州旧置两盐司，大定十三年四月，并为山东盐司”[16]。每个盐使司设有主管官员使一名，正五品；副使二名（或一名），正六品；判官一至三名，正七品。其具体办事官员则有管勾22名，正九品，“掌分管诸场发买收纳恢办之事”[17]。另外还有官品更低、数量不等的同管勾、都监、监、同监、知法等官员。

张楠在益都府盐使司管勾任上，“未及期，输官逾倍，以故辄进忠武校尉”，也就是因为盐务收入翻番，因而其武散官被提前升迁为忠武校尉，忠武校尉为武散官的从七品上阶[18]。由于墓志交代得不详细，我们不知张楠在任内多长时间升迁至忠武校尉。张楠以50岁的年龄病逝于家，这还远不到致仕的年龄。张楠何时因何原因去官，我们也不得而知。很可能与张奕在大定二年（1162）甫任户部尚书就去世，张楠失去了仕途上的有力提携者有关。再加之金代荫补出身的监当官被时人普遍视为非出仕正途，远不如进士出身官员仕途顺利。因此张楠感到仕途无望，而主动申请致仕，从山东回到山西老家归养。

大致与张楠任职益都府盐使司的同时，曹溥曾任益都府盐使，也就是张楠的直接上级。曹溥其人《金史》无载，只有其神道碑（全称《大金故通奉大夫前同知东平府路兵马都总管事护军谯国郡开国侯食邑一千户食实封一百户赐紫金鱼袋曹公神道碑铭》）存世[19]。据该碑，曹溥卒于大定十五年（1175），享年70岁，按古人虚一岁计，则曹溥生于北宋崇宁五年（1106），年长张楠23岁。曹溥在大定七年（1167）之前任知滕阳军（今山东省滕州市），再之前任益都府盐使，他与张楠的任职时间应该有交会。因为盐务收入是金朝重要的财赋来源，故而对于盐使的选任很重视。而此前曹溥先后担任过河东北路盐铁判官、河东南路户籍判官、南京都转运度支判官，可以说都与经济密切相关，有着丰富的经验。因而“会朝廷以财计之重，遴选其人，改授益都府盐使。到任之初，忽致旱暵，公命祈雨。左右同事佥曰：‘盐货之利，有雨则为害，请勿祷。’公曰：‘盐之亏，不过降罚三二人。若果不雨，则所害百姓滋多。’公命祷之，立降甘泽

15 《金史》卷52《选举志二》，中华书局，2020年，第1239页。

16 《金史》卷49《食货志四》，中华书局，2020年，第1172页。

17 《金史》卷57《百官志三》，中华书局，2020年，第1405页。

18 《金史》卷55《百官志一》，中华书局，2020年，第1305页。

19 民国二十三年《定县志》卷20《金石篇下》，第1b～4b页。

而民大悦。又于公署侧置一阁，自早至暮，亲执筹筭，虽食饮而常居其中。牢盆之利，羡余比之往年增及数倍。帝嘉其能，超授知滕阳军事”[20]。曹溥在任期间，尽管干旱的天气有利于盐业生产，但他不以部门利益为重，而以当地百姓生活生存为重，慨然祈雨并得雨。此事的偶然性很大，但说明曹溥堪称良吏。在曹溥的尽心擘画下，益都府盐使司收入有了很大的增加，曹溥因此“超授”知滕阳军。滕阳军后在大定二十二年（1182）升为滕阳州，为上刺史州，长官为正五品[21]。知滕阳军很可能也是正五品，与益都府盐使同级。之所以说“超授”，一方面可能因为此时曹溥任期未满，另外一方面也是由于盐使、酒使这一类的监当官普遍为时人轻视的缘故。可能也是因为诸盐使司的收入增加，大定“三年十一月，诏以银牌给益都、滨、沧盐使司”[22]。曹溥神道碑与张楠墓志所说的益都府盐使司收入加倍可能是同一件事，是在两人同时在益都府盐使司任上发生的。

张楠“先娶密州都巡杜□昭信女”，肯定是他在山东任上之事。他的第二任妻子为“曹忠武女”，很可能是曹溥之亲戚。曹溥神道碑载其只有一弟曹洪，因溥之荫补官。曹洪有两女，但所嫁都另有其人，他不可能是张楠的岳父。很可能是曹溥的某一堂弟也因溥之荫补官，也曾任忠武校尉，他的女儿嫁给张楠为续妻。当然，没有更确切的史料发现之前，这只是推测。

从张楠本人及其女儿的婚姻关系来看，其配偶的门第都是金朝的低级官员，这与张楠其父的身份相比，已经下降不少。而张楠唯一的儿子张晃应该已经远远超过了婚龄，却没有娶妻，再加之张楠去世两年多之后才安葬，最大的原因可能是张家家贫之故。实际上内容简略的墓志也从侧面反映了张家逐渐衰落的过程，以至墓志撰者毕山对于张楠的生平没有太多可记叙的内容。

（周　峰　中国社会科学院民族学与人类学研究所）

20　民国二十三年《定县志》卷20《金石篇下》，第1b页。

21　《金史》卷25《地理志中》，中华书局，2020年，第660页。

22　《金史》卷49《食货志四》，中华书局，2020年，第1173页。

辽金历史与考古·第十二辑

综述

奉国寺窥探溯源

——奉国寺大雄殿建造1000年纪念

王　飞

内容提要：自1020到2020年，奉国寺已穿越时空一千年。本文对奉国寺的建筑历史渊源做了理论上全新的探索和推论，为奉国寺溯源打开了新的窥探门窗和新的研究路径。同时，本文对奉国寺的历史文化艺术内涵和价值做了概括性的展示评述。

关键词：奉国寺　刘承嗣墓志　奉国寺大雄殿　过去七佛造像

奉国寺位于辽宁省锦州市义县古城东北街。义县是中国东北历史最悠久、文化最厚重多彩的历史文化名城，自先秦设辽西郡、汉武立交黎县，距今已有2200多年历史。奉国寺，1961年被国务院公布为第一批全国重点文物保护单位，2012年进入《中国世界文化遗产预备名单》。

奉国寺大雄殿自辽开泰九年（1020）建造，至2020年已穿越时空一千年。1000年的奉国寺从遥远的历史走来，以其完美的遗存使中华文明通过建筑、彩绘泥塑、壁画、木构彩绘、碑刻、匾额、石雕、建筑遗址等形式展现给世人，至今仍鲜活地闪烁着中华民族灿烂的历史文化光辉。奉国寺是中华文明与传统文化博大精深的见证，是建筑技术与艺术完美结合的典范。其辽代建筑遗存大雄殿以伟岸的身姿矗立在辽西大地上，千百年来被人们所景仰。

中国多民族历史上，曾形成辽、宋、西夏三足鼎立之势，历史长河中，辽契丹民族和西夏党项民族已消失融合。奉国寺是体现中国历史底蕴深厚、各民族多元一体、文化多样和谐的文明大国形象的杰出代表。奉国寺是中华地域民族之间熄灭战争、走向和平、团结合作的结晶，是遥远地域之间跨时空文化学习融合的杰出范例，是中华民族共同体的充分体现。中华民族五千年文化，出土文物浩若繁星，千年以上古建筑遗存却凤毛麟角。

一、建造溯源

元大德七年（1303）《义州重修大奉国寺碑》记载："州之东北维寺日咸熙，后更奉国，盖其始也，开泰九年处士焦希赟创其基。"民国三十年（1941）《义县奉国寺纪略》记载："清朝光绪八年（1882），维修大雄殿时有八门尺从东南角梁架上坠落，上书'辽开泰九年正月十四日起工'。"这是奉国寺遗存大雄殿建造于辽开泰九年（1020）的出处记载。

从现代科技角度，对远古社会经济及社会阶层分工考证分析，奉国寺其建筑规模，其高等级建筑用料，硕大笔直的油松，高等级的七辅作斗拱，厅堂式与阁殿式精妙结合的建筑制式，高大罕见的佛祖"过去七佛"彩绘泥塑造像，满堂木构件上的精美彩绘……依普通个人的能力、大德高僧的感召募化等，均难以完成奉国寺如此浩大的建筑伟业。建造者无疑是可以动员和统筹社会的政治力量，即皇权。奉国寺碑刻记载的历朝历代大规模修缮保护传承，也证明只有朝廷和国家才有能力为之和所为。

中国古代佛教寺院，一般都会有建造缘由，以及建造记事碑刻等。按照常理，偌大的奉国寺建造缘由，一是应该有始建碑，二是有相关联事件载入史料。不见辽史中有奉国寺的记载，这恰恰说明了奉国寺的建造具有特殊性，奉国寺具有不同凡响的神秘色彩以及不能写入史料的特殊因素。

义县辽代行政区域名称是宜州。宜州初期是辽代"人皇王""东丹王"耶律倍的私城和封地，"东丹王每秋畋于此"[1]。从奉国寺碑刻所记载传承初名的"咸熙"，到奉国寺的"奉国"，从研究分析的角度看，俨然所表达得是人皇王的泰伯辞让胸怀，更指向建造者对所追谥的"让国皇帝"的纪念。所表达的是建造者以此昭示天下朝野的心境。

奉国寺与辽代东丹王、让国皇帝耶律倍一定有着密切的联系，无史料正文表述记载，原因就是耶律倍特殊敏感和屈辱尴尬的历史地位、身份。

耶律倍生前死后，均享受皇帝的待遇。可假说耶律倍在其封地宜州，所建造的行宫大内官邸——"宜州大内"，便是奉国寺前世的上溯建造源头。由此，可推想奉国寺早期初建者是"让国皇帝"、让国皇帝之子辽朝第三任皇帝世宗耶律阮、后续建造者是辽朝第六任皇帝圣宗耶律隆绪等。世宗耶律阮用计谋、有惊无险地接任辽代第三任皇帝，是辽朝历史朝廷政治斗争、是耶律倍子孙成功胜利夺权执政的转折点；第六任皇帝圣宗耶律隆绪时期，是辽代最为鼎盛时期，也是耶律倍系皇族子孙最辉煌得意之时。这应是奉国寺建造和续建光大的历史背景。

奉国寺的建造年代，存有多种记载。《续通志》和《寰宇访碑录》著录已佚的金石目中有《奉国寺石幢记》描述"正书、开泰二年、义州"之记载。《辽史》记载：大臣李瀚曹禁锢于奉国寺6年，后因执笔太宗功德碑，乃被释放。《辽史·穆宗纪》载：应历二年（952）六月壬辰，"国舅政事令萧眉古得、宣政殿学士李澣等谋南奔，事觉，诏暴其罪"；八月己丑，"眉古得、娄国等伏诛，杖李澣而释之"。《辽史·李澣传》记载："初仕晋，为中书舍人。晋亡归辽……欲遁归汴。至涿，为徼巡者所得……帝欲杀之。时高勋已为枢密使，救止之。屡言于上曰：'澣本非负恩，以母年八十，急于省觐致罪。且澣富于文学，方今少有伦比，若留掌词命，可以增光国体'。帝怒稍解，仍令禁锢于奉国寺，凡六年，艰苦万状。会上欲建《太宗功德碑》，高勋奏曰：'非

1 《辽史》卷39《地理志三》，中华书局，1974年，第487页。

李澣无可秉笔者’。诏从之。文成以进，上悦，释囚。寻加礼部尚书，宣政殿学士，卒。”[2]李瀚为辽穆宗年代人物，如此，奉国寺的源头年代久矣。

《辽史》记载穆宗年代出现的奉国寺，恰恰有与其相吻合的对应事件记载。

1970年，在辽宁省朝阳市朝阳县西大营子乡西涝村出土辽景宗保宁二年（970）《刘承嗣墓志》[3]。从辽代刘承嗣墓志得知，刘承嗣逝世于辽穆宗应历十七年（967），享年59岁。墓志记载："初授银青光禄大夫，守平州长史，兼御史中丞。股肱上郡，腹心为僚。清镜鉴于妍媸，利刃通于盘错。嗣圣皇帝都城大礼，圣泽无私，崇德报功，行爵出禄。会同二年，加金紫光禄大夫，检校尚书左仆射，兼御史大夫上柱国。后以宫车晏驾，帝子承祧，曾陈献替之谋，是效忠贞之节。天授皇帝天禄元年转司空（掌管土木建设、水利建设、营建之事、主管礼仪、教育德化、祭祀官职），守右威卫将军。躬亲严卫，匪惮勤劳。未及周星，有颁恩命。二年迁司徒（司徒古代官职，受天子之命教化安定民众，掌管徒役，征发民众进行义务劳动，包括修路，水利建设，修筑宫殿等），忝联邦教，有益时雍。奉宣宜霸州城，通检户口桑柘。亲柘不茹不吐，廉善兼能。因奉宸衷，别承委任。四年，除兴州刺史，转太保。有名祚道，守职外台。一郡迁徙之民，四野荒榛之土。舒苏凋瘵，歌咏裤襦。归复流亡，疆埋膏（盲）。遇朝廷之更变，随銮辂之駈驰。因缘私门，崇重释教，创绀园之殊胜，独灵府之规谋。遽蒙任能，俾辖若拙。始终宜州大内，又盖嗣晋新居。南北京城霖雨，榷塌妥度，板筑备历，修完稠叠。圣情谅假，心匠周旋臣节。咸若神功，淹历年华。"

刘承嗣墓志铭中，特别描述形容了刘承嗣曾长时间在"宜州大内"，设计规划并指挥督建佛教寺院："遇朝廷之更变，随銮辂之駈驰。因缘私门，崇重释教，创绀园之殊胜，独灵府之规谋。遽蒙任能，俾辖若拙。始终宜州大内。又盖嗣晋新居。"碑文解读的意思是：遇到朝廷的变换更新，伴随新帝王（皇帝）的车驾，驱驰奔走效劳。因机缘所效力的权贵，尊重、重视释（佛）教，创建了非凡稀有、特别优美的佛寺胜境，寺院规划设计的只有苍帝、神灵仙道的住所才有，是心灵的家园，美妙无比的住所。代表主人、为主人承担管理之事，其才华智慧大智若愚、大巧若拙，而又不显露自己，始终工作在宜州大内（宫城、皇城）。随后，又建设主人嗣晋继承（皇位）升迁后的新居。

刘承嗣墓志，记载刘承嗣曾在几年间，始终在宜州大内建佛寺，后又盖主人私宅。简洁叙述了刘承嗣是为大人物做事，做大事。这个受（皇帝）委托所做的大事，应该就是设计规划和主持建造无与伦比的像宫殿一般的佛教寺院。之后，又建造了主人职位嗣晋升迁（继承皇位）后的新居。耶律倍子孙，视宜州为东丹国时期形成的私院祖宅，家族根脉所在。闾山为祖先皇陵[4]。刘承嗣所做的这些大事，对刘氏家族来说，是荣耀，是不能不歌颂和记载的。然而，墓志中却忌讳相关主人的名讳，不能介绍所主持建造的寺院具体缘由和情况。这些，恰恰说明，刘承嗣是在为当朝皇帝做当时不适合张扬的私事、大事。

---

2 《辽史》卷103《李瀚传》，中华书局，1974年，第1450、1451页。

3 刘承嗣墓志志文首次发表在《全辽文》，中华书局，1982年；王成生：《辽宁朝阳市辽刘承嗣族墓》，《考古》1987年第2期，刘承嗣墓志拓片首次刊发。

4 崔向东：《义县通史》，黑龙江人民出版社，2019年，第200～203页。

“不茹不吐，廉善兼能。因奉宸衷，别承委任。”所描述的正是刘承嗣不听流言蜚语，严守朝廷机密，清廉而政绩优异。奉皇帝的指派，还另承接有皇帝的委任交托。

除奉国寺外，在义县境内尚未发现任何较大型的佛教古建筑遗址。因而，不由让人推想：受让国皇帝耶律倍之子、辽朝第三任皇帝世宗耶律阮的委派，刘承嗣在耶律倍的原行宫“宜州大内”，主持修建了“崇重释教，创绀园之殊胜，独灵府之规谋”的宏伟壮丽佛教寺院。这个寺院就是奉国寺的前身。

辽太宗耶律德光驾崩，刘承嗣为世宗耶律阮继位有谋划之功，加之刘承嗣一直对朝廷忠心耿耿，是皇帝所倚重的亲信。再就是，刘承嗣具有建筑设计谋划的卓越才能。所以，接受世宗皇帝委任“司徒”，征发民众进行义务劳动，修筑私门宫殿，是情理之中的。刘承嗣接受新任皇帝世宗耶律阮的这一具有象征意义的政治建筑任务，就是让屈辱的“让国皇帝”行宫——“宜州大内”，华丽转身为壮丽无比的佛寺宫殿，纪念庆祝让国皇帝耶律倍直系子孙由衰落到升华兴旺的转折点，是辽代新的皇权政治斗争耶律倍直系子孙耶律阮胜利的光荣纪念和深情感怀。

从刘承嗣墓志铭可以清晰地知道，耶律阮在未继位前，刘承嗣就非常拥戴他，伴随其左右，并在朝廷皇权交替的关键时刻挺身而出，为其出谋划策，立下首功。“后以宫车晏驾，帝子承桃，曾陈献替之谋，是效忠贞之节。”这是耶律阮当上皇帝后，把重大带有政治色彩的私门建筑任务等，委派给刘承嗣的信任基础。“创绀园之殊胜，独灵府之规谋”，“又盖嗣晋新居”，“南北京城霖雨，榷塌妥度，板筑备历，修完稠叠”，“圣情谅假，心匠周旋臣节（心匠指独特的构思设计），咸若（古指称颂帝王之教化）神功，淹历年华”。从碑文所记载描述让人感受到，刘承嗣具有超凡卓越的建筑设计和组织施工才华。

辽世宗耶律阮在位五年遇害，葬在距宜州25千米的医巫闾山其父耶律倍的显陵。刘承嗣则陷入政治仕途低潮，离开朝廷回到南京私宅。也就是在世宗耶律阮执政的天禄元年至天禄五年（947～951），刘承嗣“始终于宜州大内”，主持修建了“创绀园之殊胜”，“嗣晋新居”的建筑。

辽穆宗应历元年至应历十二年（951～962），是刘承嗣被朝廷冷落的时期。直至12年以后才得到朝廷的重新任用，充左骁卫将军。从墓志中看出刘承嗣为官三十年中，在太宗、世宗两朝非常受宠。到穆宗时期刘承嗣官运急转直下，被朝廷冷落12年。刘承嗣为世宗继位有谋划之功，然而，对穆宗来说刘承嗣是家族皇权政治上的敌对面，刘承嗣政治宦途有牺牲是必然的。

就像伟大的、光耀千载的奉国寺，没有辽代始建史料记载一样，刘承嗣在辽朝为官30年，经历了太宗、世宗、穆宗三朝，刘承嗣作为辽代三朝将相，《辽史》对其却没有任何记载。而刘承嗣的家族祖父前辈刘仁恭、刘守光、刘守奇等都能写入《辽史》，辽史却只字未提为刘氏家族光宗耀祖的刘承嗣。宏伟壮丽、堪称中华民族文化艺术瑰宝的奉国寺，在其始建的辽代没有史料记载；历经辽代三朝被朝廷委任担当过“银青光禄大夫、平州长史、御史中丞、金紫光禄大夫、检校尚书左仆射、御史大夫上柱国、司空、右威卫将军、司徒、兴州刺史、太保、左骁卫将军”等，每个官衔都值得和应该记录在案，《辽史》却无一记载。这是否反过来也印证了这样的史实，刘承嗣，受辽世宗皇帝耶律阮信任委托，组织实施了当时属于皇帝秘密的工程项目，建造了耶律倍家族皇帝私有的具有特别意义的寺院、宅邸。“宜州大内—刘承嗣—创绀园之殊胜的佛寺—奉国寺”，是否有着同样的谜底，有待寻求探讨。

辽史档案记载有，在辽朝第四任皇帝穆宗耶律璟时代，大臣李瀚曹禁锢于奉国寺6年，后执笔太宗功德碑，乃被释放。如果没有出土的刘承嗣墓志铭所记载的世宗时期已经出现的宜州—宜州大内—创绀园之殊胜的佛寺，辽史所记穆宗时代出现的奉国寺，是让人费解的。有刘承嗣墓志铭为佐证，辽穆宗时代出现奉国寺的疑惑就有了历史考证性的答案。如果彼时的奉国寺，就是今日的奉国寺，那么，与奉国寺相关联的建筑，或一脉相承的佛寺伽蓝格局，早在辽世宗天禄元年（947）至辽穆宗应历元年（951）就已经确立。

奉国寺碑刻中，曾记载奉国寺也曾名曰咸熙，后更奉国。名字更替重复，古今国内外均有例证。例如，世传辽朝掠渤海国义州，迁民建宜州[5]。金灭辽，改宜州为义州至今。

忆往昔，皇帝、大臣、太后、大德高僧等与奉国寺有着神秘的关联。奉国寺自始建到现代，退却了历史上的多次劫难。奉国寺《大元国大宁路义州重修大奉国寺碑》，曾留下这样的疑惑感叹：“兵起，辽金遗刹，一炬殆尽，独奉国寺孑然而在。抑神明有以维持耶？人力之保佑耶？”

奉国寺大雄殿内东侧现有一高4.2米的清光绪十年（1884）《重修大佛寺》碑刻，其碑身碑文部位明显是在原碑制成后，又经重新凿削近1厘米，铲除了原有平整碑身（或碑文）又重新凿刻文字。同样，其篆额天宫处“万古流芳”字也是后经铲平后再刻字。其高等级碑首、巨大碑身、驼峰、龟座、非当地精美石材、雕刻精良等形制，或辽代始建碑或原为无字碑或隐藏着什么秘密？令人感到疑惑，让人浮想联翩。

自称是佛祖释迦牟尼转世的辽圣宗皇帝耶律隆绪[6]，在白狼水（今大凌河）南岸、闾山辽代显陵和乾陵西麓、耶律倍家族的风水宝地第二故乡宜州建造（续建）七佛寺（奉国寺），塑造供奉“过去七佛”。或天意巧合，或有意设置，圣宗耶律隆绪前面有五位先祖皇帝和一位摄政的母亲承天太后萧绰，加上他自己正好是七位。这样，耶律隆绪理所应当把佛教经典中的前六位佛祖排在自己的东面左侧（契丹人崇尚东方视左为先和大），而他（自称释迦牟尼转世的耶律隆绪）自己则目光朝向故乡的西南方（古印度今尼泊尔）或是西方极乐世界。奉国寺大雄殿内供奉的七尊佛祖，释迦牟尼有别于其他佛殿为主尊而列于最后。因而，在辽代朝拜医巫闾山先祖陵墓的交通枢纽之地、辽朝国舅部萧氏发祥地、让国皇帝耶律倍的册封领地——宜州，便诞生了七尊列坐示佛法、名传遐迩壮中国的奉国寺。

闻听，1913年民国时期圆通法师撰写的《锦州古刹》载：当年踌躇满志的萧太后萧绰，派人前往龙门石窟朝拜学习考察，受武则天以自我造佛像感悟，遂心怀遗愿。其

5 崔向东：《义县通史》，黑龙江人民出版社，2019年，第13页。

6 辽宁省地方志编纂委员会办公室：《辽宁省志·宗教志》，辽宁人民出版社，2002年，第49页。

儿耶律隆绪便以世间佛寺最宏伟之极的奉国寺佛祖主尊——毗婆尸佛光耀自己伟大的母后。无独有偶，相同的故事传说，日本东大寺始建缘由，也是光明皇后欲学武则天，圣武天王由此建造了日本东大寺。中国古代皇帝被视作和自认为佛的化身，寺庙里供奉的造像既是佛祖又是皇帝，佛与皇帝合而为之，屡见不鲜。

二、旧时伽蓝格局

很多人希冀在历代碑刻、墓志铭、史料中窥探到奉国寺的源头和往昔伽蓝格局。奉国寺始建时建筑规模如何宏大壮美，在奉国寺遗存的碑刻记载中可窥见一斑[7]。

奉国寺现存最早的碑刻金明昌三年（1192）《宜州大奉国寺续装两洞贤圣提名记碑》记载："自燕而东，列郡以数十，东营为大。其地左巫闾右白霫，襟带辽海，控引幽蓟，人物繁多，风俗淳古，其民不为淫祀，率喜奉佛，为佛塔庙于其城中，棋布星罗，比屋相望，而奉国寺为甲。宝殿穹临高堂双峙，隆楼杰阁，金碧辉焕，潭潭大厦，楹以千计，非独甲于东营，视佗郡亦为甲……"

元大德七年（1303）《大元国大宁路义州重修奉国寺碑》记载："夫佛法之入中国，历魏、晋、齐、梁，代代张皇其教。降而至于辽，割据东北都临潢，最为事佛。辽江之西有山，曰医巫闾，广袤数百里，凡峰开地衍，林茂泉清，无不建立精舍以极工巧。去巫闾一驿许，有郡曰宜州，古之东营今之义州也，州之东北维寺曰咸熙，后更奉国……宝殿崔嵬，俨居七佛，法堂弘敞，可纳千僧。飞楼曜日以高撑，危阁倚云而对峙。旁架长廊二百间，中塑一百贰拾贤圣……亦可谓天东胜事之甲也……"

元至正十五年（1355）《大奉国寺庄田记碑》记载："七佛殿九间、后法堂九间、正观音阁、东三乘阁、西弥陀阁、四贤圣洞一百二十间、伽蓝堂一座、前山门五间、东斋堂七间、东僧房十间、正方丈三间、正厨房五间、南厨房四间、小厨房两间、井一眼……"

1989年文物专家在奉国寺院内考古发掘，发现了奉国寺碑刻所记载的辽代始建时的"山门、东三乘阁、西弥陀阁、长廊、后法堂"等建筑遗址。这一考古发现，印证了奉国寺是中国古代佛教寺院建筑完成伽蓝格局的唯一实例。

三、建 筑 遗 存

奉国寺从遥远的历史走来，虽不见往日隆楼杰阁的金碧辉焕全貌，但1000年前的主体建筑大雄殿仍巍然屹立。大雄殿及其附属众多珍贵文物依然保存完好，被誉为中华民族建筑历史文化艺术宝库。

汉人、契丹人等民族间融合学习，各显身手，工匠、艺人创造了奉国寺的无量圣

---

7 奉国寺金明昌三年（1192）《宜州大奉国寺续装两洞贤圣提名记碑》、元大德七年（1303）《大元国大宁路义州重修奉国寺碑》、元至正十五年（1355）《大奉国寺庄田记碑》，存藏在奉国寺大雄殿内。

境。奉国寺辽代大雄殿面阔9间通长55米，进深5间通宽33米，总高24米。建筑制式为五脊单檐七铺作木构建筑，宋辽时期称谓四阿顶，清代后又名庑殿式。奉国寺大雄殿内部融厅堂式与阁殿式完美结合，创造了大木制作技术精巧与装饰繁华的极致，是中国古代木构建筑遗存中高等级规格建筑的最高制式。陈明达先生在《中国古代木结构建筑技术》一书中，从技术的角度分类定义了“海会殿形式”、“佛光寺形式”和“奉国寺形式”三种中国古代木构建筑结构形式。建筑学家梁思成先生发表文章，极高地赞誉了中国辽代建筑为“千年国宝、无上国宝、罕有的宝物”，并在《中国建筑史》中称颂“奉国寺盖辽代佛殿最大者也”。国家文物局原局长、北京故宫博物院原院长单霁翔先生在《慈润山河——义县奉国寺》序中写道：“一座伟大的建筑，就是一个伟大民族的文化象征。义县奉国寺大雄殿就是这样一座蕴含了中华民族诸多文化内涵的旷世杰作。”

奉国寺供奉原始佛教基础经典《长阿含经》所记载的“过去七佛”，佛祖道场的地位独一无二。奉国寺辽代七佛彩绘泥塑，通高9.5米，是世界范围最古老最大的彩绘泥塑群；辽代14尊菩萨造像，通高2.7米，精美雕塑无与伦比。菩萨造像多神态自然，肌体和服饰的质感表现逼真。其生活化写实技法超越了很多同时代的宋塑菩萨造像。

奉国寺辽代木构建筑梁架上，遗存4000多平方米内涵丰富的彩画，越千年时空仍鲜明绚丽，光彩夺目。国家文物局原文物专家组组长罗哲文先生在奉国寺研讨会上曾评价说：“奉国寺辽代彩画，除敦煌壁画外，应该是最好的。”[8]奉国寺大雄殿辽代彩绘是世界上极为罕见的远古木构建筑彩画，稀世珍贵，艺术价值极高，在建筑彩绘史和美术史上都占有极其重要的地位。

古建筑是历史的载体，文物承载着人类文明，文明延续着一个国家和民族的精神血脉。奉国寺地处辽西古道、辽西走廊要冲，是“一带一路”先进文化和哲学思想向东北亚传播的重要驿站。奉国寺是向世界展示中华文明、亚洲文明最具代表性的见证。

（王　飞　义县文物研究保护中心）

8　“罗哲文在奉国寺研讨会上的发言”，2010年9月11日。

辽代千人邑研究述论

牛馨宁　齐　伟

内容提要： 邑社在中国古代中古社会长期存在。辽代千人邑上承唐、五代，与同时期宋地北方地区的邑社是相通的。其在辽地的兴盛与该地的区域文化以及统治者的佛教政策密切相关。千人邑成员来源结构多样、地位平等，捐输纳施，共营"福田"。辽代的千人邑对辽代社会及佛教发展产生过重要作用和深远影响，通过对这一佛教民间组织的研究，有助于了解辽代佛教民间发展情况。本文拟梳理前人有关辽代千人邑研究历程，并就近十年学界对辽代千人邑的主要研究方向和成果加以评述，以期能为今后研究提供参考。

关键词： 辽代　千人邑　文献综述　民间佛教

一、中外学者的早期研究

20世纪30年代以来，学界对辽代千人邑的宏观考察已取得许多进展，为我们了解和深入探讨这一课题提供了重要参考。赵大旺《敦煌社邑研究80年的回顾与展望》一文[1]，对八十年来中外学者对6～10世纪的敦煌邑社研究做出了全面总结。而有关辽代邑社研究史的总结，王欣欣《辽代寺院研究》曾做过简要的文献梳理[2]；程嘉静《辽代邑社研究概况》一文[3]，对20世纪80年代以来中国学者的研究概况起到了提要钩玄的意义。王德朋《20世纪50年代以来辽代佛教研究述评》去芜存菁，选取了五篇较为鞭辟入里的文章，概述了其中的创新点，并指出七十年来的辽代佛教研究存在"研究成果低水平重复、若干重大问题尚未实现根本性突破等缺陷"[4]。近十年来，相关史料更加丰富，在对辽代邑社的研究上取得了更进一步的成果，然相关的探讨仍比较琐碎，就研究层次以及研究的深度和广度而言，辽代千人邑问题的研究仍有继续拓展的空间。

较早注意到千人邑的是清代史学家朱彝尊，纠正了"盖社名也"这一将以专有名词

1　赵大旺：《敦煌社邑研究80年的回顾与展望》，《中国史研究动态》2019年第2期。

2　王欣欣：《辽代寺院研究》，吉林大学博士学位论文，2015年。

3　程嘉静：《辽代邑社研究概况》，《赤峰学院学报（汉文哲学社会科学版）》2013年第11期。

4　王德朋：《20世纪50年代以来辽代佛教研究述评》，《史学月刊》2019年第8期。

作普通名词解的错误，认出“千人邑”是“社会之名”，但并没有说明其性质[5]。千人邑在传世文献中极少出现，近代以前的学者很少注意。

最早研究中国邑社问题的是日本学者，近代日本汉学界的佛教史研究传统较为浓厚，关注邑社也是为了探讨佛教信仰对世俗社会的浸染。受开创者那波利贞的影响，早期日本学者的关注点主要在于邑社与寺院的关系[6]。塚本善隆《石经山云居寺和石刻藏经》[7]、田村实造《契丹佛教的社会史研究》[8]、神尾弌春《契丹佛教文化发展考》[9]并未涉及千人邑的论证，但也为之提供了一定的参考。在此基础上，1939年，野上俊静发表《辽代的邑会》[10]，通过数个碑刻个例的分析，对千人邑的渊源、目的、性质、构成等一般性问题做了说明，并指出辽占领地区的佛教与北方广大地区的佛教是相通的，对日本的辽代千人邑研究具有开创性意义。对辽代千人邑做系统研究的是井上顺惠，其在《辽代千人邑会考》一文中注意到不同类型邑社本身活动的差异，通过对辽代邑社源流的梳理说明了辽代邑社承上启下的地位，对神尾弌春的观点进行了丰富和补充[11]。桂华淳祥《金代邑会的考察》一文上承井上《辽代千人邑会考》中“辽代以后的邑会”部分，对金代邑社的相关资料做了整理，关注了金代邑社在对辽代邑社承继基础上形态、特征等方面的变迁，并注意到了不同佛教派别对结邑活动的影响[12]，具有一定的开创意义。除此之外，比较重要的早期研究成果还有铃木中正《宋代佛教结社研究》[13]、石桥成康《房山云居寺研究》[14]、韩国学者李龙范的《契丹佛教与千人邑会的活动》[15]等。

台湾地区王吉林《辽代“千人邑”研究》一文[16]，作为井上文的重要参考，则辨明了千人邑非二税户。还有韩道诚的《契丹佛教文化发展考》[17]，亦有千人邑的相关论述。

---

5 （清）朱彝尊：《曝书亭集金石文字跋尾》卷6《辽释志愿葬舍利石匣记跋》《辽云居寺二碑跋》，《石刻史料新编》第二十五册，新文丰出版社，1982年，第18722、18723页。

6 陈述先生在《围绕寺庙的邑、会、社——我国历史上的一种民间组织》中提到，除了王吉林《辽代“千人邑”研究》，“还没有发现国内外专门讨论此事的论文”，由于当时的条件限制很难接触到境外研究成果不难理解。（陈文注2云：“近年台北有一篇文提到千人邑，所用材料均出《辽文汇》，亦未齐备。”）

7 〔日〕塚本善隆：《石經山雲居寺と石刻藏經》，京都《东方学报》第五册副刊。

8 〔日〕田村实造：《契丹佛教の社會史研究》，《大谷学报》一八卷第1号。

9 〔日〕神尾弌春：《契丹佛教文化史考》，满州文化协会，1937年，第59页。

10 〔日〕野上俊静：《遼代の邑會に就きて》，《大谷学报》二十卷第一号，1939年，第47页。

11 〔日〕井上顺惠：《遼代千人邑會について》，《禅学研究》第六十号，1981年，第106～124页。

12 〔日〕桂华淳祥：《金代邑會の一考察》，《印度学佛教学研究》1981年29卷2号。

13 〔日〕铃木中正：《宋代仏教結社の研究》，《史学杂志》第五二卷一、二、三号。

14 〔日〕石桥成康：《房山雲居寺について》，《印度学佛教学研究》1986年35卷1号。

15 〔韩〕李龙范：《契丹佛教与千人邑会的活动》，《佛教学论文集——白性郁博士颂寿纪念》，东国大学校白性郁博士颂寿纪念事业委员会出版发行，1959 年。

16 王吉林：《辽代“千人邑”研究》，《大陆杂志》第三十五卷第五期，1967年，第148～150页。

17 韩道诚：《契丹佛教文化发展考》，《大陆杂志》第十八卷第四～六期，1959年，载韩道诚：《东北历史文化研究》，编译馆，1995年，第295～334页。

大陆学者的辽代千人邑研究起步于20世纪80年代，较早的研究者是陈述先生。陈述先生在《围绕寺庙的邑、会、社——我国历史上的一种民间组织》一文中，纠正了以往学界对该组织的几个误解；梳理了邑社自晋宋以来的发展脉络，指出了邑、会、社名称虽异，性质完全相同，“在辽金地区，围绕寺庙的邑、会、社特别突出，公开合法，和地方基层的乡里分别独立”[18]；自发组织、自愿参与、僧俗共事，“结一千人之社，合一千人之心，春不妨耕，秋不废获”[19]；名目大体延续魏齐之旧。这些观点的提出奠定了此后几十年间辽金邑社研究的基调。宁可发表的《述“社邑”》[20]一文，则梳理了作为中国古代社会的基层社会组织，邑社由西周到明清的历史演进，该文“两晋南北朝隋唐五代两宋的佛教结社及宋代弓箭社，大体上参考了日人研究成果”[21]，反映当时中国古代邑社研究概况。次年金申发表的《房山县云居寺〈千人邑会碑〉初探》一文，则对《重修云居寺一千人邑会之碑》这一组早期我们了解辽代千人邑的核心资料做了校正，但该文着重于碑文与传世文献进行对勘考证，可惜并未就千人邑问题做考证论述[22]。

20世纪90年代初以及21世纪初的20年间，辽金千人邑研究取得了丰硕的成果，其中较有代表性的有蒋武雄的《辽代佛教寺院经济初探》[23]《辽代千人邑的探讨》[24]，杨卫东的《辽代涿州地区的佛教邑会活动——永乐村石塔考略》[25]，李小丽的《辽代燕云地区民间邑社组织研究》[26]，张国庆的《辽代燕云地区佛教文化探论》[27]，陈德阳的《金朝中原乡村社会控制研究》[28]，陈志健的《彰武金代佑先院碑为复建藏经千人邑碑考》[29]等，对此程嘉静《辽代邑社研究概况》已做总结，王德朋《20世纪50年代以来辽代佛教研究述评》亦有涉及，兹不赘述。

二、近十年千人邑研究概况

以上早期研究成果的爬梳有利于我们把握当下辽代邑社研究概况。随着前人研究的积淀、“新史料”的出现，近十年来的辽代邑社研究呈现出一些新的特点，集中表现为对千人邑本身活动的更加关注。

18 陈述：《围绕寺庙的邑、会、社——我国历史上的一种民间组织》，《北方文物》1985年第1期。
19 陈述辑校：《全辽文》，中华书局，1982年，第81页。
20 宁可：《述“社邑”》，《北京师院学报（社会科学版）》1985年第1期。
21 宁可：《述“社邑”》，《北京师院学报（社会科学版）》1985年第1期。
22 金申：《房山县云居寺〈千人邑会碑〉初探》，《文物》1986年第12期。
23 蒋武雄：《辽代佛教寺院经济初探》，《空大人文学报》1998年第7期。
24 蒋武雄：《辽代千人邑的探讨》，《空大人文学报》1999年第8期。
25 杨卫东：《辽代涿州地区的佛教邑会活动——永乐村石塔考略》，《文物春秋》2007年第3期。
26 李小丽：《辽代燕云地区民间邑社组织研究》，山西师范大学硕士学位论文，2009年。
27 张国庆：《辽代燕云地区佛教文化探论》，《民族研究》2001年第2期。
28 陈德阳：《金朝中原乡村社会控制研究》，吉林大学博士学位论文，2010年。
29 陈志健：《彰武金代佑先院碑为复建藏经千人邑碑考》，《辽海文物学刊》1996年第1期。

1. 充分利用石刻资料

辽代邑社鲜见于史籍（见附录），朱彝尊最初注意到它也正是因为出土资料。可以说，辽代千人邑研究从一开始就得益于新材料的发现，而后辽代千人邑研究的每一步也都以研究资料的整理为基础。

从资料的利用角度来讲，辽代千人邑研究或可以陈述先生的《围绕寺庙的邑、会、社——我国历史上的一种民间组织》为界分为两个阶段。此前的资料散见于各处，主要来源于以《辽文存》为主的传统金石学著作。《辽文存》中涉及千人邑的文章不足十篇，这也在某种程度上决定了当时的研究主要是碑文之间的对勘。

《全辽文》《辽代石刻文编》《辽代石刻文续编》等出版以来，极大地推动了相关研究工作，相关篇目《全辽文》载凡29篇，《辽代石刻文编》38篇，《辽代石刻文续编》19篇（见附录）。具有代表性的便是陈述先生的文章。由图1可见相关石刻资料与文章的发表数量大体呈正相关，表明了辽文整理出版工作的巨大作用以及相关资料的拓展丰富对辽代千人邑研究的重要作用。但目前辽代千人邑研究的深度、进展的速度似乎与相应发表文章的数量并不匹配。

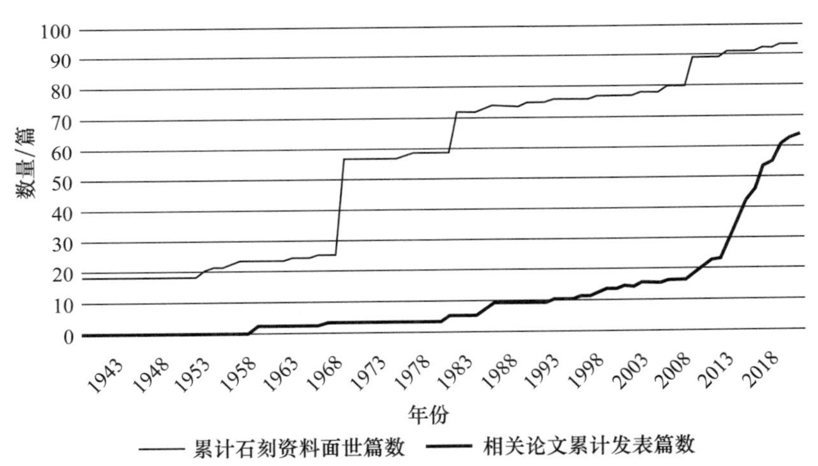

图1　1939～2021年辽代邑社相关石刻资料累计面世篇数与论文累计发表篇数统计图

现在距《辽代石刻文续编》的出版已过去十几年，除上面述及石刻汇编之外，还有《辽宁碑志》《内蒙古辽代石刻文编》《辽上京出土碑刻汇集》《北京辽金史迹图志》《辽金元石刻文献全编》《房山石刻通志》等，有关邑社研究的石刻资料或已基本趋于稳定，研究者在选择参考材料的版本方面可以从容一些。之后发表的辽代石刻资料散见于各处，有待集中出版。还有相当数量的石刻资料散落于各处及私人收藏，可待发掘。另目前所见关于辽代千人邑的研究几乎皆以汉文碑刻材料为主要依据，已知契丹文资料中目前尚无相关内容。

2. 对千人邑本身活动的关注

自从20世纪80年代突破佛教史的研究范畴，对千人邑本身活动的关注成为辽史学界一个重要的学术增长点。

关于辽代结社普遍的背景及原因。王吉林《辽代“千人邑”研究》一文认为，千人邑的活动愈加扩大与“后辈做事，总想超越前人”的群体心态有关[30]。井上顺惠在其文章《辽代千人邑会考》中，认为辽代千人邑源于五代，承袭自唐代邑社，与征服民族统治汉人政策以及幽燕等北方地区的文化传统有关。以陈述先生为代表的早期研究者主要着眼于邑社历史上的渊源和有心人的倡导这两方面对其结邑的缘起进行考察。对这个问题的考量自始至终是在辽代佛教的背景下进行的，如蒋武雄《辽代佛教寺院经济初探》一文，在韩道诚、王月珽[31]阐述辽代佛教兴盛原因（承袭唐代的佛教遗存、徙置汉民并受汉民崇佛的影响、崇佛有利于辽代统治、佛教教义为辽代统治者所接受以及对外文化交流的影响[32]）的基础上进而认为，结邑“在辽代以前即因佛教在中国社会流传而行之已久，至辽代又因佛教在辽国盛行，以及佛教徒慷慨自愿捐输，很自然地形成‘千人邑’”[33]，贾敏峰《从文物资料看北宋前期定州的佛教邑社》一文，将结邑的原因归纳为“以生活空间结邑”等五类[34]，或可视为对此的发挥。

近年来对辽代佛教等结社背景及原因的研究虽没有大的突破，但亦有相当的丰富和发展，主要是通过对不同群体结社的考察和参考其他时代邑社研究以辅助理解。王晓薇《定州塔碑刻题名中的“女邑”、“千人邑”问题初探》一文，通过对定州塔一通碑刻题名的考察，提出“驻守定州的禁军各级将士及其亲属，成为佛教邑社的重要组成部分”[35]。李小丽的《辽代燕云地区民间邑社组织研究》做了较为系统的展开，认为除了汉唐以来民间结邑的历史积淀，燕云地区战乱频仍、农牧交会的特殊区位因素为佛教信仰的发达提供了土壤、带来了民众的整合意愿，进而导致佛教结邑之盛[36]。这基本上是对前人研究成果、研究范式的承袭与运用。王欣欣在《辽朝燕云地区的乡村组织及其性质探析》中的论述，与之大体相似[37]。张国庆的《佛教文化与辽代社会》，认为“千人邑”这种民间佛教组织是在辽中期佛教文化走向迅速普及的背景下应运而生的[38]。鞠贺的《辽朝净土信仰研究》指出，辽代一部分佛教邑社的组建与净土信仰的流传有关[39]。以上基本上是从历史渊源方面进行论述的。周齐《邑社及辽代民间佛教信仰的社会生活

30　王吉林：《辽代“千人邑”研究》，《大陆杂志》第三十五卷第五期，1967年，第149页。

31　王月珽：《辽朝皇帝的崇佛及其社会影响》，《内蒙古大学学报（哲学社会科学版）》1994年第1期。

32　蒋武雄：《辽代佛教寺院经济初探》，《空大人文学报》1998年第7期，第192页。

33　蒋武雄：《辽代佛教寺院经济初探》，《空大人文学报》1998年第7期，第198页。

34　贾敏峰：《从文物资料看北宋前期定州的佛教邑社》，《文物春秋》2015年第6期。

35　王晓薇：《定州塔碑刻题名中的“女邑”、“千人邑”问题初探》，《宋史研究论丛（第14辑）》，河北大学出版社，2013年，第397～407页。

36　王德朋《20世纪50年代以来辽代佛教研究述评》一文中提出了商榷，认为李小丽“更倾向把燕云地区的邑社组织看作是民众基于共同的信仰与精神需求自愿结合而成的一种小型、松散、临时、公开的民间信仰组织。这一看法科学、全面与否值得进一步探讨”。

37　王欣欣：《辽朝燕云地区的乡村组织及其性质探析》，《黑龙江民族丛刊》2013年第3期。

38　张国庆：《佛教文化与辽代社会》，辽宁民族出版社，2011年，第175～177页。

39　鞠贺：《辽朝净土信仰研究》，《宋史研究论丛（第26辑）》，科学出版社，2020年，第485～496页。

化之浏览与反思》除注意到“佛教邑社也是颇有渊源的，自魏晋至隋唐，不同形式的结邑一直都有流行”“也反映其时佛教的民间流行传统”外，认为邑众的一大来源是“二税户”[40]，类似韩道成《契丹佛教发展考》中的观点。对于韩道成的猜想，王吉林《辽代“千人邑”研究》曾作“‘千人邑’即‘二税户’辨”，认为千人邑与二税户不容混为一谈[41]。

一般认为，辽代千人邑及其活动由民众自愿参加，即“同德经营，协力唱和，结一千人之社，合一千人之心，春不妨耕，秋不废获，立其信，导其教。无贫富后先，无贵贱老少，施有定例，纳有常期，贮于库司，补兹寺缺”[42]。如程嘉静《从〈辽代石刻文编〉看辽代邑社》[43]等，基本上是对前人研究成果的承继。高华平《〈全辽文〉与辽代佛教》补充日人旧说，提出“千人邑由具体事项而设，可能不是常设社团”，“千人邑的首领有可能是寺主，但更多的则是一方官吏或豪强”，“捐施钱财的义务亦仅限于该项佛事活动，而非常设和固定的负担”[44]。在此基础上近年来也有学者提出修塔建庙，靡费颇巨，故多为官筹民助，不能一律视为自发行为，如陈守义《朝阳新出五方辽代墓志及相关问题考论》[45]。另外，此前一般认为千人邑存在“惯例性的布施”，如蒋武雄《辽代千人邑研究》。

有关千人邑的领导组织及内部管理，早期便有研究。野上俊静在《中国佛教史概说》曾提到，对于邑社的管理，僧尼起思想引领作用，而邑长、邑正、邑录等负责日常行政[46]。王吉林《辽代“千人邑”研究》讨论了“千人邑之倡组者”，僧人为邑头的情况下，寺僧欲得千人邑“固定之施主”之纳施加以笼络，故在维持邑社的运转上做了较多工作，也有俗士为之的情况。由于文献遗存不若敦煌邑社丰富且千人邑并未发展成正式组织，无固定程式可循，现在还找不出一个辽代邑社从产生到消亡的完整例子，所依据石刻资料亦多是反映一个邑社发展片段的“切片”，其内部管理一直比较模糊。不过近年来随着“新史料”的陆续出现与沉淀，有些学者也在此方面做出了一定的探究、提出了一些猜想。程嘉静在《从〈辽代石刻文编〉看辽代邑社》中认为，邑社是由地位较高的上层人士或寺院里德高望重的僧人主持和倡导，而由村、里的民众自愿组织的一种宗教团体，邑社的领导者有邑首（邑长）、邑正、邑录、押司官、印官副、正副录知等，而普通邑社成员被称为邑众、邑人等，一个人可以自愿参加到任何一个邑社。近些年由于石刻资料的出土及整理出版，我们了解到的邑社领导者的名目有所增加，但或仍为前人研究成果的延续，并没有大的突破进展。由于史料的有限以及千人邑未发展成一

---

40 周齐：《邑社及辽代民间佛教信仰的社会生活化之浏览与反思》，《佛学研究》2014年第1期。

41 王吉林：《辽代“千人邑”研究》，《大陆杂志》第三十五卷第五期，1967年，第148～150页.

42 向南：《辽代石刻文编》，河北教育出版社，1995年，第34页。

43 程嘉静：《从〈辽代石刻文编〉看辽代邑社》，《宋史研究论丛（第11辑）》，河北大学出版社，2010年，第233～239页。

44 高华平：《〈全辽文〉与辽代佛教》，《郑州大学学报（哲学社会科学版）》2006年第5期。

45 陈守义：《朝阳新出五方辽代墓志及相关问题考论》，《渤海大学学报（哲学社会科学版）》2019年第5期。

46 〔日〕野上俊静著，释圣严译：《中国佛教史概说》，台湾商务印书馆，1993年，第152～167页。

正式组织的局限，难以明确邑社中各种职务的具体执掌，其领袖系内部推举而成的猜想则是很容易理解的。管仲乐《房山石经研究》认为辽代邑社为民间组织但具有严格的组织和法条，但未进行具体论述[47]。总之，目前认为千人邑中的领袖人物由众人推举产生，一般是德高望重的僧尼、组织力者抑或社会地位高者。

关于邑社领导层中常见的“维那”“维那头”“都维那”等，《大宋僧史略》曰：“都维那者，《寄归传》云：华梵兼举也，维是纲维，华言也。那是梵语，删去羯磨陀三字也。魏孝文帝以皇舅寺僧义法师为京邑都维那，则敕补也。”[48]井上顺惠亦采此说，认为维那在隋唐以前多是指掌管寺中杂物的差役人员，在邑社中人们似乎也如此称呼干事人员[49]。梁松涛、陈丽娜在《北宋定州军人的佛事活动——以开元寺塔内石刻文献为中心的探讨》一文指出民间佛教邑社中的维那来源于僧官维那，通常也是副首领。“‘维那’排名多在‘维那头’之后，可能在邑社中，‘维那’作为‘维那头’的助手，帮助他们组织并管理邑社日常事务。”“‘糺’有纠集、集合之意，‘糺首’很可能是邑社的组织者”[50]，邑录、邑正（政）等也很可能是受到僧官系统中僧正、僧录的影响。

千人邑的性质及其所从事的佛教活动使之不可避免地与佛寺存在一定的关联，其研究亦发轫于此，近十年对辽代千人邑的研究表现了对此的赓续。程嘉静《从〈辽代石刻文编〉看辽代邑社》一文中认为“这些邑社是由地位较高的上层人士或寺院里德高望重的僧人主持和倡导，而由村、里的民众自愿组织的一种宗教团体”。贾敏峰《从文物资料看北宋前期定州的佛教邑社》认为：“佛教邑社常被冠以某某寺之名，说明了它与寺院不可分割的联系。二者是相互依赖、相互影响的关系。”并从佛教邑社对寺院的依赖、对寺院的帮助和影响两个方面分别做了重点论述，认为“佛邑的组建依靠僧尼的教化、指导，僧尼在佛邑中的人数虽然不多，但却起着组织领导的作用”。这主要表现在一部分邑社由僧尼担任领导职务，一部分邑社由僧尼直接倡立。以及“佛邑在寺院僧尼的指导下开展佛事活动”。寺院的佛事活动要依靠佛邑来完成，并且依靠邑众来扩大影响，寺院僧侣通过向邑众或信徒诵、讲经文，度化众生，达到宣传佛教的目的。陈晓伟《辽以释废：少数民族社会视野下的佛教》则认为辽代佛教庇于社会卵翼之下，僧俗互助，千人邑兴起[51]。

长期以来有关千人邑的石刻资料只有量的增加，而无质的突破。近年来一些新发现的石刻，已较多地涉及千人邑的具体活动，这为进一步的探讨提供了可能，将来或亦将成为辽代千人邑研究的主要学术增长点。在早期的研究中，学者们就已注意到不同人员、名称、类别的邑社所从事的活动以及所信仰的教派存在差异，并认为部分邑社是为了从事专门性活动所设，邑社的名称、种类反映了其从事宗教活动的侧重，井上顺惠更就皇族、权臣、契丹人、汉人、官吏、庶民同处一邑进而提出这或可反映辽代社会的阶级情况。

但由于资料所限，之前对邑社活动的讨论总与邑社的种类分不开，近年来也有在

---

47 管仲乐：《房山石经研究》，东北师范大学博士学位论文，2019年。

48 赞宁撰，富世平校注：《大宋僧史略校注》卷中《杂任职员》，中华书局，2015年，第109、110页。

49 〔日〕井上顺惠：《遼代千人邑會について》，《禅学研究》第六十号，1981年，第124页，注4。

50 梁松涛、陈丽娜：《北宋定州军人的佛事活动——以开元寺塔内石刻文献为中心的探讨》，《文物春秋》2013年第6期。

51 陈晓伟：《辽以释废：少数民族社会视野下的佛教》，《世界宗教研究》2010年第1期。

此方面继续"深耕"的。发表文章中提到的千人邑，因活动内容不同而名目繁多，有女邑、军邑、弥勒邑、念佛邑、建塔邑、太子诞圣邑、供灯邑、螺钹邑、上生邑等。邑社种类的不同反映了不同邑社的个性特征，贾敏峰在《从文物资料看北宋前期定州的佛教邑社》一文中，按邑众之间连接纽带的不同将之分为"按生活空间结邑""以职业或行业结邑""以相同的信仰而结邑""为完成某项佛事活动而结邑"等四大类，分别叙述了两座塔基和开元寺塔碑刻资料中所见的家族邑、村邑、街坊邑、军邑、女人邑、吏邑、文殊邑、普贤邑、涅盘（槃）邑、法花经邑、土地邑、菩萨阁邑、上生邑等，并对它们的历史渊源展开了一定的追溯。

以佛寺为中心进行研究并非完全无剩义可寻，但若取得更大的进展势必突破"外围组织"的视野局限进行发掘，而发掘的方法就在于"他山之石，可以攻玉"。具体来讲对辽代千人邑的研究，随着相关资料的丰富，学者更多地注意到了邑社的具体活动并将其放在宋辽社会的宏大背景下加以考察。王晓薇的《定州塔碑刻题名中的"女邑"、"千人邑"问题初探》，对定州塔一通未被《八琼室金石补正续编》收录的碑刻进行了整理，"并对其所反映的北宋北方地区民间佛教社邑的组成、邑众身份进行了初步考察"[52]。《定州开元寺塔碑刻题名中的禁军、厢军、乡兵指挥考》通过定州开元寺塔内现存包括大量各级军士题名的北宋碑刻加以考察，对指挥以下都一级将士职级和他们在佛教邑社中担任"糺首维那头""维那"等状况加以考证分析，"以期能对北宋兵志略有补正，并丰富我们对北宋军制和军士佛教信仰状况的认识和研究"[53]。常峥嵘的《辽代圆寂道场述论》围绕"圆寂道场"这一极具特色的舍利崇拜形式、从"佛教民俗化"的角度展开论述，探讨其发生的逻辑，着重分析螺钹邑的兴衰及在其中的作用。认为螺钹邑既是佛社又当具行会性质，其邑众"行走民间，活跃于各式法会与节仪中，熟悉民情乡俗。他们对佛教理论了解不多，但对佛教仪轨了解不少，甚至是一些佛事活动的主事者，有相当发言权，更重要的是以社的形式组织了起来"的结论，指出此为佛教民俗化的典型案例[54]。贾敏峰《河北省定州市〈创修净众院记〉碑文整理》一文，对碑文中的上生邑做了介绍，认为碑文中上生邑及其活动"说明弥勒信仰在北宋时期定州地区的流行"[55]，丰富了我们进一步了解邑社活动的资料。虽然目前能够见到不少邑社活动的记叙，但目前所见的对辽代邑社活动的研究还大多是"就事论事"的。与敦煌邑社的研究相比，在与辽代社会、制度及区域文化史研究的结合还有进一步提升的空间。上述方面有价值的成果目前还不多见，但这或许是辽代千人邑研究未来的前进方向。

关于辽代千人邑的影响，张国庆《佛教文化与辽代社会》一书，通过对三个例子的分析，说明了"辽代的邑社组织，在某种程度上已成为滋生民变的温床"[56]。王丽歌的

---

52 王晓薇：《定州塔碑刻题名中的"女邑"、"千人邑"问题初探》，《宋史研究论丛（第14辑）》，河北大学出版社，2013年，第397～407页。

53 王晓薇：《定州开元寺塔碑刻题名中的禁军、厢军、乡兵指挥考》，《宋史研究论丛（第19辑）》，河北大学出版社，2016年，第146～172页。

54 常峥嵘：《辽代圆寂道场述论》，《宗教学研究》2016年第3期。

55 贾敏峰：《河北省定州市〈创修净众院记〉碑文整理》，《世界宗教研究》2017年第4期。

56 张国庆：《佛教文化与辽代社会》，辽宁民族出版社，2011年，第175～177页。

《论佛教与辽朝政权的兴废》一文[57]，沿用了此说。陈晓伟《辽以释废：少数民族社会视野下的佛教》从"辽以释废"的视角出发，认为百姓结社对佛教的过多供奉是造成民财空虚的一大原因，佛寺佛事吞噬了大量的社会财富，加速了政权灭亡，反映了辽先期尊佛政策的两面性[58]。王欣欣《辽朝燕云地区的乡村组织及其性质探析》从社会控制的角度加以论述，认为燕云地区佛教活动的频繁形成了一种民俗，辽统治者通过对邑社佛教活动的不加限制和加以发展，"有利于维系民心，起到加强基层社会控制的作用，维护该地区的社会稳定"。但除了"滋生民变的温床"以外，目前对辽代邑社影响的分析大多是猜想以及理论的化用而缺乏实证性深入分析。

三、小　结

回首望去，辽代千人邑研究已有八十余年的历史，其间邑社研究曾得到中外学界的共同关注，产生了一批有较高价值的成果，但这一良好的势头似乎并未延续下来，目前辽代千人邑研究的深度似乎与相应发表文章的数量并不匹配，近十年来的很多研究平铺直叙、亦步亦趋。但邑社研究并非无剩义可寻，早期研究者提出的一些问题时至今日尚未得到解决。王晓薇、常峥嵘等人的研究也表明这一课题还有很多领域有待挖掘。但从目前来看，关于辽代千人邑的研究仍主要是佛教史领域的探讨，佛教史领域并非完全没有可供发掘的，但即便是佛教史的研究者也多从民俗学的角度入手，说明其研究视野有进一步拓展的必要。主要的学术增长点或仍在于将邑社发展与活动放在当时当地的政治经济文化状况下考察，虽然这还存在一定的难度。目前辽代邑社研究已有这个意识，有待深入发掘。而材料的深入发掘有待制度史研究的进步，这或许也是未来千人邑研究的重要推动力。

邑社不仅存在于宋辽边境，在中原以及南方地区也有一定的分布，如集资修建天妃宫的"妃邑"[59]等。大抵是北方乃至辽境长年受佛教文化浸淫，民间信仰多以"佛教信仰"形式表达，佛社也就多一些？但目前对北宋内地以及南宋邑社的关注多在于民俗，宋辽时代作为邑社以及中国古代乡党社会发展历程上的重要一环，或可与其他时代的邑社研究、同时代的基层社会民间信仰组织联系起来考察。范围或许亦可继续拓展，如江南的迎神赛会等。

附记：本文系辽宁省社会科学基金一般项目"二十一世纪出土的契丹贵族墓志及诸问题研究"（L20BZS002）阶段性成果。

（牛馨宁　通讯作者　　齐　伟　辽宁大学历史学院）

57　王丽歌：《论佛教与辽朝政权的兴废》，《兰台世界》2014年第28期。

58　陈晓伟：《辽以释废：少数民族社会视野下的佛教》，《世界宗教研究》2010年第1期。

59　《至顺镇江志》卷8《庙·丹徒县·天妃庙》，宋元方志丛刊第三册，中华书局，1990年，第2730页。

附表1　《全辽文》中所收直接涉及邑社的篇目（凡29篇）[60]

序号	名称	时间	页码	备注
1	《佛顶尊胜陀罗尼石幢记》	开泰二年（1013）	115	《承德府志》有收
2	《创建无垢净光法舍利记》	开泰八年（1019）	117	
3	《石函记》	重熙十四年（1045）	161	1954年出土
4	《建舍利塔记》	重熙二十年（1051）	163	民国《三河县志》有收
5	《创建佛顶尊胜陀罗尼经幢记》	重熙间	171	民国《蓟县志》有收
6	《义封县卧如院碑记》	大康七年（1081）	224	光绪《永平府志》等有收
7	《建塔题名》	大安七年（1091）	240	
8	《尊圣陀罗尼幢记》	统和十年（992）	369	

附表2　《辽代石刻文编》中所收直接涉及邑社的篇目（凡35篇）[61]

序号	名称	时间	页码	备注
1	《仙露寺葬舍利佛牙石函记》	天禄三年（949）	4	1687年发现，《辽文存》有收
2	《北郑院邑人起建陀罗尼幢记》	天禄五年（951）	11	《全辽文》有收
3	《重修范阳白带山云居寺碑》	应历五年（955）	32	1977年发现，《全辽文》有收
4	《重修云居寺碑记》	统和二十三年（1005）	117	《辽文存》《全辽文》有收
5	《盘山甘泉寺新创净光寺佛塔记》	统和二十三年（1005）	119	《辽文存》《全辽文》有收
6	《慈云寺舍利塔记》	开泰八年（1019）	157	《辽文存》《山右石刻丛编》有收
7	《广济寺佛塔记》	太平五年（1025）	176	《辽文存》《全辽文》有收
8	《石龟山遵化寺碑》	重熙十一年（1042）	225	《全辽文》有收
9	《车轴山寿峰寺经幢记》	重熙十一年（1042）	228	
10	《罗汉院八大灵塔记》	重熙十三年（1044）	233	《辽文存》《全辽文》有收
11	《朝阳北塔经幢记》	重熙十三年（1044）	236	1986年出土
12	《蓟州渔阳三河两邑建舍利塔记》	重熙二十年（1051）	256	
13	《显州北赵太保寨白山院舍利塔记》	清宁四年（1058）	288	1954年出土
14	《弥勒邑特建起院碑》	咸雍元年（1065）	325	《日下旧闻考》有收
15	《洪福寺碑》	咸雍六年（1070）	344	民国《新城县志》有收
16	《特建葬舍利幢记》	咸雍八年（1072）	350	
17	《耶律仁先墓志》	咸雍八年（1072）	352	
18	《蓟州神山云泉寺记》	咸雍八年（1072）	358	《全辽文》有收
19	《双城县时家寨净居院舍利塔记》	咸雍十年（1074）	366	1982年出土

60　收入《辽代石刻文编》者不在表中列举。

61　收入《辽代石刻文续编》者不在表中列举。

续表

序号	名称	时间	页码	备注
20	《为故坛主传菩萨戒大师特建法幢记》	大康三年（1077）	383	《辽文存》有收
21	《武州经幢题记》	大康五年（1079）	385	《山西通志》《山右石刻丛编》具载
22	《井亭院圆寂道场藏掩感应舍利记》	大康六年（1080）	387	《八琼室金石补正》有收
23	《靳信等造塔记》	大安六年（1090）	427	《全辽文》有收
24	《慧峰寺供塔记》	大安七年（1091）	433	民国《固安县志》有收
25	《塔子城建城题名》	大安七年（1091）	442	1956年出土
26	《怀州会西龙山碑铭》	大安八年（1092）	443	1966年出土，《全辽文》有收
27	《水井村邑人造香幢记》	大安八年（1092）	446	《全辽文》有收
28	《易州兴国寺太子诞圣邑碑》	寿昌四年（1098）	486	《全辽文》有收
29	《金山演教院千人邑碑》	乾统三年（1103）	533	《辽文存》《全辽文》有收
30	《杨卓等建经幢记》	乾统三年（1103）	530	
31	《造长明灯记》	乾统五年（1105）	553	《辽文存》《全辽文》有收
32	《释迦佛舍利生天塔石匣记》	乾统七年（1107）	580	《全辽文》有收
33	《兴中府安德州创建灵岩寺碑铭》	乾统八年（1108）	592	《满洲金石志》有收
34	《云居寺供塔灯邑记》	乾统十年（1110）	614	
35	《永乐村感应舍利石塔记》	天庆八年（1118）	670	《辽文存》《全辽文》有收

附表3 《辽代石刻文续编》中所收直接涉及邑社的篇目（凡19篇）

序号	名称	时间	页码	备注
1	《滦河特迁陀罗尼经幢记》	统和二十六年（1008）	42	2006年出土
2	《净光舍利塔经幢记》	开泰二年（1013）	54	1963年出土
3	《朝阳北塔塔下勾当邑人僧人题记》	重熙十二年（1043）	82	
4	《滦河残碑》	重熙十八年（1049）	102	2006年出土
5	《阜新懿州记事碑》	重熙间	103	1998年发现
6	《佛殿之碑》	清宁七年（1061）	117	
7	《开元寺重修建长明灯幢记》	大康元年（1075）	156	
8	《谷积山院读藏经之记碑》	大康四年（1078）	164	
9	《刘楷等建陀罗尼经幢记》	大安三年（1087）	186	
10	《芹城邑众再建舍利塔记》	大安六年（1090）	197	
11	《舍利塔题名》	大安八年（1092）	210	
12	《沈阳崇寿寺塔地宫石函记》	乾统七年（1107）	256	1957年出土
13	《房山天开塔舍利石函记》	乾统十年（1110）	278	1990年出土
14	《辽滨塔天宫碑》	天庆四年（1114）	285	2003年出土

续表

序号	名称	时间	页码	备注
15	《云居寺经幢记》	—	322	
16	《祐唐寺创建讲堂碑》	统和五年（987）	345	《辽代石刻文编》《辽文存》《全辽文》有收
17	《清水院陀罗尼幢题记》	统和十年（992）	348	《全辽文》阙录题名
18	《沈阳塔湾无垢净光舍利塔石函记》	重熙十三年（1044）	352	1985年出土，《辽代石刻文编》只录记文
19	《沈阳卓望山无垢净光舍利塔石棺记》	重熙十四年（1045）	359	1953年出土，《辽代石刻文编》只录记文

附表4　《金石萃编》[62]中所收直接涉及邑社的篇目（与以上重复者不计入）

序号	名称	时间	页码	备注
1	《京西戒坛寺陀罗尼经幢记》	大康三年（1077）	2849	

附表5　目前所见传世文献中涉及辽代千人邑的内容

序号	内容	出处	备注
1	二月，癸亥，霸州民妻王氏以妖惑众，伏诛[63]	《辽史·圣宗纪》	此多被用来论证千人邑为滋生民变的温床，然其似未直接涉及民间佛教邑社，陈述《围绕寺庙的邑、会、社——我国历史上一种民间组织》亦仅云：“统和十一年（993年）霸州民妻王氏起义。重熙十三年（1044年）香河县李宜儿起义，都是藉宗教作掩护联系。”或不能断定王氏起义所依托的形式就是千人邑
2	“陵青诱众作乱，事觉，高八按之，止诛首恶，余并释之。”[64]	《辽史·萧惟信传》	《萧孝资墓志》：“重和间，燕民有以左道史煽惑人者，其党连诸郡县。上闻之，诏公理之。公既至，条别其罪，止诛其首三人而已，余皆弛之。”[65]

62　（清）王昶编：《金石萃编》卷153，石刻资料新编第四册，新文丰出版公司，1977年。

63　（元）脱脱等撰，陈述补注：《辽史补注》卷13《圣宗纪四》，中华书局，2018年，第449页。

64　（元）脱脱等撰，陈述补注：《辽史补注》卷九六《萧惟信传》，中华书局，2018年，第3366页。

65　向南著，张国庆、李宇峰辑注：《辽代石刻文续编》，辽宁人民出版社，2010年，第265页。另张国庆在《佛教文化与辽代社会》第177页指出“重和”当为“重熙”。

续表

序号	内容	出处	备注
3	秋七月辛酉，香河县民李宜儿以左道惑众，伏诛[66]	《辽史·兴宗纪》	《耶律仁先墓志》："时武清李宜儿以左道惑众，伪称帝及立伪相，潜构千余人，劫夺居民，王侦捕获之。"[67]陈述《围绕寺庙的邑、会、社——我国历史上一种民间组织》："此千余人者，正反映了千人邑的基础。"
4	晋宋间，有庐山慧远法师，化行浔阳，高士逸人，辐凑于东林，皆愿结香火。时雷次宗、宗炳、张诠、刘遗民、周续之等，共结白莲华社，立弥陀像，求愿往生安养国，谓之莲社。社之名，始于此也。齐竟陵文宣王募僧俗行净住法，亦净住社也。梁僧祐曾撰法社建功德邑会文。历代以来，成就僧寺，为法会社也。社之法，以众轻成一重，济事成功，莫近于社。今之结社，共作福因，条约严明，愈于公法，行人互相激励，勤于修证，则社有生善之功大矣。近闻周郑之地邑社多结守庚申会，初集鸣铙钹，唱佛歌赞，众人念佛行道，或动丝竹，一夕不睡，以避三彭奏上帝，免注罪夺算也。然此实道家之法，往往有无知释子，入会图谋小利，会不寻其根本。误行邪法，深可痛哉！	《大宋僧史略校注》[68]	

66 （元）脱脱等撰，陈述补注：《辽史补注》卷19《兴宗纪二》，中华书局，2018年，第762页。
67 向南著，张国庆、李宇峰辑注：《辽代石刻文续编》，辽宁人民出版社，2010年，第352页。
68 （宋）赞宁撰，富世平校注：《大宋僧史略校注》卷下《结社法集》，中华书局，2015年，第185页。

近二十年来金史方向硕士学位论文选题量化研究

——以近二十年来中国知网相关数据为核心

刘 敏

内容提要：通过对中国知网收录的2002～2020年有关金史研究的硕士论文进行数据统计分析，可以看出论文选题存在不平衡性、广泛性、交叉性的特点。金史相关硕士论文共计497篇，历史学专业学生所写有279篇，跨学科专业学生所写有218篇，在历史学内部的选题主要集中在政治、考古领域，两者相关选题在历史学内部所占比例高达54%，在跨学科专业内部的选题主要集中在文学领域，占比达55%；因此研究生选题应注重金史研究薄弱区域，做出突破，且多用交叉性视角继续进行探索。

关键词：金史　论文选题　文献数据库　中国知网

自1978年改革开放以来，中国经济迅速发展，社会发展出现前所未有的新局面，在思想文化领域也打破禁锢，呈现出新思想、新风潮的态势，史学发展也进入新时期。其中金史发展态势呈良好势头，直接表现就是论文数量不断增多，研究领域不断扩大与深入。本文以近二十年来的硕士论文题目为探究对象，运用统计学的相关方法深入分析硕士论文题目发展变化趋势，硕士论文题目的来源是从中国知网上以“金代”“金朝”为主题，类型中选择“硕士论文”，自定义年份的方法进行统计，在统计过程中对于某些难以抉择的选题则采取与他人进行商榷、查看其论文摘要、关键词等方法来决定是否进入统计范围。

一、论文发展概况

以“金代”“金朝”为主题的硕士论文最早出现于2002年，仅有2篇，分别是有关于金代法律和辽金诗歌的相关论述。截止到2020年，硕士论文数量由最初的2篇发展为497篇，其数量上的迅速增长也反映了金史研究的繁荣与发展。其中2002～2005年，硕士论文数量呈缓慢增长的趋势，每年论文数量不足10篇；2006～2010年，硕士论文数量增长速度有所提升，但每年论文数量不足30篇；2011～2020年，硕士论文数量每年均超过30篇，其中2012年、2013年、2014年、2018年、2019年硕士论文数量均超过40篇。由此可以看出，硕士论文数量发展的整体趋势是逐渐上升，但其中不乏下降。

仔细分析影响硕士论文数量增长的因素，主要有以下几点，首先，经济水平的提高。改革开放以来，我国国民经济迅速发展，经济繁荣也一定程度上推动了其他产业的发展。如出版业的繁荣，使古籍出版和影印变得简单平常，各种论文、专著、期刊的出版变得相对容易，许多重要资料、学术动态也得于此被大众所知，为研究者提供了可充分阅读文献资料的条件。在周峰《21世纪辽金史论著目录（2001—2010）》一文中，有关于金史方面的专著共计355种，涉及政治法律、军事、哲学宗教、历史、考古等多个方面，其中以文学所占比重最大，关于《金史》史料的校正、勘误、考证共计有21篇相关论文；在2016～2019年，出版了三部金代文献的点校本，一是由马振君点校、金人王若虚著《王若虚集》上、下两册（中华书局，2017年），对《滹南遗老集》做了全面标点、校勘，整理了《尚书义粹》残本，是目前录文最全的王若虚著述整理本。二是孙德华点校、金人赵秉文撰《闲闲老人滏水文集》（科学出版社，2016年）。三是任文彪点校、金代佚名著《大金集礼》（浙江大学出版社，2019年）[1]。2020年，由程尼娜主持修订的新版《金史》也由中华书局出版，新点校本中校勘记总数达2780条，且纠正了标点失误200余处。经济的发展，出版业的繁荣，在宏观上为众多学者从事历史研究、关注学术动态、发表论文著作提供了良好的社会环境，微观上影响了某一领域的发展，金史论文数量的增长与之息息相关。

其次，国家政策对教育的大力支持。出于对高素质人才的需求，硕士研究生扩招成为趋势，且在就业压力下，每年考研人数不断增加，自20世纪末，我国的研究生教育进入快速发展时期。教育部和国务院学位委员会联合发布的《学位与研究生教育发展“十三五”规划》中指出，到2020年，我国将实现在学研究生总规模290万人，并将“适度扩大博士学位研究生教育规模”[2]。在数量增长的同时，对研究生的质量也提出了一系列要求，2010年国家发布《中长期教育改革发展规划纲要（2010—2020）》，为这一阶段研究生教育的质量发展奠定了基调。2014年，国务院学位委员会出台了《关于加强学位与研究生教育质量保证和监督体系建设的意见》，对我国学位与研究生教育质量保障体系进行了顶层设计。为加快研究生教育强国建设，构建了包括学位授予单位、教育行政部门、学术组织、行业部门和社会机构在内的“五位一体”研究生教育质量保障新体系[3]。硕士研究生数量的增多也直接影响硕士论文数量的增加，从教育部官网所发布可查询到的信息来看，从1997年的硕士研究生招生数50315人到2019年的招生数811334人，招生规模扩大了16倍之多，招生速度从1997年到2004年呈现迅速增长态势，2005年以后平缓增长，至2017年到达新的峰值，2017年之后再次呈现缓慢增长，整体发

1 程尼娜：《2016—2019年中国辽金史研究评述》，《中国史研究动态》2020年第3期，第5～15页。

2 侯军：《从数量扩张到质量保障：研究生教育质量的完善与提升》，《当代教育科学》2020年第3期，第88～91页。

3 王战军、于妍、王晴：《中国研究生教育发展：历史经验与战略选择》，《研究生教育研究》2020年第1期，第1～7页。

展速度有高有低，但仍呈现正数增长态势。各学科之间的扩招规模、扩招速度也不尽相同，总体来看，工学、医学、管理学类研究生增长幅度较明显，人文社科类研究生增长幅度较小，整体呈缓慢上升趋势，其中历史学研究生招生人数从1997年的807人发展到2019年的5348人，但是极个别年份出现了缩招现象，幅度较小[4]。历史学学科研究生数量的扩招直接促进了学科内部不同研究方向、研究领域的繁荣发展，而其他学科的扩招也为历史学的发展锦上添花，在大环境下，金史论文数量的增长成为必然。

最后，互联网平台的不断扩展及相关信息电子化程度的加深，让学者更加快捷简单地使用各种电子信息资源，深刻地影响了本领域的学术研究。例如，学术期刊数据库的广泛应用，除却被大家所熟知的中国知网、万方知识服务平台、维普-中文科技期刊数据库等，还有许多其他方便快捷好用的数据库可供我们选择使用。像国家哲学社会科学学术期刊数据库，截至2020年底，数据库内累计入库期刊2118种，论文数量达1140万篇，且功能在不断完善发展；全国报刊索引，包括《中国近代报纸资源全库》（1850—1951）、《中国近代文献图库》（1833—1949）、《全国报刊索引》，收录各种报刊近万种。大规模古籍全文数据库的建设，像中国基本古籍库、中华经典古籍库、四库全书在线全文检索、四部丛刊在线全文检索，基本囊括了古代史研究中所需要的基本古籍；汉籍电子文献资料库，资料库包括经、子、史、集四部，史部为主，其他三部为辅，几乎涵盖所有重要古籍，关键字检索功能也成为一大特色，能迅速查找到关键词的相关内容，缺点则是所查部分不完整，需加校对；鼎秀古籍全文检索平台，收录在库的古籍文献两万种、四十万卷，收录版本多种，包括活字本、石印本、铅印本、刻本、稿抄本等等。在相当大的程度上，新技术使得研究者搜寻资料更为方便，数十百倍地扩大了他们搜寻资料的数量与广度，也帮助了年轻学者得以迅速进入具体专题的学术场景，为其从事研究创造了方便简捷的平台[5]。

二、论文选题基本情况

（一）历史学内部的论文选题

在2002～2020年的497篇“金史”相关论文中，由历史学专业研究生选题并完成的共有279篇，其余218篇则由其他专业学生选题撰写。279篇硕士论文可划分为政治、经济、文化、外交、民族、考古、历史地理、社会生活等八个方面。根据图1可以明显看出在历史学内部金史论文选题侧重于政治、考古两个方面，政治史一直都是历史研究的热点。金史也毫不例外，在占比达35%的政治史中，制度史研究占比为25%，政治群体研究占比为21%，其他方面涉及军事、法律、用人政策、宗室斗争、后妃研究、职官机构等。政治史繁荣的直接因素就是史料文献的丰富，关于政治方面记载篇幅较大，《金史》中关于本纪与列传部分记载详细，仔细观察目录，也会发现《金史》的编撰就是以整个金朝统治集团为基础，去展现整个金朝的政治生活；《大金国志校证》中其最有价

4 中华人民共和国教育部：1997—2019年分学科研究生数。

5 包伟民：《改革开放40年来的辽宋夏金史研究》，《中国史研究动态》2018年第1期，第54～67页。

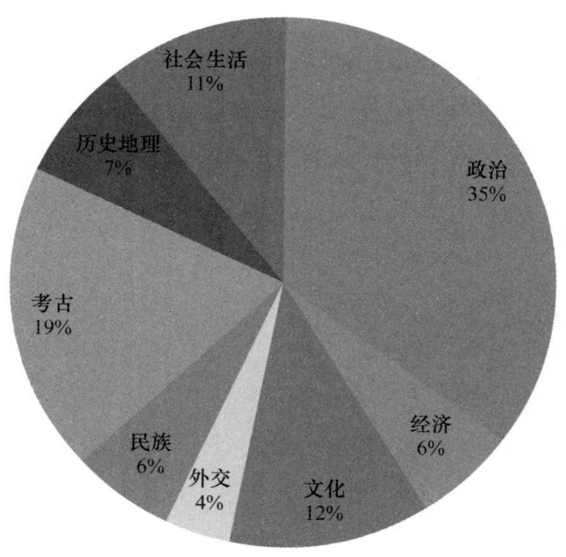

图1 类型占比

值的部分也是诸帝本纪及记载金朝典章仪制的诸卷等原作；《大金集礼》中关于尊号、册谥以及祠祀、朝会、燕飨诸仪、舆服，灿然悉备，成为研究金代礼仪的重要文献之一；《三朝北盟会编》中也有不少金朝文书以及女真历史的相关记载；除此之外，《建炎以来系年要录》《奉使辽金行程录》《归潜志》《湛然居士文集》等，都是研究金史的重要资料。其次金朝政治的发展经历了一个由最初的奴隶制向封建制的转化过程，统治集团内部存在多种构成，如汉族士人、女真贵族、契丹人等，使金朝政治具有一定的研究价值，具有不同的研究角度。

考古方面的论文选题占比达19%，涉及墓葬、金代遗存、陶瓷、玉器、铜镜、敕赐额牒、多孔器、瓦当、茶盏、金界壕等内容。但是，论文选题中涉及其他朝代的选题超过仅以金代为重点的选题，其中又以宋金为主，宋金元次之，辽金、宋辽金、金元、唐宋金、辽金元等也均有涉及。金代考古自改革开放以来有所发展，但发掘资料与其他朝代相比并不丰富，这也造成了单独以金代为主题的考古方面论文数量的不足，而与其他朝代共同对某一主题进行研究既补充了金代考古上的不足，也展现了金与宋、辽、元三个王朝紧密相连的关系。

文化方面的论文选题占比达12%，涉及文学、艺术、教育、改名、医学、礼制、语言文字、文化政策与交流等内容；社会生活方面的论文选题占比达11%，涉及宗教、自然灾害、慈善活动、救荒、优抚、移民、宴饮、社会控制、建筑、桥梁等内容；历史地理方面的论文选题占比达7%，涉及文化地理、城市地理、军事地理、人文地理等内容；经济方面的论文选题占比达6%，涉及赋役制度、水利机构、财政危机、手工业、使节贸易、盐业、度量衡、税收、粮仓、货币等内容；民族方面的论文选题占比达6%，涉及民族政策、民族关系、民族地位、民族文化等内容，外交方面的论文选题占比达4%，涉及对外战争、交聘、议和、使节、关系等内容，所涉及王朝有宋、高丽、蒙古、伪齐。

整体来看，金史硕士论文选题内容广泛涉及政治、经济、文化、社会生活的方方面面，且内部的专门研究也取得一定成果。比如政治制度史中的职官制度，选题包括了选官制度、官吏奖惩制度、俸禄制度、考课制度、休假制度等方面，选官制度又有整个金代选官以及金章宗时期选官，俸禄制度又有文职朝官和武官，考课制度有整个金代考课和地方职官考课。选题涉及范围广阔，且面面俱到。

（二）跨学科的论文选题

2002～2020年跨专业的以“金代”为主题的论文共有218篇，涉及专业15种，分别是文学、美术学、艺术学、建筑学、哲学、法学、音乐学、医学、体育学、教育学、经济学、图书馆学、民族学、科学技术史、软件工程，其中文学占比达55%，共计有120篇论文。金代文化号称兴盛，其中最具代表性的就是文学的繁荣，各种文集有七八十种之多。虽保存下来的为数寥寥，但仍具有一定研究价值。如蔡松年的《明秀集》，王寂的《拙轩集》，元好问的《中州集》《遗山先生文集》，李俊民的《庄靖集》，赵秉文的《闲闲老人滏水文集》等，只不过这种繁荣发生在了汉语言文学学科内部。这种繁荣主要体现在两方面：一是文学作品，金代的诗词、律赋、刻本、文人著作等；二是文人群体，像蔡松年、王寂、赵秉文、元好问、吴激、宇文虚中、李俊民、完颜璹、麻革等人，汉语言文学中金代文学的繁荣也与历史学内部金代文学的惨淡形成了鲜明对比（图2）。

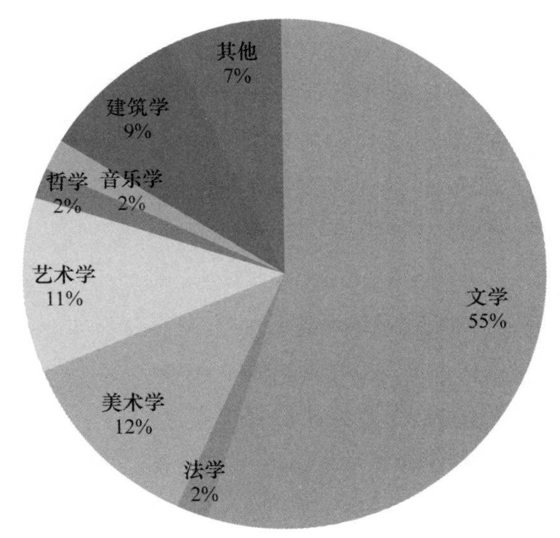

图2　跨学科占比

美术学与艺术学二者占比达23%，主要涉及壁画、墓室图像、陶瓷、服饰图案、书法、石窟造像、铜镜纹饰、杂剧、建筑形制、丝织品纹饰等内容；建筑学占比达9%，主要涉及地方建筑地域特征及文化、建筑技术、建筑装饰、墓葬建筑形制、砖塔、寺庙等内容；法学占比达2%，主要涉及金代法律渊源及运用、土地制度、赎奴释奴、婚姻法制等内容；哲学占比达2%，主要涉及宗教、德运、美学、文学作品等内容；音乐学占比达2%，主要涉及砖雕、排箫、祭祀用乐等内容；其他学科占比达7%，涉及中医文献、体育、文化认同、官学、纸币、图书编纂、人物等内容。

这类与其他学科相交叉的论文与历史专业学生所写的论文相比，最大特点是专业性较强，专业特色强烈。虽研究主体为金朝相关文物，但是研究方法、研究内容与本专业息息相关，充分展现其学科特点。在相同类型选题下，历史专业学生的论文研究内容上则与金朝社会更加紧密相连。如文学上汉语言文学专业在论述上更加注重诗词、碑文的思想内容和艺术风格，历史学专业学生则更偏重对文献的应用及其自身的史料价值；法学专业关于土地制度的论述，像《试论金代女真族土地法律制度》一文在撰写上从法律的权利义务角度论述，并看其对我国城镇化、农村土地确权的影响，历史学专业学生所写的法律方面论文则更关注法律本身及其法律在当时的社会影响，像《金朝立法研究》一文中介绍了整个金朝法律的发展过程及其特点。

这些交叉性论文的选题主要出现在金代文化与社会生活方面，且研究内容专业化程度较高。这既是由历史本身就是一门交叉性的学科性质所决定的，同时也展现了金代文化的繁荣。

（三）从地区看论文选题

根据硕士毕业生论文的学校将497篇论文进行地区划分，通过图3可直接看出金史研究与发展程度较高的地区在东北和华北地区，二者占比之和达72%。其中东北地区论文数量共计218篇，详细划分来看吉林省共计109篇、辽宁省共计72篇、黑龙江省共计32篇、内蒙古东部地区共计5篇，吉林省中单是吉林大学就发文数量达95篇，东北师范大学12篇，其他学校2篇；辽宁省中辽宁师范大学35篇，辽宁大学20篇，渤海大学16篇，其他学校1篇；黑龙江省哈尔滨师范大学19篇，黑龙江大学9篇，其他学校4篇；内蒙古东部地区内蒙古民族大学5篇。华北地区论文数量共计137篇，详细划分来看山西省共计85篇，北京市22篇，河北省18篇，内蒙古自治区9篇，天津市3篇。山西省中山西大学43篇，山西师范大学16篇，太原理工大学17篇，其他学校9篇；北京市中涉及学校数量较多，且多为跨专业方向；河北省中河北大学16篇、河北师范大学2篇，内蒙古自治区内蒙古大学5篇、内蒙古师范大学4篇；天津市南开大学2篇，天津师范大学1篇；其他地区占比较小，且分布地区较为分散，无法做到具有代表性。

东北地区、华北地区可以说是研究金史的中心，拥有诸多金史研究领域的专家学者。像吉林大学的程妮娜、武玉环、赵永春、杨军、高福顺、彭善国、冯恩学、宋卿、王昊（金代文学方向）、韩世明等，辽宁大学的王德朋、张国庆等，辽宁师范大学的都兴智、李玉君、孙建权、李成（古代文学方向）等，哈尔滨师范大学的李秀莲、王久宇等，渤海大学的吴凤霞、肖忠纯、孙红梅等，山西大学的郭九灵、牛贵琥（古代文学方向）、李雅君（美术学方向）等，河北大学的肖爱民，太原理工大学的朱向东（建筑史方向）等，以上学者与其他未能一一道来的学者共同创造了金史在历史学内部及其他学科内部的繁荣。

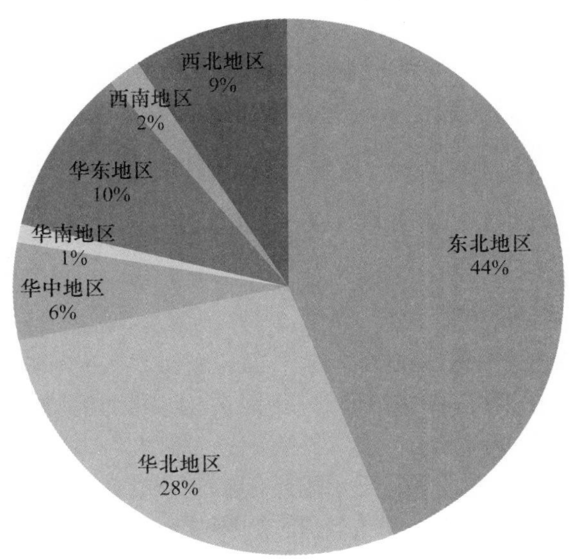

图3 地区划分

三、论文选题的继续发展

（一）考古工作的进步推动金史发展

从论文发表年份上看，政治领域选题一直受到很大关注。2007年开始，论文数量有了第一个小突破，2008年开始出现考古类型的论文，虽然数量不多，但也开辟了论文选题的新道路，并且在此之后数量稳定增长，其发展态势良好。考古类型论文选题的发展得益于考古挖掘工作的不断进步及考古发掘报告的出现，中华人民共和国成立以来，经济建设的进步推动了考古技术的发展，我国境内的金代考古遗存逐渐问世。像黑龙江省境内的金代遗址泰来塔子城古城、阿城金上京会宁府古城、肇东八里城古城、东北路界壕变堡北段遗址等，金代墓群绥滨中兴金墓、绥滨奥里米金墓、金齐国王完颜晏夫妻合葬墓[6]；山西省境内的大同金代阎德源墓、汾阳金墓、闻喜寺底金墓、绛县裴家堡古墓、屯留宋村金代壁画墓、繁峙南关村金代壁画墓等。在这些考古遗存、墓葬之中发现了大量的陶瓷器、玉饰、铜镜、铜印、壁画等文物，对从事金代文物考古研究提供了丰富的考古资料。由于金代史料文献较少，考古遗址的发现、文物的出土，既可补充文献不足的缺点，也可纠正某些史实的错误，为金史研究锦上添花。

金代城市考古近年来有了长足进展。从首都金上京遗址、行宫太子城遗址、长白山神庙宝马城遗址到辽金“春捺钵”遗址群等，类型多样，在诸多方面填补了金代城市考

6 刘丽萍：《黑龙江省辽金考古发现与研究》，《内蒙古社会科学（文史哲版）》1996年第2期，第57～64页。

古的学术空白[7]。近二十年来的金史考古方面的论文选题多局限于文物考古、墓葬考古两方面，城市考古多用于区域地理、区域经济、区域文化领域的研究，起到辅助作用，未发展成为一个新的选题趋势，而城市考古的进步，可参照物的增多，也为城市考古选题的发展创造了新的机遇，使其在考古类型的选题中可发展为新的方向。

（二）交叉性研究的进一步推进

从研究方法上看，交叉性研究也逐渐增多，在政治史领域通过某一群体、家族、人物来研究金代政治，在文化史领域通过考古文物来研究纹饰特征，在社会生活、经济领域将地理区域作为限制进行某一区域的经济、文化、宗教研究等跨领域研究方法不断增多，通过某一专门领域的研究对另一领域进行探索，将两个领域甚至多个领域相关内容联系在一起，用交叉的新视角提出问题、解决问题，可极大丰富金史相关问题的研究。史料不足的局限也要求我们在选题过程中做出创新，在没有新史料的条件下，要旧题新议，而交叉性视角恰好可带领我们做出创新，如将政治与经济交叉研究，充分运用上层建筑与经济基础的关系，既可从金代经济发展水平的变化来看待金代政治制度、机构的发展情况，也可从金代政治封建化的发展过程来看金代经济发展的概况；将政治与文化交叉，看当时社会背景下的国家政策对文化发展的影响，或是文化的发展繁荣对国家政策制定的影响；将文化与社会生活交叉，看文化对社会行为、社会选择的塑造，或是社会环境的变化对文化趋向的改变；将考古与其他领域相交叉，通过出土文物看金代政治、经济、文化、社会生活发展的特点。

从历史学外部来看，跨学科的交叉性也有所展现。由于在前文已进行分析介绍，此处不再过多陈述，也仍然支持、鼓励、欢迎其他专业学生为金史研究做出贡献。而对于历史专业的学生来讲，他们可拓展知识面，多关注一些其他学科的发展，掌握相关学科知识，用不同的知识结构、思维方法来弥补金史在专门史领域研究的不足，加深专门化程度，为金史研究添上浓墨重彩的一笔。

（三）用联系的观点看金史研究

金朝历史的研究无法脱离当时的时代背景，与辽、宋、元三个王朝关系密切，将宋金、辽金、金元、辽金元等联系在一起进行某方面比较，或者是共同进行某方面的研究，在金史研究中占据一定地位。四个王朝在空间上并存交替，时间上较为接近，因此在史料文献中均互有记载，且辽、元与金同样是由北方游牧民族建立起来的王朝，从而在某些政治制度、社会习俗、城镇遗址等方面具有传承性，在传承的过程中根据自身实际情况而发生变化，进而可以进行比较性研究。从近二十年来的选题方向上也可看出这种联系性的深入贯彻，比如政治制度、由宋入金官员群体、文物考古、外交关系、民族互动、文化交流等，都是热门选题，在接下来的金史研究中我们应当继续坚持这种观点，多关注辽史、宋史、元史的研究风向，择优而学，应用到金史领域的研究中。这既体现了当时的时代特点，也展现了历史的联系性，所以用联系的观点看待问题、提出问题、解决问题也是很有

---

7 董新林：《辽金考古：历史时期考古的新亮点》，《中国文物报》2019年4月2日第5版。

必要的，在金史研究的理论指导上笔者认为应当继续坚持马克思主义的指导。

（四）经济史研究的薄弱与突破

金史研究当中经济史方向的薄弱也是有目共睹的，在论文选题中依然出现了这个问题，出现这个问题的原因应当有以下几点：首先是金朝经济发展水平自身的薄弱，王德朋在《论金代商业经济的若干特征》一文中提出不能高估金代中原地区的商业发展，认为金代商业经济发展水平有限，未恢复到北宋时期的水平，且粮食、布帛未能成为商品市场中的主导商品[8]。这也印证了金代的农业发展水平一般，未能出现大量剩余产品用于商品交换。其次考古发掘中关于进行金代经济研究的文物出土数量有限。金代已出土的文物集中在陶瓷器、玉饰、铜镜、壁画等方面，与经济相关的仅有一些农具、货币，二者也都取得了一定的研究成果。所以在史料文献、出土文物皆较为贫乏的条件下，也使得金代经济史研究举步维艰。最后金代经济的发展并未取得较为瞩目的成就，在整个中国古代经济史的发展上过于平淡，未能吸引过多学者去关注并从事研究。所以有关金代经济史方面的相关内容还需要我们继续探索，一方面挖掘关于经济方面的新史料；另一方面在研究内容上填补空白，像人口数量、户籍、税收、政府经济政策、政府的经济管理等，都可作为新的硕士论文选题去进行探讨；最后在研究视角上多运用交叉性研究，学习经济学、统计学的相关知识，用新的更加广阔的视角对金代经济进行新的更加深入的探讨。

四、金史研究的发展趋势

综合来看，金史硕士论文选题的发展趋势与整个金史研究的发展趋势相吻合。首先是政治制度史上的突破，从21世纪初的关于政治改革、后妃地位、避讳制度、汉官集团、科举制度等研究，到后来的行六部设置、转运司建制、御容及奉安制度、社会治安管理制度、符牌制度、地方检察制度、太庙制度、宰相制度、户部等选题研究，选题逐渐广泛且深入，更多的金朝制度得以探索，这也得益于金朝从宋朝附属关系下解放，成为中华文明重要的组成部分；其次是社会史上的突破，除却将关注点转移到婚姻、自然灾害、救荒、城市、建筑等身上，也将研究视角扩大到宗室、群体、家族、教育、政策等对社会的影响作用，不单单研究社会现象，逐渐深入社会现象的成因、影响因素等深度，像《金朝女真人贫困化问题研究》一文中就介绍了女真人贫困化的政治原因、经济原因，并且论述了贫困化对金朝的社会影响；最后，同宋、辽、元、西夏结合研究，在民族关系上逐渐细分，除却关于民族交流、使臣往来，探讨王朝内部不同民族成分的地位作用，分析不同民族的行为选择对政局的影响，也成为一个新的可选择的研究方向。

（刘　敏　内蒙古民族大学）

8　王德朋：《论金代商业经济的若干特征》，《辽宁大学学报（哲学社会科学版）》2009年第3期，第83～88页。

近十年（2010～2019年）辽代石刻文研究综述

袁梦瑶

内容提要：2010～2019年，学界关于辽代石刻文研究成果丰硕，据不完全统计，有7部专著，1篇博士论文，3篇硕士论文，98篇辽代石刻文考释相关论文，42篇以辽代石刻文为主要史料而研究辽代各领域的论文。辽代石刻文不仅是辽史研究的重要资料，对校勘、补正《辽史》，以及深化辽代政治、经济、文化、对外关系等方面的研究都有重要的推动作用。

关键词：辽代　石刻文　考释

改革开放以后，随着考古调查与发掘工作的开展，学界已有陈述《全辽文》、向南《辽代石刻文编》、盖之庸《内蒙古辽代石刻文研究》等重要著作及研究成果问世。近十年来在今内蒙古、辽宁、河北、北京、山东等地新发现了一些辽代石刻文，学者们对辽代石刻文的研究也颇引人注目。本文试对相关研究予以综述。

一、辽代石刻文新考释

关于辽代石刻文研究综述的专著与论文有向南、张国庆、李宇峰《辽代石刻文续编》[1]收录《辽代石刻文编》出版后出土的196件辽代汉文石刻，并对每一篇石刻文所记载的历史人物、事件、官制、地名等做了注释，对《辽史》记载错误之处加以指正。齐伟《辽博馆藏辽代石刻碑志资料的整理与研究》[2]对辽宁省博物馆藏辽代石刻文及研究做出综述，并指出无文字的石质图像资料、画像石、馆藏辽庆陵的帝后哀册、尚未公开的碑刻资料都是需要深入研究的课题；文末附以细致翔实的“辽宁省博物馆藏辽代石刻碑志资料一览表”，对馆藏碑志拓片名称、年代、时间与地点、碑志概况并参考资料予以说明。由北京辽金城垣博物馆编的《北京辽金元拓片集》[3]收录了辽代34幅石刻文拓片。洪金富主编的《“中央研究院”历史语言研究所藏辽金石刻拓本目录》（“中央研究院”历史语言研究所，2012年）收录了“中央研究院”历史语言研究所傅斯年图书馆

1　向南著，张国庆、李宇峰辑注：《辽代石刻文续编》，辽宁人民出版社，2010年。

2　齐伟、尹天武：《辽博馆藏辽代石刻碑志资料的整理与研究》，《辽金历史与考古（第十辑）》，科学出版社，2019年。

3　北京辽金城垣博物馆：《北京辽金元拓片集》，北京燕山出版社，2012年。

所藏石刻拓片，辽代石刻占有很大篇幅。梁姝丹《阜新地区辽代碑志及相关问题》[4]概述了13方新中国成立以来阜新地区出土的辽代碑志，并分析了这些碑刻所反映的辽代书法艺术、宗教信仰、政治制度、文化内涵问题。毕德广《奚族文化研究》[5]第三章第三节对辽代奚族相关石刻做出概述与考释。刘德刚、刘小红、石金民《阜新地区出土辽代契丹小字墓志综述》[6]整理了阜新地区出土的契丹小字墓志及其解读。

石刻遗存主要有墓志铭、哀册、经幢、玺印、造像题记、摩崖、石棺记、塔记等。2010～2019年对辽代石刻文的考释主要集中于墓志铭、经幢、塔记，对哀册、摩崖、石棺记、石函也有涉及。

1. 墓志铭的考释

2010～2019年对墓志铭的考释研究成果显著。都兴智《〈宣以回纥国国信使墓志〉考释》[7]一文认为此墓志主人不是男性而是女性，这与盖之庸、韩仁信二位先生观点不同，作者介绍了墓主的生平和家庭，推断墓主人是韩匡嗣之妹，嫁给契丹萧姓贵族徒都姑，并指出从韩匡嗣一代开始，韩家就已经同后族萧氏联姻。李宇峰《辽〈王师儒墓志〉考释》[8]考释了王师儒家世、生平与妻、子女等，研究了王师儒的官职、阶、勋、爵并其参与的外交活动，指出他曾为天祚帝的老师，也参与国史修撰；曾出使北宋且多次担任馆伴使、接伴使接待北宋钱勰、苏辙等使臣。苗霖霖《耿延毅墓志考释》[9]据耿延毅墓志对《辽史》未载的辽代世家大族上谷耿氏予以考释，同时探讨了耿延毅通过荫补入仕并立下战功而提升了官爵，作者还对墓主的婚姻、子女做出研究，认为上谷耿氏与玉田韩氏有紧密的关系。康鹏《契丹小字〈萧敌鲁副使墓志铭〉考释》[10]的重大价值在于发现墓主的五世祖即辽朝历史上著名的箫挞凛，并厘清了墓主十代先祖，认定萧挞凛出自国舅少父房，另外作者在考察墓文契丹小字时发现契丹族父子连名制的命名习俗，以及收继婚等民俗文化。万雄飞、司伟伟《辽代耶律弘礼墓志考释》[11]介绍了辽景宗曾孙耶律弘礼的世系、兄弟、子嗣，因墓主入嗣韩德让，文章认为其所在墓地为韩德让家族墓地，并探讨了韩德让的后嗣问题；墓志所涉"大横帐"问题，指出"横帐"与"大横帐"概念一致，都是指大父房、仲父房、季父房，至兴宗或道宗，二院皇族也纳入横帐。刘凤翥《十件辽代汉字墓志铭的录文》[12]对在《辽金历史与考古》上发表的一些存在问题的墓志铭考释进行了校订，以供学界正确参考。李玉君、李宇峰《辽代〈耶

4 梁姝丹：《阜新地区辽代碑志及相关问题》，《辽金历史与考古（第五辑）》，辽宁教育出版社，2014年。

5 毕德广：《奚族文化研究》，科学出版社，2016年。

6 刘德刚、刘小红、石金民：《阜新地区出土辽代契丹小字墓志综述》，《辽金历史与考古（第九辑）》，科学出版社，2018年。

7 都兴智：《〈宣以回纥国国信使墓志〉考释》，《北方文物》2010年第3期。

8 李宇峰：《辽〈王师儒墓志〉考释》，《辽金历史与考古（第二辑）》，辽宁教育出版社，2010年。

9 苗霖霖：《耿延毅墓志考释》，《唐山师范学院学报》2012年第3期。

10 康鹏：《契丹小字〈萧敌鲁副使墓志铭〉考释》，《辽金历史与考古（第四辑）》，辽宁教育出版社，2013年。

11 万雄飞、司伟伟：《辽代耶律弘礼墓志考释》，《考古》2018年第6期。

12 刘凤翥：《十件辽代汉字墓志铭的录文》，《辽金历史与考古（第十辑）》，科学出版社，2019年。

律弘礼墓志〉考释》[13]录入并解析了墓志，对耶律弘礼的家族世系、生平事略以及志文所涉及的众多人物、史实进行了考释，认为耶律弘礼曾经有染宗元之乱，仕途受阻后隐退，道宗去世后才重新恢复贵族身份并被皇帝过继给耶律隆运奉祀。文章理清了一些人物的身份关系，同时提出志文所频现的“帐”对研究横帐官制具有重要价值。张力《辽〈张守节墓志〉考》[14]分析了张守节的家族世系、仕历情况以及家族郡望，其家族从六世祖已以武功起家，五世祖开始仕辽，榆州是张氏家族的郡望，作者对墓志文涉及的部分典故进行了解读，颇有趣味。

另外，对墓志铭考释的文章还有胡健《辽宁阜新清河门发现辽代张懿墓志》[15]，李宇峰《辽代汉文〈耶律仁先墓志〉考释》[16]，项春松《辽代平州节度使耶律胡咄石棺及墓志》[17]，杜晓红、李宇峰《辽宁朝阳县发现辽代高嵩高元父子墓志》[18]及《辽宁朝阳县发现辽代后晋李太后、安太妃墓志》[19]，杜守昌、李宇峰《辽代〈刘宇一墓志〉考释》[20]，杜晓红《辽宁省北票市发现辽刘府君墨书题记墓志》[21]，刘凤翥《契丹小字〈故耶律氏铭石〉考释》[22]，于秀丽、陈金梅《辽耶律智先墓志浅释》[23]，陈金梅《辽姚璹墓志浅释》[24]，德力格日呼《契丹大字〈永宁郡公主墓志铭〉研究》[25]，孙建权《金〈孙即康坟祭文〉暨辽〈孙克构墓志铭〉考释》[26]，陈晓伟、刘宪祯《辽代〈姚企

---

13 李玉君、李宇峰：《辽代〈耶律弘礼墓志〉考释》，《辽金历史与考古（第十辑）》，科学出版社，2019年。

14 张力：《辽〈张守节墓志〉考》，《辽金历史与考古（第三辑）》，辽宁教育出版社，2011年。

15 胡健：《辽宁阜新清河门发现辽代张懿墓志》，《辽金历史与考古（第二辑）》，辽宁教育出版社，2010年。

16 李宇峰：《辽代汉文〈耶律仁先墓志〉考释》，《辽宁省博物馆馆刊（2010）》，辽海出版社，2010年。

17 项春松：《辽代平州节度使耶律胡咄石棺及墓志》，《辽金历史与考古（第三辑）》，辽宁教育出版社，2011年。

18 杜晓红、李宇峰：《辽宁朝阳县发现辽代高嵩高元父子墓志》，《辽宁省博物馆馆刊（2011）》，辽海出版社，2011年。

19 杜晓红、李宇峰：《辽宁朝阳县发现辽代后晋李太后、安太妃墓志》，《边疆考古研究（第十六辑）》，科学出版社，2014年。

20 杜守昌、李宇峰：《辽代〈刘宇一墓志〉考释》，《辽宁省博物馆馆刊（2012）》，辽海出版社，2013年。

21 杜晓红：《辽宁省北票市发现辽刘府君墨书题记墓志》，《辽金历史与考古（第四辑）》，辽宁教育出版社，2013年。

22 刘凤翥：《契丹小字〈故耶律氏铭石〉考释》，《赤峰学院学报（汉文哲学社会科学版）》2014年第10期。

23 于秀丽、陈金梅：《辽耶律智先墓志浅释》，《辽金历史与考古（第六辑）》，辽宁教育出版社，2015年。

24 陈金梅：《辽姚璹墓志浅释》，《辽宁省博物馆馆刊（2015）》，辽海出版社，2016年。

25 德力格日呼：《契丹大字〈永宁郡公主墓志铭〉研究》，内蒙古大学硕士学位论文，2015年。

26 孙建权：《金〈孙即康坟祭文〉暨辽〈孙克构墓志铭〉考释》，《中国国家博物馆馆刊》2016年第6期。

晖墓志铭〉与蒙元姚枢、姚燧家族》[27]，《契丹大字〈耶律祺墓志铭〉考释》[28]，《辽代萧乌卢本等三人的墓志铭考释》[29]，杜晓敏《辽〈韩瑜墓志〉考释》[30]，石艳军《辽上京南发现一座辽代碑刻》[31]，《契丹小字〈宋魏国妃墓志铭〉和〈耶律弘用墓志铭〉考释》[32]，陈谊《浅谈〈耶律宗政墓志〉》[33]，周峰《辽代韩宇墓志考释》[34]《辽代刘铸墓志考释》[35]《辽代〈马审章墓志〉考释》[36]，康鹏《辽圣宗贵妃玄堂志铭献疑》[37]，刘喆《新出〈大契丹国故后唐德妃伊氏玄堂志并铭〉考释》[38]，赵薇《唐山发现的辽代许国公墓志铭考释》[39]，陈守义《朝阳新出五方辽代墓志及相关问题考论》[40]。这些墓志考释多是就墓志文探考墓主生平事略、家族谱系、相关地理以及职官等，为认识辽代人物、重要事件、阶层发展等提供了更多个案参考与重要史料。

2. 经幢的考释

李俊义、庞昊《辽上京松山州刘氏家族墓地经幢残文考释》[41]研究了辽上京松山州刘氏家族的发展脉络，并探考了经幢残文所涉及的一些如松山州等的地名、辽史未载却散见于各石刻文的职官名称、辽代军队等问题。齐伟、姜洪军《北票市博物馆藏两经幢简介》[42]介绍并抄录了北票市博物馆藏的两方辽代经幢。宋艳秋《旅顺博物馆藏〈佛顶尊胜陀罗尼真言经幢〉新解读》[43]、李学良《巴林左旗发现两处辽代墓幢》[44]、孙继艳

27 陈晓伟、刘宪祯：《辽代〈姚企晖墓志铭〉与蒙元姚枢、姚燧家族》，《中央民族大学学报（哲学社会科学版）》2016年第5期。

28 《契丹大字〈耶律祺墓志铭〉考释》，《辽金历史与考古（第七辑）》，辽宁教育出版社，2017年。

29 《辽代萧乌卢本等三人的墓志铭考释》，《辽金历史与考古（第七辑）》，辽宁教育出版社，2017年。

30 杜晓敏：《辽〈韩瑜墓志〉考释》，《辽宁省博物馆馆刊（2016）》，辽海出版社，2016年。

31 石艳军：《辽上京南发现一座辽代碑刻》，《草原文物》2016年第2期。

32 《契丹小字〈宋魏国妃墓志铭〉和〈耶律弘用墓志铭〉考释》，《辽金历史与考古（第七辑）》，辽宁教育出版社，2017年。

33 陈谊：《浅谈〈耶律宗政墓志〉》，《东方藏品》2017年第3期。

34 周峰：《辽代韩宇墓志考释》，《地域文化研究》2018年第6期。

35 周峰：《辽代刘铸墓志考释》，《西夏研究》2018年第1期。

36 周峰：《辽代〈马审章墓志〉考释》，《辽金历史与考古（第九辑）》，科学出版社，2018年。

37 康鹏：《辽圣宗贵妃玄堂志铭献疑》，《隋唐辽宋金元史论丛》，上海古籍出版社，2018年。

38 刘喆：《新出〈大契丹国故后唐德妃伊氏玄堂志并铭〉考释》，《宁夏大学学报（人文社会科学版）》2018年第2期。

39 赵薇：《唐山发现的辽代许国公墓志铭考释》，《文物鉴定与鉴赏》2018年第1期。

40 陈守义：《朝阳新出五方辽代墓志及相关问题考论》，《渤海大学学报（哲学社会科学版）》2019年第5期。

41 李俊义、庞昊：《辽上京松山州刘氏家族墓地经幢残文考释》，《北方文物》2010年第3期。

42 齐伟、姜洪军：《北票市博物馆藏两经幢简介》，《辽金历史与考古（第九辑）》，科学出版社，2018年。

43 宋艳秋：《旅顺博物馆藏〈佛顶尊胜陀罗尼真言经幢〉新解读》，《辽金历史与考古（第三辑）》，辽宁教育出版社，2011年。

44 李学良：《巴林左旗发现两处辽代墓幢》，《辽金历史与考古（第三辑）》，辽宁教育出版社，2011年。

《石经幢小考》[45]、杜晓敏《辽〈无垢净光大陁罗尼法舍利经记〉考释》[46]都属于经幢文的考释。

3. 塔记、哀册、摩崖、石函的考释

金永田《辽〈建冢塔记〉残碑考释》[47]指出，此塔建于辽道宗大安三年，塔记中记载了有关警巡制度、政府救灾、民间善事等史实，与《辽史》符，另以塔记内容探究了道宗朝的一些社会矛盾。尤李《辽〈觉花岛海云寺空通山悟寂院塔记〉考释》[48]，陈术石、佟强《兴城白塔峪塔地宫铭刻与辽代晚期佛教信仰》[49]，姜洪军、李宇峰《辽〈南赡部州大契丹国兴中府东北甘草埚建塔葬定光佛舍利记〉考释》[50]，陈利《辽宁凌源市发现辽代四神石函》[51]，《契丹小字道宗哀册篆盖的解读》[52]，吴英喆《阿尔山市白狼镇石堂契丹大字题记》[53]也都探讨了发现于不同地区的塔记、石函等文字。

此外，彭善国、吕嬰馨《近十年来东北、内蒙古东部辽金元考古的发现与研究》[54]，辽宁省文物考古研究所《关山辽墓》[55]，刘琳琳《近十年石刻研究文献综述》[56]，胡戟《珍稀墓志百品》[57]，朱效荣《当代石刻档案汇编研究》[58]，管仲乐《房山石经研究》[59]，杨富学《北国石刻与华夷史迹》[60]等书籍或文章对近十年辽代石刻文研究也有所涉及。

二、辽代石刻文再考

针对曾经考释过的墓志铭，近十年来又有对前文的校勘、补充和再考。王利华、

45 孙继艳：《石经幢小考》，《辽金历史与考古（第四辑）》，辽宁教育出版社，2013年。

46 杜晓敏：《辽〈无垢净光大陁罗尼法舍利经记〉考释》，《辽金历史与考古（第九辑）》，科学出版社，2018年。

47 金永田：《辽〈建冢塔记〉残碑考释》，《北方文物》2010年第2期。

48 尤李：《辽〈觉花岛海云寺空通山悟寂院塔记〉考释》，《东北史地》2012年第5期。

49 陈术石、佟强：《兴城白塔峪塔地宫铭刻与辽代晚期佛教信仰》，《辽金历史与考古（第四辑）》，辽宁教育出版社，2013年。

50 姜洪军、李宇峰：《辽〈南赡部州大契丹国兴中府东北甘草埚建塔葬定光佛舍利记〉考释》，《北方民族考古（第二辑）》，科学出版社，2015年。

51 陈利：《辽宁凌源市发现辽代四神石函》，《辽金历史与考古（第六辑）》，辽宁教育出版社，2015年。

52 《契丹小字道宗哀册篆盖的解读》，《辽金历史与考古（第七辑）》，辽宁教育出版社，2017年。

53 吴英喆：《阿尔山市白狼镇石堂契丹大字题记》，《辽金历史与考古（第七辑）》，辽宁教育出版社，2017年。

54 彭善国、吕嬰馨：《近十年来东北、内蒙古东部辽金元考古的发现与研究》，《辽金历史与考古（第三辑）》，辽宁教育出版社，2011年。

55 辽宁省文物考古研究所：《关山辽墓》，文物出版社，2011年。

56 刘琳琳：《近十年石刻研究文献综述》，吉林大学硕士学位论文，2015年。

57 胡戟：《珍稀墓志百品》，陕西师范大学出版社，2016年。

58 朱效荣：《当代石刻档案汇编研究》，辽宁大学硕士学位论文，2017年。

59 管仲乐：《房山石经研究》，东北师范大学博士学位论文，2019年。

60 杨富学：《北国石刻与华夷史迹》，光明日报出版社，2020年。

王青煜、李宇峰《辽〈耶律宗福墓志〉校勘补述》[61]对已收录在《内蒙古辽代石刻文研究（增订本）》和《辽代石刻文续编》中的《耶律宗福墓志》进行校勘，并且补述了耶律宗福下葬的时间和地点、志文撰写者乐椿、耶律宗福的母亲及祖父母的名字、耶律宗福是辽圣宗的养子等内容，校正《辽史》大延琳反叛时间是太平八年，补充《辽史》漏记鞑靼作乱一事，此外还研究了在坟山茔域之内建僧伽蓝、耶律宗福姻亲和其家族的契丹化等内容。该作者还对研究石刻文的文章或书籍做出补正，有《〈辽代石刻档案研究〉补正》[62]和《〈内蒙古辽代石刻文研究〉（增订本）补正》[63]。齐伟《关于萧和家族墓志铭文的几点认识》[64]利用萧和家族及与其相关的诸多墓志，对萧和家族人物身份、四世十王以及待解决的一些问题进行了针对性研究。韩世明、都兴智《辽〈驸马萧公平原公主墓志〉再考释》[65]补述了平原公主即《辽史》所记钿匿公主、驸马萧忠的家世及族帐、萧忠的长兄萧惠与大弟萧善宁、其子女的详细事略。即实《读谜谈解——〈得勒坚墓志〉补说》[66]补述了以契丹小字刻录的得勒坚墓志的一些问题，提出记音与释义之见，而遇到与史书符合事件要以史书为准，另外对墓志考释中遇到的历史典故应予以介绍。张桂霞、李宇峰《辽代〈石延煦墓志铭〉考释》[67]据志文分析石延煦或为后晋高祖石敬瑭之侄，确定后晋灭亡后石延煦北徙入辽的路线并其未到达过黄龙府的事实，石延煦北迁仕辽40年直至去世，他的王府就在最后定居地安晋城，而安晋城就在其墓附近的朝阳县波罗赤镇101国道北侧。陈金梅、李莉《辽〈高嵩墓志〉校勘及浅释》[68]对志文20处有误之处做出校勘，研究了高嵩家族及生平事迹，认为高嵩是渤海郡汉人高氏，因蒙恩入仕，并介绍了他的父亲、母亲、夫人、儿子的情况，其中涉及的“国子祭酒”“监察御史”“武骑尉”官职等可补史缺。都兴智《契丹小字〈耶律奴墓志〉的几个问题》[69]一文，认为耶律奴是耶律休哥裔孙，属于横帐仲父房；耶律仁先一族属于孟父房，与休哥后裔属于不同支系；作者还对耶律奴的家族世系做出考订与梳理，并分析了墓志中存在争议的契丹小字释文及耶律奴生卒年月问题。

61　王利华、王青煜、李宇峰：《辽〈耶律宗福墓志〉校勘补述》，《辽金历史与考古（第三辑）》，辽宁教育出版社，2011年。

62　李宇峰：《〈辽代石刻档案研究〉补正》，《辽金历史与考古（第三辑）》，辽宁教育出版社，2011年。

63　李宇峰：《〈内蒙古辽代石刻文研究〉（增订本）补正》，《地域性辽金史研究（第一辑）》，中国社会科学出版社，2014年。

64　齐伟：《关于萧和家族墓志铭文的几点认识》，《辽金史论集（第十二辑）》，吉林大学出版社，2012年。

65　韩世明、都兴智：《辽〈驸马萧公平原公主墓志〉再考释》，《文史》2013年第三辑。

66　即实：《读谜谈解——〈得勒坚墓志〉补说》，《社会科学辑刊》2015年第6期。

67　张桂霞、李宇峰：《辽代〈石延煦墓志铭〉考释》，《辽金历史与考古（第六辑）》，辽宁教育出版社，2015年。

68　陈金梅、李莉：《辽〈高嵩墓志〉校勘及浅释》，《辽金历史与考古（第十辑）》，科学出版社，2019年。

69　都兴智：《契丹小字〈耶律奴墓志〉的几个问题》，《中国辽夏金研究年鉴（2017）》，中国社会科学出版社，2020年。

另外，对石刻文再考的文章还有刘凤翥《〈耿崇美墓志铭〉校勘》[70]，穆启文《〈萧琳墓志铭考释〉补述》[71]，姜洪军、李宇峰《辽陈顗妻曹氏刘氏墓志校勘考释》[72]，李强《辽〈张守节墓志〉补释》[73]，李俊义、李义《辽〈刘文用墓志铭〉〈刘贡墓志铭〉勘误》[74]，尤李《辽代庆州白塔建塔碑铭再考》[75]，李宇峰《辽代萧绍宗墓志铭和耶律燕哥墓志铭考释补述》[76]，王玉亭、高娃、于静波《巴林左旗洞山"辽乾统十年经幢"再考》[77]，刘洋《辽〈耶律宗政墓志〉校勘考释》[78]，王玉亭、葛华廷、陈颖《辽〈韩德源嫡妻李氏墓志〉校补》[79]，张意承《辽〈耿延毅墓志〉〈耿延毅妻耶律氏墓志〉〈耿知新墓志〉勘误》[80]。各位学者对墓志铭的校勘及补注，提升了相关史料的准确性。

三、辽代石刻文补正《辽史》的成果

1. 补正《辽史·百官志》

张国庆《石刻所见辽代财经系统职官考——〈辽史·百官志〉补遗之一》[81]整理研究了石刻文所见辽代各财经类管理职官，而辽代有关财经职官少记或漏记情况严重，正补史缺。杨军《辽朝南面官研究——以碑刻资料为中心》[82]根据碑刻对辽代南面官纠谬补遗，探明了辽代职为实职，官为品级，其他是虚衔，认为辽代南面官散官系统不同于北宋和唐朝，辽代南面官系统比较精简，并根据现有资料对辽代南面官系统的文资官与

70 刘凤翥：《〈耿崇美墓志铭〉校勘》，《辽金历史与考古（第二辑）》，辽宁教育出版社，2010年。

71 穆启文：《〈萧琳墓志铭考释〉补述》，《辽金历史与考古（第三辑）》，辽宁教育出版社，2011年。

72 姜洪军、李宇峰：《辽陈顗妻曹氏刘氏墓志校勘考释》，《辽金历史与考古（第四辑）》，辽宁教育出版社，2013年。

73 李强：《辽〈张守节墓志〉补释》，《辽金历史与考古（第四辑）》，辽宁教育出版社，2013年。

74 李俊义、李义：《辽〈刘文用墓志铭〉〈刘贡墓志铭〉勘误》，《辽金历史与考古（第五辑）》，辽宁教育出版社，2014年。

75 尤李：《辽代庆州白塔建塔碑铭再考》，《内蒙古师范大学学报（哲学社会科学版）》2015年第4期。

76 李宇峰：《辽代萧绍宗墓志铭和耶律燕哥墓志铭考释补述》，《辽宁省博物馆馆刊（2015）》，辽海出版社，2016年。

77 王玉亭、高娃、于静波：《巴林左旗洞山"辽乾统十年经幢"再考》，《辽金历史与考古（第八辑）》，科学出版社，2017年。

78 刘洋：《辽〈耶律宗政墓志〉校勘考释》，《辽宁省博物馆馆刊（2017）》，辽海出版社，2018年。

79 王玉亭、葛华廷、陈颖：《辽〈韩德源嫡妻李氏墓志〉校补》，《辽金历史与考古（第九辑）》，科学出版社，2018年。

80 张意承：《辽〈耿延毅墓志〉〈耿延毅妻耶律氏墓志〉〈耿知新墓志〉勘误》，《白城师范学院学报》2019年第5期。

81 张国庆：《石刻所见辽代财经系统职官考——〈辽史·百官志〉补遗之一》，《辽金历史与考古（第三辑）》，辽宁教育出版社，2011年。

82 杨军：《辽朝南面官研究——以碑刻资料为中心》，《史学集刊》2013年第3期。

武资官级别做出排列。李宇峰、李广奇《辽〈贾师训墓志〉考释》[83]对志文详细记载的贾师训的郡望、家族世系及生平事略做出研究；据志文所记，当年贾去疑也参与了营建上京工程，可补《辽史》之缺；"大理寺丞""掾史""河堤史"补《辽史·百官志》史缺。姜洪军《辽宁北票市发现辽代杨从显墓志》[84]探讨了杨从显的郡望及家族世系，志文所涉及的历史地理、职官，诸如"三班奉职""东作使""东京前麴院都监""中京银器都监""沈州马步军都指挥使""馆都监""衣物库都监"可补《辽史·百官志》缺漏。么乃亮《辽代张郁墓志考释》[85]对张郁家族世系、生平、仕历做出研究，指出张郁一生任职经历丰富，作者对志文所涉及的官职做出详考，一定程度上可补《辽史》所缺的财赋官、行政官。

补正《辽史·百官志》的论文还有张国庆《石刻所见辽代军事系统职官考——〈辽史·百官志〉补遗之二》[86]《石刻所见辽代宫廷服务系统职官考——〈辽史·百官志〉补遗之四》[87]《石刻所见辽代监察狱案警巡系统职官考——〈辽史·百官志〉补遗之三》[88]《石刻所见辽代中央行政系统职官考——〈辽史·百官志〉补遗之六》[89]《石刻所见辽朝捺钵"随驾"官考探》[90]，张兴国《巴林左旗辽韩匡嗣家族墓地发现耶律度刺墓志》[91]，张国庆、王家会《石刻所见辽代行政系统职官考——〈辽史·百官志〉补遗之五》[92]，赵志伟、李宇峰《辽〈王说墓志铭〉考释——兼论辽中京为中晚期首都》[93]，李道新《辽代刘知新三兄弟墓志考释》[94]，谷丽芬《辽〈郑恪墓志〉考释》[95]，

83 李宇峰、李广奇：《辽〈贾师训墓志〉考释》，《辽金历史与考古（第八辑）》，科学出版社，2017年。

84 姜洪军：《辽宁北票市发现辽代杨从显墓志》，《辽金历史与考古（第八辑）》，科学出版社，2017年。

85 么乃亮：《辽代张郁墓志考释》，《中国国家博物馆馆刊》2017年第10期。

86 张国庆：《石刻所见辽代军事系统职官考——〈辽史·百官志〉补遗之二》，《辽宁省博物馆馆刊（2010）》，辽海出版社，2010年。

87 张国庆：《石刻所见辽代宫廷服务系统职官考——〈辽史·百官志〉补遗之四》，《辽宁工程技术大学学报（社会科学版）》2010年第6期。

88 张国庆：《石刻所见辽代监察狱案警巡系统职官考——〈辽史·百官志〉补遗之三》，《黑龙江社会科学》2011年第2期。

89 张国庆：《石刻所见辽代中央行政系统职官考——〈辽史·百官志〉补遗之六》，《黑龙江民族丛刊》2012年第1期。

90 张国庆：《石刻所见辽朝捺钵"随驾"官考探》，《赤峰学院学报（汉文哲学社会科学版）》2014年第6期。

91 张兴国：《巴林左旗辽韩匡嗣家族墓地发现耶律度刺墓志》，《辽金历史与考古（第三辑）》，辽宁教育出版社，2011年。

92 张国庆、王家会：《石刻所见辽代行政系统职官考——〈辽史·百官志〉补遗之五》，《辽宁省博物馆馆刊（2011）》，辽海出版社，2011年。

93 赵志伟、李宇峰：《辽〈王说墓志铭〉考释——兼论辽中京为中晚期首都》，《辽金历史与考古（第六辑）》，辽宁教育出版社，2015年。

94 李道新：《辽代刘知新三兄弟墓志考释》，《辽金历史与考古（第八辑）》，科学出版社，2017年。

95 谷丽芬：《辽〈郑恪墓志〉考释》，《辽金历史与考古（第八辑）》，科学出版社，2017年。

李广奇《辽〈冯从顺墓志〉考释》[96]。

2. 补正《辽史·地理志》

齐伟《辽宁省博物馆藏〈石重贵墓志铭〉考释》[97]对石敬瑭之子石重贵的生平事迹和家族世系做出研究，并介绍了志文所涉及的石氏北迁路线、大丞相秦王为高勋、“幕吏”牛藏用及“封树”典故。康鹏、左利军、魏聪聪《辽〈高玄圭墓志〉考释》[98]指出《辽史·兵卫志》所载庆州玄宁县无误；志中所言兴云山实即《辽史》之庆云山；此墓志为学界认识入辽汉人的迁徙路径、生活状况提供了鲜明的个案。孙勐、胡传耸《北京出土辽代李熙墓志考释》[99]较为系统地分析了辽代前期的职官设置情况，并对燕京命名的时间等进行了探讨。其他文章：左利军《辽〈高士宁墓志〉考释》[100]，李宇峰《辽〈张正嵩张思忠墓志铭〉考释》[101]，李俊义、张梦雪《辽〈萧德顺墓志铭〉考释》[102]，张振军《辽宁朝阳县发现辽代〈王仲兴墓志〉》[103]，李玉君、张晓昂《辽代〈刘承嗣墓志〉考释》[104]也都涉及对辽代地理的研究。

3. 补正《辽史》表、传

李龙彬、樊圣英、李宇峰《辽代平原公主墓志考释》[105]认为平原公主是辽圣宗长女，并研究了驸马萧忠的先祖、家世、事略以及二人子女。郭宝存、齐彦春《辽代〈萧绍宗墓志铭〉和〈耶律燕哥墓志铭〉考释》[106]对萧绍宗家族的相关人物进行了考释；“故推诚启连翊世同德致理功臣”“驸马都尉、赠楚国王”补《辽史·萧思温传》之缺；这两碑许多官职可补《辽史·百官志》史缺。胡娟、海勇《辽〈耶律善庆墓志〉考释》[107]对《辽史·皇子表》有重要补充。

96　李广奇：《辽〈冯从顺墓志〉考释》，《辽金历史与考古（第九辑）》，科学出版社，2018年。

97　齐伟：《辽宁省博物馆藏〈石重贵墓志铭〉考释》，《辽金历史与考古（第四辑）》，辽宁教育出版社，2013年。

98　康鹏、左利军、魏聪聪：《辽〈高玄圭墓志〉考释》，《北方文物》2014年第3期。

99　孙勐、胡传耸：《北京出土辽代李熙墓志考释》，《北方文物》2016年第1期。

100　左利军：《辽〈高士宁墓志〉考释》，《辽金历史与考古（第三辑）》，辽宁教育出版社，2011年。

101　李宇峰：《辽〈张正嵩张思忠墓志铭〉考释》，《辽宁省博物馆馆刊（2014）》，辽海出版社，2015年。

102　李俊义、张梦雪：《辽〈萧德顺墓志铭〉考释》，《中国国家博物馆馆刊》2016年第1期。

103　张振军：《辽宁朝阳县发现辽代〈王仲兴墓志〉》，《辽金历史与考古（第八辑）》，科学出版社，2017年。

104　李玉君、张晓昂：《辽代〈刘承嗣墓志〉考释》，《辽宁师范大学学报（社会科学版）》2018年第2期。

105　李龙彬、樊圣英、李宇峰：《辽代平原公主墓志考释》，《考古》2011年第8期。

106　郭宝存、祁彦春：《辽代〈萧绍宗墓志铭〉和〈耶律燕哥墓志铭〉考释》，《文史》2015年第三辑。

107　胡娟、海勇：《辽〈耶律善庆墓志〉考释》，《辽金历史与考古（第九辑）》，科学出版社，2018年。

四、以辽代石刻资料为主的辽史研究

1. 辽代科举制度、部族制度

杨卫东《辽朝梁颖墓志铭考释》[108]涉及科举考试、耶律英弼即耶律乙辛、辽宋领土之争、耶律兴公非杨遵勖等问题。齐伟、都惜青《辽张公恕妻陈氏墓志考释》[109]录入墓志文，分析了陈氏的家世与生平，其夫张公恕的家世、仕历、子女，志文所载“临刿部”补《辽史》之缺；作者搜集墓志撰写者赵孝严相关史料及石刻文，认为他是一位造诣深厚的文史家。齐伟《辽代“白霫”考》[110]根据大量的石刻文资料，结合相关史料，阐明了“白霫”这一部族随着时间变化而逐渐由潢河流域到土河流域中京大定府一带，再到燕地平、滦二县附近的过程，并这一过程中“白霫”的部族含义逐渐弱化、地域意义逐渐增强的变化。孙勐《北京密云大唐庄出土辽代墓志考释》[111]对墓主人张晋卿的姓氏、生平事迹、仕宦履历、官职迁转予以考证，并对其中所涉及的重要人物、事件、制度，如清宁五年科举、承天太后南伐、辽道宗崇佛等问题加以分析。

2. 辽代佛教

程嘉静《从〈辽代石刻文编〉看辽代邑社》[112]对辽代“千人邑”的宗旨、入会条件、内部管理、在各地的表现形式做出研究。张国庆、陶莉《辽代高僧“杖锡”“挂锡”及相关问题探究——以石刻文字资料为中心》[113]从石刻文字资料出发，分析了高僧“仗锡”“挂锡”的目的、路线、地点、时间与圆寂塔藏处，并表明“仗锡”“挂锡”之高僧并不是专属某一宗派。张国庆《辽代经幢及其宗教功能——以石刻资料为中心》[114]钩沉辽代石刻文字资料，探析了辽代经幢的种类、处所及其宗教功能。张国庆《辽代僧尼出家“具戒”考——以石刻文字资料为中心》[115]探讨了辽代僧尼出家的原因有当时社会崇佛、家庭成员崇佛、个人性格三个方面，辽代僧尼“具戒”的形式有皇帝下诏“恩度”和寺院或僧司出题“试经”两种。张国庆《辽代僧尼法号、师德号与“学位”称号考——以石刻文字资料为中心》[116]认为辽代僧尼自“具戒”之时获得法号，部分得法字，师德号由皇帝赐予，依据是“德法双馨”，僧尼还有不同等级的“学位”称

---

108 杨卫东：《辽朝梁颖墓志铭考释》，《文史》2011年第一辑。

109 齐伟、都惜青：《辽张公恕妻陈氏墓志考释》，《苏州文博论丛》，文物出版社，2011年。

110 齐伟：《辽代“白霫”考》，《宋史研究论丛（第18辑）》，河北大学出版社，2016年。

111 孙勐：《北京密云大唐庄出土辽代墓志考释》，《中国国家博物馆馆刊》2016年第2期。

112 程嘉静：《从〈辽代石刻文编〉看辽代邑社》，《宋史研究论丛（第11辑）》，河北大学出版社，2010年。

113 张国庆、陶莉：《辽代高僧“杖锡”“挂锡”及相关问题探究——以石刻文字资料为中心》，《辽宁大学学报（哲学社会科学版）》2011年第6期。

114 张国庆：《辽代经幢及其宗教功能——以石刻资料为中心》，《北方文物》2011年第2期。

115 张国庆：《辽代僧尼出家“具戒”考——以石刻文字资料为中心》，《浙江学刊》2011年第6期。

116 张国庆：《辽代僧尼法号、师德号与“学位”称号考——以石刻文字资料为中心》，《民族研究》2011年第6期。

号。张国庆《辽代佛教世俗表象探微——以石刻文字资料为中心》[117]指出，辽代佛教深受唐代佛教世俗化且信仰人数多，出现了佛教世俗化的现象：僧侣涉政、佛教义理儒化、佛事活动世俗化、僧侣物质精神趋向世俗，这对人们的世俗社会生活产生了较大影响。张国庆《相契与互融：辽代佛儒关系探论——以石刻文字资料为中心》[118]论述了辽代佛、儒二教的发展，辽代由儒重佛轻演变为以佛丰儒、援儒入佛，最后佛、儒并重，二者的融合丰富了各自理论，亦对时人产生影响。齐伟《辽博馆藏两方石刻考释——兼谈辽代佛教"显密圆通"思想之研究》[119]一文对辽宁省博物馆馆藏尚未发表的两方辽代石刻进行了相关概述和考释，然后从第二方石刻傅氏的佛教信仰出发，对辽代"显密圆通"的思想来源、《显密圆通成佛心要集》的成书年代等问题做了初步探讨，并认为辽代晚期佛教信仰具有显密兼修的特点。张国庆《石刻文字所见辽代寺院考》[120]研究了辽代的寺院建筑物名称、结构、布局和功能，同时探讨了寺院的修建过程、建筑物的装饰工艺、寺院内外的自然与人文景观。以石刻文为主研究辽代佛教问题的论文还有孙勐《北京地区辽代佛教综论——以石刻文字资料为中心》[121]、吕富华《从石刻史料看辽代女性的崇佛》[122]、王德朋《房山云居寺辽代刻经述略》[123]、孟亮《辽代佛教刻经述略》[124]、黄夏年《从辽代石刻经幢考察佛教经幢的历史渊源及发展》[125]、吴琼《从石刻看辽代平民阶级女性崇佛情况》[126]、高连东《〈辽大康四年谷积山院读藏经之记碑〉考》[127]，于秀丽、李宇峰《辽〈妙行大师行状碑〉考释》[128]等。

3. 辽代社会、文化、习俗

郑承燕《辽代丧葬礼俗举要——以辽代石刻资料为中心》[129]指出辽代有聚族而葬、

117 张国庆：《辽代佛教世俗表象探微——以石刻文字资料为中心》，《黑龙江社会科学》2014年第4期。

118 张国庆：《相契与互融：辽代佛儒关系探论——以石刻文字资料为中心》，《浙江学刊》2014年第5期。

119 齐伟：《辽博馆藏两方石刻考释——兼谈辽代佛教"显密圆通"思想之研究》，《北方民族考古（第二辑）》，科学出版社，2015年。

120 张国庆：《石刻文字所见辽代寺院考》，《东北史地》2015年第4期。

121 孙勐：《北京地区辽代佛教综论——以石刻文字资料为中心》，《北京联合大学学报（人文社会科学版）》2013年第2期。

122 吕富华：《从石刻史料看辽代女性的崇佛》，《兰台世界》2014年第30期。

123 王德朋：《房山云居寺辽代刻经述略》，《兰台世界》2014年第24期。

124 孟亮：《辽代佛教刻经述略》，《法音》2014年第7期。

125 黄夏年：《从辽代石刻经幢考察佛教经幢的历史渊源及发展》，《佛学研究》2015年第1期。

126 吴琼：《从石刻看辽代平民阶级女性崇佛情况》，《赤峰学院学报（汉文哲学社会科学版）》2016年第7期。

127 高连东：《〈辽大康四年谷积山院读藏经之记碑〉考》，《辽金历史与考古（第八辑）》，科学出版社，2017年。

128 于秀丽、李宇峰：《辽〈妙行大师行状碑〉考释》，《辽金历史与考古（第九辑）》，科学出版社，2018年。

129 郑承燕：《辽代丧葬礼俗举要——以辽代石刻资料为中心》，《内蒙古大学学报（哲学社会科学版）》2010年第1期。

以东为尊、权殡厝葬、卜吉缓葬等习俗，另外，在辽中期以后，受中原文化影响深厚的辽帝在选陵址之时亦考虑风水问题，而且会结庐守陵以显孝道。张国庆《辽代人丧葬观念刍论——以石刻文字资料为中心》[130]认为辽代人既有感慨生死、天命注定的唯心生死观，也有正确面对死亡的唯物观；在佛教的影响下，辽代人多为死者立石幢以表达度亡祈福、灭罪消灾的愿望；辽代厚葬之风与统治者倡导薄葬相交织。陈鹏、高云松《辽代契丹家庭浅论——以汉文石刻资料为中心》[131]探究了辽代家庭的人口、成员、伦理等问题。张国庆《辽朝"里""村"问题再探讨——以石刻文字为中心》[132]整理了石刻文字所见"里""村"，发现其设置的无序性，"村"是以自然聚落的性质呈现，进而研究了"村""里"地名的类型和沿革。张国庆《辽朝"人名"视域下的文化映像——以石刻文字为中心》[133]认为辽人以"奴"为名是中原"贱名"习俗的影响，以地名或封号为名为表纪念，以佛教名词为名反映出佛教文化影响在扩大，以儒学名词为名表明汉儒文化影响深远，而汉语名和契丹语名同时使用则是民族文化交融的折射。其他相关文章还有张敏《从辽代石刻看辽代社会中的贤妇观》[134]《辽代石刻中所反映的辽朝母仪规范》[135]，王丽娟《碑刻资料所见奚族的婚姻习俗》[136]，张敏、徐丽颖《从辽代墓志中的女性典范看辽代社会的女性观》[137]，张丹、姜维东《辽代唯一传世的"辽词"考证——〈三盆山崇圣院碑记〉上的"西江月"》[138]，张丹《从石刻资料看辽初汉人基层社会组织——以"乡、里"为中心》[139]，刘晓飞《以石刻资料为中心看辽代女性教化问题》[140]，张国庆《辽朝政治婚姻中的"赐婚"现象——以石刻文字为中心》[141]。

---

130 张国庆：《辽代人丧葬观念刍论——以石刻文字资料为中心》，《辽宁省博物馆馆刊（2013）》，辽海出版社，2014年。

131 陈鹏、高云松：《辽代契丹家庭浅论——以汉文石刻资料为中心》，《黑龙江民族丛刊》2016年第4期。

132 张国庆：《辽朝"里""村"问题再探讨——以石刻文字为中心》，《辽宁大学学报（哲学社会科学版）》2017年第5期。

133 张国庆：《辽朝"人名"视域下的文化映像——以石刻文字为中心》，《地域文化研究》2018年第5期。

134 张敏：《从辽代石刻看辽代社会中的贤妇观》，《赤峰学院学报（汉文哲学社会科学版）》2014年第4期。

135 张敏：《辽代石刻中所反映的辽朝母仪规范》，《天水师范学院学报》2014年第5期。

136 王丽娟：《碑刻资料所见奚族的婚姻习俗》，《河北大学学报（哲学社会科学版）》2015年第5期。

137 张敏、徐丽颖：《从辽代墓志中的女性典范看辽代社会的女性观》，《白城师范学院学报》2015年第1期。

138 张丹、姜维东：《辽代唯一传世的"辽词"考证——〈三盆山崇圣院碑记〉上的"西江月"》，《学问》2016年第5期。

139 张丹：《从石刻资料看辽初汉人基层社会组织——以"乡、里"为中心》，《山西青年》2017年第2期。

140 刘晓飞：《以石刻资料为中心看辽代女性教化问题》，《辽宁师范大学学报（社会科学版）》2019年第6期。

141 张国庆：《辽朝政治婚姻中的"赐婚"现象——以石刻文字为中心》，《辽金历史与考古（第十辑）》，辽宁教育出版社，2019年。

4. 辽代经济、法律、战争

王晔《辽代幽云地区土地买卖的几个问题——以辽代石刻资料为中心》[142]对辽代幽云地区土地交易发展的背景、辽代土地买卖文券、辽代幽云地区土地买卖与兼并做出了研究。张国庆《辽朝手工业门类与生产场所考述——以石刻文字资料为中心》[143]对辽代兵器作坊、“铁冶”及铁器制造场所、“银冶”与银器制造场所、车船制造与石雕土建场所、造曲酿酒场所、晒煮食盐场所、纺织印染场所进行了考索。张国庆《辽朝工匠及其管理初探——以石刻文字为中心》[144]探析了辽代工匠以及工匠管理者的情况。张志勇《辽代法律及其特色——基于碑刻资料透露出的法律信息》[145]考证分析了碑刻所见辽代法律形式、法律内容、司法机构、司法官员诉讼和审判情况，总结了辽代法律特点。张国庆《石刻文字所见辽朝战事考补》[146]对辽灭渤海之战、辽宋之战、辽丽之战、辽夏之战、北疆御敌之战以及国内平叛之战等予以补充或考证。

5. 辽夏关系

陈玮《辽代汉文石刻所见辽夏关系考》[147]将辽代汉文石刻中涉及西夏史料详加辑录并细致考释，据以探讨辽夏在政治上的亲缘关系、辽夏战争中辽朝的军事运作以及辽夏间的文化交涉。张国庆《辽朝“使臣”“驿馆”史事杂考——以石刻文字所见为主》[148]研究了遴选“使臣”的标准、信使言行、出使目的、信使谍报、出使的法规、使徒驿馆与管理驿馆之官吏等。

综上所述，2010～2019年学界比较重视石刻文研究。元修《辽史》本就疏漏，史料较少，而石刻文的出土与研究可校勘和补充《辽史》，其中尤其是石刻文所载官职与人物的信息对《辽史》的补充极为重要。学者们基于石刻文为史料的研究亦推进了辽代政治制度、社会经济、文化宗教的研究。纵观近十年石刻文研究成果，内容多涉及王公贵族和官吏的家族世系、功名事迹，以及佛教、风俗，今后石刻文校勘、以石刻文为主的专题研究等方面应有更广泛的探讨。

（**袁梦瑶　渤海大学历史文化学院**）

---

142 王晔：《辽代幽云地区土地买卖的几个问题——以辽代石刻资料为中心》，《中国经济史研究》2011年第3期。

143 张国庆：《辽朝手工业门类与生产场所考述——以石刻文字资料为中心》，《辽宁工程技术大学学报（社会科学版）》2015年第5期。

144 张国庆：《辽朝工匠及其管理初探——以石刻文字为中心》，《史学集刊》2019年第4期。

145 张志勇：《辽代法律及其特色——基于碑刻资料透露出的法律信息》，《辽宁工程技术大学学报（社会科学版）》2012年第4期。

146 张国庆：《石刻文字所见辽朝战事考补》，《辽宁工程技术大学学报（社会科学版）》2016年第4期。

147 陈玮：《辽代汉文石刻所见辽夏关系考》，《北方文物》2012年第4期。

148 张国庆：《辽朝“使臣”“驿馆”史事杂考——以石刻文字所见为主》，《浙江学刊》2016年第3期。

综述

近四十年来国内辽金民族融合问题研究综述

姚　远

内容提要： 近四十年来国内辽金民族融合问题研究新论迭出，积累了大量成果。学者们从民族融合的途径、民族政策、不同民族的相互融合、民族观念等角度对辽金民族融合问题进行了深入探讨并取得一系列成果。近四十年来学界对于此问题的研究重心发生了一些转变，然而，在研究中也存在一些问题，关于辽金民族融合问题的研究有待进一步加强。

关键词： 辽金　民族融合　研究综述

辽宋金时期是我国历史上又一个多政权并立时期。今天辽宋金时期是中国史上的第二个南北朝已成为学界共识[1]。在这一多政权对峙时代，其间的民族融合问题不能不引起史家关注，时贤对20世纪以来的相关成果已有梳理[2]。改革开放四十年来，国内史学界关于辽金民族融合问题的探讨新论迭出，取得了一系列丰硕成果，因此笔者对学术界广泛讨论的关于民族融合问题的研究成果择其要进行梳理。由于水平限制，难免有遗珠弃璧之叹。疏漏之处，恳请方家雅正。

一、民族融合的途径

民族迁徙、族际通婚是民族融合的重要途径。近四十年来学界对民族融合途径的研究主要分为以下两个方面。

（一）民族迁徙

民族迁徙是民族融合的重要前提，对民族融合进程影响重大。因此辽金的民族迁徙问题引起了学界关注。

关于辽代的民族迁移，学界对辽统治下各民族的迁移方向及治理方式都进行了讨

1　陈述：《辽金两朝在祖国历史上的地位》，《辽金史论集（第1辑）》，上海古籍出版社，1987年，第1～8页；孟古托力：《宋辽“南北朝”说考论》，《学习与探索》1990年第3期；赵永春：《辽人自称“北朝”考论》，《史学集刊》2008年第5期。

2　王善军：《20世纪以来辽金民族融合问题研究综述》，《西夏学（第6辑）》，上海古籍出版社，2010年，第242～253页。

论。韩光辉提出辽代奚人、渤海人等少数民族人口在军事因素影响下被迫南迁，各族人民的迁徙改变了中国北方人口的空间分布和民族构成，形成了各族人民杂居共处的局面[3]。除奚、渤海等民族被迫南迁外，契丹人为追求更好的生活环境也进行了大规模南迁。杨保隆将渤海人入高丽的过程分为四个阶段，并指出辽代渤海人不堪契丹人压迫向中原、女真等地区外逃，渤海人在契丹人强迫下向辽东等地迁徙[4]。武玉环《王氏高丽时期的渤海移民》则将渤海民族迁往高丽分为辽初到景宗时期、辽圣宗时期至辽末两个阶段，论述了渤海人移居朝鲜半岛的背景、过程与王氏高丽对各阶层渤海移民的安置政策[5]。孟古托力《辽代人口的若干问题探讨》提出辽朝的人口迁移主要包括契丹人的南迁、西进与汉人的北上，认为在辽朝契丹人的迁徙过程中南下与西进交替进行，但以南下为最终目的，西进只是一种权宜之计[6]。针对此问题王德忠提出不同看法，认为辽朝时契丹族的主要迁徙方向为北方和西北方[7]。蒋金玲论述了辽太祖到辽圣宗时期的三次渤海移民大迁徙，并就辽朝对渤海移民的安置与治理进行了详细阐述[8]。武玉环《辽代的移民、治理与民族融合》论述了辽朝的移民数量与治理方式。推算出在辽朝600万人口中汉族、渤海族、奚族等移民人口在250万左右[9]。

学界对金统治下的移民数量、民族迁移情况及猛安谋克的迁移问题也进行了讨论。范寿琨认为金朝统治者掳掠汉人移居东北促进了民族间的相互影响，为中华民族注入了新的活力。范寿琨还提出金朝时期移居东北的汉人数量多于辽朝[10]。郝素娟赞同这一看法，并进一步提出金代北迁汉人的迁入地范围也远大于辽代[11]。葛剑雄、吴松弟《中国移民史》则提出了不同看法。葛剑雄分析了金朝不同时期各民族的迁徙情况，认为金代东北的汉人数量较辽代有所减少[12]。吴松弟阐述了女真、契丹、渤海等东北民族向中原内迁的过程、东北移民的分布状况和移民对华北经济文化的影响[13]。王德忠详细论述了女真族向中原地区、汉族向金源地区、契丹族向中都附近地区的迁徙情况[14]。郝素娟《金代移民研究》阐述了金代各时期的移民状况、移民的移居地生活及移民在金代社会中的地位和影响[15]。周峰《略论完颜亮时期猛安谋克的南迁》提出金朝正隆年间的女真

3 韩光辉：《辽代中国北方人口的迁移及其社会影响》，《北方文物》1989年第2期。

4 杨保隆：《辽代渤海人的逃亡与迁徙》，《民族研究》1990年第4期。

5 武玉环：《王氏高丽时期的渤海移民》，《吉林大学社会科学学报》2007年第3期。

6 孟古托力：《辽代人口的若干问题探讨》，《北方文物》1997年第4期。

7 王德忠：《辽朝的民族迁徙及其评价》，《东北师大学报（哲学社会科学版）》1998年第4期。

8 蒋金玲：《辽代渤海移民的治理和归属研究》，吉林大学硕士学位论文，2004年。

9 武玉环：《辽代的移民、治理与民族融合》，《10—13世纪中国文化的碰撞与融合》，上海人民出版社，2006年，第408～437页。

10 范寿琨：《金代东北的汉人》，《社会科学战线》1986年第2期。

11 郝素娟：《金代移民研究》，吉林大学博士学位论文，2020年。

12 葛剑雄编，吴松弟著：《中国移民史》（第四卷），福建人民出版社，1997年，第21～163页。

13 吴松弟：《金代东北民族的内迁》，《中国历史地理论丛》1995年第4期。

14 王德忠：《金朝社会人口流动及其评价》，《东北师大学报》2000年第6期。

15 郝素娟：《金代移民研究》，吉林大学博士学位论文，2016年。

猛安谋克户南迁促进了女真人和中原人民的经济文化交流与民族融合[16]。冯继钦对金朝时奚族猛安谋克的布置和迁移情况进行了探讨。提出与契丹猛安谋克相比，奚在金朝统治的120年间猛安谋克制始终未曾中断[17]。夏宇旭则提出不同看法，认为世宗时契丹猛安谋克的解散与罢汉人、渤海人猛安谋克有本质区别，金朝统治者将被罢的契丹猛安谋克户分隶于女真猛安谋克。因此，有金一代契丹猛安谋克一直持续存在[18]。

（二）族际通婚

民族迁徙与人口流动形成的各民族杂居状况为族际通婚提供了条件。辽金贵族官僚与民间的族际通婚状况引起了学界关注。

关于辽代的族际通婚，学界的研究主要分为贵族官僚集团的通婚和民间的通婚两个方面。常志永提出随着辽代中后期幽云地主势力的增强，为笼络汉族上层，辽朝开始推进契汉联姻，以巩固统治[19]。王善军从个案出发，阐述了耶律倍的家族嬗变过程，认为耶律倍家族的迁徙与族际通婚使其契丹人血统不断淡化，显现出对各民族文化的兼容性[20]。齐伟以耿崇美家族为例，探讨了辽代汉官集团与各世家贵族的姻亲关系，以及这种姻亲关系与政治活动之间千丝万缕的联系[21]。此后齐伟在《辽代汉官集团的婚姻与政治》中更加系统地分析了辽代汉官集团的婚姻关系、婚姻特点，以及这种婚姻关系对辽代政局的影响[22]。常志永《辽代契汉通婚的态势与影响略论》考察了辽朝中后期汉族贵族官僚竞相娶契丹宗室及贵族之女的现象。认为汉契上层之间的通婚对下层民众起到示范作用[23]。彭文慧提出辽代各民族间的通婚从文化和血统上实现了民族间的交流与融合[24]。王善军《辽代族际婚试探》对契丹等游牧民族与汉族等农耕民族之间的通婚；契丹、奚等不同游牧民族之间的相互通婚；汉族、渤海等不同农耕民族之间的相互通婚与和亲中的族际婚等辽代族际婚状况进行了全面的考察，认为辽代文化的多样性和兼容性、中华一体观念和认同意识的产生，与广泛存在的族际通婚不无关系[25]。

学界对金代贵族官僚及民间的通婚也有讨论，夏宇旭阐述了金初到世宗时期女真上层与契丹人的婚姻状态，金统治者出于政治目的提倡女真、契丹两族通婚，以此淡化契丹人的民族意识，加强对契丹人的统治[26]。陈洁、孙炜冉以渤海世家与女真贵族的联姻

16 周峰：《略论完颜亮时期猛安谋克的南迁》，《内蒙古民族大学学报》2002年第1期。

17 冯继钦：《金代契丹人分布研究》，《北方文物》1990年第2期。

18 夏宇旭：《金代契丹人研究》，吉林大学博士学位论文，2010年。

19 常志永：《辽代契汉通婚的态势与影响略论》，《兰州学刊》2018年第11期。

20 王善军：《家族嬗变与民族融合——从耶律倍到耶律希亮的个案家族考察》，《中国社会历史评论》2012年第0期。

21 齐伟：《辽代耿崇美家族的婚姻与政治》，《东北史地》2011年第5期。

22 齐伟：《辽代汉官集团的婚姻与政治》，科学出版社，2017年，第195～203页。

23 常志永：《辽代契汉通婚的态势与影响略论》，《兰州学刊》2018年第11期。

24 彭文慧：《辽代西京地区民族分布与民族交流》，《辽宁工程技术大学学报（社会科学版）》2016年第3期。

25 王善军：《辽代族际婚试探》，《史学集刊》2020年第6期。

26 夏宇旭：《论金代女真人与契丹人的婚姻关系》，《北方文物》2008年第2期。

状况为切入点，探讨了渤海人与女真人的融合[27]。李玉君在《金代宗室研究》中也涉及了金朝女真宗室与渤海人、汉人的通婚情况[28]。闫兴潘提出章宗、宣宗时期的立后事件揭示了民族融合与族际通婚态势对女真婚姻旧制的巨大冲击，折射出多民族文化在有金一代碰撞、冲突与融合的艰难过程[29]。闫兴潘还通过对金元之际女真和汉人具体家族婚姻状况的考察，认为女真与汉人的族际通婚进一步深化女真人的汉化程度，但并不意味着女真族完全融入汉族之中[30]。夏宇旭提出将契丹女俘赐给女真士兵、在政府鼓励下契丹人与女真人的通婚是金朝时两族民间通婚的主要方式，金代契丹人的婚姻很大程度上受到政治形势与契丹人地位变化的影响[31]。

二、民族融合的表现

（一）民族间的文化交往与融合

民族间的文化交往既包括物质文化交往也包括精神文化交往。

物质文化交往方面，岑家梧论述了辽代契丹族与汉族及其他少数民族的交往。认为辽代汉族与契丹族的相互交往促进了契丹族农业、手工业的发展，各族间的交流与碰撞促进了民族间的经济文化联系，推动了我国历史的发展[32]。张国庆通过对沈北地区契丹萧氏后族墓群出土的日常用品的考察，认为沈北地区契丹萧氏后族墓葬中所体现的物质文化多元性特征反映了这一地区以契丹游牧文化为主体融合多元文化因素的独具特色的地域文化[33]。宋德金通过对双陆的发展轨迹以及人们对双陆认识的转变过程的考察，认为这一过程反映了中国北方民族对中原文化的传承，体现了中华传统文化海纳百川的能力[34]。

关于辽金各民族精神文化交往方面学界也有探讨。关亚新通过对辽金文化的分析与对比认为辽朝游牧文化与农耕文化并行的二元文化比金朝的单一文化更具生命力[35]。封树礼通过对契丹诗歌演进过程的分析揭示了契丹族的汉化进程[36]。张国庆《辽

27 陈洁：《渤海族在金朝的民族影响问题浅析》，《长春工业大学学报（社会科学版）》2014年第4期；孙炜冉：《金代渤海世家及其与金朝皇族的联姻》，《博物馆研究》2016 年第 4 期。

28 李玉君：《金代宗室研究》，吉林大学博士学位论文，2010年。

29 闫兴潘：《文化融合与金代“后不娶庶族”婚姻旧制之崩坏——以章宗和宣宗立皇后事件为中心》，《江西社会科学》2017年第1期。

30 闫兴潘：《金元之际女真、汉人族际通婚研究》，《宋史研究论丛（第18辑）》，河北大学出版社，2016年。

31 夏宇旭：《金代契丹人研究》，吉林大学博士学位论文，2010年。

32 岑家梧：《辽代契丹和汉族及其他民族的经济文化联系》，《历史研究》1981年第1期。

33 张国庆：《辽代沈北地区契丹人物质文化的多元性特征——以辽墓考古资料为中心》，《辽金历史与考古（第五辑）》，辽宁教育出版社，2014年。

34 宋德金：《双陆与民族文化的交流和融合》，《历史研究》2003年第2期。

35 关亚新：《辽金文化比较研究》，《黑龙江民族丛刊》2002年第1期。

36 封树礼：《从契丹诗歌的演进看契丹人的汉化进程》，《辽宁工程技术大学学报（社会科学版）》2005年第5期。

代燕云地区佛教文化探论》认为燕云地区汉族与北方少数民族文化的交汇决定了此地佛教文化具有兼容性特征[37]。民族间文化交往与融合的另一成果是对金源文化的研究。据笔者收集到的资料，继1992年王禹浪正式提出“金源文化”概念，学界对“金源文化”的定义和“金源文化”与汉族文化及其他少数民族文化间的交往等问题均进行了探究[38]。

（二）社会风俗与观念的嬗变

在各民族文化相互融合的背景下，辽金社会风俗与观念的也发生了嬗变，学界对这一问题的研究角度主要分为礼俗的变迁、社会风俗的嬗变、社会观念的转变三个方面。

在礼俗变迁方面，宋德金《契丹汉化礼俗述略》论述了从辽至元的数百年间，契丹族礼俗的汉化现象，揭示了我国各民族相互融合的历史进程[39]。李旭通过辽金礼制对中原汉礼尤其是以皇帝为中心的礼仪制度的吸收的研究，提出礼制汉化既促进了辽金统治者正统观念的萌芽与发展，又渗透了其勇武纯朴的民族精神[40]。张明华指出金灭辽破宋战争中俘虏的宫廷、宗室妇女对金朝的宫廷生活方式、礼仪制度，以及女真贵族妇女价值观念均产生重大影响[41]。安立春《试论金代礼制的渊源、特点和历史作用》认为金代礼制在保留女真本俗基础上承袭唐、辽、北宋礼制，在中国封建礼制发展过程中起到承前启后的作用，金代礼制的转化促进了女真人封建化与中华民族多元一体化进程[42]。

社会风俗的嬗变是民族融合的重要表现，包括衣食住行等各个方面。景爱认为受汉族人的影响，契丹人的饮食、生产方式发生变化，逐渐从游牧文明向农耕文明转变[43]。而宋德金《辽金文化比较研究》则通过辽、金衣食住行、宗教信仰、道德观念等方面的对比，分析了契丹女真文化既有相似性又有差异性的原因[44]。张国庆探讨契丹族文化对汉族文化在服饰、饮食、丧葬、语言文字等方面的影响，认为相同（或相似）的生存地理环境、民族杂居、文化交流使汉族有所扬弃地接受契丹文化[45]。王冬冬、胡畔、李思宇从饮食习俗出发，探讨了在汉族文化的熏陶下，汉族与少数民族文

---

37 张国庆：《辽代燕云地区佛教文化探论》，《民族研究》2001年第2期。

38 李成：《“金源文化”简论》，《社会科学战线》1999年第2期；李成：《论“金源文化”的影响》，《黑龙江民族丛刊》2000年第2期；李建勋：《金源文化的界定及其对中原文化的影响》，《金史研究论丛》，哈尔滨出版社，2000年，第346、347页。

39 宋德金：《契丹汉化礼俗述略》，《辽金史论集（第1辑）》，上海古籍出版社，1987年，第129～139页。

40 李旭：《略论辽金礼制汉化问题》，《史学月刊》1992年第1期。

41 张明华：《战争、战俘、文化碰撞——金国宫廷生活方式及宫廷礼仪汉化趋势研究》，《河南大学学报（社会科学版）》2008年第4期。

42 安立春：《试论金代礼制的渊源、特点和历史作用》，《辽金史论集（第8辑）》，吉林文史出版社，1994年，第252～264页。

43 景爱：《说契丹人生活方式的改变》，《辽金契丹女真史研究》1986年第1期。

44 宋德金：《辽金文化比较研究》，《北方论丛》2001年第1期。

45 张国庆：《契丹族文化对汉族影响刍论》，《北方文物》1998年第3期。

化的互融[46]。

辽金社会观念的转变主要体现在少数民族对儒家观念的吸收与继承。武玉环论述了儒学从确立统治地位到繁荣发展的过程以及儒家思想对辽代的政治、经济、文化及社会生活等方面的影响[47]。孟古托力认为辽朝对儒家思想的接受促使其缩小中原农业民族与北方草原民族的分野，为实现民族融合奠定了坚实基础[48]。高福顺《契丹皇族儒家经史教育考论》对辽朝皇室的儒化问题进行探讨，认为契丹皇族接受儒家经史教育，对辽朝的社会文化、治国理念产生重大影响[49]。张博泉认为金朝在对中原儒学继承的基础上又有所建树，相较于南宋儒学，金代儒学更侧重政治、民族方面的发展[50]。早在1997年，安贵臣、蒋维忠论述了金代女真族对儒家忠孝伦理观念的吸收[51]。此后，一些学者对辽金少数民族社会观念伦理化问题进行进一步探讨。宋德金《辽金人的忠孝观》提出辽、金建立后契丹女真人逐渐建立起忠孝观念。在辽金元时期忠孝观念超越了民族、地区、国别的界限，成为各民族共同的伦理观念与行为规范[52]。王文东通过金代女真人对儒家伦理吸收的过程和吸收儒家伦理的措施探讨金代女真人对儒家伦理的接受与认同[53]。孙凌晨认为金朝统治者推行的教化政策，促进了女真人伦理观念的转变，促进有金一代中原与女真文化交融与碰撞[54]。刘辉对金代儒学的发展脉络、学术源流、代表人物等问题进行了详细探讨[55]。

三、民 族 政 策

民族政策对民族融合具有重要作用。近四十年来学界从辽金民族统治政策、职官的选拔任用制度等角度出发对辽金民族政策进行充分探讨。

（一）辽朝的民族政策

关于辽朝的民族统治政策，学界也有关注。孙炜冉《辽代对渤海人的统治政策及民族同化》认为辽代对渤海人实行的怀柔政策促进了渤海人、契丹人与汉人的同化，这

46 王冬冬：《礼治契丹民族饮食习俗探究——以朝阳地区出土的辽代文物为例》，《辽金历史与考古（第九辑）》，科学出版社，2018年；胡畔：《中原茶文化对契丹饮茶习俗的影响》，《赤峰学院学报（汉文哲学社会科学版）》2018年第9期；李思宇：《迁都燕京后中原文化对金代饮食结构的影响》，《辽宁工程技术大学学报（社会科学版）》2018年第2期。

47 武玉环：《辽代儒学的发展及其历史作用》，《吉林大学社会科学学报》1996年第5期。

48 孟古托力：《辽代契丹族儒家伦理观撮要》，《黑河学刊》1991年第4期。

49 高福顺：《契丹皇族儒家经史教育考论》，《中国边疆史地研究》2013年第3期。

50 张博泉：《略论金代的儒家思想》，《社会科学辑刊》1999年第5期。

51 安贵臣、蒋维忠：《金代的忠孝意识评析》，《中央民族大学学报》1997年第2期。

52 宋德金：《辽金人的忠孝观》，《史学集刊》2004年第4期。

53 王文东：《试论金代女真人对儒家伦理的吸收》，《满族研究》2003年第1期。

54 孙凌晨：《金代教化问题研究》，吉林大学博士学位论文，2018年。

55 刘辉：《金代儒学研究吉林大学博士论文》，吉林大学博士学位论文，2008 年。

一过程在不同的民族政策统治下具有不同的特点[56]。刘浦江剖析了辽朝汉化程度逊于金朝但民族歧视却没有后者严重的原因[57]。程妮娜对比辽、宋两朝的边疆少数民族政策，认为宋朝重在绥怀，而辽朝重在强力统治[58]。李月新《论辽属汉人》考察了在“因俗而治”管理模式下辽属汉人在政治、经济、法律生活中的境遇和地位[59]。纪楠楠《略论辽朝民族政策的区域性特征》认为辽朝根据其与不同地区各民族关系的紧密程度，而对其分别采取不同的统治方式。辽朝的这种区域性民族政策促使我国古代王朝的民族政策走向成熟[60]。

因俗而治是辽朝一项独具特色的民族政策。杨世彝认为不能把辽朝的“因俗而治”单纯地理解为不同的官制，“因俗而治”是辽统治者为适应其统治范围内各地区不同的生产力发展水平、经济制度在上层建筑方面进行的调整[61]。宋德金、马尚云认为辽朝的“因俗而治”政策是对中国历代王朝民族政策的承袭[62]。冉守祖认为辽朝“因俗而治”政策缓和了民族矛盾，促进了契丹族封建化和民族融合进程[63]。王德忠《论辽朝“因俗而治”统治政策形成的历史条件》认为辽朝前期设置汉城和头下军州、建立东丹国采用汉法、并入幽云十六州是辽朝“因俗而治”统治政策形成的重要历史条件[64]。任爱君提出辽朝的政治分治是从幽云十六州被纳入辽朝版图开始的，是应天太后与辽太宗势力相互妥协的结果[65]。辽朝的“因俗而治”政策体现在官制方面上就是“南北面官”的设立。蔡美彪认为辽朝的中央和地方存在“契丹制”“汉制”两套不同的官僚系统[66]。李锡厚提出“南北面官”是辽朝官制系统的一部分，“南北面官”概括不了辽朝的全部设官[67]。

（二）金朝的民族政策

近四十年来，金朝的民族政策也成为学界讨论的热点。刘浦江认为金代前期的民族歧视主要表现为女真、渤海、契丹（奚）、汉人、南人五个等级地位的不平等。随着不

56 孙炜冉：《辽代对渤海人的统治政策及民族同化》，《博物馆研究》2016年第2期。

57 刘浦江：《试论辽朝的民族政策》，《辽金史论》，辽宁大学出版社，1999年。

58 程妮娜：《强力与绥怀：辽宋民族政策比较研究》，《文史哲》2006年第3期。

59 李月新：《论辽属汉人》，硕士学位论文，辽宁师范大学，2007年。

60 纪楠楠：《略论辽朝民族政策的区域性特征》，《东北师大学报（哲学社会科学版）》2011年第4期。

61 杨世彝：《浅析辽朝的“因俗而治”》，《青海师范学院学报（哲学社会科学版）》1985年第3期。

62 宋德金：《辽朝的“因俗而治”与中国社会》，《传统文化与现代化》1998年第2期；马尚云：《辽代“因俗而治”的民族政策与社会发展研究》，内蒙古大学博士学位论文，2007年。

63 冉守祖：《略论辽朝“因俗而治”的民族政策》，《史学月刊》1993年第1期。

64 王德忠：《论辽朝“因俗而治”统治政策形成的历史条件》，《求是学刊》1999年第5期。

65 任爱君：《论辽朝“政治分治”局面的形成》，《赤峰学院学报（汉文哲学社会科学版）》2007年第3期。

66 蔡美彪：《蕃汉并行的辽朝官制》，《文史知识》1986年第9期。

67 李锡厚：《论辽朝的政治体制》，《历史研究》1988年第3期。

同时期各民族地位的变化，各被统治民族等级界限淡化，但女真人与非女真人的不平等现象始终存在[68]。闫兴潘则认为金代民族间界限并未趋于淡化，民族不平等现象出现制度化趋势[69]。乔幼梅《论女真统治者民族政策的演变》论述了金朝对契丹、奚族、汉族的统治政策。认为金朝对契丹、奚族实行打击、同化的民族政策，对汉族的统治政策则由打击压迫向学习、融合转变[70]。祖岳认为金朝实行的民族迁徙、民族同化、民族通婚政策为中国北方民族大融合奠定了基础[71]。张新艳《金朝统治汉人政策浅析》则专门探讨了金朝对汉人从排斥压迫走向同化融合的民族政策[72]。

金朝的民族政策在职官制度方面也有所反映。张博泉认为金太祖入燕后开始承袭辽朝的南北官僚制度，至太宗时经过改革全面实行[73]。李锡厚对此提出疑问，认为金朝从未实行过“南北面官”制度[74]。为适应对汉族地区的统治和女真族的封建化进程，金朝经过官制汉化改革确立了新的中央官制[75]。但在金朝的职官制度中，始终存在着不平等现象。程妮娜《女真人与汉官制》阐述了女真人任汉官的发展历程、女真人在汉官中的地位及女真人入仕汉官的途径，提出在金代的官僚集团中女真族始终占据着统治地位[76]。海陵官制改革后金代宰执任职人员的民族构成比例的变化，反映了海陵王打破狭隘的民族观以及加强皇权的政治诉求[77]。范树梁、贾祥恩认为虽然海陵王上台之后，大批启用契丹、奚、汉、渤海等官员，但中央地方官僚构成仍鲜明地反映了“女真本位”倾向[78]。程妮娜《论猛安谋克官制中的汉制影响》指出金代猛安谋克官员俸禄虽低于汉官，但其实际收入远远高于汉官，符合金代官制中女真官员始终处于优越地位的状况[79]。郭晓东《金代尚书省令史选任制度考论》阐述了金朝辽系汉官与金系汉官在升迁任用方面存在的不平等现象[80]。

金朝科举制度中存在的民族不平等现象也体现了“女真本位”的民族政策。张博泉提出，女真人在科举入仕的途径、官途迁转方面与汉人相比享有更多特权，反映了种族统治的本质和民族不平等现象[81]。周怀宇则提出不同看法，认为金朝科举中的种族倾斜

68 刘浦江：《金朝的民族政策与民族歧视》，《历史研究》1996年第3期。

69 闫兴潘：《论金代的“诸色人”——金代民族歧视制度化趋势及其影响》，《山西师大学报（社会科学版）》2012年第4期。

70 乔幼梅：《论女真统治者民族政策的演变》，《文史哲》2008年第2期。

71 祖岳：《浅析金代的民族政策与民族融合》，《黑龙江史志》2018年第5期。

72 张新艳：《金朝统治汉人政策浅析》，《民大史学（第2辑）》，民族出版社，1998年。

73 张博泉：《金史简编》，辽宁人民出版社，1984年，第94页。

74 李锡厚：《金朝实行南、北面官制度说质疑》，《社会科学战线》1989年第2期。

75 武玉环：《金朝中央官制的改革》，《北方文物》1987年第2期。

76 程妮娜：《女真人与汉官制》，《吉林大学社会科学学报》1990年第6期。

77 程妮娜：《金代一省制度述论》，《北方文物》1998年第2期。

78 范树梁、贾祥恩：《金代民族政策评析》，《内蒙古师大学报（哲学社会科学版）》1996年第2期。

79 程妮娜：《论猛安谋克官制中的汉制影响》，《北方文物》1993年第2期。

80 郭晓东：《金代尚书省令史选任制度考论》，《中央民族大学学报（哲学社会科学版）》2020年第2期。

81 张博泉：《金史论稿（第二卷）》，吉林文史出版社，1992年。

政策适应了各地区各民族政治经济发展不平衡的状况，有利于各民族公平竞争，促进了民族融合和各民族文化发展[82]。徐秉愉《金代女真进士科制度的建立及其对女真政权的影响》提出世宗朝女真进士科的设立将女真文字、翻译儒家经典与进士考试相结合，提高了女真文臣的政治地位，推动建立女真族群为主体的统治体制，强化女真认同[83]。都兴智《金代科举的女真进士科》分析了女真进士科的民族特点，认为女真进士科是为女真人所设，女真人在科举考试和官品迁转方面占绝对优势[84]。闫兴潘则提出相反看法，认为金代女真进士科并非专门针对女真人，一直对各族人开放，只是以女真文字作为考试使用文字[85]。兰婷《金代教育研究》提出金代统治者对女真、汉两大不同教育体系采取不同的教育和选拔标准，既体现了因材施教的教学思想，也反映了金代的民族不平等现象[86]。

四、族际交往

辽金时期是中华民族构建多元一体格局的重要阶段，民族融合成为这一阶段的显著特征。近四十年来学界对辽金族际交往的研究主要集中于契丹、女真及其他北方少数民族的汉化与汉人的“胡化”两个方面。

（一）契丹、女真及其他北方少数民族的汉化

在族际交往过程中，少数民族不可避免地出现汉化趋势。但目前学界对“汉化”含义的专门研究并不充分。陈友冰首先对“汉化”的定义进行专门的界定，认为“‘汉化’是中华各少数民族同华夏文化融合，并改造本民族文化的一种历史现象”[87]。张劲松、姚大力也对“汉化”含义的界定有所涉及[88]。近四十年来学界对契丹、女真及其他北方少数民族的汉化问题多有探讨。

在契丹人汉化方面，张国庆《论辽兴宗吸收汉文化之得失》论述了辽兴宗推行的汉化措施及其对辽朝社会发展的促进作用。但辽兴宗在实施政策过程中存在的过激与保守的弊端也造成了辽朝统治集团内部复杂尖锐的矛盾[89]。宋德金《契丹汉化礼俗述略》阐述了在汉族先进经济文化影响下，契丹族道德观念、宗教迷信、娱乐活动等风俗的汉化

82 周怀宇：《金王朝科举制考论》，《安庆师院社会科学学报》1995年第4期。

83 徐秉愉：《金代女真进士科制度的建立及其对女真政权的影响》，《台湾大学历史学报》2004年第33期。

84 都兴智：《金代科举的女真进士科》，《黑龙江民族丛刊》2004年第6期。

85 闫兴潘：《金代女真进士科非“选女直人之科”考辨》，《湖北民族学院学报（哲学社会科学版）》2013年第1期。

86 兰婷：《金代教育研究》，吉林大学博士学位论文，2008年。

87 陈友冰：《“汉化”刍议》，《史学理论研究》1998年第1期。

88 张劲松：《评完颜亮的汉化改革》，《内蒙古民族大学学报（社会科学版）》1996年第4期；姚大力：《历史的错觉》，《华夏人文地理》2004年第10期。

89 张国庆：《论辽兴宗吸收汉文化之得失》，《社会科学辑刊》1988年第6期。

现象[90]。任崇岳将辽代契丹族对汉文化的吸收与继承分为太祖、太宗、圣宗三个时期，认为辽代契丹族在吸收汉文化方面取得了巨大成就[91]。张文毅、董丽《契丹文化艺术风俗习惯的汉化》认为契丹文化艺术、风俗习惯的汉化促进了契丹及其他北方少数民族的进步，为我国多民族统一国家的发展做出突出贡献[92]。冯恩学《辽墓反映的契丹人汉化与汉人契丹化》论述了辽代契丹墓葬在形制等方面所反映的契丹人整体汉化现象[93]。封树礼《从契丹诗歌的演进看契丹人的汉化进程》认为辽前期到辽中后期契丹诗歌反映了契丹族汉化程度逐渐加深的历史现象。但契丹民族在汉化的过程中也失去了粗豪尚武的民族特性[94]。张国庆《辽朝"旧制"的命运抉择》探讨了辽朝初期沿用旧制以及为适应社会发展而实行的弃"旧"更"新"。认为在这一过程中统治集团内部往往会展开博弈，并提出要以制度对社会产生的影响而不是以制度的新旧作为评判制度优劣的标准[95]。

在女真人汉化方面，宋德金《金代女真的汉化、封建化与汉族士人的历史作用》论述了金朝在不同阶段的汉化、封建化进程，以及汉族士人所起到的媒介作用[96]。王德厚《金世宗与女真人的"汉化"》全面分析考察了金世宗及以前实行的汉化政策，认为世宗实行的汉化政策既保持了女真人的民族特点，又传播了汉族的传统文化。这些政策的"汉化"作用更为广泛和深刻，但其对前代各帝"汉化"政策的部分逆转也限制和阻碍了女真人与汉人之间的民族同化和融合[97]。李锡厚论述了金朝历代统治者的汉化政策，提出相反看法，认为金世宗实行固守女真旧俗的措施是抱残守缺，逆发展、进步潮流而动。但二人都认为女真族全面接受汉文化，改弦易辙的历史趋势不可逆转[98]。刘浦江论述了女真人的汉化现象以及金朝统治者挽救女真传统的努力，阐释了"金以儒亡"观点的合理性；其赞赏世宗挽救本民族文化的观点与李锡厚基本一致，但未提及世宗汉化政策的局限[99]。宋德金《大金覆亡辩》则提出金朝覆亡是由多种原因造成的，驳斥了"金

90 宋德金：《契丹汉化礼俗述略》，《辽金史论集（第1辑）》，上海古籍出版社，1987年，第129～139页。

91 任崇岳：《论辽代契丹族对汉族文化的吸收和继承》，《中州学刊》1983年第3期。

92 张文毅、董丽：《契丹文化艺术风俗习惯的汉化》，《辽宁大学学报（哲学社会科学版）》1997年第2期。

93 冯恩学：《辽墓反映的契丹人汉化与汉人契丹化》，《吉林大学社会科学》2011年第3期。

94 封树礼：《从契丹诗歌的演进看契丹人的汉化进程》，《辽宁工程技术大学学报（社会科学版）》2005年第5期。

95 张国庆：《辽朝"旧制"的命运抉择》，《中国辽夏金研究年鉴（2016卷）》，中国社会科学出版社，2018年，第3～10页。

96 宋德金：《金代女真的汉化、封建化与汉族士人的历史作用》，《宋辽金史论丛（第二辑）》，中华书局，1991年，第315～325页。

97 王德厚：《金世宗与女真人的"汉化"》，《黑龙江民族丛刊》1991年第4期。

98 李锡厚：《改弦易辙终究要胜过抱残守缺——金朝统治集团内部汉化与反汉化之争》，《华夏文化》1994年第4期。

99 刘浦江：《女真的汉化道路与大金帝国的覆亡》，《国学研究（第7卷）》，北京大学出版社，2000年，第171～208页。

以儒亡"说[100]。

在渤海人、奚人等其他北方少数民族的汉化方面学界也有论及。张利锁、宫岩《辽代辽河流域渤海人的社会状况》认为在圣宗迁都前受辽朝统治者分化控制政策影响，辽河流域的渤海人一部分保留本民族旧俗，一部分出现了契丹化现象。圣宗迁都后，受辽代社会封建化影响辽河流域的渤海人加快了汉化步伐。金朝时渤海人的汉化程度进一步加深，最终失去本民族特征[101]。程妮娜《辽金时期渤海族习俗研究》指出辽金时期渤海人出现了明显的汉化趋势[102]。杨若薇《奚族及其历史发展》论述了奚族发展的整个历史进程，指出元以后奚族作为一个独立的民族消失在历史舞台[103]。李涵、张星久则从不同角度论述了金朝奚族、汉族及其他北方民族间的同化与融合[104]。

（二）汉人的"胡化"

早在20世纪40年代，陈寅恪就以北朝为例，对"胡化"问题进行阐释[105]。但在辽金史领域对"胡化"说的界定还没有专门的论著。

在辽金汉人"胡化"方面，学界多关注对辽金汉人群体的界定与汉人"胡化"现象。20世纪80年代，贾敬颜首先对"汉人"的词义演变及历史发展过程进行了系统论述。认为"汉人"的称谓经历了由国家概念到人们共同体概念的转变，其涵盖范围愈见丰富[106]。随后在《契丹—汉人之别名》中论述了辽金汉人群体的两大来源为进入契丹地区的汉人和南迁汉地的契丹人[107]。刘浦江《说"汉人"辽金时代民族融合的一个侧面》认为辽金时期具有特定含义的"汉人（汉儿）"，是北方汉人胡化的结果[108]。李月新《浅析辽朝时期的"汉人胡化"》阐述了辽朝统治下的汉人在社会组织、经济生活、思想文化方面的胡化现象[109]。孙伟祥、张金花在此基础上对辽朝境内汉人来源，政治、经济、文化、社会生活等方面的汉人契丹化现象、表现以及汉人契丹化的原因、特点进行了系统论述[110]。周峰《一个契丹化的辽代汉人家族——翟文化幢考释》以辽代翟文化幢为中心，对汉人契丹化现象进行了个案研究[111]。

100　宋德金：《大金覆亡辩》，《史学集刊》2007年第1期。

101　张利锁、宫岩：《辽代辽河流域渤海人的社会状况》，《东北史地》2010年第1期。

102　程妮娜：《辽金时期渤海族习俗研究》，《学习与探索》2001年第2期。

103　杨若薇：《奚族及其历史发展》，《历史教学》1983年第7期。

104　李涵、张星久：《金代奚族的演变》，《武汉大学学报（哲学社会科学版）》1986年第6期。

105　林悟殊：《陈寅恪先生"胡化"、"汉化"说的启示》，《中山大学学报（社会科学版）》2000年第1期。

106　贾敬颜：《"汉人"考》，《中国社会科学》1985年第6期。

107　贾敬颜：《契丹—汉人之别名》，《中央民族学院学报》1987年第5期。

108　刘浦江：《说"汉人"辽金时代民族融合的一个侧面》，《民族研究》1998年第6期。

109　李月新：《浅析辽朝时期的"汉人胡化"》，《赤峰学院学报（汉文哲学社会科学版）》2012年第3期。

110　孙伟祥、张金花：《略论辽朝汉人契丹化问题》，《辽宁工程技术大学学报（社会科学版）》2015年第3期。

111　周峰：《一个契丹化的辽代汉人家族——翟文化幢考释》，《契丹学研究（第一辑）》，商务印书馆，2019年，第197～205页。

五、民族观念

辽金民族融合的一个显著标志就是民族观念的演变。在这一民族交流与融合异常活跃的时期，各民族的正统观念以及民族认同观念都发生了重大转变。这一时期是中华民族意识形成的重要阶段。学界关于辽金正统观念以及民族认同观念方面的研究也取得了一系列成果。

（一）正统观念

正统之论，始于《春秋》，是我国古代判断政权合法性的重要标准。因此辽金的正统问题颇受学者关注。学界对辽金正统观的表现和史学研究中的“正统观”问题进行了较为充分的讨论。学界对辽金正统观表现的研究主要集中在辽金华夷观念的演变、金朝“德运之争”两个方面。武玉环《论契丹民族华夷同风的社会观》从契丹民族的历史观、民族观、社会观、道德观方面论证了契丹自古以来就是中华民族的组成部分，驳斥了王朝征服论[112]。高福顺阐述了辽朝统治者为推行“尊孔崇儒”政策而实行的一系列措施使尊孔崇儒成为辽朝社会生活的时尚，形成了辽朝兼具汉契特色，儒、佛、道三教并兴，和谐发展的文化特征[113]。李淑岩《“华夷之辨”思想在金源社会淡化的阶段性》认为金朝汉族儒士华夷观念的变化经历了一个曲折的过程。金朝初期汉族儒士严守夷夏之防，拒不入仕。金中期大定、明昌承平时代汉族儒士的华夷之变观念淡化，开始关心金朝的民生时政，甚至赞扬金朝的盛世。金室南渡后汉族儒士的华夷之辩观念消失[114]。麻铃《金朝“夷可变华”及“华夷同风”的治边思想》认为金朝统治者为了巩固统治积极学习儒家思想，金朝中期以后，金朝统治者实现了由夷变华、华夷同风的转变[115]。张申《金代统治者与“华夷之辨”观》认为女真统治者为追求正统地位实行了一系列淡化民族观念的措施，这些措施既促进了女真政权的汉化、封建化也促使金代汉族士人对入仕金朝态度的转变[116]。齐春风《论金朝华夷观的演化》认为由于汉文化影响程度的加深以及自身政治、经济、文化的不断发展，金朝经历了由耻为“夷狄”到自认为“华”，再到贬斥南宋及其他政权为“夷狄”的转变[117]。

关于金朝的“德运之争”问题，赵永春《试论金人的“中国观”》认为金朝后期的德运讨论中提出的金朝承袭辽朝水德以为木德的观点说明了金朝对辽朝正统地位的认同，金朝承认辽朝、宋朝均属于“中国”[118]。之后，赵永春在《金人自称“正统”的理

112 武玉环：《论契丹民族华夷同风的社会观》，《史学集刊》1998年第1期。

113 高福顺：《尊孔崇儒 华夷同风——辽朝文教政策的确立及其特点》，《学习与探索》2008年第5期。

114 李淑岩：《“华夷之辨”思想在金源社会淡化的阶段性》，《佳木斯大学社会科学学报》2008年第1期。

115 麻铃：《金朝“夷可变华”及“华夷同风”的治边思想》，《社会科学战线》2008年第11期。

116 张申：《金代统治者与“华夷之辨”观》，《宜春学院学报》2012年第5期。

117 齐春风：《论金朝华夷观的演化》，《社会科学辑刊》2002年第6期。

118 赵永春：《试论金人的“中国观”》，《中国边疆史地研究》2009年第4期。

论诉求及其影响》提出章宗以前金朝并未通过“议德运”而确立本朝的“德运”[119]。与刘浦江提出的金朝奉行金德应始于海陵末或世宗初的观点存在分歧[120]。齐春风认为金朝后期的德运之争是对传统正统观念的有力回击，相较于以前各少数民族的华夷观是一大进步，但是也陷入了“非华即夷，非夷即华”的二元悖论中[121]。

还有部分学者从史学研究的角度出发，提出在当代辽金史研究中应摒弃正“正统观”偏见，重视辽金史在历史研究中的重要作用。景爱《辽金史研究中的“正统观”》认为有“正统观”的人进行辽金史研究往往存在民族偏见，站在宋朝、明朝立场上思考问题。辽金史研究学者应对历史研究中的“正统观”提高警惕[122]。何天明认为应当客观地看待辽、宋、金的对峙现象，对各政权都予以承认。不能忽视辽金王朝在我国多元一统格局及经济社会发展等方面做出的重大贡献[123]。赵永春《金人自称“正统”的理论诉求及其影响》提出应从多民族国家前提出发同等看待历史上各个民族及其政权[124]。张博泉《“中华一体”论》提出宋、辽、金属于“前中华一体”时期的观点，认为这一时期是“中华一体”的准备阶段[125]。程妮娜也认为辽金是中华多元一体形成的重要阶段。应从中华一体的理论基础出发进行辽金史研究[126]。赵永春《“中国多元一体”与辽金史研究》对张博泉提出的“中华一体”理论表示赞同，认为“中国多元一体”理论的提出符合辽金自称“中国”同时承认宋朝也为“中国”的历史发展实际[127]。

（二）民族认同

辽金的民族认同既包括文化认同又包括政治认同。赵永春《辽人自称“中国 ”考论》认为早在建国之初契丹人就有了中国意识，并逐渐增强，在此基础上圣宗时期开始自称正统。并对刘浦江提出的：兴宗以后辽朝人中国意识觉醒；辽人自称“北朝”是在辽兴宗重熙年间以后以及《辽史》记载的契丹自称中华民族是汉人李俨所虚构等观点进行了驳斥[128]。赵永春还对契丹自称中华民族问题进行了考证[129]。李玉君、崔健认为金朝法律变革与其民族文化认同趋势是一致的。李还提出金朝的杖刑所反映出的儒家思想是

---

119 赵永春：《金人自称“正统”的理论诉求及其影响》，《学习与探索》2014年第1期。

120 刘浦江：《德运之争与辽金王朝的正统性问题》，《中国社会科学》2004年第2期。

121 齐春风：《论金朝华夷观的演化》，《社会科学辑刊》2002年第6期。

122 景爱：《辽金史研究中的“正统观”》，《学习与探索》2014年第1期。

123 何天明：《坚持多民族的大一统观 摒弃偏颇的“正统观”——以辽金史研究为例》，《学习与探索》2014年第1期。

124 赵永春：《金人自称“正统”的理论诉求及其影响》，《学习与探索》2014年第1期。

125 张博泉：《“中华一体”论》，《吉林大学社会科学学报》1986年第5期。

126 程妮娜：《辽金王朝与中华多元一体的关系》，《史学集刊》2006年第1期。

127 赵永春：《“中国多元一体”与辽金史研究》，《中央民族大学学报（哲学社会科学版）》2011年第3期。

128 刘浦江：《德运之争与辽金王朝的正统性问题》，《中国社会科学》2004年第2期；赵永春、李玉君：《辽人自称“中国 ”考论》，《社会科学辑刊》2010年第5期。

129 赵永春：《契丹自称“炎黄子孙”考论》，《西南大学学报（社会科学版）》2012年第6期。

对先进中原文化的积极认同[130]。同时也讲述了金代宗室子弟强烈认同中原文化的价值取向[131]。周峰《金代女真人墓志所见文化交融与认同》通过对十余件墓志所反映的女真人文化认同、家乡观念、宗教信仰的分析，认为这些反映了民族文化的交融与女真人对中原传统文化的认同[132]。

民族的政治认同表现为对同一族群、政权、国家观念的认同。王德朋《辽代汉族士人心态探析》认为有辽一代，汉族士人的内心世界经历了极为痛苦的矛盾和冲突。随着时间的推移、形势的变化，士大夫们逐渐摆脱华夷观念的羁绊，与契丹贵族合作捍卫辽朝政权，成为辽朝统治集团的组成部分[133]。蒋金玲也认为辽代汉族士人对辽政权的态度由抗拒到合作转变[134]。关树东《辽金元朝的民族认同和国家认同》对比渤海人、契丹人在辽金元时期构建的民族认同与国家认同，认为辽金元时期各少数民族的民族认同与国家认同突出表现了民族冲突与民族交融相互激荡的时代特点[135]。赵永春在《试论金人的“中国观”》中对金人的中国观进行研究，认为金人进入中原后援引汉儒学说和理论，形成了比较宽泛的“中国”意识[136]。与刘扬忠提出的金朝斥宋为夷狄的偏狭中国观相左[137]。王耘《金代的宗教政策与政治文化认同》认为金朝在宗教方面推行的宗教信仰多元化措施是以女真为核心、以汉为主体的金代国家认同的表现[138]。王耘还认为女真由族群认同到政治认同的变迁促使金对辽的政策出现了由属部到敌国、由攻伐到抚并的转变[139]。

六、结　语

综上所述，近四十年来国内辽金民族融合问题研究发生了一系列可喜变化。近四十年来关于辽金民族融合方面的论著在数量上呈上升趋势。尤其是进入21世纪，相关方面的研究论著数量明显高于以往。学界的研究视角也发生了一些变化。21世纪以前，我国辽金民族融合问题的研究仍然在一定程度上受到意识形态的影响，“野蛮的征服者总是被那些他们所征服的民族的较高文明所征服”“封建化”等说法与后二十年相比出现较为频繁。而且更侧重汉族文化促进少数民族文化的进步与发展。步入21世纪，学者们更

130　李玉君、崔健：《金朝法制变革与民族文化认同》，《学习与探索》2016年第5期；李玉君、何博：《从金朝杖刑看女真族对中原文化的认同》，《北方文物》2013年第3期。

131　李玉君：《金代宗室教育与历史文化认同》，《社会科学战线》2012年第8期。

132　周峰：《金代女真人墓志所见文化交融与认同》，《中央社会主义学院学报》2020年第1期。

133　王德朋：《辽代汉族士人心态探析》，《史学集刊》2003年第2期。

134　蒋金玲：《辽代汉族士人研究》，吉林大学博士研究生学位论文，2010年。

135　关树东：《辽金元朝的民族认同和国家认同》，《中国社会科学报》2020年5月25日第5版。

136　赵永春：《试论金人的“中国观”》，《中国边疆史地研究》2009年第4期。

137　刘扬忠：《论金代文学中所表现的“中国”意识和华夏正统观念》，《吉林大学社会科学学报》2005年第 5 期。

138　王耘：《金代的宗教政策与政治文化认同》，《辽金历史与考古（第八辑）》，科学出版社，2017年。

139　王耘：《金代女真的政治认同与对辽政策的转变》，《北方文物》2014年第2期。

加注重对制度或现象本身的分析和不同文化间的交流与互动，侧重各民族文化对中华多元一体格局和兼容并包的中华文化的影响。近四十年来学界的研究中心也发生了变化。学界的研究重心由政治、经济、制度等领域逐渐向社会生活、思想观念等领域倾斜。辽金民族融合研究的史料来源也渐趋丰富，除原有的文献史料外，一些考古出土资料也在研究中得到了应用。在撰述方面，历史书写的学术规范性越来越强。由此可见，近四十年来的辽金民族融合问题取得了一系列进展，但同时也存在一些问题。

首先，虽然近四十年来发表出版了大量论著，但是学界对辽金民族融合问题的研究越来越难以拓展新的领域，提出新的观点。尤其是近十年来，学界的研究大部分在原有领域以不同角度对历史现象进行梳理，难以突破原有的理论框架研究问题。

其次，辽金民族融合问题研究领域在"胡化""汉化""民族融合"等概念的界定方面的研究还十分薄弱。基本上都是一些约定俗成的概念，缺乏系统深入的专门研究。近四十年来学界对"汉人"群体已有清晰界定，但在汉族与少数民族文化互动方面的研究缺少对文化互动主体所属地域的清晰界定，而且多偏向对幽云地区不同民族群体同化现象的研究。

再次，对于辽金民族融合问题的研究缺乏长时段背景下的考察，缺乏对整体历史脉络的把握，难以利用其他方向研究的已有成果为辽金民族融合研究提供借鉴。近年来，荣新江曾提出运用本民族的史料研究西北民族史。辽金作为少数民族政权对这一理论同样适用。近四十年来，国内对契丹、女真文字等契丹、女真民族的史料研究也取得了一些成果，但在运用这些成果对辽金民族融合解读方面的研究仍有待进一步深入。

总而言之，近四十年来的辽金民族融合问题取得一系列成果，但在个别领域的研究还有待加强。需要在拓展新的研究领域、掌握各学科各方向研究理论动态、加强理论研究等方面下功夫。

（姚　远　辽宁大学历史学院）

清格尔泰先生致刘凤翥先生书札辑注

李俊义　武忠俊　辑注

内蒙古大学原副校长、教授、蒙古语言研究开拓者和奠基人、契丹文字研究专家清格尔泰先生[1]致中国社会科学院民族学与人类学研究所研究员、研究生院教授、契丹文字研究专家刘凤翥先生书札，始于一九九四年一月二十三日，迄于二〇〇九年六月十三日，凡二十八通，先后自呼和浩特寄至北京[2]。兹经刘凤翥先生授权，刊布于此，以庆祝刘凤翥先生米寿，并纪念清格尔泰先生逝世八周年。公元二〇二一年二月十五日岁次辛丑正月初四，即墨后学李俊义谨识于塞外古松州静虚山房。

第一通

刘凤翥先生：

最近好吧？

祝您新年和春节愉快！

我最近想看一下西田龙雄《契丹文字解读的新进展》日文原文[3]。这里总也找不到。您能否给复印一份？

别的有什么新闻，也顺便告知一二，为盼。

清格尔泰

一九九四年一月二十三日

1　有关清格尔泰之生平及学行，参见九卷本《清格尔泰文集》，内蒙古科学技术出版社，2010年。

2　信封上有“100020（收件人所在地邮政编码——引者）”“北京建外东大桥路六十一楼二门七号刘凤翥教授台启”“中国呼和浩特市新城区大学西路235号内蒙古大学蒙古学研究院”“010021（收件人所在地邮政编码——引者）”字样。

3　此文连载于《语言月刊》一九八一第十卷第一号，第112～119页；《语言月刊》一九八一第十卷第二号，第106～112页；《语言月刊》一九八一第十卷第三号，第109～116页。关于西田龙雄之契丹文字研究，参见〔日〕荒川慎太郎撰，白明霞译：《日本的契丹文字、契丹语研究——从丰田五郎先生和西田龙雄先生的业绩谈起》，载于《华西语文学刊（第八辑）》，四川文艺出版社，2013年，第44～48页。

第二通

刘凤翥先生：

前些日子收到了信和《耶律宗教墓志铭》[4]，昨天又收到了那本书和《金代博州防御使[5]墓志铭》[6]的解读，表示衷心的谢意。用一句日语式的说法就是：请您今后也多多关照！

大概在今年四月，国家教委要让高校科研部门上报近年研究成果，据说要评奖。我们的《契丹小字研究》[7]也在时限范围之内，所以也报了。现在的评奖，申报人还得付几百元。我当时就声明，这个费用我个人负责。评不上

4 关于契丹小字《耶律宗教墓志铭》之研究，参见阎万章：《契丹小字〈耶律宗教墓志铭〉考释》，《辽海文物学刊》1993年第2期，第112～117、160页；后收入《阎万章文集》，辽海出版社，2009年，第292～300页。另见刘凤翥：《契丹小字〈耶律宗教墓志铭〉考释》，《文史》2010年第四辑，第201～228页；后收入刘凤翥：《契丹文字研究类编》第一册，中华书局，2014年，第70～79页。鲁宝林、辛发、吴鹏：《北镇辽耶律宗教墓》，《辽海文物学刊》1993年第2期，第17、36～42页。

5 原稿此字误作“史”。

6 据刘凤翥先生记述：一九九三年九月五日早七点，“我乘长途汽车离开朝阳赴敖汉旗政府所在地新惠镇，中午抵达”；九月六、七两日，“我全力投入拓制工作”，“两天共拓了四份（契丹小字《金代博州防御使墓志铭》——引者）”。参见刘凤翥：《遍访契丹文字话拓碑》，华艺出版社，2005年，第153页。关于契丹小字《金代博州防御使墓志铭》之研究，参见刘凤翥、朱志民：《契丹小字〈金代博州防御使墓志铭〉考释》，《契丹文字研究类编》第一册，中华书局，2014年，第288～299页；刘浦江：《内蒙古敖汉旗出土的金代契丹小字墓志残石考释》，《考古》1999年第5期，第85～89页；吴英喆：《关于契丹小字中的“大金国”的“金”》，《中央民族大学学报（哲学社会科学版）》2004年第6期，第113～116页；爱新觉罗·乌拉熙春：《契丹小字〈金代博州防御使墓志铭〉墓主非移剌斡里朵——兼论金朝初期无“女直国”之国号》，《满语研究》2007年第1期，第68～72页。

7 清格尔泰、刘凤翥、陈乃雄、于宝林、邢复礼：《契丹小字研究》，中国社会科学出版社，1985年。据刘凤翥先生忆述：“一九七五年八月，（中国科学院）民族研究所恢复业务工作。清格尔泰先生听说之后，持单位介绍信到民族所再次找我交涉合作研究契丹文字事宜。当时还是‘党是领导一切的’的时代，尚未恢复所长、副所长之类的行政职务。我领他去见分工主管我们民族历史研究室业务工作的党总支书委员侯方若同志。他们二人谈得很顺利，也很融洽。二人决定：先由两个单位的有关人员开一次座谈会，就相关问题交换一下意见。一九七五年九月十日，中国科学院民族研究所和内蒙古大学合作研究契丹文字的座谈会在民族研究所举行。民族研究所出席会议的有陈化香（党总支副书记）、谭克让（党总支副书记兼科研组组长）、侯方若（党总支委员兼民族历史研究室党支部书记）、杜荣坤（民族历史研究室党支部委员）、刘凤翥（业务人员）、于宝林（业务人员）、罗美珍（科研组成员）；内蒙古大学出席会议的有清格尔泰（内蒙古大学革命委员会副主任）、陈乃雄（业务人员）、新特克（业务人员）。双方就合作研究契丹文字的意义、步骤、前景以及物资保证等事项交换意见，达成了共识。会后，由陈乃雄根据会议记录整理出一份会议纪要，报各自的上级单位备案，以作为双方合作研究契丹文字的依据。根据会议纪要，组成了以清格尔泰、刘凤翥、陈乃雄、于宝林、邢复礼为成员的契丹文字研究小组。开启了利用双方优势互补集体研究契丹文字的新纪元。”以上参见刘凤翥：《契丹文字研究类编》第一册第一部分“契丹文字研究综述”，中华书局，2014年，第13、14页。

我自己负担，评上了集体负担（也就是说，从奖金中扣除这部分，再进行分配）。这件事，不值得一说，所以上次未说。可是另一方面，说了也无妨，所以在这里也提了一下。前两天国家教委来电话，问我能否参加专家评审小组的工作，我因皮炎发作，谢绝了。看来国家教委正在进行这项工作。

我本想在陈乃雄名下招收一名契丹文字研究生，后来学校说老陈年龄[8]已过。所以，在扎拉森名下，计划明年招收一名研究生。在培养过程中，少不了求教于您，也请您务必多多关照。

祝全家好运！

清格尔泰

一九九五年七月六日

第三通

刘凤翥先生：

您好！您也许早已听说，在韩国要召开一次亚洲诸民族文字的国际学术会议。除北京有两位参加会议之外，也指名要我去参加，来信要求谈契丹文字问题。由于这次会议是各种文字问题的会议，不可能深入讨论某一个文字，所以，我准备了一篇一般性的介绍契丹文字研究情况的文章[9]。现在给您寄一份，不妥之处，请指正。

会议从九月四日开三天。那里的蒙古学学会接着留我三天，进行蒙古语言学方面的学术交流活动[10]。我途经北京时看具体情况，也许去拜访您，到时

---

8 原稿此字误作“令”。

9 清格尔泰先生此文主要由以下几部分组成：①关于契丹族与契丹语；②契丹文字的创制与通行情况；③契丹文字的再发现；④契丹文字的特点。并附有《已释读契丹大字表》《已释读契丹小字（原字）表》。参见清格尔泰：《关于契丹文字的特点》，《亚洲诸民族文字》，韩国口诀学会编辑出版，1997年。此文后收入《清格尔泰文集》第五卷，内蒙古科学技术出版社，2010年，第341～359页。

10 据《清格尔泰经历年表》记载：“一九九六年九月一日，从呼市出发，到京时，呼和同志接到陈伟家（呼和准备从陈伟家拿一些书）。九月四日，徐琳、戴庆夏等同到韩国，高永熏等接，住塔瓦宾馆，当晚举行国际学术会议相见礼。九月五日下午，清以《契丹文字的特点》为题作了报告，会后到檀国大学博物馆参观。九月六日，全天都是报告。九月七日上午，参观旧王宫；下午，参观民俗村（金周源陪同）。九月八日，李圣揆、沙格德尔苏荣来接清到机场，同赴济州岛，南相亘、金天浩等来接，参观农场、石塔等。晚上，与金乘龙、徐在等吃烤肉，并到他们家做客，之后到住所。九月九日，有雨，参观济州大学博物馆，接受记者采访，门口与石人合影，并参观自然博物馆及抗蒙纪念馆；晚上，回汉城，住另一个饭店。九月十日，到汉城大学参观图书馆，成百仁请清和李基文、Ram-sey等吃午饭；晚上，蒙古学学会的七八人到清住处座谈并共进晚餐。九月十一日上午，到檀国大学与总长尹弘老、李赞民等会面，谈论今后的校际联系问题；下午，首尔大学接清去作内蒙古阿尔泰学研究情况的介绍。九月十二日，李圣揆送到机场。到北京机场时，阿拉坦、那荣等接，同到内蒙古经贸办事处；同日，都欣、贾夫也从日本回来；当晚，大家一同坐火车回呼市。”参见《清格尔泰文集》第九卷，内蒙古科学技术出版社，2010年，第736页。

先电话联系吧。

此致

问候!

清格尔泰

一九九六年八月二十二日

第四通

刘凤翥先生:

来信感谢!

博州防御使墓志请留三份。开始时决定我先买一份，最后决定三人各买一份。由于陈乃雄过两天就去北京看病，决定由他把钱带去。

繁体字问题，经过一番周折已经解决。开始时都说我校没有繁体字。后来才发现，我们研究所就有。接着打印出来一看，有些字没有。于是费了很大的劲儿，造了一些字，贴上去，寄走了。最后才有人指出，这个问题本来也是可以解决的。看来我们还没有充分掌握计算机已有的功能。

关于契丹文字的资料、消息，今后还望继续关照。我这里从兴安盟弄来了几条（六条）契丹大字资料。是从代钦塔拉来的。上边有点子（一至七个不等）。我印象上您讲过这件事。您处也有这些资料吧？如果没有，请来信告知。我可以把这些资料先寄给您研究。因为我一时还顾不上研究这些资料。

此致

问候!

清格尔泰

一九九六年十月八日

第五通

刘先生:

我于二十八日回到呼市。在京期间，受到您的热情照顾[11]，以及介绍有关情况，日子过得很愉快，再次表示由衷的感谢!

我回来之后，让我们一位青年同志把有关契丹文字研究的论文目录寄出。他说索性输入电脑打印出来，以便以后增补。所以还要过几天才能寄去。

---

11 据《清格尔泰经历年表》记载：“一九九六年十二月十二日，照日格图陪同到北京后，直接到同仁医院排队挂号看眼病。在住内蒙古宾馆检查期间，乌力吉主席、布赫副委员长（原书此字误作‘专’——引者）在宾馆会晤中听说清来看病后到房间看望。为了节省开支，十二月十五日至十二月二十一日之间，曾住就近的刘凤翥家。二十七日，从北京出发回呼市。”参见《清格尔泰文集》第九卷，内蒙古科学技术出版社，2010年，第737页。

寄去之后，请您在适当地方（按年代顺序）增补之后，寄回来，我们再打印出一些份。之后再想办法，把所缺的文章补齐。

还有一件事，就是，我曾向您说，我持有关于进士题名碑的一本书。回来后查看的结果是：书名叫《女直国书进士题名碑集跋》，前面部分有六×二=十二页的十二张影印图（黑底白字），第一张就有“伏丢”字样。照片整体上都不太清楚。后面部分是三十二×二=六十四页的手写的七篇文章，作者有罗福成[12]、毛汶[13]、许平石[14]、刘师陆[15]、关百益[16]、许敬参[17]等六人。民国二十七年河南博物馆印行。如果需要，您可以拿去看看。

我正在写这个信时，收到了您寄来的信和照片。照片照得技术高超，非常好。

其他事情以后再谈。

预祝春节愉快！

清格尔泰

一九九七年一月四日

关于电脑打印中使用契丹小字问题，北大方正同意以汉字笔画组字的办法（如同台湾排印的大字）解决。现正在给他们提供资料。

第六通

刘先生您好！

上次信里所说契丹文研究论著目录，今天才弄出来，现寄给您。请您增补之后，再寄回来。我们作补充打印之后，也寄给您一份。并联系复制事宜。

从即实那里一直什么消息也没有。和您有过联系没有？他是不是等待我们寄钱才肯发货？下次来信时，顺便把他的地址告诉我们一下？

徐林先生寄来的照片刚刚收到。如您见到她，先转告一下，照片已经收到，表示谢意，我以后再写信给她。或者打个电话告诉一下。

春节很快来临，祝春节事事如意！

清格尔泰

一九九七年一月二十八日

12　罗福成：《女真国书碑跋尾》，《国立北平图书馆月刊》1929年第3卷第4号，第457页。

13　毛汶：《金源国书碑跋》，《国学论衡》1934年第3期，第27～30页。

14　许平石关于女真进士题名碑的文章遍寻不得。关于女真进士题名碑之研究，可另见王静如：《宴台女真文进士题名碑初称》，《史学集刊》1937年第3期，第49～68页；罗继祖：《女真语研究资料》，《国学丛刊（北京一九四一创刊）》1944年第14期，第64～71页。

15　刘师陆：《女直字碑攷》，《考古》1936年第5期，第173～178页。

16　关百益：《河南博物馆所藏特别石刻三种考》之三“女直进士题名碑考”，《河南博物馆馆刊》1936年第4期，第5～7页。

17　许敬参：《古鉴齐藏印集跋》，《河南博物馆馆刊》1937年第7、8期合刊，第3、4页。

第七通

刘凤翥同志：

今天收到来信（三页）及墓志摹录（十二行）以及局部拓片复印件二张。

信中所谈新的释读材料和拓片字迹的美观给人深刻的印象。

信中所说“现草成一小稿特奉上”，恐怕不是指上述三页信文和摹录吧？如果不是，你是否把“论文”漏放在家里了？

上次所编契丹文研究论著目录已整理打印出来，送您一份。以后再陆续补充吧。从（一一三）号开始的近来的十份[18]文章（以铅笔画了圆圈）想复印一下，您能否给我们各复印一份[19]，连同收据寄来，我们立即把费用寄去。

国家民委要在广西（南宁）开个“民族语文理论研讨会”[20]，指名让我去参加，所里的道布、孙宏开也参加。我明早乘飞机经北京去南宁，道布他们预定在北京机场与我会合，一同乘飞机去。因为我不进北京城内，这次也就不能见面了。如果您[21]给我写信，我一周左右后回呼市时就可以收到。

祝一切顺利！

清格尔泰

一九九七年四月十二日

第八通

刘先生：

您在四月份写的四封信均已收到。关于“爷”字的论文[22]，以及迪烈墓志的摹录全文也都收到，勿念。

我从南方回来以后，写校庆纪念文章、校对论文集（因为都卡在我这个地方）一直很忙，所以没有及时回信，请原谅。

关于请您复印的材料，一二六号《若干契丹大字的解读及其他》[23]《四

18 原稿此字作“分”。

19 原稿此字作“分”。

20 据《清格尔泰经历年表》记载：“一九九七年四月十四日至四月十七日，在广西省（应为广西壮族自治区——引者）南宁市由国家民委召开了民族语文工作理论研讨会。这是一次务虚性质的会议。清讲了关于南方的‘语言可以考虑汉字+拉丁’的方式解决民族文字的想法以及这个看法产生的原因。四月十七日，赴北海考察一天。四月十八日，离会。内蒙古的代表在归途中去桂林游览一次。”参见《清格尔泰文集》第九卷，内蒙古科学技术出版社，2010年，第737页。

21 原稿此字作“你”。

22 刘凤翥：《从契丹文推测汉语“爷”的来源》，《内蒙古大学学报（人文社会科学版）》1998年第4期，第75、76页；后转载于朱庆之著：《中古汉语研究（二）》，商务印书馆，2005年。

23 此文载于《汉学研究》（台北）1993年第11卷第1期（总第22期），第383～398页；后收入刘凤翥：《契丹文字研究类编》第二册，中华书局，2014年，第335～343页。

探》[24]《五探》[25]这里都有了（上边有些阅读记号，我想问题不大）。若已经复印，也可以，若还没有复印，只把《四探》后的附录三给复印一下就可以了。因为装订过程中倒数第三行有些字看不清楚了。

关于论文，我想推荐给学报，他们最近为了迎接校庆，忙乱得很，我已打招呼，过些日子送去。

关于米=钫，“上京留守”的写法，叉=分，关于“千春万秋”，都是很有兴趣、很值得重视的问题，等这阵子过去以后仔细考虑一下。

我去年冬天，从北京回来以后，受到我们在北京交谈的鼓舞（尤其是您说的不要中断研究，继续培养一些人才），写了一篇小文，题名为《契丹语数词及契丹小字拼读法》[26]，可以说是你的《四探》中谈到的一些问题的引申吧。因为只有一个草稿，请老陈他们看，是否发表。以后如有副本，定给您送去指正。

恭祝

春安！

清格尔泰

一九九七年五月五日

第九通

刘凤翥同志：

您好！

今年夏天呼市出奇的[27]热，北京大概更热吧？

复印件收到后，我交给助手办理寄钱的事。我问，是否由我先垫付（过去一般这样）？他说这次不用了。后来，我发现迟迟没有把钱寄去。据说，起初有关经费没有到位，后来经过几次提出后，决定先以借钱的方式寄出。可是这个办法确定后，有关人员有时这个不在，有时那个不在，现在我们那个助手也出差了。我想不久会寄去的。一想起这件事，我就觉得不好意思。我也曾建议先把有关情况写信给说明一下，不知写了没有。

前不久老陈写了一篇释读契丹小字墓志的文章。墓志是扎鲁特旗出土

24　刘凤翥：《契丹小字解读四探》，《第三十五届世界阿尔泰学会会议记录》，台北大学和《联合报》国学文献馆，1993年，第543～567页。

25　刘凤翥、周洪山、赵杰、朱志民：《契丹小字解读五探》，《汉学研究》（台北）1995年第2期，第328～331页。

26　清格尔泰先生此文主要由以下几部分组成：①对《契丹国志》中一段话的理解；②序数词和基数词的关系；③契丹小字拼读法问题。此文先后载于《内蒙古大学学报》1997年第4期；韩国《阿尔泰学报》1997年第12期。此文后收入《清格尔泰文集》第五卷，内蒙古科学技术出版社，2010年，第328～340页。

27　原稿此字作“地”。

的，内蒙古博物馆的一个人弄来拓片后，与老陈合写的。学报让我审稿时我也才知道。文章标[28]题为《扎鲁特旗乌日根塔拉辽墓出土契丹小字墓志的释读》[29]，据称为耶律忠亮的墓。我提议给你寄一份拓片。他说只有一张拓片，字迹不太清楚，太淡。等文章发表后，给寄去。这篇文章是为学报写的，同时也准备带到八月中旬乌兰巴托国际蒙古学会议的[30]（由于老陈从事蒙古语文工作多年，一次也没有去过蒙古国，这次我们特意推荐他去参加的），我是该蒙古学协会的副主席（当然只是名义上的），上次会议没有去，这次也不去的话不好交代，所以也准备去。为了应付会议，准备了一篇关于十二属相的解读情况的文章。主要是介绍解读过程，里边特意介绍了你最近发现的“亥”和“申”的情况。我上次说过的关于数词的文章[31]，内大学报刚刚印完。据说抽印本暂时出不来，等抽印本出来后，一定给你寄去。

我们去乌兰巴托参加会议回来，就到八月下旬了，因此先写这封信，通报有关情况，其他事情以后再谈。

祝

研安！

清格尔泰

一九九七年八月一日

第十通

刘凤翥同志：

接到来信，马上找恩和巴图商量。因为恩和巴图熟悉当地达斡尔族干部，

28 原稿此字作“表”。

29 陈乃雄、杨杰：《乌日根塔拉辽墓出土的契丹小字墓志铭考释》，《西北民族研究》1999年第2期，第72～88页。该文末尾有云：“本文写于一九九七年初，写成后曾寄刘凤翥先生切磋琢磨，后根据他提的意见作了若干修改。特此致谢。”

30 据《清格尔泰经历年表》记载：“一九九七年八月十一日，赴蒙古国参加国际蒙古学学者第七次大会。八月十一日，飞抵乌兰巴托，被接到成吉思汗饭店。八月十二日早，召开理事会；开幕前会议领导人与总统（时任蒙古国总统巴嘎班迪——引者）及有关领导会见；十一时，开幕；中午，观看历次会议展览；下午，总统等接见会议领导；晚间，参加文化部招待会，并照了相。八月一日，清发言，题为《关于契丹语中的十二属相名称》。八月十四日，会议进行的同时，到科学院与领导人会面。八月十五日下午，闭会；晚间，到大使馆。八月十六日，到成吉思汗园看那达慕；下午，有座谈、歌舞；晚间，有以小沢（日本东京外国语大学教授小沢重男——引者）名义的晚宴，我们路途找车回到市内的大学招待所。八月十七日，到达巴格都拉木家，又到天希林迪布家，与小沢、中见（日本东京外国语大学教授中见立夫——引者）、洼田（日本大正大学教授洼田新一——引者）等共进午餐。八月十八日，与小沢等同机回呼；下午，小沢与内大语文研究所座谈，会后一起进餐。”参见《清格尔泰文集》第九卷，内蒙古科学技术出版社，2010年，第738页。

31 即前揭《契丹语数词及契丹小字拼读法》。

而对这件事，当地达斡尔族干部可能积极响应。他给盟民委的干部写了个信，考虑到也许到达族聚居地区访问，所以也给莫旗的干部写了信。以便备用。

对我拙文的积极评价，我表示感谢。你给写文章的《纪念文集》已经出版[32]，我的论文集这几天也要出版。我想一同寄去。后者中有在你家中你给我照的杰作，编者看中，作为近影永远作纪念了。

乃雄的文章近期可能在蒙文版上发表。因为他以汉文写就后，以投稿蒙文版的方式，让蒙文编辑翻译，并带到乌兰巴托的。

此致

问候！

清格尔泰　草

一九九七年九月十五日

第十一通

刘凤翥同志：

您好！

前信所说呼盟之行是否完成？收获如何？

关于耶律敌烈墓志[33]中的要订正的问题及其他释读问题，我已写在另纸上。这里先谈另外两件事。

第一件事[34]是，我们原来制作的契丹小字字模不能使用以后，发表写有契丹小字的文章，困难很多。这次我的论文集中，使用了我校计算中心的不完整的一套系统，蒙文版中不能用契丹字，要剪贴，汉文版中国际音标不全，找代用字，等等。问题很多，很不理想。经过一番衷求，北大方正终于答应为我们研究所（不是方才说的那个计算中心）制作一套契丹小字字库“契丹小字精密字库”。将来可以在我们研究所使用的方正系统中进行蒙汉文、契丹小字混排。届时用蒙汉文写[35]小字研究文章就方便多了。现在北大方正正在制作字形（根据我们过去的字模字形为标准），字形作出后，需要

32　刘凤翥：《我与清格尔泰教授在契丹文字研究方面共同工作的印象》，《论文和纪念文集——纪念清格尔泰教授从教50周年》，内蒙古大学出版社，1997年，第52～61页。

33　关于契丹小字《耶律迪烈墓志铭》之研究，参见卢迎红、周峰：《契丹小字〈耶律迪烈墓志铭〉考释》，《民族语文》2000年第1期，第43～52页；后收入刘凤翥：《契丹文字研究类编》第一册，中华书局，2014年，第138～142页。刘凤翥：《契丹小字〈耶律迪烈墓志铭〉再考释》，《契丹文字研究类编》第一册，中华书局，2014年，第143～152页。爱新觉罗·乌拉熙春：《〈耶律迪烈墓志铭〉与〈故耶律氏铭石〉》，《辽金史与契丹、女真文》，日本东亚历史研究会，2004年，第69～84页。包联群：《〈南赡部洲大辽国故迪烈王墓志文〉的补充考释》，《内蒙古大学学报（人文社会科学版）》2002年第3期，第15～19页。

34　原稿此处脱“事”，此据文义补。

35　原稿此后二字被涂去。

有一位熟悉契丹小字字形的同志审查校对，看字形是否正确。我想请您就近给审阅校对一下如何？尤其这里边包括了您后来增补的那些字形，请您看看恐怕是最合适不过了。如果可以，等到字形作好之后，我们打电话告诉您[36]如何与北大方正联系的问题。

这里顺便说说，我上次信上说的两册论文集，已让去北京开会的同志带去，您也许已经收到了。由于我未能最后校对，里边发现了若干错字，如把[illegible]的po'o弄成别的什么东西等。同样，关于数词的那篇论文[37]中也有若干错字，好在内行人一看，可能就看出来。

第二件事是，我过去和您商量过，我们需要培养一些年轻人，您也有这个意见。上次校论著目录也与此有关。下一步的问题是收[38]集[39]资料，尤其是小字的拓片。过去我们收集了一些，那也是我们共同收集的，主要还是靠了你们。以后我们共同努力，弄个资料中心，不但你们我们共同使用，而且也为开放，也是可以考虑的。抓住资料不放，自己不研究，也不让别人研究的做法，对学术研究的发展很不利。如果您同意，我们把实际工作做起来。关于经费，虽不充裕，总算也弄了一些。您如果支持这项工作，积极参与这项工作，进而其他一些工作，我想经过一段时间，请学校给您一个什么名义，那就更加名正言顺了。

作为具体做法，先把手头有的，或者可以买到的，主要是拓片之类，先列个单子，包括价格（最好弄开发票），做个计划。其次把手头没有，或者买不到的，列出一个弄到手的计划，我们分头去想办法。

总之，我希望我们共同努力把我国的契丹文字研究继续发展下去。共同编写《契丹小字研究》我们这些人把历史赋予[40]我们的使命完成下去。

清格尔泰

一九九七年十月一日国庆节

我于十月七日赴港探亲，十天之内回来[41]。呼市至深圳直飞，所以到不了北京。

36　原稿此后一字被涂去。

37　即前揭《契丹语数词及契丹小字拼读法》。

38　原稿此后一字被涂去。

39　原稿此字作“積”。

40　原稿此字作“与”。

41　据《清格尔泰经历年表》记载：“一九九七年十月七日至十月十八日，去香港探亲十来天。十月七日早从呼市起飞，途经武汉，中午抵深圳办事处接，午后送到罗湖出镜处，过境后呼兰接。十月十八日呼兰送到罗湖，办事处顾金连副主任、小王接。之后把清送到深圳机场。晚十时回到呼市。”参见《清格尔泰文集》第九卷，内蒙古科学技术出版社，2010年，第739页。

附：《关于一些契丹字的释读问题》

关于一些契丹字的释读问题

（1）关于耶律敌烈墓志中的一些订正，我看是正确的，如：“礼拜司”改为“印牌司”，以及“[illegible]”“[illegible]”等的标注。

（2）关于“[illegible]”中的“[illegible]”二字，读为“春、秋”的问题，如果把“[illegible]”读为ur，合乎蒙古语“春、秋”的读音。如：you-ur→xaβur，n-am-ur→namur。以此办法，“[illegible]”可读成k-ur-ən→kurun，也合乎女真语、满语中“国家”的称呼。在这范围内，可以说得过去。但是我们过去把“[illegible]”拟音为juan（元），把“[illegible]”拟音为“国阿辇”，曾经是我们的共识，而且许多人也接受了。这二者的矛盾，无法解决。现在还很难说，二者之间的是非已很清楚。是否两种说法暂时共存，以待最后结论呢？

（3）对“[illegible]”标注为“塌母里城度使之事”，我有些疑问。有没有是“塌母（之）节度使”的可能？“[illegible]”字是否很清楚？有没有是“节”字的可能？

（4）从道宗哀册“[illegible]”的标读引起的不同意见，是个老大难问题。随着新资料的发现，这问题不但没有趋向解决，而且更加复杂化了。

关于这一条契丹文的读法，大致已有三种提案：①即实式，②刘式，③王式。我从每种释读法的角度，试读了后来发现的耶律敌烈、耶律副部署、耶律宗教上的都有些不同的写法，结果都行不通。可见过去提出的释读法都有些问题。我也抛开已经提出的释读法，作了一些别的尝试，结果也不理想。我从大家比较一致的“[illegible]”表示“中”“中央”的看法基础上，考虑了“[illegible]”与“[illegible]”是否有可能具有类似的发音的问题。如果假设“[illegible]”可以发d-uen-en，并假设“[illegible]”可以发d-eu-n[42]ən，那么，这两个词的发音可以有所接近。即due nen与deu nən。但这样的拟音，未必能为各家接受。因此看来这一条的释读还要走一个较长的路程。

附带说明的是，如果单纯从“[illegible]”表示“中”这个问题考虑，它可以读duanda，也可以读duanən。前者与蒙语说法一致。可是从词源说，是[43]由“中”的词根上接加[44]方位格演变来的（dun+da）。所以，后[45]者可以认为是“中”的词根上接加了领格附加成分（dun+ən）。也就是说，两种读法都能说得过去。

以上都是我的如实的想法，请参考、批评。

42 原稿此后一字符被涂去。

43 原稿此前一字被涂去。

44 原稿此后一字被涂去。

45 原稿此后一字被涂去。

第十二通

刘凤翥同志：

您好！

十二月十二日举行了纪念我从事教学科研工作五十周年大会[46]，会上也宣读了您的贺信，谢谢！

前些日子作的契丹小字字形，技术问题已经没有问题了，但到现在还没有交给我们。说是价格还没有定。因为制作时我们交不起制作费，我们得买作好的卡片。我们让确吉联系加快一些，最近确吉住院了，所以还要等些日子。

关于契丹小字在呼的石碑，陈乃雄说，扎旗出土，老陈释读的那一块，据说原石还在扎旗。您信中所说，从宁城运来的副署墓志铭[47]，据说还未遇到具体掌握的人（好像出差了），正在想办法。

我让老陈给即实写信借阅一下耶律仁先墓志[48]，即实来信说，他手头也没有，等到天气暖和后，他想法给我们拓一片。看样子允许别人去拓了吗？如果那样，你是否也有意去拓一拓？

说到拓石碑，我原想请您来给研究生教一教，我问研究院，他们说，经

---

46 据《清格尔泰经历年表》记载："一九九七年十二月十二日，学校举行了纪念清格尔泰教授执教五十周年学术讨论会。除学校领导、自治区有关单位的同志外，北京和外地也有人参会，共一百几十人。"参见《清格尔泰文集》第九卷，内蒙古科学技术出版社，2010年，第739页。

47 上文中提到的《耶律副部署墓志铭》，1996年出土于内蒙古自治区赤峰市阿鲁科尔沁旗罕苏木苏木朝克图山耶律祺家族墓，出土后曾存于位于内蒙古自治区赤峰市宁城县辽中京博物馆院内的内蒙古文物考古研究所东部工作站，现存于位于呼和浩特市的内蒙古文物考古研究所。关于契丹小字《耶律副部署墓志铭》之研究，参见盖之庸、齐晓光、刘凤翥：《契丹小字〈耶律副部署墓志铭〉考释》，《内蒙古文物考古》2008年第1期，第81～111页；后收入刘凤翥：《契丹文字研究类编》第一册，中华书局，2014年，第205～216页。

48 关于契丹小字《耶律仁先墓志铭》之研究，参见刘凤翥：《契丹小字解读四探》，《第三十五届世界阿尔泰学会会议记录》（台北），台北大学和《联合报》国学文献馆，1993年，第543～567页；刘凤翥：《契丹小字〈耶律仁先墓志铭〉再考释》，《契丹文字研究类编》第一册，中华书局，2014年，第98～109页；韩宝兴：《契丹小字〈耶律仁先墓志〉考释》，《内蒙古大学学报（哲学社会科学版）》1991年第1期，第70～78页；即实：《〈糺邻墓志〉校抄本及其它》，《内蒙古大学学报（哲学社会科学版）》1991年第1期，第79～105页；即实：《〈糺邻墓志〉释读》，《谜林问径——契丹小字解读新程》，辽宁民族出版社，1996年，第201～260页；丰田五郎：《契丹小字〈仁先（即实本）墓志〉新释》，1991年4月29日写就，在1991年5月"中日联合首届契丹文字国际学术研讨会"上散发，未刊；丰田五郎：《契丹小字〈耶律仁先墓志〉读后》，1991年6月23日写就，在同行内复印散发，未刊；吴英喆：《契丹小字〈耶律仁先墓志〉补释》，《内蒙古大学学报（哲学社会科学版）》2002年第5期，第49～54页。关于汉字《耶律仁先墓志铭》之研究，参见李宇峰：《辽代汉文〈耶律仁先墓志〉考释》，《辽宁省博物馆馆刊（2010）》，辽海出版社，2010年，第137～149页；王竹林：《辽〈耶律仁先墓志〉汉字志文书法研究》，《美与时代（中）》2017年第3期，第138、139页。

费不足。现在北京能否买到实用的工具？如果能买到，你给我们买一套如何？有人来回走的时候去取来，自己摸索摸索拓的方法，我们理论上知道，实践经验缺乏。最好还是让你指导指导。

这次照那他们来呼，我了解到一个情况。那就是拓片可以复印。阜成门那里有个地质研究院（？），这个名称记得不准确，可以和照那问一问。他们那里可以复印大张的图纸，宽一米多，长可以不限。一般长宽都一米多，二十元一张。这样复印出的东西再照相，据说更清楚。所以，我们只要有一张清晰的拓片，把它复印一下，也可满足当前需要了，有的很大的拓片可以复印在两张复印纸上。据说这样复印[49]件，最好不要折叠，卷起来为好。

这次就说这些。

祝新年愉快，万事大吉！

清格尔泰

一九九七年十二月十八日

第十三通

老刘同志：

您好！

收到三月十一日来信后，马上找出底片，去放大。后来照相馆说，现在那样底片呼市放大不了，只能洗原片，所以现在洗出原片的一张，寄去。我这里有个比底片大四倍的照片，也很不清楚。与以放大镜看原片的，效果差不多。大四倍的照片邮寄也不太方便。您如果对原大的不满意，非要一个放得很大的，来信告知，我索性把原底片寄给您，您在北京可能能找到放大到足够尺寸的地方。

照相片的发票，随信寄去，钱数不多，不必忙着寄来，以后有机会扣除也行，不扣除也行，不必当作一回事。

专此

问安！

清格尔泰

一九九八年三月十八日

第十四通

刘凤翥同志：

四月二十二日的信，昨日（二十七日）才收到，我们这里礼拜六、星期日的信一般不办理。

49 原稿此字作“音”。

知道你去芬兰参加会议，而且有人出经费，那实在太好了，祝贺你成行，并祝一切顺利！

你的论文题目也很好[50]，对契丹小字研究人员也是一个很好的参考。

你问的乃雄的文章，以蒙文发表于一九九八年第一期《内蒙古大学学报》，关于墓主人，写的是耶律宗亮（忠亮）。

我也想请教一件事：七十年代初，我们曾请黄振华作过一些资料工作。他给我们搜集过辽代契丹语的资料。其中，除辽史的国语解、契丹国志上的资料外，还有一些不太常见的书籍[51]上的资料。有些资料，我想核实一下（见另页）。

如：

讷都山，宋绶《行程录》。

乌水，同[52]上。

麋到斯裊，《北蕃地理》[53]：大盐泊，更名廣济湖。

撒得裊，《北蕃地理》[54]：大水泊。

上述《行程录》《北蕃地理》是否为一套书的一个部分？他记的字，写法对不对？请您抽空给查一查为盼。

对会议有何应注意事项，一时想不起来，等有什么想法，我再写信。

问全家好！

清格尔泰

一九九八年四月二十八日

第十五通

老刘同志：

您好！

谢谢那个好消息，我也在托人打听。谁得到进一步的消息，再进一步互通吧。

陈乃雄的文章，发表在《内蒙古大学学报》（哲学社会科学蒙文版）

50 刘凤翥：《契丹小字研究七十年》（Seventy years of Khitan Small Script studies），芬兰《东方学报》第八十七卷（WRITING IN THE ALTAICWORLD），1999年赫尔辛基版。

51 原稿此字作“笈”。

52 原稿此字作“仝”。

53 《武经总要前集》卷十六下《边防·北蕃地理》：“大盐泊，周围三百里，东至上京一千五百里，契丹中更名广济湖，辽（虏）中呼为‘麋到斯袅’（按：应作‘到麋斯袅’，契丹语，意为‘盐湖’）。”参见北宋曾公亮等著，陈建中、黄明珍点校：《武经总要》，商务印书馆，2017年，第272页。

54 《武经总要前集》卷十六下《边防·北蕃地理》：“大水泊，周围三百里。至上京五百里，南至幽州千三百里，辽（虏）中呼为‘撒得袅’。一在馒头山北，西至木叶山，东至鸭子河。”参见北宋曾公亮等著，陈建中、黄明珍点校：《武经总要》，商务印书馆，2017年，第273页。

一九九八年第一期上。

他的文章没有墓志原文转写（即摹写），所以，正如您所说，“资料价值就不大了”。我问过他，为什么不附原文，他说，那样篇幅太大，编辑面有难色。其实，如果我是当事人，宁肯压缩本文，也把原文附上。

他似乎与台湾刊物联系，要把原文发表在那里刊物上。

专此

研安！

清格尔泰

一九九八年六月三日

第十六通

刘凤翥同志：

您好！来信收悉。关于巴林右旗墓志的消息，终于得到了最后的证实。其实前一个时期，巴林[55]右旗出身的那顺乌日图（研究所人员，现为确精[56]的博士生）就跟我们说过，巴林[57]右旗又发现了契丹文碑刻。由于我们常常听说此类消息，甚至听说发现了两本契丹字书籍[58]，最后往往落实不了。因此，等待最后确实的消息。他最近与其他同学的电话联系中，也听说了您的大板之行。

把《研究》[59]发表后的契丹文资料，汇集起来，对进一步的研究是很重要的。我们早就想这样做，但是由于①清晰的拓片搜集不全；②微机的打印问题，由于经费问题，方正方面不充分合作，有些技术问题老是解决不了。因而进展情况不够理想。

关于契丹文研究论著目录中以蒙文写的八、七八两条的汉译为：

八、清格尔泰、陈乃雄：《关于契丹文字的研究》，《内大学报》（蒙文版）一九七九年第一至二期。

七八、清格尔泰：《契丹文字研究的新进展》，《内大学报》（蒙文版）一九八七年第三期。

祝一切顺利！

清格尔泰

一九九八年六月十二日

---

55 原稿此字脱。

56 即内蒙古大学确精扎布教授。

57 原稿此字脱。

58 原稿此字作“笈”。

59 此指清格尔泰、刘凤翥、陈乃雄、于宝林、邢复礼：《契丹小字研究》，中国社会科学出版社，1985年8月第一版，2018年6月第二版。

第十七通

刘凤翥同志：

我刚写信不久，收到了您的来信，我惊奇现在的邮局，效率真高。可是打开信一看，却出乎我的预料。本想马上找来该同志责问一番，由于该同志（那顺）住在校外，再则我也想一想这究竟是怎么一回事。

据我回忆，首先那顺同志从同学处听到了出土消息，但不太具体；之后我向那顺透露您说的消息，请他进一步打听一下；第三，那顺来电话说，他的同学说，您去过大板[60]，并说博物馆的人，想找个合作人，主要是经费不足，没有研究经验，内大是否有意合作（他这个同学，显然不是清格勒。并说清格勒有病休息）？第四，我对那顺说，我们也经费不足，更不可能资助校外的人，博物馆的人先与刘凤翥先生有接触，我们决不能越过刘先生与博物馆的人讨论合作事宜。第五，从您的信上，我听到了完全意外的事情。我还没有找那顺核实这件事，事情到底出在那顺身上，还是出在他同学的身上。

不过我看到您信后，心里有了底，内大不会再主动找博物馆的人谈论这件事。将来有关人士发表这些碑刻之后，作为资料，我们再搜集这些碑刻的拓片之类也就行了。

从您的信上，我也看出，我们是多年的知己，彼此互相了解。不然，也有可能被人（无意也罢）离间。我同意，我们今后要吸取教训，你我之间还是要保持紧密的联系，对于有关的其他人，“一定要注意工作的方式方法，不可粗心大意”。

我和博物馆的清格勒先生，素不相识，也不好向他解释什么，如果您有机会，觉得有必要，可以把我的态度，转告该先生（也就是说，我们二人都没有这个意思，事情出于误会）。

专此问安，并问全家好！

清格尔泰

一九九八年六月十六日

第十八通

刘先生：

您好！

八月八日写来的信，早已收到。介绍会议的情况，比其他人都详细。我虽几次遇到呼格，但还未来得及详细谈到那次会议的情况。八月十七日至

60 原稿此字误作“坂”。案：此大板为内蒙古自治区赤峰市巴林右旗旗政府所在地。

二十四日，内大第三次国际蒙古学会议上[61]，杨虎嫩、甘德星也来参加，也没有机会谈到那次会议。说到内大的会议，我在会前也没有机会准备有分量的文章。加上会议内容广泛，研究契丹文的也很少，所以我也应付性地写了《契丹小字研究近况》的发言提纲（文中也没有使用契丹小字）和另一份主要列举契丹小字例词的附件。原打算附件用新做的字库打印，可是新的字库一直到开幕也未能成功地运行，无奈最后还是请研究生清抄一遍，复印若干份，应付了事。

前几天收到您的论文复印件及阿旗出土碑文[62]的抄件，甚为感谢。您的论文从宏观上总结了契丹小字的研究情况和取得的成果。比较起来，我的文章涉及面窄，只着重谈到《研究》发表后发现的一些碑文及最近研究的情况。作为研究进展的情况也列举了各家所释读的可靠一些的词语。这方面分为：

（1）年号，（2）数词，（3）序数词，（4）天干，（5）地支，（6）方位词，（7）亲属称谓，（8）动词的附加成分，（9）一些动词，（10）一些讨论当中的字和词。最后的内容中主要谈了两个问题，一个是关于“[illegible]”的读法，现在还有些问题，一个是关于“[illegible]”及后来出土的类似的词组。现在各家意见不一致，希望抱有兴趣的人参加讨论。

从上述分类列举方面，我们有些共同之处。不过我的范围窄小，例词也较少。更大的差别是我作为正文简单谈了这些事，您是作为附录系统地介绍了这些内容。

我的文章由于上述打印方面的设想，把一个东西分成了两个部分，以后为了阅读者的方便，需要合在一起。我想合在一起以后送您指正。

另外，还有一件比较重要的事。巴图看到老陈的书以后来信索取我们新的字母表。我给他说明那是另一套字母。并索性送去我们新的字表，说明这是老刘帮助整理的，并请他也提意见。他来信提了一些意见。我把他的来信复印给您。如有可取之处，可想法加在我们字表里，以便共同使用。

祝研安！

清格尔泰

一九九八年八月二十八日

第十九通

刘凤翥先生：

您好！寄来的两张拓片和您的大作都已收到（并把一份转交给了陈乃雄

---

61 据《清格尔泰经历年表》记载：“一九九八年八月十八日至八月二十二日，召开了内蒙古大学第三次国际蒙古学学术讨论会。清于八月十七日去内蒙古饭店与代表们同住。会议在逸夫楼举行。”参见《清格尔泰文集》第九卷，内蒙古科学技术出版社，2010年，第740页。

62 此指出土于内蒙古赤峰市阿鲁科尔沁旗的契丹小字《耶律兀里本·慈特墓志铭》。

同志）。您的大作把六十年来契丹大字研究的情况和资料都汇总了一下[63]，是一件很有意义的事情。

寄来的两件拓片，已由吴英喆[64]拿到照相馆拍照，效果如何，还等一两天才知道。由此我想：既然照相，在北京照，岂不更好？再加上您手头那几张需要复制的拓片中，有的已经裱，有的已经托，邮寄起来也不太方便。最近我拿出我们在七十年代在北京拍照放大的那些照片看，也相当好。现在的技术也许更加进步了。拍照放大（根据情况，一尺上下）之后连同底片寄来，可能比寄原件方便，而且也保险一些（当然，一切费用我们会立即寄去）。因此，我们希望您为我们再“劳驾”一番。最好找技术好的大照相馆，以便保证质量。

契丹小字的电脑输入问题，正在进行。还有一些技术问题尚待北大方正予以解决（如契丹小字与其他文字以及符号之间的比例，虚线框框的问题等）。同时我们正请计算机专业人员解决一些有关程序的设计问题，如：按字形查询的问题，按序列自动排列问题等。这些问题解决之后，再作《契丹小字研究》的附录那样的事，可减轻大量的人工的机械性劳动。

另外，我收到两册韩国出的书：《亚洲诸民族的文字》，印制精良的精装本，内有二十多篇关于亚洲各种文字的文章。其中包括我提出的您给列契丹大字释读表的那篇文章。我过两天把一本寄给您做纪念。

您寄来的那两张拓片也不久送还您。

我和吴英喆[65]都在感谢您这位吴英喆[66]的北京导师。

问全家好！

清格尔泰

一九九八年十二月六日

第二十通

刘先生：

您好！十二月十号、十二月十六日的信和拓片、照片等均已收到，拓片的拍照问题按您说的办理更好。现在把耶律宗教的拓片寄回，顺便寄去一份向内蒙古领导的呼吁书。我一直对兴宗、仁懿的哀册碑刻埋在原墓有个想法，最近更觉得需要写一个东西，于是写了这个东西。由于在内蒙古，所以只以我和老陈的名义交上去了，不知反应如何。请您也在适当范围内呼吁呼吁。

另外还有两件事：

---

63 刘凤翥：《契丹大字六十年之研究》，《中国文化研究所学报》新第7期，香港中文大学，1998年，第313～338页。

64 原稿此字作“哲”。

65 原稿此字作“哲”。

66 原稿此字作“哲”。

一件是，我们最近从巴图[67]那里弄到了耶律仁先拓片的复印件一份，质量不太好，比过去寄来的照片（分八小张照洗的）不相上下。您如果需要，我们再复印一份寄去。过去的八张小照片已经有了吧？那些照片也可以复印。

二是，前一段时间从老陈那里整理出过去所拍照像的底片，现在放在我这里，有小字的，也有大字的，其中如有需要再洗的，可以来信告知。

耶律慈[68]特[69]的拓片本来也可以同时寄回，为了以防万一，还是过几天单独寄回吧。

契丹小字的计算机输入和打印的问题，还是没有完全解决。编排程序也在同时进行。

祝新年愉快，全家幸福！

清格尔泰

一九九八年十二月二十二日

第二十一通

老刘：

来信收到。

同意您的意见。即：能寄的寄来，轴长的在北京拍照。

寄去仁先的复印件。

先照相，等把机器调好以后再寄（以便保证质量）。

清格尔泰

一九九九年一月二日

第二十二通

老刘同志：

您好！

寄来的布包的两轴收到。听说近几天学校要买一个扫描复印机（微机上安装），以扫描的办法分区复印，这对原件毫无损坏。我们想等等看，所以这两轴可能晚还寄几天。

---

67 巴图，笔名即实，辽宁省社会科学院研究员。参见即实：《谜林问径——契丹小字解读新程》，辽宁民族出版社，1996年；即实：《谜田耕耘——契丹小字解读续》，辽宁民族出版社，2012年。

68 原稿此字误作“兹”。

69 关于此契丹小字墓志铭之研究，参见刘凤翥、丛艳双、于志新、娜仁高娃：《契丹小字〈耶律慈特·兀里本墓志铭〉考释》，《燕京学报》新第二十期，北京大学出版社，2006年，第255～277页；此文修订稿《契丹小字〈耶律兀里本·慈特墓志铭〉考释》，《契丹文字研究类编》第一册，中华书局，2014年，第129～134页。

信中所提其他问题，答复如下：

（一）尚未发表的材料，我们认真注意不扩散的问题。

（二）关于在北京照的那一轴，根据情况分两部分照也可以（一次有困难的话）。

（三）买书之事，让研究生来办。

（四）研究生的题目，我想让他在基本功和基础研究方面下点功夫，不忙于直接去释读。现在他主要校对耶律仁先志文，之后，让他写一篇校对情况报告，以及心得（校对过程中，尽量参考其他志文和先人的研究成果）。

（五）韩国刊物名称为《阿尔泰学报》，从它发表的稿件看，以朝鲜语和满通语、蒙古语族语言的关系以及朝鲜语历史为主。我发表的文章是他们来信索取的，没有稿费，给些抽印本作为酬谢。

专此奉复

祝事事顺心！

清格尔泰

一九九九年一月二十二日

第二十三通

老刘同志：

春节过得好吧？

春节前，吴英喆[70]回家前，给您寄回了两卷拓片及您要的两本书，估计已经收到。

春节前，一月三十一日，江泽民来校视察，我顺便把《契丹小字研究》让他看了一下，他问："俄国人把中国叫作kitai（китай）是不是从'契丹'来的？"我说："是的。"并把蒙古族的叫法，俄国人学蒙古族叫法等说明了一下。他问："契丹的发源地在哪里？是否在辽宁？"我说是在内蒙古巴林一带。他又问了关于蒙古族历史、蒙古文字等方面的问题[71]。我当时没有让他在我们那本书上签名，是一件遗憾的事。

春节前一段时间，有些劳累，以至心脏病复发，住了一周医院，我坚持出院后，滴注持续到大年三十。家里帮忙的人也回家了，新年过得不怎么样。

出院后，临春节，考古所派人把我和老陈接去，参加了一次清理庆陵的

70 原稿此字作"哲"。

71 据《清格尔泰经历年表》记载："一九九九年一月三十一日，江泽民书记视察内蒙古过程中来内大参观，在蒙古学研究院的会议室里会面，讨论了有关蒙古文字和契丹文字的问题。他问俄语把中国叫作китай，是否是从契丹来的。我们说是这样。"参见《清格尔泰文集》第九卷，内蒙古科学技术出版社，2010年，第741页。

可行性论证会[72]。文化厅的负责人主持。原来我和老陈写的那个意见书，引起了自治区党政领导的重视，都批给文化部门予以重视、办理。通过论证会，大家一致同意，会后马上给有关上级部门写报告，解决批准手续及经费问题。希望您也在北京给予支援。

我们顺便参观了他们石碑的陈列室。阿鲁旗的（乌日根塔拉）石碑的确不在那里。关于契丹的石碑只有三个：一是大字的（可能是耶律祺[73]的，字数比较多，裂为几片）；两个是小字的，据说两个都是耶律副署的，是连着的。我当时没有数它的行数。您抄录的拓本有五十一行，不知是一张的，还是两张的。齐晓光现在在南方，我建议他们抓紧发表，以便大家利用。

通过这次接触，他们的领导以及文化局的领导都表示希望今后互相多联系，互相多支持，并表示我们的支持，对他们的工作，是个很大的促进等。并热情地请我们吃了一顿饭。

但愿这件事顺利地发展下去，不久能把兴宗、仁懿的哀册文挖掘出来。

关于巴林[74]右旗发现的几块石碑，我们有的同志说，借春节回家的机会，通过个人关系想办法弄来一份拓片[75]。我也不好说什么，让他们随机处理好了。

以后有新的消息，再通报给您。

问全家好！

清格尔泰

一九九九年二月二十二日

我吃的治眼药，现在吃完了，还想继续吃一段时间（见小包上的药品说

72 据《清格尔泰经历年表》记载："一九九九年二月九日，文化局（厅）考古所座谈挖掘契丹文碑刻的问题。"参见《清格尔泰文集》第九卷，内蒙古科学技术出版社，2010年，第741页。

73 据刘凤翥先生记述：一九九三年"八月二十六日，我到达阿鲁科尔沁旗罕苏木苏木古日布霍哨嘎查朝克图山前的耶律羽之家族墓的考古工地"；"我在工地共住了五天，协助齐（齐晓光——引者）先生拓了契丹大字《耶律祺墓志》拓片两份"。一九九九六月十四日，"清格尔泰、陈乃雄、吴英喆、朝日格图等人与我一起去内蒙古文物考古研究所拓制契丹字墓志……当天拓了契丹大字《耶律祺墓志》和契丹小字《耶律副部署墓志》拓片各一份，都给了清先生"；六月十五日上午，"陈乃雄、吴英喆与我再次去内蒙古文物考古研究所拓拓片……用了一上午的时间拓了《耶律祺墓志》和《耶律副部署墓志》拓片各一份，均给陈乃雄"；六月十六日上午，"我与吴英喆再次去内蒙古文物考古研究所……刘（内蒙古文物考古研究所刘来学所长——引者）同意让我给清先生重拓一份。我与吴用了一天才结束了皆大欢喜的拓制工作"。以上参见刘凤翥：《遍访契丹文字话拓碑》，华艺出版社，2005年，第146、147、176～178页。关于契丹大字《耶律祺墓志铭》之研究，参见刘凤翥：《契丹大字〈耶律祺墓志铭〉考释》，《内蒙古文物考古》2006年第1期，第52～78页；此文修订稿载于刘凤翥：《契丹文字研究类编》第二册，中华书局，2014年，第398～408页。

74 原稿此字脱。

75 据《清格尔泰经历年表》记载："一九九九年三月末，那顺从巴林带回一些契丹文件资料。"参见《清格尔泰文集》第九卷，内蒙古科学技术出版社，2010年，第741页。

明）。我儿子前几天去北京，正遇到他们休息。您能否抽空给我买一下，并邮寄过来。同仁医院东面对面的眼科研究院卖这种药。一袋[76]十小包，想买四袋[77]四十小包。我买的时候，让同仁医院二楼简易开方处开的，我以为同仁医院的药方有这个药。后来他们开方后，让我去东面研究院药房买的。复制费用，开学后办理。

第二十四通

老刘同志：

您好。

上次信上忘记说了，阮廷焯先生的两个文章[78]，敌烈的照片及底片都及时收到，谢谢！

这次寄来的丰田[79]的文章（两件），爱宕[80]的文章也都收到。

寄来的药，可能不久就会收到。

现在学校还不办理今年的费用。不过我想我们自己可以先把前一段的账[81]结算清楚也好。省得拖拖拉拉。其中应报销的，我们以后再和学校算。另一页纸上结算了一下。如果和您的记录有出入，请来信告知（是否个别单据漏掉或遗失不敢说）。

顺致

春安！

清格尔泰

一九九九年三月四日

第二十五通

刘凤翥同志：

您好！

今天收到《日中合同文字文化研讨会发表论文集》，甚为高兴，表示感谢！

---

76 原稿此字误作“带”。

77 原稿此字误作“带”。

78 关于阮廷焯对契丹文字研究的学术贡献，参见刘凤翥：《评阮廷焯博士对契丹文字的研究》，《北方文物》1993年第1期，第65～67页。

79 即丰田五郎。关于丰田五郎之契丹文字研究，参见〔日〕荒川慎太郎撰，白明霞译：《日本的契丹文字、契丹语研究——从丰田五郎先生和西田龙雄先生的业绩谈起》，《华西语文学刊（第八辑）》，四川文艺出版社，2013年，第44～48页。

80 即爱宕松男。

81 原稿此字误作“帐”。

前些日子（四月二日）从《光明日报》的报道，得知您释读巴林[82]左旗出土的契丹小字《韩特略墓志》[83]的消息，也甚为振奋。其中一定有些新字被认出，墓主人有十个儿女的话，序数词也已经出现十个了吧？

这里研究生正在写毕业论文。我于五月二十五日到六月二日之间，去台湾参加“蒙古民族与周边民族关系”这样一个学术讨论会。现在正在办理去台手续。论文答辩估计在六月十日前后，虽然具体问题尚待由学校研究，我想请您参加这次答辩会[84]，届时请不要推辞。

祝研安！

清格尔泰

一九九九年五月十日

第二十六通

老刘同志：

您好！

上次和您说的去日本讲学之事，已经落实，手续基本办妥[85]。我准备八月二十八日到北京[86]，三十一日去日本[87]。这次的主要任务是利用计算机研究契丹文字等。在研究过程中免不了向您请教一些问题。尤其在新资料方面，需要及时了解公开发表的情况。在这方面，希望您继续成为我们的后盾。

我到北京以后马上和您联系，争取见面一次。到时候再谈。不过有些事我先说一说，以便有所准备。

82 原稿此字脱。

83 契丹小字《韩特略墓志》，应为《韩敌烈墓志铭》，亦称《耶律敌烈墓志铭》。关于此墓志铭之研究，参见唐彩兰、刘凤翥、康立君：《契丹小字〈韩敌烈墓志铭〉考释》，《民族语文》2002年第6期，第29～37页。

84 据《清格尔泰经历年表》记载：“一九九九年六月十四日，上午吴英喆硕士论文答辩会，刘凤翥来参加，下午刘去考古所。”参见《清格尔泰文集》第九卷，内蒙古科学技术出版社，2010年，第741页。

85 据《清格尔泰经历年表》记载：“一九九九年四月十三日，接到日本亚非语言文化研究所邀请清（清格尔泰）去日本进行研究的邀请书，四月十九日按邀请书的要求寄去了应聘书及照片等。”“一九九九年六月十九日，日本方面寄来在留资格认定书和关于亚非（语言文化）研究所及有关住所方面的各种介绍资料。”参见《清格尔泰文集》第九卷，内蒙古科学技术出版社，2010年，第741页。

86 据《清格尔泰经历年表》记载：“一九九九年八月三十日，飞抵北京，徐德江接，住内蒙古宾馆。晚间在内蒙古宾馆布赫夫妇宴请。”参见《清格尔泰文集》第九卷，内蒙古科学技术出版社，2010年，第742页。

87 据《清格尔泰经历年表》记载：“一九九九年八月三十一日，徐德江在全聚德请客。”“一九九九年九月一日，从北京飞抵日本东京的成田机场，中岛（幹起）来接。吉田等来接同机去日本的乔吉夫妇。”参见《清格尔泰文集》第九卷，内蒙古科学技术出版社，2010年，第742页。

（一）上次谈过，一九七七年第四期学报（契丹专号），您最好给我弄两本（至少一本），而且是不带写字的、画线的。

（二）这次的电脑处理，是否包括大字，我还不知。不管他们弄不弄，我想利用这次机会（因为这次没有其他杂事，可能有空闲时间），把大字的情况也摸一摸。在这方面，您的《契丹大字六十年之研究》是个很好的材料。您也给我寄来过《萧袍鲁墓志》拓本[88]的照片，我觉得照片太小，能否给我放大一下（两三倍）？或者底片借给我们，我们自己放大？另外还有其他材料的话，我也很需要。

（三）听说最近您去扎旗拓了那份石刻的拓片[89]，能否把它也拍个照，并放大一下。另外，还有没有其他材料？这些拍照、放大的费用，把票据寄给吴英喆即可，我托他处理。

我去日本后，您要在日本办的事，我当尽力效劳，请您想一想，并及时告给我。

夏安！并问全家好！

清格尔泰

一九九九年八月十二日

第二十七通

刘凤翥同志：

您好！

我到东京以来，转入了忙乱的环境。刚一走进住处，就是一个没有收拾好的房子，接着就办理一系列手续：有居住区的，有居住单位的，有医疗手续方面的，有邀请单位合同方面的。还遇到几次会议，都需要做些准备。接着给了我开讲座的任务。因为事先不了解他们的情况和要求，所以也很需要一些时间。怎样用日语表达，也是一个问题。我基本上按过去我们集体的文章做研究情况的介绍。

讲座过一段以后我想停下来，再作一番整理（《研究》发表以后的各家论文的整理）以后，看情况再讲。

---

88 据刘凤翥先生记述：一九七八年，“我曾拓制了汉字《萧袍鲁墓志》和志盖正面。当时我并不知道志盖背面有契丹大字墓志。后来我从阎万章先生的文章中得知此墓志盖背面有契丹大字墓志。一直设法拓制”。一九九四年八月二十八日，“当我赶到辽宁省博物馆时……姜念思馆长慷慨惠赠契丹大字《萧袍鲁墓志》拓片”。参见刘凤翥：《遍访契丹文字话拓碑》，华艺出版社，2005年，第151、152页。

89 据刘凤翥先生记述：一九九九年七月十三日至十六日，“我抱病去扎鲁特旗拓制契丹小字《耶律弘用墓志》和汉字《寂善大师墓志》”。参见刘凤翥：《遍访契丹文字话拓碑》，华艺出版社，2005年，第182～187页。

请我的人提出要求，最好把所讲的内容整理成一个集子[90]，再附上已发表的一些契丹文的资料。我正在考虑。

在听讲的一个留日学生中，有一个蒙古族，他知道敌烈墓志的原委。墓碑在扎鲁特旗发现，发现者开始要价很高（十万元？），以后推销不出去，降价卖给了北京的人（二千元？），并有几张照片和不太好的拓片（用软铅笔一行一行拓的），也写了一篇稿子，请我给看一看。我说，现在很忙，没有时间，过一段时间再说。并告诉他，北京刘先生有很好的拓片，不久可能发表。我建议您的文章快点发表。如果那样，她的文章是否值得发表，怎样发表，可进一步研究。如有其他消息，以后再互相通报。

问全家好！

清格尔泰

一九九九年十月二十日

第二十八通

尊敬的刘先生：

在我八十五周岁生日之际[91]，特来信表示祝贺，我表示衷心地感谢。我们有过终生难忘的愉快的合作历史。由于岁月的流逝和精力的渐衰，来往变得不多。但我们还是互相关心，心心相印，比较起来，您在学术领域里，活动空间还很大，作出新贡献的条件要好得多。很希望您再接再厉，继续攀登高峰！

问夫人好，全家好！

清格尔泰（印章）

二○○九年六月十三日

（李俊义　武忠俊　大连民族大学中华民族共同体历史研究所）

90 据《清格尔泰经历年表》记载：“二○○一年十二月十五日，给中岛（时任日本东京外国语大学亚非语言研究所所长中岛幹起——引者）写信，通报《契丹小字释读问题》已经完成，给清告知研究所新地址（过一个多月后寄走了书稿）。”参见《清格尔泰文集》第九卷，内蒙古科学技术出版社，2010年，第753页。书札中所提到的集子，即清格尔泰编著、吴英喆协助：《契丹小字释读问题》，日本东京外国语大学亚非语言研究所，2002年；该书修订本收入《清格尔泰文集》第五卷，内蒙古科学技术出版社，2010年，第371～621页。

91 据《清格尔泰经历年表》记载：“二○○九年六月十二日，清格尔泰一家，除个别人因公出差不在呼市外，在学府花园内的‘江南之家’饭店聚餐，在和睦、和谐的气氛中，庆祝了清的八十五周岁生日。”参见《清格尔泰文集》第九卷，内蒙古科学技术出版社，2010年，第765页。

《辽金历史与考古》征稿启事

2009年5月8日，经辽宁省辽金契丹女真史研究会常务理事会同意，本学会的学术刊物定名为《辽金历史与考古》，每年一辑，常年公开征集稿件。现将有关要求陈述如下：

一、征稿内容

1．辽金遗迹的田野考古调查及发掘报告、简报。

2．有关辽金文物的研究、科技保护及陈列展览等。

3．与契丹女真史研究、辽金文物考古相关的学术论文。

4．重点文物保护单位介绍、书评、简讯等。

二、征稿规范与要求

1．来稿在万字以内为宜，可以采用纸版、电子版等形式，电子文本使用word文档，图片jpg格式。

2．文章要有内容提要，200～300字，关键词4或5个。

3．注释采用页脚注，请注明著者、著作题名、期刊或出版社名称、出版年期、卷次、页码等详细信息。

示例：

向南：《辽代石刻文编》，河北教育出版社，1995年，第××页。

〔美〕弗朗西斯·福山著，黄胜强等译：《历史的终结及最后之人》，中国社会科学出版社，2003年，第7页。

刘民权等：《地区间发展不平衡与农村地区资金外流的关系分析》，《转轨中国：审视社会公正和平等》，中国人民大学出版社，2004年，第130～132页。

黄秀纯：《辽张俭墓地辩证》，《考古》1986年第10期。

（元）脱脱等：《辽史》卷74《韩知古传》，中华书局，1974年，第××页。

杨钟羲：《雪桥诗话续集》卷5，辽沈书社1991年影印本，上册，第461页下栏。

4．文章中凡引用他人资料和观点者请与原著认真核实，并注明出处。

5．翻译文章需提供原文作者的译文授权许可证和原文稿件。

三、来稿请提供作者基本信息，包括姓名、工作单位、通信地址和联系方式等。

四、请勿一稿多发，如果准备在本刊发表的文章改换他处发表，请及时通知本刊编辑。本刊拥有对稿件的使用、处置权。

五、稿件一经录用发表，即付稿酬。

联系人：张　力　么乃亮

电话：13998284166　13555883161

E-mail:qidan.2008@163.com